D0492023

Het begon toen ik veertien was

Elissa Wall
& Lisa Pulitzer

Het begon toen
ik veertien was

Mijn jeugd en gedwongen huwelijk in een sekte

Vertaald door Wim Holleman

ARENA

Dit is mijn verhaal. De beschreven gebeurtenissen zijn gebaseerd op mijn herinneringen en hebben werkelijk plaatsgevonden. Van enkele personen heb ik de naam veranderd om hun privacy te beschermen.

Eerste druk oktober 2008
Tweede druk december 2008

Oorspronkelijke titel: *Stolen Innocence*
© Oorspronkelijke uitgave: 2008 by Elissa Wall
Published by arrangement with HarperCollins Publishers
© Nederlandse uitgave: Arena Amsterdam, 2008
© Vertaling uit het Engels: Wim Holleman
Omslagontwerp: HildenDesign, München
Foto's: 1-14, 18, 20-34, 38-39 uit het archief van de auteur;
15-17 van Douglas Love; 19 van Sam Brower;
35 van AP Photo / Stuart Johnson, Pool;
36 van AP Photo / Jud Burkett, Pool;
37 van AP Photo / Douglas C. Pizac
Typografie en zetwerk: CeevanWee, Amsterdam
ISBN 978-90-8990-024-1
NUR 302

Voor Sherrie en Ally;
elke dag herinneren jullie me eraan waarvoor ik vecht.

En ter herinnering aan Daleen Bateman Barlow, mijn schoonmoeder,
die als een van de eersten de moed opbracht om voor zichzelf en
haar kinderen op te komen.

Inhoudsopgave

Voorwoord: Een tienerbruid 9

Deel 1
1 Een nieuwe moeder 15
2 Opgroeien en volgzaam zijn 30
3 Goede priesterschapskinderen 48
4 In Light and Truth 58
5 De opkomst van Warren 69
6 De toestand loopt uit de hand 83
7 Een nieuwe echtgenoot voor moeder 95
8 De voorbereiding op Zion 109
9 Een openbaring van de profeet 117
10 De hemelse wet 129
11 Het woord van de profeet 141
12 Man en vrouw 153
13 Moederziel alleen 167

Deel 2
14 Het overleven begint 187
15 De verdelging staat voor de deur 201
16 De dood komt naar Short Creek 214
17 Valse profeet 222
18 Een toevluchtsoord in Canada 232
19 Vluchten kan niet meer 246
20 Een stel koplampen 257
21 Beloof dat je niets zult zeggen 272
22 Een verhaal als het mijne 283
23 Eindelijk liefde 300
24 Mijn toekomst kiezen 311

Deel 3

25 Een nieuw begin 325
26 Opening van zaken 341
27 Opgepakt 352
28 De confrontatie met Warren 359
29 Het proces begint 374
30 Het eind is in zicht 391
31 Ik ben vrij 410

Nawoord 420
Bericht van de auteur 427
Dankwoord 428

Een tienerbruid

Terwijl ik me naar de badkamer haastte, pakte ik de prachtige zijden nachtjapon en de geborduurde peignoir van mijn bruidsuitzet. Hoewel die aan de slaapkamer grensde, was het voor mij een toevluchtsoord, de enige plek waar ik alleen kon zijn. Ik draaide de deur achter me op slot, liet me op mijn knieën zakken en leunde met mijn rug tegen de deur – even was ik veilig. De afgelopen dagen had ik zo veel gehuild dat ik geen tranen meer over had, en nu voelde ik me merkwaardig gevoelloos, niet opgewassen tegen datgene wat me overkwam.

Toen ik die ochtend wakker was geworden, was ik een veertienjarig meisje dat hoopte op het wonder van de goddelijke interventie; mijn gebeden waren echter niet verhoord. Omdat ik geen andere keus had, had ik me onderworpen aan de wens van onze profeet en was getrouwd met mijn negentienjarige volle neef. Als lid van de FLDS, de Fundamentalist Church of Jesus Christ of Latter Day Saints (de Fundamentalistische Kerk van Jezus Christus van de Heiligen der Laatste Dagen) was ik opgevoed in het geloof dat huwelijken tot stand werden gebracht door middel van een goddelijke openbaring, en dat deze openbaringen tot ons kwamen bij monde van onze profeet, die de spreekbuis van de Heer op aarde was. Als trouw volgelinge had ik dat principe omarmd en ik geloofde er oprecht in, waarbij ik me uiteraard nooit had voorgesteld dat er op mijn veertiende een openbaring over mij zou worden gedaan.

Sinds die openbaring had ik al mijn energie aangewend om de profeet en zijn raadslieden te smeken me meer tijd te geven of een andere echtgenoot voor me te kiezen. Niet alleen was mijn kersverse echtgenoot een volle neef van me, we hadden het nooit met elkaar kunnen vinden en het kostte me moeite om te geloven dat God zou willen dat ik in het huwelijk trad met iemand aan wie ik een hekel had. Maar mijn herhaalde smeekbeden en wanhopige pogingen om het huwelijk tegen te houden waren vergeefs geweest en die ochtend was ik per auto over de staatsgrens van Utah naar een motel in Nevada gebracht, waar ik in de echt verbonden werd tijdens een geheime huwelijksplechtigheid die voltrokken werd door de zoon van onze profeet, Warren Jeffs.

Nu, met de badkamerdeur op slot, voelde ik voor het eerst het volle gewicht van de dag. Terwijl ik languit op de koude vloertegels lag, wist ik niet of ik de moed zou kunnen opbrengen om me bij mijn kersverse echtgenoot in de slaapkamer te voegen. Ik liet mijn vingers over de kunstig genaaide nachtjapon en de roze satijnen peignoir glijden die mijn moeder me had gegeven ter gelegenheid van mijn huwelijk. Er zat ontzettend veel werk in de kunstzinnig geborduurde bloemen op de revers van de peignoir. Ik wist dat ik verondersteld werd me in de zevende hemel te voelen. Het huwelijk werd geacht de hoogste eer te zijn die een FLDS-meisje te beurt kon vallen, en ik vond het afschuwelijk tegenover mezelf te moeten erkennen dat ik dat helemaal niet zo voelde.

Ik stelde me mijn echtgenoot voor die op zijn bruid zat te wachten, en het vooruitzicht het bed met hem te moeten delen joeg me angst aan. Ik had geen idee wat er zich in bed tussen een man en zijn vrouw afspeelde, en dat wilde ik ook helemaal niet weten. Ik had nooit een jongen mogen aanraken, al was het maar om elkaars hand vast te houden. Meisjes van de FLDS werd geleerd jongens te beschouwen als giftige slangen, althans tot aan hun trouwdag. Op die dag werden meisjes geacht van het ene moment op het andere in vrouwen te veranderen en hun kersverse echtgenoten te gehoorzamen. Het maakte niet uit of je veertien was of tweeëntwintig.

Ik werd overspoeld door een golf van misselijkheid. Ik kwam overeind en greep de porseleinen rand van de wastafel stevig vast terwijl ik probeerde niet over te geven. Toen ik opkeek, zag ik mijn roodomrande ogen in de spiegel. Ik had geen idee hoe lang ik daar al binnen was, maar ik wist dat ik de veilige omgeving van de badkamer vroeg of laat zou moeten verlaten. Ik wist dat deze gestolen minuten achter de gesloten deur mijn laatste momenten alleen waren. Vanaf dat moment zou ik het eigendom van mijn echtgenoot zijn en hem onvoorwaardelijk moeten gehoorzamen. Het enige wat ik wilde, was naar moeders kamer naast de onze hollen en bij haar in bed kruipen, maar dat kon nu eenmaal niet. Ik zou altijd haar dochter zijn, maar ik was niet langer haar kleine meisje.

Dit is wat de priesterschap me heeft opgedragen. Ik heb geen keus.

Langzaam trok ik mijn jurk uit, waaronder ik nog steeds mijn kerke-lijke lange ondergoed droeg: onderbroek, panty, onderjurk en beha. Na even bij mezelf overlegd te hebben, besloot ik alles aan te houden on-der mijn nachtjapon. Toen ik de ceintuur van mijn peignoir over mijn vele kledinglagen strikte, gaf me dat een beschermd gevoel, alsof ik een wapenrusting droeg.

Met bezwaard gemoed stak ik mijn hand uit naar de deurknop en draaide die om. Ik hunkerde naar mijn moeder, maar ik wist dat ook al zou ze op dit moment hier naast me staan, haar omhelzing niet genoeg zou zijn om mijn zenuwen te kalmeren. Ik haalde diep adem en drong de tranen terug die achter mijn blauwe ogen prikten.

Dit is niet de tijd om te huilen; ik moet volgzaam zijn.

Deel 1

1

Een nieuwe moeder

Voor ons is het de priesterschap van God of niets.
— FLDS-gezegde

Nog steeds kan ik de braadschotel ruiken die we aten op de avond dat vader aankondigde dat we een nieuwe moeder kregen. Ook al waren er al twee moeders in ons huis, de komst van een derde was reden voor een feestmaal. Ik was negen en ik snapte het allemaal nog niet zo goed, maar ik was vooral opgewonden omdat alle anderen aan de eettafel zo blij waren voor onze vader.

Het leek helemaal niet ongebruikelijk dat we een derde moeder zouden krijgen – of dat ons gezin zou blijven groeien. Dat hoorde gewoon bij het enige leven dat ik ooit gekend had als lid van de FLDS, de Fundamentalist Church of Jesus Christ of Latter Day Saints, een groepering die zich had afgescheiden van de Church of Jesus Christ of Latter-day Saints – beter bekend als de mormonen – zodat ze polygamie konden blijven bedrijven. Zeker, ons huis telde al twee moeders en bijna een dozijn kinderen, maar veel van de kinderen die ik kende, kwamen uit veel grotere gezinnen. Het leek niet meer dan logisch dat we nog een moeder zouden krijgen. Zo ging dat in die dagen.

Indertijd wist ik nog niet zo veel van de FLDS, maar ik wist wel dat we anders waren dan de andere mensen in onze buitenwijk van Salt Lake City. Zo mochten we bijvoorbeeld niet spelen met de andere kinderen in de buurt, en meestal hielden we de gordijnen dicht ter bescherming van onze privacy en het geheime leven dat we leidden. Anders dan de meeste buurtkinderen gingen wij niet met de gele schoolbussen naar openbare scholen. In plaats daarvan bezochten we een speciaal instituut, de Alta Academy – een groot, tamelijk onopvallend wit bakstenen huis dat verbouwd was tot een school voor leden van de FLDS. We kleedden ons ook anders dan andere mensen, we droegen lang kerk-ondergoed dat ons hele lichaam bedekte, van de hals tot de enkels en polsen. Daaroverheen droegen de meisjes en vrouwen het hele jaar door lange strokenjurken in pioniersstijl, wat het lastig maakte om in de achtertuin te spelen en nog lastiger om het in de zomerse hitte een beetje draaglijk te houden. Terwijl de meeste kinderen naar buiten gin-gen in korte broek en T-shirt, bezaten wij geen van beide, en als we ze al hadden gehad, zouden we ze toch niet hebben mogen dragen.

Indertijd had ik geen flauw benul waarom alles zo anders moest zijn; het enige wat ik wist was dat ik 'volgzaam moest zijn' en niet mocht kla-gen. Wij waren Gods uitverkoren volk en als de dag des oordeels aan-brak, zouden wij de enigen zijn die tot de hemel werden toegelaten. De dag des oordeels was voor de FLDS-mensen de dag waarop de Heer de aarde zou teisteren met vuur, stormen en dood. De goddelozen zouden allen verdelgd worden en als het erop leek dat niemand het zou overle-ven, zou de Heer de waardigste mensen – ons – opheffen van de aarde terwijl onder ons de verdelging voortging. Daarna zouden we weer op aarde worden teruggezet en zouden we Zion bouwen, een oord zonder droefheid of pijn. Daar zouden we samen met God duizend jaar in vre-de leven.

Mijn vader, Douglas Wall, was ouderling van de FLDS. Voor hem, en voor ons hele gezin, was de komst van een derde vrouw een grote ze-gen en een belangrijke mijlpaal op de lange weg naar de eeuwige zalig-heid. Het hebben van meer dan één vrouw was een wezenlijk onder-deel geworden van het mormoonse geloof sinds de stichting ervan door Joseph Smith in 1830, maar in 1890 nam de mormoonse Kerk offi-cieel afstand van de praktijk van de polygamie, gedeeltelijk om te be-werkstelligen dat Utah, het territorium van de Kerk, als staat werd er-kend. Evengoed bleven enkele leden in het geheim de polygamie bedrijven, op gevaar af geëxcommuniceerd te worden. Rond 1935 vormden enkelen van de mannen die uit de mormoonse Kerk waren gezet hun eigen sekte, die aanvankelijk bekendstond als Het Werk en tientallen jaren later als de Fundamentalistische Kerk van Jezus Chris-tus van de Heiligen der Laatste Dagen. Zij beschouwden polygamie als een centraal leerstuk en de enige manier om de eeuwige zaligheid te be-reiken.

Leden van de FLDS geloven dat zij het ware mormoonse geloof be-lijden zoals dat oorspronkelijk door Joseph Smith gepredikt was. Een van de centrale leerstellingen is het concept van het hemelse huwelijk, wat inhoudt dat een man minimaal drie vrouwen moet hebben om toegang te verkrijgen tot het hoogste van de drie niveaus van de hemel. Dat vader een derde vrouw kreeg, betekende dat hij hard op weg was om een plaats in het koninkrijk der hemelen te verwerven voor zichzelf en zijn gezin.

Elf van vaders tweeëntwintig kinderen woonden nog in ons huis in Salt Lake City, Utah, toen hij ons die zaterdagavond in oktober 1995 het nieuws meedeelde. Veel van mijn oudere broers en zussen waren getrouwd en het huis uit gegaan om hun eigen leven te leiden. Ons gezin woonde in een rustige straat in een buitenwijk genaamd Sugar House, ongeveer dertig huizenblokken ten zuidoosten van Temple Square, het hoofdkwartier van de mormoonse Kerk, dat zich in het centrum van Salt Lake City bevond. Sugar House, gesticht in 1853, zes jaar nadat Brigham Young de mormoonse pioniers naar Salt Lake Valley had geleid, was genoemd naar de nooit afgebouwde suikerfabriek in de wijk. Niettemin was de naam bewaard gebleven.

Ons huis stond een meter of zes van de straat af en keek uit op de Wasatch Range in de verte. Hoge pijnbomen en heesters in de voortuin onttrokken het huis gedeeltelijk aan het zicht en deden het kleiner lijken dan het in werkelijkheid was, maar vader was altijd gek geweest op deze locatie vanwege de grote achtertuin waarin de kinderen konden spelen. En wat nog belangrijker was, huis en tuin boden een zekere mate van privacy, wat van cruciaal belang was omdat we niet wilden dat andere mensen al te veel over ons te weten kwamen. Aangezien polygamie in Utah verboden was, maakte ons gezin, net als alle gezinnen in de FLDS, zich zorgen over de aandacht die we zouden kunnen trekken als de buitenwereld wist wat er zich binnen de muren van ons huis afspeelde.

Wat gezinnen als het onze hielp om niet op te vallen in Salt Lake, was dat we met slechts weinigen waren en dat we verspreid over Salt Lake Valley woonden. Indertijd waren er ongeveer negentig FLDS-gezinnen in de regio, en als we allemaal bij elkaar in de buurt hadden gewoond, zou onze manier van leven mogelijk meer aandacht hebben getrokken en hebben geleid tot repercussies van de staatsoverheid.

Mijn vader straalde die zaterdagavond toen hij aan het hoofd van de eettafel zat. Aan weerszijden van hem zaten zijn twee vrouwen, de moeders van het gezin, die een plaats zouden moeten inruimen voor nóg een vrouw aan hun tafel. Sharon, mijn biologische moeder, was de tweede vrouw van mijn vader. Audrey, zijn eerste vrouw, werd door mij moeder Audrey genoemd. Er heerste een opgewonden stemming terwijl we elkaar aankeken in de verwachting van een goede toekomst. Mijn vader leek te zwellen van trots en we bespraken hoe we ons zouden voorbereiden op de plechtigheid en plaats zouden inruimen voor onze nieuwe moeder. Mijn oudere zus Rachel en enkele andere leden van ons gezin begonnen een lied in te studeren dat wij kinderen zouden zingen ter ere van de komst van onze nieuwe moeder.

Maar toen de feestelijke stemming de volgende ochtend plaatsmaakte voor de alledaagse werkelijkheid, werd de ongemakkelijkheid van de situatie voelbaar. De komst van nóg een moeder in het gezin werd geacht een vreugdevolle gebeurtenis te zijn; er was ons altijd voorgehouden dat dit een geschenk van God was dat gerespecteerd en gevierd moest worden. Maar onder onze uiterlijke vreugde ging een grotere, onheilspellende spanning schuil, aangezien niemand – mijn vader en moeder niet, noch moeder Audrey of mijn broers en zussen – wist welke uitwerking dit zou hebben op de toch al wisselvallige verhoudingen binnen ons gezin.

Al zolang ik me kon herinneren was er in ons gezin sprake geweest van een onderstroom van naijver en onrust. De verhouding tussen moeder Audrey en mijn moeder was complex en gaf aanleiding tot de nodige misverstanden, en hun begrijpelijke gevoelens van onzekerheid en jaloezie veroorzaakten problemen voor ons allemaal. Het samenleven in een eengezinswoning met een groot aantal kinderen en twee vrouwen die dezelfde man deelden, had al sinds de komst van mijn moeder, meer dan vijfentwintig jaar geleden, voor de nodige uitdagingen gezorgd.

Vader ontmoette Audrey toen hij vijftien was. Ze zaten op dezelfde middelbare school en gingen daar met dezelfde bus naartoe. Vader was klassenvertegenwoordiger en blonk uit in football in zijn derde jaar op Carbon High School toen een vriend hem voorstelde aan Audrey, een knappe en levenslustige vierdejaars. Audrey was intelligent, beschaafd en gezellig. Het klikte tussen hen, ze kregen verkering en trouwden in augustus 1954.

Aangezien ze geen van beiden opgegroeid waren binnen de FLDS, kwamen ze bij toeval tot het geloof. Toen vader en Audrey enkele jaren getrouwd waren, bekeerden Audreys ouders zich tot het fundamentalistische geloof. Omdat vader en Audrey hen graag weer wilden terugbrengen naar de reguliere mormoonse Kerk, begonnen ze het FLDS-geloof te bestuderen om er zo veel mogelijk over te weten te komen. Indertijd stond die kerk nog bekend als Het Werk, en het plan van vader en Audrey was om de leer van Het Werk aan een kritisch onderzoek te onderwerpen en er de zwakke plekken in te ontdekken, maar in plaats daarvan bekeerden ze zich ertoe.

Een paar jaar na zijn toetreding tot de FLDS ontmoette mijn vader mijn moeder, de vrouw die zijn tweede echtgenote zou worden, tijdens een reis naar het zuiden van Utah. Vaders opleiding tot geoloog maakte hem tot een waardevol lid binnen de FLDS-gemeenschap, en indertijd verrichtte hij veel werk voor de gemeenschap in de tweelinggemeente Hildale-Colorado City op de grens van Utah en Arizona, die hij hielp bij het vinden van drinkwaterbronnen.

Mijn moeder groeide op in een FLDS-gezin in het zuiden van Utah en was lid van het kerkkoor. Mijn vader zag haar voor het eerst tijdens een zondagsdienst die hij bijwoonde. Terwijl ze met het koor klaarzat om op te treden, boog ze zich voorover en fluisterde iets tegen haar vader, Newel Steed, de dirigent van het koor, en die kleine beweging trok mijn vaders aandacht.

Later vertelde vader me dat hij op dat moment een stem hoorde die tegen hem zei: 'Sharon Steed zal je volgende vrouw worden en jij zult de volgende spreker zijn.' Vader was stomverbaasd toen hij enkele minuten later op het podium werd geroepen om de mensen toe te spreken. Mannen van de FLDS wordt geleerd dat ze het vermogen bezitten rechtstreekse openbaringen van God te ontvangen en vader geloofde dat dit Gods boodschap aan hem was. Mijn vader keerde terug naar Salt Lake City en begon te bidden naar aanleiding van zijn openbaring. Tot zijn verbazing vertelde Audrey hem een paar maanden na zijn terugkeer over haar eigen openbaring. Ze had gedroomd dat een vrouw genaamd Sharon Steed deel uitmaakte van hun gezin, en ze vroeg vader of hij wist wie zij was. Tot op dat moment had mijn vader niemand over zijn openbaring verteld, dus hij kon zijn oren nauwelijks geloven toen Audrey hem dat vertelde. Diezelfde dag vertelde hij haar over Sharon en begonnen ze samen te bidden.

Er ging meer dan een jaar voorbij zonder dat er iets gebeurde. Op een gegeven moment hoorde vader dat Sharon bij een andere man zou worden geplaatst. Teleurgesteld en ongerust omdat hij de openbaring verkeerd had begrepen, nam hij Audreys broer in vertrouwen, die hem aanraadde te gaan praten met het toenmalige hoofd van de Kerk – de profeet Leroy S. Johnson, gewoonlijk aangeduid als oom Roy. (In de FLDS-religie wordt het begrip 'oom' gewoonlijk gebruikt om te verwijzen naar de hoogwaardigheidsbekleders binnen de kerk en drukt het liefde en respect uit.) Tijdens zijn gesprek met oom Roy kreeg vader te horen dat er voor Sharon geen huwelijk gepland was, en de profeet gaf hem opdracht om naar huis te gaan en te bidden zodat oom Roy 'het met de Heer kon opnemen'.

Op het gebied van huwelijken geldt de zogenaamde wet van de plaatsing, waarbij alle huwelijken bepaald worden door de profeet op grond van een openbaring die hij ontvangt van God. Alles wat de profeet verkondigt, wordt geacht het woord van God te zijn, dus als hij een verbintenis gelast, is dat hetzelfde als wanneer God opdracht geeft tot die verbintenis.

Enkele weken na zijn gesprek met oom Roy, tijdens een van de bezoeken van vader en Audrey aan het zuiden van Utah, kwam het verlossende woord van de profeet. Op aanwijzing van oom Roy reden vader en Audrey naar het huis waar mijn moeder woonde met haar familie, om kennis te maken. Moeder zat in de woonkamer toen ze arriveerden, en omdat ze niet wist wat er te gebeuren stond, kwam ze overeind om de kamer te verlaten. Op dat moment zei haar vader tegen haar dat ze moest blijven om haar toekomstige echtgenoot te ontmoeten. Mijn moeder had al gehoord dat de profeet haar had geplaatst, maar toen er op korte termijn niets gebeurde, begon ze zich zorgen te maken omdat huwelijken traditioneel binnen enkele dagen, en soms binnen enkele uren na een openbaring door de profeet worden 'bezegeld'.

Mijn ouders werden diezelfde dag nog in de echt verbonden. Moeder had geen tijd om een bruidsjurk te maken en moest zich voor de plechtigheid behelpen met haar favoriete lichtroze jurk. Diezelfde avond ging ze op weg naar Salt Lake City om een nieuw leven te beginnen met vader en moeder Audrey, in hun huis met zes slaapkamers aan de voet van de Wasatch Range.

Dit zou een van de eerste nachten zijn die mijn moeder ooit had doorgebracht buiten het grote gezin waar ze deel van uitmaakte. Hoewel het een ingrijpende en plotselinge verandering was, stelde haar standvastige geloof haar in staat die als positief te ervaren. De verbintenis betekende een belangrijke mijlpaal: de profeet had een plek gevonden waar ze een nieuw gezin kon gaan stichten. Moeder was bovenal dankbaar dat ze geplaatst was.

Mijn moeder werd meerderjarig in een periode dat de lokale autoriteiten in het zuiden van Utah en het noorden van Arizona zich ten doel hadden gesteld een eind te maken aan het verschijnsel polygamie. Een tijdlang was haar vader, mijn grootvader Newel, regelmatig het doelwit geweest van invallen, waarbij de politie onaangekondigd bij zijn boerderij verscheen in de hoop daar meerdere echtgenotes aan te treffen. Daardoor bestond een groot gedeelte van haar jeugd uit het voor de autoriteiten verborgen houden van de polygame levenswijze van het gezin en het heen en weer trekken tussen Utah en Arizona om betrapping en arrestatie te ontlopen. In een poging om arrestatie en mogelijk gevangenisstraf te vermijden was grootvader Newel begonnen de vrouwen en kinderen op verschillende locaties in de regio te verbergen. Mijn moeder werd ondergebracht in een huis in de buurt van de grens met Arizona, waar enkelen van haar broers en zussen naar school konden gaan. Maar op de een of andere manier kwamen de autoriteiten erachter waar ze zich bevonden, en mijn biologische grootmoeder, Alice, kreeg een anoniem telefoontje waarin ze daarvan op de hoogte werd gesteld en waarin de beller zijn vriendschap en een uitweg aanbood. Tot verbijstering van de autoriteiten was geen van de vrouwen van grootvader ongelukkig en had geen van hen behoefte aan hulp. In feite wilden alle vijf zijn vrouwen eigenlijk alleen maar met rust gelaten worden om hun leven te kunnen leiden in overeenstemming met hun religieuze opvattingen. Er werd dikwijls gezegd dat grootvader Newel en zijn gezin een voorbeeld voor allen waren.

Hoe traumatisch het rondtrekken om de autoriteiten te ontlopen ook mocht lijken, het maakte mijn moeder nog standvastiger in haar geloof. Ze geloofde oprecht in de traditie van polygamie en de leer van de kerk, en alle positieve ervaringen tijdens haar jeugd hadden haar levensopvatting gesterkt. Altijd als ze over haar jeugd sprak, klonk de genegenheid in haar stem door – zelfs als ze het over de vervolging van het gezin had. Nostalgische verhalen over het leven op haar vaders boerderij werden afgewisseld met dramatische scènes waarin ze beschreef hoe ze aan arrestatie wisten te ontkomen. Dergelijke scènes boezemden me angst in en hielden de duidelijke les in dat je vreemden

– en vooral de politie – nooit kon vertrouwen. Eén verhaal in het bijzonder joeg me steeds weer de stuipen op het lijf: over mijn moeder en haar broertjes en zusjes die door een gat kropen in de omheining in de achtertuin van hun 'onderduikadres' in de buurt van de grens met Arizona om aan de autoriteiten te ontkomen. Dan zat ik te luisteren en stelde me voor hoe doodsbang ze moest zijn geweest, een klein meisje dat zich in het holst van de nacht door een omheining wrong om te ontkomen aan de politiemensen die gekomen waren om het gezin op te pakken. Moeder gebruikte dit soort verhalen om het geloof van haar eigen kinderen te versterken en ons te helpen begrijpen waarom het zo belangrijk was om onze levenswijze verborgen te houden voor buitenstaanders – vooral als het vertegenwoordigers van de wet betrof die niet tot de FLDS behoorden.

Toen moeder trouwde, was ze pas achttien, terwijl Audrey al drieëndertig was. Ondanks het leeftijdsverschil keek Audrey verlangend uit naar de komst van een tweede vrouw in het gezin, vanuit de gedachte dat ze er een vertrouwelinge en vriendin bij zou krijgen. Maar het werd al spoedig duidelijk dat het verschil in de manier waarop beide vrouwen waren grootgebracht, het moeilijk maakte elkaar te begrijpen en te waarderen. Hoewel Audreys ouders zich bekeerd hadden tot het FLDS-geloof, was Audrey zelf opgegroeid in een monogaam gezin. Toen mijn moeder de tweede echtgenote werd, was dat voor het eerst dat Audrey in de praktijk werd geconfronteerd met het verschijnsel polygamie.

Het was begrijpelijk dat de komst van een veel jongere vrouw met wie ze de liefde van haar echtgenoot moest delen, bij Audrey sterke gevoelens van wrok en jaloezie teweegbracht. Zij was vaders eerste vrouw en zijn eerste liefde. Ze had met mijn vader een gezin gesticht en was al bijna vijftien jaar lang zijn levensgezellin op het moment dat mijn moeder ten tonele verscheen. Mijn moeder was begaafd en knap en had het voordeel van de jeugd. Ze kon koken en naaien en was heel kunstzinnig, met een talent voor schilderen dat ze van mijn grootmoeder had geërfd. Sharon beschikte over een prachtige zangstem en een levendige persoonlijkheid. Met haar zachte bruine ogen, die een weerspiegeling waren van haar vriendelijke karakter, leek ze mijn vader te betoveren. Dat mijn moeder het gezin binnen was gekomen via een goddelijke openbaring, leek haar verbintenis met vader voor Audrey nog betekenisvoller en bedreigender te maken.

Er waren ook praktische geschilpunten. Audrey had altijd een belangrijke rol gespeeld in de financiële planning van het gezin en had vastomlijnde ideeën over hoe geld besteed diende te worden. Audrey leek van mening te zijn dat moeder in dat opzicht nog een kind was dat geen enkele ervaring had met het budgetteren voor een gezin.

Op haar beurt voelde mijn moeder zich in bepaalde opzichten ook tekortgedaan. Audrey had een langdurige, sterke relatie met mijn vader; ze had zijn kinderen ter wereld gebracht en ze kende zijn behoeften en wensen. Audrey was vaders eerste vrouw was en dat gaf haar in zijn ogen een onaantastbare positie van autoriteit. Later realiseerde ik me dat mijn moeder Audreys bezorgdheid met betrekking tot het huishoudgeld als vernederend beschouwde en dat ze het gevoel had dat Audrey probeerde haar uitgaven te controleren. In het leven van moeder was geld nooit zo'n twistpunt geweest. Op de selfsupporting boerderij waar ze was opgegroeid, speelde geld niet zo'n belangrijke rol. Hun gezin had niet veel geld, maar door sober te leven konden ze het redden. Iedereen was tevreden en niemand kwam iets tekort. In Salt Lake verzorgde moeder een achtertuin die fruit en groenten voor het gezin opleverde. Ze was niet gewend verantwoording te moeten afleggen voor de aanschaf van zaken die ze nodig vond voor zichzelf en haar kinderen. Het was nog moeilijker als de vragen gesteld werden door een mede-echtgenote.

Met het verstrijken van de jaren namen deze problemen en onzekerheden toe. Zelfs nadat mijn moeder zelf kinderen begon te krijgen, hadden beide vrouwen vaak onenigheid over van alles en nog wat, van het opvoeden van de kinderen tot de genegenheid van hun echtgenoot. Allebei voelden ze zich onzeker over het huishouden terwijl ze probeerden hun individuele stijl van opvoeden toe te passen en een huis tjokvol kinderen te bestieren. Tot overmaat van ramp hadden beiden het idee dat de kinderen van de ander werden voorgetrokken. Dikwijls was de communicatie tussen moeder en moeder Audrey gespannen, waarbij mijn moeder het gedoe meestal maar over zich heen liet komen om verdere conflicten te voorkomen. Geen van beiden had de volledige zeggenschap over het huishouden, en allebei schenen ze zich op de een of andere manier beroofd te voelen van de kans hun eigen huishouden te bestieren.

Tijdens mijn jeugd kreeg ik altijd verschillende kanten van het verhaal te horen, en de schuld voor de problemen in het gezin werd altijd op een ander geschoven. Tegen de tijd dat ik geboren werd, waren mijn broers en zussen al wat ouder en was de dynamiek in het huishouden duidelijk veranderd. Voor mijn oudere broers en zussen varieerden de herinneringen, evenals hun oordeel over de oorzaak van de problemen, heel sterk, afhankelijk van hun leeftijd en hun betrokkenheid bij de tweedracht binnen het gezin. Vanuit mijn perspectief leken zich regelmatig ruzies af te spelen tussen verschillende leden van het gezin, die dikwijls uitliepen op stemverheffing en boze woorden. Beide moeders leken elkaar voortdurend op hun fouten te wijzen, waarbij de een de ander beschuldigde van een gebrek aan medewerking en een gebrek aan respect ten opzichte van de kinderen. Beiden klaagden erover dat ze overwerkt waren en beiden hadden het gevoel dat ze de zwaarste last droegen. Als Sharons dochter was ik uiteraard geneigd het voor mijn moeder op te nemen. Ik keek op naar mijn moeder en aanbad haar en ik deed mijn best om net als zij te zijn.

Moeder Audrey hield van een opgeruimd huis, en ze probeerde een georganiseerd systeem op te zetten waarbij alle gezinsleden hun eigen taak hadden. In theorie was het een goed idee, maar met zo veel mensen in huis viel het moeilijk te controleren of iedereen zich aan de gemaakte afspraken hield. En hoewel de karweitjes op de een of andere manier altijd wel gedaan werden, zorgden de gespannen verhoudingen binnen het gezin ervoor dat herhaalde pogingen om een werkbaar systeem in te voeren, schipbreuk leden. Desondanks waren er ook momenten waarop het gezin er genoegen in schepte samen te werken. We wisten allemaal dat hoe sneller we klaar waren, des te eerder we konden gaan spelen en zo de onvermijdelijke klachten dat we ons werk niet tot tevredenheid hadden gedaan, konden vermijden.

Al die spanning tussen de moeders sloeg dikwijls over op de kinderen, die eveneens gevoelens van wrok koesterden omdat ze het idee hadden dat de zoons en dochters van de andere moeder voorgetrokken werden. De regels van de Kerk verboden het ons openlijk blijk te geven van ongenoegen, dus de verbittering bleef verborgen onder de oppervlakte. We leerden ons altijd groot te houden, ook als alles tegenzat. We kregen te horen dat we 'volgzaam moesten zijn', een aansporing om inschikkelijk en vriendelijk te zijn ongeacht de omstandigheden. Aangezien we onze boze woorden en gevoelens niet konden uiten, kropten we ze op en dikwijls was er helemaal geen communicatie. Ondanks de leer van de Kerk kwamen onze ware gevoelens dikwijls bovendrijven, wat leidde tot ruzies waarbij de kinderen vanzelfsprekend partij kozen voor hun biologische moeder.

Het gekibbel tussen moeder Audrey en mijn moeder liet mijn vader op den duur niet onberoerd en bracht zijn positie binnen de Kerk in gevaar. Het was vaders rol als patriarch van het gezin om zijn vrouwen en kinderen onder controle te houden, overeenkomstig de leer van de kerk en de richtlijnen van de priesterschap. Het begrip 'priesterschap' in de FLDS is voor buitenstaanders moeilijk te begrijpen. Behoren tot de priesterschap wil zeggen dat men beschikt over de macht en het gezag van God, door Hem overgedragen aan de mens. Om tot de priesterschap te behoren, moet een man zijn waardigheid bewijzen door absolute toewijding aan het werk van God te tonen door strikte gehoorzaamheid aan de sleutelfiguur van de priesterschap, de profeet. De profeet is het hoofd van de priesterschap. In de FLDS gelooft men dat God via de profeet tot de ouderlingen van de Kerk spreekt.

De gezagsverhoudingen binnen de priesterschap zijn patriarchaal en worden strikt nageleefd. In dit systeem behoren alle vrouwen en kinderen in principe toe aan de priesterschap – niet alleen aan hun echtgenoot of vader. In werkelijkheid zijn ze het bezit van de priesterschap en de profeet, en goddelijke openbaringen bepalen hun uiteindelijke lot. Als de profeet besluit een vrouw toe te wijzen aan een lid van de priesterschap, wordt dat beschouwd als de overdracht van een bezitting aan de betreffende man. De profeet bepaalt wanneer twee mensen trouwen, wanneer gezinnen kunnen worden gesticht en wanneer gezinnen die niet functioneren, gereorganiseerd worden. Vanaf mijn vroegste jeugd was me voorgehouden dat ik nooit tegen de profeet en de priesterschap in mocht gaan. Dat zou in wezen hetzelfde zijn als tegen God zelf in gaan.

Het was gebruikelijk om mannen – en in uitzonderlijke gevallen vrouwen – die door de priesterschap als een bedreiging werden beschouwd en die het geloof van andere leden konden aantasten, uit de gemeenschap te verbannen. Er is geen religieuze verordening of excommunicatie nodig om een man het priesterschap te ontnemen. De profeet of iemand die namens hem spreekt, hoeft alleen maar te zeggen: je maakt niet langer deel uit van de priesterschap. De betekenis hiervan voor gelovigen is enorm, omdat het een cultuur van angst creëert. Een man die zijn priesterschap verliest, verliest ook letterlijk zijn gezin. Bovendien moet hij huis en haard verlaten omdat zijn huis eigendom is van de Kerk en beheerd wordt door de priesterschap. Gelovige vrouwen en kinderen zullen dergelijke beslissingen accepteren en wachten tot ze aan een andere man worden toegewezen. Ondertussen krijgt de vader te horen dat hij zijn gezin slechts terug kan krijgen als hij vertrekt en op afstand berouw toont.

Als mannen gelovige leden van de Kerk willen blijven en hun huis en gezin niet willen verliezen, moeten ze de regels en leerstellingen van de priesterschap gehoorzamen in alle aspecten van het leven. Een belangrijk onderdeel van deze verantwoordelijkheid is het runnen van een gelukkig en gehoorzaam huishouden. Vanwege de wrijving tussen moeder Audrey en mijn moeder was het niet zo vreemd dat mijn vader bang was dat de profeet zich zou gaan bemoeien met de huiselijke problemen binnen ons gezin. Er waren mannen verbannen wegens veel minder ernstige problemen en het leek slechts een kwestie van tijd voordat de moeilijkheden thuis de priesterschap ter ore zouden komen.

Maar zelfs dat risico weerhield mijn moeder er niet van de profeet in te lichten over onze problemen toen ze eenmaal haar grens had bereikt. Moeder was er al lang geleden achter gekomen dat pogingen om problemen zelf op te lossen op niets uitliepen en ze kon het niet langer verkroppen dat haar kinderen de schuld kregen van de huiselijke problemen. Niet lang voor de avond dat we te horen kregen dat mijn vader een derde vrouw zou krijgen, had mijn moeder contact opgenomen met de profeet om hem op de hoogte te brengen van de problemen binnen ons gezin. Deze gedurfde stap was voor een vrouw een grove inbreuk op de regels, aangezien het getuigde van een gebrek aan respect voor haar echtgenoot en in ging tegen de kerkelijke code voor vrouwelijk gedrag. Vrouwen worden niet verondersteld te klagen; ze leren en er wordt van hen verwacht dat ze gedwee hun echtgenoten gehoorzamen, die hun 'priesterschapsleiders' zijn.

De angst God te mishagen en tekort te schieten in religieuze verantwoordelijkheden is zo groot dat de meeste leden bereid zijn alles voor de priesterschap te doen. Voor veel vrouwen houdt dat in dat ze hun eigen verlangens, behoeften en gevoelens moeten opofferen om zich aan te passen aan die van hun echtgenoot en aan hun religieuze overtuigingen. De FLDS gelooft dat vrouwen niet op eigen gelegenheid toegang kunnen krijgen tot het hoogste van de drie hemelniveaus; ze moeten getrouwd zijn met een man die tot de priesterschap behoort en ten minste drie vrouwen heeft, anders gaan ze naar een lager hemelniveau of naar de hel.

Vanaf hun geboorte worden meisjes voorbereid op deze rol. Hun levenswijze wordt voor hen gekozen door de priesterschap. Er wordt hun gezegd met wie ze moeten trouwen, wat ze moeten geloven en hoe ze hun leven moeten leiden. Vrouwen wordt geleerd dat ze al vóór hun geboorte hun bestemming hebben gekozen en bereidwillig hun leven in handen van de profeet en de priesterschap hebben gelegd, die verder alles voor hen bepalen.

Dat mijn moeder zonder dat mijn vader het wist de profeet had ingelicht over de problemen binnen ons gezin, hield in dat we onze kans om als gezin samen naar de hemel te gaan op het spel zetten, maar de situatie bij ons thuis was zo beroerd geworden dat mijn moeder vond dat er nodig iets moest veranderen.

Toen mijn vader erachter kwam wat mijn moeder had gedaan, was hij bang dat hem nooit een derde vrouw zou worden toegewezen, waardoor het hoogste hemelniveau buiten zijn bereik zou blijven. Maar hij bleef erop vertrouwen dat de profeet zich zou realiseren dat hij een goed mens was. Hij was zich er heel goed van bewust dat mannen die niet in staat blijken hun vrouwen in het gareel te houden, beschouwd worden als zwakkelingen en dat hij het risico liep zijn vrouwen en kinderen kwijt te raken aan een andere man die door de profeet waardiger werd bevonden.

Daarom voelde vader zich enkele weken later bijzonder opgelucht toen hij een telefoontje kreeg van Rulon Jeffs, de toenmalige profeet. Het bleek dat oom Rulon 'nog een dame' voor mijn vader had, en dat mijn moeders bezorgdheid zijn positie in het geheel niet in gevaar had gebracht. Alle zorgen van mijn vader verdwenen als sneeuw voor de zon. Klaarblijkelijk had de profeet er vertrouwen in dat mijn vader de problemen in zijn gezin kon oplossen.

De klachten van mijn moeder mochten dan terzijde zijn geschoven, de mogelijkheid dat een derde moeder stabiliteit in ons gezin zou kunnen brengen, was reden voor optimisme. Alleen al bij het vooruitzicht leek het hele huis op te vrolijken, en de twee dagen die volgden op de aankondiging waren doortrokken van een koortsachtige activiteit. Alle kinderen beleefden veel plezier aan het instuderen van het lied waarmee onze nieuwe moeder verwelkomd zou worden. Zelfs mijn moeder en Audrey schenen hun geschillen opzij te zetten terwijl ze voorbereidingen voor het huwelijk begonnen te treffen.

Er was bepaald dat vader zou trouwen met de vierentwintigjarige nicht van moeder, Laura Jessop. Laura's vader was getrouwd met twee van mijn moeders zussen en een van hen was Laura's moeder. In de FLDS is het niet ongebruikelijk dat leden van dezelfde familie – zelfs zussen – een echtgenoot delen. Onze familie en de Jessops waren al vele jaren close met elkaar, maar desondanks was de keuze voor Laura een grote verrassing omdat we haar van zo nabij hadden zien opgroeien. Het zou enige aanpassing vergen om haar nu moeder te noemen in plaats van nicht.

Het huwelijk zou worden voltrokken in het huis van de profeet in Salt Lake. Laura en haar familie kwamen per auto uit Hildale, Utah, waar zich een uitsluitend uit FLDS-leden bestaande gemeenschap bevond. Al jarenlang werden Hildale en zijn tweelinggemeente, Colorado City, Short Creek genoemd, naar een stroompje dat uit de bergen kwam en in het zand verdween. Veel van de plaatselijke inwoners verwijzen naar de tweelinggemeente als de 'crik', en naar de bewoners als 'crikers'. Hoewel dat niet de correcte spelling is, hebben bewoners van Short Creek al lang geleden de ongebruikelijke uitspraak en spelling crik en criker overgenomen. Short Creek, aangevlijd tegen het ontzagwekkende rode rotsmassief El Capitan en omringd door honderden kilometers dor, ruig terrein, was een toevluchtsoord voor leden die hun geloof en de bijbehorende polygamie wilden praktiseren zonder het risico te lopen vervolgd te worden. Hoewel het gebied dor en woestijnachtig was, boden het ruige landschap en de uitgestrekte open vlakten het nodige natuurschoon en dienden als buffer tussen de FLDS-gemeenschap en de buitenwereld. De afgelegen locaties waren aantrekkelijk voor volgelingen omdat ze van jongs af aan geleerd had alle buitenstaanders te wantrouwen en hen als slecht te beschouwen.

Ons gezin logeerde altijd bij de Jessops aan de Utah-kant van Short Creek als we de lange rit naar het zuiden ondernamen voor kerkelijke bijeenkomsten en evenementen. En zo logeerden de Jessops ook bij ons in Salt Lake tijdens hun bezoeken aan de woongemeenschap van de profeet of als ze onderweg waren naar hun familie in de FLDS-gemeenschap van Bountiful, British Columbia, net over de grens met Canada. De ongeveer duizend leden van die gemeenschap leefden net zo geïsoleerd van de buitenwereld als de FLDS-mensen in Utah. De leden van alle drie de FLDS-gemeenschappen vielen onder hetzelfde overkoepelende priesterschapsgezag en kwamen enkele malen per jaar bijeen in Short Creek voor belangrijke religieuze gebeurtenissen en gemeenschapsactiviteiten.

Onze moeder, Laura Jessop, was veertien jaar ouder dan ik, en zij en ik hadden nauwelijks contact met elkaar gehad tijdens onze wederzijdse bezoeken. Ik kon het veel beter vinden met haar drie jongere zussen, die meer van mijn leeftijd waren. Evengoed deelde ik het optimisme van de anderen over Laura en ik hoopte dat haar komst een positief keerpunt voor ons gezin zou worden. Moeder hoopte in Laura een vriendin te vinden. Dat gold ook voor moeder Audrey. Ik wilde alleen maar dat er een einde kwam aan het geruzie bij ons thuis en dat we met zijn allen een gelukkig gezin zouden vormen.

Helaas zou de situatie alleen nog maar verslechteren.

2

Opgroeien en volgzaam zijn

We volgen de profeet.
- FLDS-gezegde

De situatie in ons gezin was niet altijd zo gespannen geweest. Ik kan me van vroeger heel wat leuke dingen herinneren. Er waren kampeertochten, picknicks in de bergen en talloze bezoeken aan FLDS-gemeenschappen in Canada en het zuiden van Utah voor festivals, vieringen en groepssamenkomsten. Er waren ook wel problemen, maar ik herinner me vooral de gelukkige tijden, en ook hoeveel ik van mijn vader hield.

Zestien van vaders kinderen woonden nog thuis toen ik op 7 juli 1986 geboren werd. Ik was de elfde van mijn moeders veertien kinderen, en nummer negentien van vaders uiteindelijke vierentwintig. Mijn vader bevond zich in de verloskamer toen ik geboren werd, en hij zei altijd dat ik met een glimlach ter wereld kwam en gedurende mijn hele jeugd bleef glimlachen. Hij gaf me de bijnaam Goudhaartje vanwege mijn lange, zijdezachte blonde haar en de manier waarop ik door het huis huppelde terwijl ik het sprookje van de gebroeders Grimm voordroeg en er stukjes uit speelde voor de rest van het gezin.

Ik was nog maar een paar maanden oud toen een dramatische brand het leven van ons gezin veranderde. Indertijd woonden we in ons nieuwe huis met negen slaapkamers aan Claybourne Avenue. Op een frisse ochtend in november was mijn moeder in de keuken het ontbijt aan het klaarmaken voor drie van haar zoontjes en de boel aan het opruimen nadat ze eerst elf kinderen de deur uit en op weg naar school had weten te werken. Nadat ze wat ruwe honing op het fornuis had gezet om te smelten, liep ze naar de kinderkamer om even naar mij te kijken. Ik was wakker geworden en had besloten dat ik honger had, dus mijn moeder trok liefdevol enkele minuten voor me uit om me te voeden. Op dat moment belde mijn oudere zus Rachel van de Alta Academy en mijn moeder praatte een tijdje met haar terwijl ze mij de borst gaf.

De brand begon terwijl ze weg was uit de keuken. De jongens zaten tevreden havermoutpap te eten toen een verwarmingselement van het oude fornuis explodeerde en de pan honing in een vuurbol veranderde. De vlammen sloegen snel over naar de keukenkastjes, die van uiterst brandbaar materiaal waren gemaakt. Toen mijn broer Jacob de vlammen zag, holde hij naar de kinderkamer om mijn moeder te waarschuwen. Mijn moeder had Rachel nog aan de telefoon en ze had even tijd nodig om Rachel te vragen haar terug te bellen en Jacob voldoende te kalmeren om te begrijpen wat hij zei. Met bonzend hart holde ze achter Jacob aan naar de keuken, waar ze geconfronteerd werd met het afschuwelijke beeld van vlammen die langs de wanden van de keuken lekten. Justin, Jacobs tweelingbroer, stond bij de gootsteen kopjes water op de vlammen te gooien in een poging ze te doven.

Op dat moment ging de telefoon. Moeder vloog naar het toestel en nam op in de hoop dat degene die belde hulp kon sturen. Het was Rachel die terugbelde, en moeder schreeuwde in de telefoon dat het huis in brand stond en dat ze mijn vader moest waarschuwen. Moeder bracht onmiddellijk de tweeling en mijn twee jaar oude broertje Brad in veiligheid, maar het vuur verspreidde zich snel. Ramen sprongen door de hitte toen ze het huis weer binnen ging om mij uit de kinderkamer te halen. Ik mankeerde niets, maar mijn moeder moest behandeld worden voor brandwonden die ze tijdens haar reddingsoperatie had opgelopen.

Na een wanhopige zoektocht naar mijn vader, die als vrijwilliger lesgaf aan de Alta Academy, vond Rachel hem eindelijk en vertelde hem het catastrofale nieuws. Toen vader zich naar huis spoedde, kon hij al van verre de dikke, zwarte rook zien opstijgen. Het hart zonk hem in de schoenen en hij voelde zich misselijk van angst toen hij zich de ernst van de situatie realiseerde en het gevaar waarin wij verkeerden. Toen hij bij het huis arriveerde, stond de straat vol brandweerwagens, maar tot zijn opluchting bevonden wij ons allemaal veilig buiten.

Nadat de brand was geblust en de brandweerwagens waren vertrokken, werd de schade opgenomen. Die was enorm: de bovenverdieping van ons huis was volledig verwoest en het souterrain had eveneens schade opgelopen. De buurtbewoners schoten ons onmiddellijk te hulp. Zelfs de plaatselijke mormoonse bisschop kwam langs met gratis ter beschikking gestelde kleding en bood ons tijdelijke huisvesting aan. Ons gezin was diep onder de indruk van deze demonstratie van mededogen van mensen die niet tot onze kerk behoorden. Hun reacties waren in tegenspraak met wat ons altijd was voorgehouden met betrekking tot het 'slechte' karakter van buitenstaanders. Zo veel mensen die niet tot de FLDS behoorden, boden hulp toen we die nodig hadden, terwijl ze toch op de hoogte waren van het geheime en onbegrepen leven dat ons gezin leidde.

Hoewel het verlies van ons huis een traumatische ervaring was, was het niets vergeleken met het verlies dat we later die dag te verwerken kregen. Diezelfde avond, 25 november 1986, terwijl we weer een beetje op verhaal begonnen te komen nadat we ons huis en onze bezittingen in vlammen hadden zien opgaan, bereikte ons het bericht dat onze profeet, Leroy S. Johnson, op achtennegentigjarige leeftijd was overleden. De hele FLDS-gemeenschap was diep geschokt en meteen werd de brand in ons huis naar de achtergrond verdrongen.

Om te zeggen dat de profeet de belangrijkste figuur binnen de FLDS is, is een understatement. Hij wordt beschouwd als een verlengstuk van God. Zijn woorden en uitspraken gelden als het woord van God op aarde. De dood van een profeet was een diep tragische gebeurtenis, die ons dwong onze eigen situatie van ons af te zetten en ons te concentreren op de kerk.

De dood van oom Roy was een zware klap voor de FLDS-gemeenschap. Een van de redenen waarom hij zo geliefd bij ons was, was de belangrijke rol die hij speelde bij de hereniging van de volgelingen na de beruchte actie van 1953, toen de politie van Arizona Short Creek binnenviel, 36 mannen arresteerde en 86 vrouwen en 236 kinderen in bussen afvoerde naar Phoenix in een poging een eind te maken aan hun polygame levenswijze. De toenmalige gouverneur van Arizona, J. Howard Pyle, zei dat de inval een reactie was op meldingen van kindermisbruik en van mannen die jonge meisjes als bruid namen, maar de opzet van de gouverneur, het uitbannen van polygamie, mislukte nadat er in de media dramatische foto's verschenen van kinderen die uit de armen van hun moeders werden gerukt. In de dagen na de inval deed oom Roy de plechtige belofte elk gezin in de gemeenschap te zullen herenigen, en gedurende de daaropvolgende jaren deed hij die belofte gestand, daarmee zijn liefde voor en loyaliteit ten opzichte van zijn volgelingen tonend.

Enkele jaren voor zijn dood hadden we te horen gekregen dat oom Roy leed aan gordelroos en dat zijn gezondheid te wensen overliet. Er werd gezegd dat Rulon Jeffs en verscheidene andere ouderlingen toezicht hadden gehouden op de bijeenkomsten en zich met de dagelijkse leiding van de kerk hadden beziggehouden. Rulon Jeffs moest qua anciënniteit een aantal ouderlingen vóór laten gaan, maar een meningsverschil tussen leden van de priesterschapsraad met betrekking tot de interpretatie van essentiële kerkelijke verordeningen leidde ertoe dat Rulon, de oudste nog levende apostel van het geloof, de waarschijnlijke opvolger van onze profeet werd.

Nu we geen dak meer boven ons hoofd hadden, trokken we in bij een ander lid van de Kerk, Woodruff Steed, en zijn gezin. Woodruff bezat een enorm huis in Draper, aan de zuidkant van Salt Lake Valley. In zijn huis woonden nu niet alleen zijn zeven vrouwen en tientallen kinderen, maar ook ons grote gezin. Zijn stuk land van vier hectare was groot genoeg om plaats te bieden aan zowel een klein zuivelbedrijf als de huizen van verscheidenen van zijn zoons.

Woodruff was de oom van mijn moeder, maar dat was niet de reden waarom hij ons aanbood bij hem in te trekken. Mijn vader had Woodruffs huis helpen ontwerpen en tussen beide mannen was een blijvende vriendschap ontstaan. In ruil voor de huisvesting van ons gezin ging vader ermee akkoord aan Woodruff de helft af te dragen van de tweeduizend dollar die hij maandelijks van de verzekeringsmaatschappij ontving om in ons levensonderhoud te voorzien terwijl ons huis werd herbouwd. Naast het zuivelbedrijf bezat Woodruff ook nog een graafbedrijf, dat de laatste tijd niet zo goed liep. Het geld van de verzekering zou goed van pas komen om zijn grote gezin te onderhouden.

Woodruff was niet de enige die indertijd financiële problemen had. Al bijna een jaar lang was mijn vader bezig het bedrijf te verkopen dat hij eind jaren zeventig samen met een compagnon had opgericht. Het bedrijf, Hydropac, verkocht onderdelen en afdichtingen die gebruikt werden in hydraulische en pneumatische apparatuur en pompen. In de bloeiperiode had het bedrijf ongeveer twintig werknemers in dienst en contracten met talrijke onderdelen van de Amerikaanse strijdkrachten en de NASA.

De verkoop van het bedrijf vond plaats in opdracht van oom Roy, die wilde dat mijn vader minder op zakenreis ging en meer tijd bij zijn gezin doorbracht. Dit was niet de eerste keer dat mijn vader een goedbetaalde functie had opgegeven in opdracht van de profeet. In het voorjaar van 1967 had oom Roy vader gelast zijn baan bij de Thiokol Corporation, waar hij aan geheime, hightech raketontwikkelingsprogramma's werkte, op te geven. De profeet vertelde vader dat zijn zakenreizen ten koste gingen van de tijd die hij aan zijn gezin kon besteden en hem blootstelden aan invloeden van buitenaf die hij werelds achtte. Oom Roy wilde zijn volgelingen dicht bij zich in de buurt hebben en zonder veel verdere uitleg gaf hij mijn vader opdracht ontslag te nemen en met zijn gezin te verhuizen van Brigham City naar Salt Lake Valley. Vader, een overtuigd aanhanger van de leer van de FLDS, vertrouwde op de profeet en deed zonder discussie wat hem werd opgedragen; hij nam ontslag bij Thiokol en verhuisde met zijn gezin naar Salt Lake. Dat betekende een zware financiële aderlating en het zou jaren duren voor ze die weer te boven waren.

Een soortgelijk scenario speelde zich af toen mijn vader later ging werken bij Kenway Engineering, waar hij een goedbetaalde functie als projectmanager had gekregen. Hij hield daar toezicht op projecten ter waarde van veertig tot zestig miljoen dollar en had veel personeel onder zich, maar na een tijdje gelastte oom Roy hem ook die baan op te geven ter wille van zijn gezin.

Vanwege die twee voorvallen en het gevoelige financiële verlies dat daarmee gepaard ging, was het begrijpelijk dat mijn vader er weinig voor voelde om Hydropac te verkopen, bang als hij was dat hij daarbij een klein fortuin zou mislopen. Met twee vrouwen en negentien kinderen, van wie er veel nog thuis woonden, moest hij voorzichtig omspringen met zijn financiën. Hij wist de verkoop van het bedrijf ongeveer een jaar uit te stellen, in de hoop dat oom Roy met de hand over zijn hart zou strijken en hem zou toestaan het bedrijf te houden.

Die hoop vervloog met het overlijden van Leroy Johnson. De nieuwe profeet, Rulon Jeffs, oefende opnieuw zware druk op mijn vader uit om het bedrijf te verkopen. Hydropac zou voor een fractie van de werkelijke waarde verkocht worden aan drie FLDS-leden, onder wie Brian en Wallace Jeffs, Rulons zoons, die ongeveer twee jaar bij het bedrijf werkten. Het deed er niet toe dat geen van de kopers van Hydropac ervaring had met het leiden van een hightechbedrijf, het was wat de profeet wilde en dus moest het gebeuren. Uiteindelijk bleek mijn vader niet opgewassen tegen de recent verworven machtspositie van Jeffs en hij legde zich neer bij de eisen van de priesterschap, waardoor zijn gezin opnieuw in financiële problemen raakte.

Nadat de verkoop afgerond was, had vader meer vrije tijd die hij met ons kon doorbrengen in het huis van de Woodruffs, en gedurende die periode raakte ons gezin nog verder verstrikt in de FLDS-gemeenschap van Salt Lake Valley. Woodruff was een invloedrijke persoon binnen de kerk en had sterke banden met de aanhang. Aangezien mijn vader een bekeerling was en geen echte familieband met het geloof had, hadden we binnen de kerk altijd enigszins een uitzonderingspositie ingenomen. De tijd die we bij de Steeds doorbrachten, bracht ons niet alleen dichter bij hun gezin maar ook bij de FLDS-levensstijl.

Ons verblijf van acht maanden bij de Steeds betekende voor vader, moeder en moeder Audrey een onderbreking van hun gebruikelijke routine en zorgde ervoor dat ze beter met elkaar leerden op te schieten. Het waren gelukkige maanden en in de jaren die volgden, spraken mijn oudere broers en zussen dikwijls met mij over hun dierbare herinneringen aan die tijd. Het gaf de kinderen in ons gezin een kans om met de andere kinderen te spelen, over het uitgestrekte grondgebied van de Steeds te zwerven en nauwe banden met het gezin Steed aan te knopen.

We keerden op tijd terug naar het huis aan Claybourne Avenue om mijn eerste verjaardag te vieren op 7 juli 1987. Hoewel het grootste deel van het geld van de verkoop van Hydropac naar de kerk was gegaan, had mijn vader een gedeelte achtergehouden om het huis, dat gebouwd was met een veel kleiner gezin in gedachten, aan te passen en uit te breiden. Iedereen was opgetogen over het resultaat. We hoopten allemaal dat het nieuwe huis ons een nieuwe start zou bieden. Na acht maanden lang in vier slaapkamers bij de Steeds te hebben gebivakkeerd, hadden we eindelijk weer de ruimte en konden we volop van onze nieuwe omgeving genieten.

Ik deelde de kinderkamer op de begane grond met mijn tweelingbroertjes en Brad. Onze kamer bevond zich tegenover die van mijn moeder, die weer schuin tegenover vaders suite lag. De kamer van moeder Audrey bevond zich aan het eind van dezelfde gang. Alle drie de kamers van de volwassenen hadden tweepersoonsbedden. De woonkamer was inmiddels voorzien van speciaal vervaardigde ramen die van de vloer tot aan het plafond reikten en 's ochtends baadde de hele benedenverdieping, die door vader in een prachtige lichte houtsoort was afgewerkt, in het zonlicht. De meeste slaapkamers voor de oudere kinderen bevonden zich in het souterrain, en in tegenstelling tot de rest van het huis maakten die kamers altijd een donkere en sombere indruk op me, ook al zaten er op straatniveau enkele ramen in. Het souterrain was ook de plek waar vader zijn jachtgeweren en bogen veilig bewaarde achter een houten schot in een enorme inloopkast. Deze kast was vanaf de vloer tot aan het plafond voorzien van planken, die volgestouwd waren met genoeg zelf ingemaakt voedsel om ons een halfjaar in leven te kunnen houden. Veel leden van de FLDS beschikten over soortgelijke voorraadruimten, aangezien ons voorgehouden werd dat het einde van de wereld nabij was en het opslaan van voedsel een van de manieren was om ons daarop voor te bereiden. Als we na de verdelging weer terug op aarde kwamen, zou het maanden kunnen duren voordat we weer konden beginnen onze eigen gewassen te planten en te oogsten.

Aanvankelijk was het leven in de kinderkamer samen met mijn broertjes heel leuk en ik speelde veel met ze. Er stonden twee stapelbedden en we vonden het leuk om heen en weer te springen van het ene bed naar het andere. Dat hielden we uren vol, en ook bonden we lakens tussen de twee bedden om zo een hangmat te maken. Terwijl mijn broertjes en ik in de kamer aan het ravotten waren, bleef ik met mijn voeten soms haken in de zoom van mijn lange jurk. Net als ik kenden de jongens beperkingen op kledinggebied. Om hun lange ondergoed aan het oog te onttrekken droegen ze hemden met lange mouwen en lange broeken, zelfs in de zomer. Van onze wilde spelletjes kregen de jongens het warm en raakten ze bezweet; daardoor voelden ze zich onbehaaglijk en plukten voortdurend aan hun kraag.

We waren uitgesproken drukke kinderen met een heleboel energie en thuis was er de hele dag niet veel te doen. Moeder liet me af en toe de poppencatalogus van American Girl lezen, en ik droomde van de dag dat ik zelf een Molly-pop zou hebben. Vader gaf ons speelgoed voor zover zijn budget dat toeliet, maar met zo veel verjaardagen in het jaar kon hij zich zo'n dure pop niet permitteren. Toch werd er in ons gezin veel werk gemaakt van verjaardagen. Dan nam vader ons mee uit eten of hij gaf de jarige een cadeautje dat hij zorgvuldig had uitgezocht, en moeder bakte prachtige met de hand versierde taarten. In de maanden waarin meerdere verjaardagen vielen, hadden we één groot feest met een taart en cadeautjes voor iedere jarige.

Vader vond het niet goed dat we zonder begeleiding van een volwassene het terrein verlieten, en onze schoolkameraadjes woonden te ver weg om regelmatig bij ze op bezoek te gaan. Omdat we nergens heen konden en niet veel speelgoed hadden, namen we onze toevlucht tot het achtererf. Mijn broertjes en ik waren daar altijd te vinden; we bedachten spelletjes en kibbelden met elkaar. De beperkingen dwongen ons om creatief te zijn. We speelden urenlang cowboys-en-indiaantjes of verstoppertje. Op zonnige zomerdagen klommen we hoog in de takken van de bomen rond ons huis en we sprongen dan naar beneden met beddenlakens aan onze polsen en enkels gebonden, waarbij we probeerden op de grote trampoline terecht te komen, die we zodanig hadden opgesteld dat hij hopelijk onze val zou breken. Door de gevaarlijke aard van onze spelletjes gebeurden er af en toe ongelukjes waarvan moeder in paniek raakte, maar gelukkig voor ons bleef het bij een paar gebroken botten en wat schrammen en blauwe plekken.

Mijn zussen waren veel ouder dan ik, en ze betrokken mij maar zelden bij hun activiteiten. Teressa, die qua leeftijd het dichtst bij me stond, was nog altijd zeven jaar ouder dan ik. Ik was dol op haar en op al mijn andere zussen en ik kon nauwelijks wachten tot ik oud genoeg was om naar beneden, naar de grote kinderen, te verhuizen. Soms sloop ik naar de kamer van mijn zus Michelle en kroop naast haar in bed nadat iedereen was gaan slapen.

Als ik ziek werd, was Michelle er altijd om voor me te zorgen. Dan klom ik in haar bed, omdat moeders bed dikwijls vol lag met een paar van haar andere kinderen. Net als een heleboel FLDS-gezinnen hadden we geen particuliere ziektekostenverzekering. Mijn vader wilde zijn hand niet ophouden bij de overheid, dus in plaats van gebruik te maken van Medicaid of voedselbonnen, zoals veel leden deden, gingen we onverzekerd door het leven. Mijn moeder wist heel veel van kruiden en geloofde dat je Gods natuurlijke geneesmiddelen moest gebruiken alvorens een beroep te doen op de medische stand. Haar sceptische kijk op de conventionele geneeskunde werd gedeeld door de meeste FLDS-leden, die nogal wantrouwig stonden tegenover de medische stand omdat ze bang waren dat de overheid de geneeskunde gebruikte om mensen te bespioneren. Om die reden waren we ook niet volledig ingeënt, want in de gemeenschap bestond het vermoeden dat de overheid de vaccins voorzag van volgsystemen of ermee knoeide om de mensen kwaad te berokkenen. Als kind ging ik slechts zelden naar een dokter of naar de eerstehulp, en als ik oorontsteking had, kreeg ik meestal geen antibiotica of andere farmaceutische producten. Ik herinner me avonden waarop ik mezelf in slaap huilde omdat ik zo'n oorpijn had.

Tegen de tijd dat ik vijf werd, begon de kritieke financiële situatie die het gevolg was van de verkoop van Hydropac, langzamerhand wat rooskleuriger te worden. Vader had een goede baan als mijnbouwadviseur gevonden, maar helaas moest hij daarvoor veel op reis naar afgelegen mijnbouwlocaties overal in het westen.

Mijn vader was nogal streng en had hoge verwachtingen van ons, maar hij hield van ons en dat wisten we. Hij hield ons voor dat we met hard werken alles konden bereiken. Als hij 's avonds thuiskwam, was dat het hoogtepunt van onze dag. We kwamen niet veel buitenshuis, behalve om op zondag naar de kerk te gaan, dus als we vaders auto de oprit op hoorden komen, holden we allemaal naar buiten om hem onder de carport te begroeten, in de hoop dat hij een reepje kauwgum voor ons had. Vader bewaarde zijn voorraadje Big Red-kaneelkauwgum in zijn Buick Le Sabre en we waren gek op die kauwgum. Soms, als we boften, nam hij ons mee naar de supermarkt, waar hij alle boodschappen deed aan de hand van een lijst die zijn vrouwen samenstelden.

Omdat vader doordeweeks dikwijls weg was voor zijn werk, vond hij het belangrijk de weekenden samen met zijn gezin door te brengen. Soms zaten we 's avonds rustig met zijn allen voor de tv en keken naar *Little House on the Prairie* of naar een speciale uitzending van National Geographic die vader geschikt voor ons achtte. Op zaterdagochtend verzamelden alle kinderen zich in de woonkamer om naar de tekenfilms op tv te kijken. Tijdens zijn studie had vader football gespeeld en hij bracht zijn liefde voor die sport op ons over. Op sommige zaterdagochtenden nam hij de oudere kinderen mee naar een wedstrijd van zijn alma mater, de Brigham Young University, en als ze weer thuiskwamen, vertelde hij me over de mooiste acties van de wedstrijd. Ik kon haast niet wachten tot ik oud genoeg was om met hen mee te gaan. Helaas werden er door de priesterschap nieuwe richtlijnen uitgevaardigd waardoor dergelijke uitstapjes naar sportevenementen in de buitenwereld, die als werelds vermaak werden bestempeld, aan banden werden gelegd. Tegen de tijd dat ik oud genoeg was om mee te gaan, gingen we helemaal niet meer. De priesterschap verwachtte van de leden dat ze 's zaterdags vrijwilligerswerk deden voor de projecten van de kerk in plaats van plezier te hebben met het gezin. Het is me nooit vergund geweest samen met mijn vader zijn favoriete team te zien spelen.

Elke zomer hielden we een week vakantie in de Uinta Mountains. De eindeloze uitgestrektheid en de rust en stilte waren een verademing na ons drukke en dikwijls chaotische bestaan. Als we in de bergen waren, leken onze problemen op de een of andere manier als sneeuw voor de zon te verdwijnen. Hier, in de vrije natuur, zetten we al onze grieven opzij en vormden we weer een echt gezin. We hadden daar een speciale kampeerplek, een grote weide met veel privacy. Het leven in de wildernis was het fijnste van onze zomers. Aangezien vader geoloog was, vertelde hij ons over gesteenten, fossielen, planten en hoe je in de wildernis kon overleven.

Vader kon fantastisch overweg met de oven en hij vond het leuk om een uitgebreid ontbijt klaar te maken met pannenkoekjes, eieren met spek en warme chocolademelk met minimarshmallows. Na een dag in de vrije natuur te hebben doorgebracht, wachtte ons de traktatie van vaders speciale braadstuk met aardappelen voor het avondeten. 's Avonds stookten we een groot kampvuur onder de sterrenhemel en zongen we psalmen of familieliederen. Mijn moeder had een prachtige stem en mijn zussen speelden allemaal viool. Samen eindigden ze de dag met de samenzang van 'Danny Boy', de favoriete song van mijn vader. Dikwijls gingen mijn vaders vader en stiefmoeder, die geen lid waren van de FLDS, ook mee op onze kampeertochten. Ook al deelden ze onze levenswijze niet, opa en oma Wall hielden evengoed van ons. Moeder sliep met ons in een kleine vouwwagen en vader deelde een tent met moeder Audrey. Het kwam nooit bij me op om te vragen waarom vader twee vrouwen had en opa Wall niet. Ik wist niet beter. Moeder Audrey was de 'andere' moeder en dat was dat. Het werd nooit uitgelegd. Zo was het nu eenmaal.

Nadat ik zes was geworden, begon ik in het najaar van 1992 in de eerste klas van de Alta Academy. Eindelijk was het mijn beurt om het huis enkele uren per dag te verlaten, en ik keek uit naar het gezelschap van mijn oudere broers en zussen.

39

De Alta Academy was een combinatie van school, bedehuis en kraamcentrum voor de FLDS-mensen die in Salt Lake Valley woonden. In 1972, toen veel van zijn kinderen al volwassen waren en niet meer thuis woonden, had Rulon Jeffs zijn uit witte baksteen opgetrokken woning met meer dan twintig slaapkamers verbouwd tot een school voor FLDS-kinderen, terwijl hij en zijn vrouwen hun intrek namen in een kleiner, eleganter huis in rustieke stijl dat de mensen voor hem bouwden naast zijn vorige woning. De school zou de naam Alta Academy krijgen en werd het centrum van het kerkelijke leven in Salt Lake Valley. Rulons zoon Warren was kort daarvoor cum laude geslaagd voor zijn eindexamen aan de plaatselijke openbare middelbare school en oom Rulon benoemde hem tot eerste directeur van de Alta Academy. Veel kerkleden hadden de indruk dat Warren intelligent was en goed op de hoogte van de leer van de Kerk – de ideale kandidaat om de jonge geesten van de FLDS-gemeenschap van Salt Lake te helpen kneden.

Oom Rulon gebruikte giften aan de kerk om de verbouwing van het tochtige oude huis tot school te financieren, maar een groot deel van het gebouw bleef zoals het was toen hij er nog woonde. Overal bevonden zich in de muren ingebouwde geheime kamertjes en deurtjes die voor het blote oog onzichtbaar waren – schuilplaatsen die mogelijk gebruikt waren voor het verbergen van diverse boventallige echtgenotes en kinderen in het geval van een onverwachte inval door de politie of andere autoriteiten. Ze konden vanbinnen worden afgesloten om te voorkomen dat degenen die zich daar schuilhielden, ontdekt zouden worden. Ze konden ook aan de buitenkant worden afgesloten, en er deden nooit bevestigde geruchten de ronde dat die verborgen ruimten werden gebruikt om ongehoorzame kinderen of echtgenotes te straffen.

In twee van de verbouwde slaapkamers op de eerste verdieping opende oom Rulon een kraamcentrum, dat gerund werd door zijn vrouw Sharon, die vroedvrouw werd voor de FLDS-gemeenschap van Salt Lake Valley. Er was een geïmproviseerde kraamkamer, die nauwelijks was aangepast sinds het vertrek als slaapkamer had gediend in het oorspronkelijke huis. Met blauw hoogpolig tapijt op de vloer en tegen de onderkant van de wanden leek het totaal niet op iets wat je in een normaal ziekenhuis zou verwachten. Er was geen stromend water in het vertrek en de vroedvrouw moest gebruikmaken van een langwerpige wastafel in een nabijgelegen badkamer om de pasgeborenen te wassen. Een aangrenzende slaapkamer werd gebruikt als verkoeverkamer voor de moeders en hun baby's.

Hoewel het kraamcentrum slechts over basisvoorzieningen beschikte, bood het de leden één uitgesproken voordeel boven ziekenhuizen: echtgenoten konden aanwezig zijn bij de bevallingen van hun diverse echtgenotes. Vóór de komst van het kraamcentrum durfden mannen dat niet aan omdat ze dan het risico liepen de aandacht van buitenstaanders te trekken. Dat was het geval toen mijn moeder haar eerste dochter, Rachel, ter wereld bracht. Moeder Audrey had moeder terzijde gestaan in het ziekenhuis, terwijl vader werd verbannen naar de wachtkamer.

Voordat de Alta Academy haar deuren opende, hadden de kinderen in de regio Salt Lake de openbare scholen bezocht. Mijn oudere broers en zussen die toen opgroeiden, hadden op de lagere school verderop in de straat gezeten. Moeders schreven hun kinderen in onder een valse naam om te verbergen dat ze deel uitmaakten van een polygaam gezin.

Op die eerste schooldag was ik vreselijk opgewonden, maar ik kwam er algauw achter dat de rit naar school gepaard ging met dezelfde spanningen die het leven thuis beheersten. Aangezien moeder Audrey lesgaf op de Alta Academy, was het haar verantwoordelijkheid om ons in vaders grote blauwe Chevy Suburban, die we Big Blue noemden, te laden en ons op tijd op school af te leveren. Natuurlijk was het verzamelen van bijna een dozijn kinderen geen sinecure. Mijn zus Teressa was altijd als eerste klaar. Omdat ze graag wilde opschieten, ging ze alvast naar de auto en wachtte tot de anderen naar buiten kwamen. Na een minuut of tien ging ze weer terug naar binnen en schreeuwde naar iedereen dat ze voort moesten maken. Vervolgens liep ze weer naar de auto, waar ze op de claxon begon te drukken om ons duidelijk te maken dat het haar ernst was.

Binnen heerste chaos terwijl wij havermoutpap naar binnen werkten en haastig in onze kleren schoten. De rit naar de Alta Academy nam bij goede weersomstandigheden ongeveer twintig minuten in beslag, maar dikwijls was er sprake van mist en sneeuw. Op sommige dagen leek de rit een eeuwigheid te duren terwijl ik ingeklemd zat tussen mijn broers op de achterbank van Big Blue. Meestal was het een herrie van jewelste in de wagen doordat iedereen zich boven alle anderen uit verstaanbaar probeerde te maken. Soms braken er vechtpartijtjes uit en dan moest moeder Audrey tussenbeide komen. Ze wilde niet dat er gestoeid werd terwijl ze zich op de weg probeerde te concentreren en dat liet ze ons ook duidelijk weten.

Moeder Audrey verschilde van moeder in de manier waarop ze de discipline handhaafde. Ze had vastomlijnde ideeën over hoe de zaken georganiseerd dienden te worden, en haar preoccupatie met orde beheerste elk aspect van haar leven, met inbegrip van haar uiterlijk. Hoewel Audrey wat haar brillen betrof nogal eens met de mode meeging, bleef verder alles bij hetzelfde. De lange rokken en blouses die ze tijdens mijn kinderjaren droeg, waren een soort uniform geworden, en ze veranderde nooit van haarstijl: één golf aan weerszijden van haar gezicht en de rest naar achteren opgestoken. Tijdens de ritten naar school probeerde moeder Audrey ons haar ideeën bij te brengen over hoe we ons thuis en op school dienden te gedragen. Dikwijls raakten mijn zussen van streek door haar preken. Soms spraken ze haar tegen. Andere keren hielden ze verbitterd hun mond en vertelden moeder over de confrontatie als ze thuiskwamen.

Dat zo'n autorit dikwijls zo tumultueus verliep, kwam mede doordat het een van de weinige keren was dat we alleen waren met moeder Audrey. Omdat onze moeder zich zorgen maakte over de manier waarop moeder Audrey ons terechtwees, probeerde ze ons zo veel mogelijk bij haar vandaan te houden. Als we Audreys kamer binnen liepen, werden we weggejaagd. Om de spanningen te verlichten, bemoeide Audrey zich tegen die tijd nauwelijks meer met onze kant van het gezin en bracht ze een groot deel van haar tijd met haar eigen kinderen in haar slaapkamer door. Na schooltijd hoorden vader en moeder over de rit van die dag en onvermijdelijk nam de wrijving toe, wat dikwijls uitliep op een boze uitbarsting, waarbij moeder haar kinderen in bescherming nam en weigerde te accepteren dat alleen zij de oorzaak van de problemen waren.

Elke schooldag begon met een gezamenlijke dagopening, onder leiding van Warren Jeffs. De aula op de begane grond, die als gebedsruimte werd gebruikt voor zondagsvieringen en bijeenkomsten van de priesterschap, was enorm, wel een half voetbalveld lang, maar kon toch niet alle leerlingen van de Alta Academy bevatten, dus de leerlingen van de vierde klas van de basisschool tot en met de eindexamenklas van de middelbare school kwamen daar bijeen, terwijl leerlingen van de lagere klassen in hun klaslokalen via de omroepinstallatie meeluisterden. Iedere leerling, ongeacht zijn of haar leeftijd, werd geacht aantekeningen te maken, die altijd werden nagekeken en van een cijfer werden voorzien. De dagopening bestond voornamelijk uit het verkondigen van religieuze leerstellingen, met lezingen en huiswerkopdrachten uit het Boek van Mormon.

De meeste leerlingen moesten naar binnen via de deur achter in de aula, en je leeftijd en de klas waarin je zat bepaalden waar je moest gaan zitten. Dit was de verklaring voor Teressa's ochtendlijke paniek; met haar dertien jaar moest ze met de oudere kinderen helemaal naar voren lopen, vol in het zicht van Warren Jeffs. Als ze te laat kwam, zou ze vergast worden op een van zijn beruchte strenge blikken, en daar zat niemand op te wachten. Allemaal werden we geacht oom Warren met het grootste respect te behandelen; hij was niet alleen onze schooldirecteur, maar ook de zoon van de profeet.

Oom Warren begon elke dagopening met de woorden 'Ik ben hier slechts om de wil van de profeet uit te voeren', een uitspraak waarmee hij altijd de indruk wekte dat de les die volgde, was gedicteerd door zijn vader en dus het woord van God was. Alle leerlingen deden hun best om bij Warren in de gunst te komen. Door hem gewaardeerd te worden betekende veel meer dan de prijsjes die hij soms uitreikte voor goede daden en hoge cijfers. Het leven op school kon heel vervelend zijn als je niet bij oom Warren in de gunst stond.

Op een voorjaarsavond tijdens mijn eerste schooljaar zaten we met het hele gezin kleverige spaghetti te eten – moeder Audrey was zuinig met de saus – toen mijn vader met opwindend nieuws kwam: een van de dochters uit ons gezin was de eer te beurt gevallen met de profeet te trouwen. Mijn zus Rachel was tweeëntwintig en vader had te horen gekregen dat ze in het huwelijk zou treden met oom Rulon, die indertijd eenentachtig was. Het leek alsof alleen de knapste meisjes uitverkoren werden om met de profeet te trouwen, maar niemand durfde dat hardop te zeggen. Mijn oudste zus vormde geen uitzondering op de regel. Rachel had het volle donkere haar, het slanke figuur en de stralende glimlach van onze moeder geërfd.

Niet alleen was Rachels huwelijk een geweldige eer voor ons gezin, het was voor mij ook ongelooflijk opwindend dat we uitgenodigd zouden worden om de huwelijksplechtigheid bij te wonen in Rulon Jeffs' grote woning met meer dan dertien slaapkamers in Salt Lake. Voor ons was oom Rulons huis van bruine baksteen een villa. Het was gebouwd met de beste materialen en voorzien van dure apparatuur, en er hoorde een enorme garage bij voor zijn prachtige Cadillac. We zouden de plechtigheid bijwonen in de privévertrekken van de profeet op de begane grond.

Het huwelijk vond plaats op 30 april 1993. Omdat het de profeet was die trouwde, werd het huwelijk 'bezegeld' door mijn vader, die tijdelijk gewijd was om de rol op zich te nemen die gewoonlijk door de profeet werd vervuld. Niet alleen was Rachels huwelijk belangrijk om religieuze redenen, het verschafte mijn zus ook veel mogelijkheden die andere vrouwen in onze gemeenschap niet hadden. Als vrouw van de profeet genoot ze een hogere status en werd ze beschouwd als een waardige engel op aarde. Ze kwam niets tekort en ze had de beschikking over creditcards en contant geld. Maar oom Rulons vrouwen mochten dan wel een bevoorrechte positie innemen, ze werden net als alle andere FLDS-vrouwen nog altijd beschouwd als eigendom van hun echtgenoot en de priesterschap. Er werd van hen verwacht dat ze volgzaam bleven en onderdanig en gehoorzaam waren.

Na de huwelijksvoltrekking mocht ik van vader soms bij Rachel logeren in de woning van oom Rulon in Salt Lake, waar ze een kamer op de eerste verdieping had. Mij gaf dat altijd het gevoel dat ik op Buckingham Palace logeerde. Het was voor FLDS-leden een grote eer om de woning van de profeet te mogen betreden. Tijdens mijn logeerpartijtjes kon ik soms naar een kindvriendelijke video kijken op het kleine tv-toestel dat Rachel in haar kast had verstopt.

Toen ik veel jonger was, hadden we nog wel tv kunnen kijken, maar met Rulon Jeffs als profeet was het leven een stuk beperkter geworden. In een poging de mensen te zuiveren van alle invloeden van buitenaf had hij televisie, films en videospelletjes in de ban gedaan. Bij monde van oom Warren was ons medegedeeld dat de profeet opdracht had gegeven alle boeken in de schoolbibliotheek die niet waren goedgekeurd door de priesterschap, te verbranden, om te voorkomen dat degenen die dergelijke onwaardige boeken lazen, besmet zouden worden door de 'verdorven' geest van de auteurs ervan. Vervolgens werd de bibliotheek voorzien van boeken die voldeden aan de richtlijnen van de priesterschap.

Warren had ook een huis op het terrein van zijn vader, waar ik soms werd uitgenodigd om te spelen met zijn dochter Shirley, een klasgenootje van me op de Alta Academy. Hoewel zijn huis lang niet zo groot was als dat van zijn vader, bood het ruimte genoeg aan zijn vijf vrouwen en hun vele kinderen.

Hoewel hij op school streng en intimiderend was, vond ik oom Warren aardig en hij leek me een zorgzame vader voor mijn vriendinnetje. Maar mijn gevoelens ten opzichte van hem begonnen te veranderen toen ik naar de tweede klas ging. Ik was druk aan het werk in de klas van mevrouw Nicolson, toen de naam van mijn juf over de luidspreker werd omgeroepen. Ik zag haar de telefoon oppakken en mijn kant op kijken. Ik moest me onmiddellijk op het kantoor van de directeur melden. Ik had geen idee waarom ik ontboden was, maar ik zat inmiddels lang genoeg op de Alta Academy om te weten dat het niet best was als je je bij oom Warren moest melden.

Met lood in de schoenen beklom ik de met tapijt beklede trap naar de tweede verdieping waar zijn kantoor zich bevond. De wanden van zijn kantoor waren bedekt met goedkope houten lambrisering, en hij zat achter een groot bureau dat tegenover de deur stond. Onze blikken ontmoetten elkaar zodra ik in de deuropening verscheen. Met een glimlach zei hij dat ik plaats moest nemen op een van de stoelen voor zijn bureau. Ik stond op het punt mijn eerste les in de verhouding tussen jongens en meisjes te krijgen.

Het was Warren ter ore gekomen dat ik de hand van mijn zeven jaar oude neefje had vastgehouden toen we eerder die dag buiten speelden. Dat was waar, maar ik had geen idee waarom hij daarover begon. Hij legde me uit dat datgene wat ik gedaan had, absoluut niet door de beugel kon. Ik mocht nooit jongens aanraken; ik moest hen behandelen als giftige reptielen, als slangen. Zelfs denken aan een jongen was 'onrein'.

Het was een vreemde preek, maar ik nam hem ter harte en beloofde mezelf plechtig hem te gehoorzamen en geen enkele jongen meer aan te raken. Helaas voor mij was dat niet het enige wat me dat jaar op Warrens kantoor deed belanden. Een paar maanden later was ik er terug omdat ik zonder het te beseffen tegen de kledingvoorschriften had gezondigd. Mijn vader had me, als souvenir van een van zijn reizen, een hartvormig gouden ringetje en een bijpassend halskettinkje met roze glitters gegeven. Het was niet heel erg duur, maar het betekende veel voor me omdat het van mijn vader afkomstig was. Ik wilde ze niet afdoen en had ze naar school gedragen zodat al mijn vriendinnetjes ze konden zien. Opnieuw beklom ik met angst en beven de trap. Toen ik

Warrens kantoor binnen kwam, begroette hij me vriendelijk.

'Wat een mooie halsketting en ring heb je daar,' zei hij. 'Zou je die alsjeblieft op mijn bureau willen leggen?'

Ik wist niet precies wat er ging gebeuren, maar gezien zijn vriendelijke toon leek het er niet op dat ik in de problemen zat. Oom Warren sprak me altijd formeel aan als 'juffrouw Wall'.

'Juffrouw Wall,' begon hij, terwijl hij het halskettinkje oppakte en bewonderend bekeek. 'Ben je je bewust van de beperkingen in wat de mensen van de priesterschap kunnen dragen?'

Ik had geen idee en ik gaf niet meteen antwoord. Nu was ik wel degelijk geïntimideerd en bezorgd.

'Deze sieraden zijn echt heel mooi,' vervolgde hij.

Ik stond op het punt een zucht van opluchting te slaken.

Hij vertelde me dat het verkeerd was om ons lichaam met wereldlijke bezittingen op te tuigen. 'Ik wil dat je naar de vuilnisbak loopt en ze weggooit.'

Ik was verbijsterd en geschokt, maar ik had geen keus. Ik sloeg mijn ogen neer en liet de sieraden gehoorzaam in de vuilnisbak vallen.

Ik huilde toen ik die middag mijn afschuwelijke ervaring met oom Warren aan mijn moeder vertelde. Ze voelde met me mee maar was vastberaden. Ze zei dat ik vanaf die dag geen onacceptabele dingen meer aan mocht naar school. Ik moest Warren gehoorzamen. Ik was bang om het aan mijn vader te vertellen, omdat ik me schaamde dat ik iets kwijt was geraakt wat hij me had gegeven, en dus hield ik het voorval voor me en mokte er soms in stilte over als ik eraan dacht hoe mijn kostbare geschenk bij oom Warrens vuilnis terecht was gekomen.

De zomer na de tweede klas werd ik officieel tot de priesterschap gedoopt in het gewijde 'doopgewelf' in het souterrain van de Alta Academy. Ik was op de hoogte van het bestaan van die ruimte, maar ik was er nog nooit binnen geweest. Toen ik van de trap naar het souterrain afdaalde in mijn mooie, lange witte jurk, werd ik bevangen door een gevoel van ongerustheid. Ik was opgewonden bij het vooruitzicht deel te nemen aan de gewijde overgangsrite, maar ook een beetje bang. Dat gevoel had ik bij al onze rituelen: het was goed om te weten dat mijn tijd gekomen was, maar de gelegenheid werd altijd omgeven door geheimzinnigheid. Maar de wetenschap dat mijn vader me opwachtte in het water kalmeerde me.

Mijn moeder en enkelen van mijn broers en zussen stonden bij de deur toen ik mijn witte kanten sokken en witte schoenen uittrok alvorens de gewijde ruimte te betreden. Ik liep langzaam naar binnen en daalde de witbetegelde treden af die naar de enorme kuip leidden die een groot deel van de ruimte in beslag nam, terwijl mijn kleding bij elke stap zwaarder werd.

Er moesten drie ouderlingen bij de ceremonie aanwezig zijn; een van hen was mijn vader, die al in het water stond te wachten tot ik me bij hem zou voegen. Het water was diep, het kwam zo'n beetje tot aan mijn schouders toen ik het gedeelte bereikte waar vader stond. Voor een juiste uitvoering van het ritueel moest het hele lichaam volledig worden ondergedompeld. Mijn vader moest me drie keer onderduwen omdat mijn ene voet steeds boven het water uit bleef komen.

Toen ik weer uit de kuip klom, werd ik opgewacht door de twee andere ouderlingen. Zij waren er voor de handoplegging en om me te zalven met de speciale olijfolie die voor die gelegenheid door drie ouderlingen was gezegend. Ik moet het ijskoud hebben gehad, omdat het water in de doopvont zo koud was, maar ik was te zeer onder de indruk om het te merken.

Ik was nu officieel lid van de kerk en verantwoordelijk voor al mijn handelingen. Het was een belangrijk moment in mijn leven als FLDS-gelovige. Het doopsel betekende dat ik nu verantwoordelijk was voor de keuzes die ik maakte. Al mijn jeugdzonden waren door de doop uitgewist, zodat ik mijn leven als officieel lid van de priesterschap met een schone lei begon. Van nu af aan zou het maken van de verkeerde keuzes kunnen resulteren in een blijvende 'afkeuring' op mijn lei, die daar zou blijven staan tot ik voor het hemelse gerecht moest verschijnen.

Op het moment dat ik uit het koude water van de doopvont stapte, begon ik me er goed rekenschap van te geven hoe ik me diende te gedragen. Ik was nu lid van de Kerk en ik moest me aan alle regels houden. Als ik dat niet deed, zou dat consequenties hebben.

3

Goede priesterschapskinderen

Het gezin moet een eenheid zijn.
—RULON JEFFS

In de weken die volgden op de komst van moeder Laura in oktober 1995, was de spanning in huis aanzienlijk afgenomen. We hadden een van de slaapkamers van mijn zussen op de begane grond ontruimd om plaats te maken voor onze nieuwe moeder en aanvankelijk gedroegen we ons allemaal voorbeeldig.

Moeder Laura deed haar intrede in ons leven op een moment dat er allerlei dingen in ons gezin aan het veranderen waren. In een tijdsbestek van enkele maanden waren mijn zussen Kassandra, Sabrina en Michelle in het huwelijk getreden in overeenstemming met de openbaring van de profeet. Op haar negentiende voegde Kassandra zich bij Rachel als een van de vele vrouwen van Rulon Jeffs, die op dat moment drieëntachtig was, terwijl Sabrina in het huwelijk trad met een lid van de FLDS-gemeenschap in Canada. Michelle bleef dichter bij huis en trouwde met oom Rulons zoon Seth. Al mijn zussen waren ouder dan achttien op het moment dat ze trouwden, en vader was ernstig berispt omdat hij ze zo lang thuis had gehouden. Maar mijn vader wilde gewoon zijn dochters de gelegenheid bieden om op te groeien.

Het vertrek van Michelle kwam het hardst bij me aan. Zij had het zachtste karakter van ons allemaal en had zich altijd om me bekommerd – me getroost als ik ziek was, ervoor gezorgd dat mijn haar gekamd was en dat ik netjes en volgens de voorschriften gekleed was. Er waren zo veel kinderen in ons gezin en als nummer negentien werd ik soms wel eens over het hoofd gezien. Maar Michelle stelde alles in het werk om dat te voorkomen; ze was als een tweede moeder voor me. In FLDS-gezinnen was het gebruikelijk dat de oudste nog thuis wonende zussen hielpen bij de zorg voor de kleintjes. Moeder had zelf dertien kinderen die nog thuis woonden en aangezien Audrey al vroeg van huis ging om les te geven aan de Alta Academy, rustten de meeste huishoudelijke taken op moeders schouders en had ze de hulp van Michelle, Kassandra en Sabrina nodig gehad om ons extra aandacht te geven. Natuurlijk kon niets de vergelijking doorstaan met moeders helende handen, maar in veel opzichten was Michelle een tweede moeder voor me geworden. Het was gewoon onvoorstelbaar dat ik haar kwijt zou raken. Ik huilde tot aan de dag van haar huwelijk en smeekte haar om niet weg te gaan.

Met al die veranderingen in het gezin leek het wel alsof ons huis een draaideur had waardoorheen mensen voortdurend kwamen en gingen. Maar hoewel we dat jaar veel van mijn oudere zussen kwijtraakten, hadden we er een moeder bij gekregen en die nieuwe relatie stemde ons hoopvol. Ik ging bij moeder te rade hoe ik moeder Laura moest verwelkomen. Zij was opgegroeid in deze levensstijl en had er ook bewust voor gekozen, maar ik begrijp nu dat de woelige periode die we hadden doorgemaakt, velen van ons sceptisch had gemaakt over de invloed die haar komst zou hebben op de toch al prikkelbare atmosfeer in ons gezin.

Moeder had jarenlang moeten schipperen terwijl ze had geprobeerd dit huishouden te modelleren naar het gezin waarin ze zelf was opgegroeid. Ik wist dat ze haar priesterschapsleider had gehoorzaamd zoals van haar verlangd werd, maar in de loop der jaren was ze steeds mismoediger geworden over de manier waarop haar relatie met moeder Audrey en haar echtgenoot haar kinderen had beïnvloed.

Moeders onwrikbare religieuze overtuigingen schreven voor dat ze haar mond moest houden en volgzaam moest zijn. Ik had bewondering voor de manier waarop ze moeder Laura met open armen ontving. Toen ik zag hoe ze onze nieuwe moeder omhelsde, had ik goede hoop dat dit nieuwe element in ons gezin de situatie wat meer in evenwicht zou brengen. Omdat Laura qua leeftijd niet zo veel scheelde met mijn oudere zussen, was ik optimistisch gestemd over de mogelijkheid met haar eenzelfde soort band op te bouwen als ik met hen had gehad. Aanvankelijk leek dat mogelijk. Moeder Laura en ik hadden veel plezier samen en we deden spelletjes met enkelen van mijn andere broers en zussen. Haar aanwezigheid vulde wat van de leegte op die ik had gevoeld sinds het vertrek van mijn zussen. Maar ik moest hulpeloos toezien hoe de situatie al spoedig nog erger werd dan daarvoor. Met haar zachtaardige persoonlijkheid en onwrikbare geloofsovertuiging was moeder geen partij voor de anderen in huis. Het deed me verdriet als ik de eenzame blik in haar ogen zag terwijl ze probeerde de boel zo goed mogelijk bij elkaar te houden en haar jongere kinderen te behoeden voor een herhaling van het verleden.

Maar tegen het einde van die eerste maand was het nieuwtje van moeder Laura's aanwezigheid in huis er wel zo'n beetje af. Het werd al snel duidelijk dat vaders derde vrouw er een eigen vastomlijnd verwachtingspatroon opna hield, wat voor de nodige problemen zou kunnen gaan zorgen. Ook zij was iemand die wilde dat de dingen op haar manier werden gedaan. We hadden af en toe al eens een glimp opgevangen van dat onverzettelijke trekje in haar karakter tijdens familiebijeenkomsten, maar haar verlangen om de baas te spelen kreeg een andere betekenis nu ze deel uitmaakte van ons gezin.

Laura's aanwezigheid was op zich al problematisch, maar wakkerde ook nog eens een reeds lang sluimerende spanning binnen het gezin aan, waarbij mijn eenentwintigjarige broer Craig een rol speelde. Toen hij meerderjarig werd, was de oudste zoon van mijn moeder er eindelijk in geslaagd iets van de spanning tussen de moeders en de kinderen bij ons thuis weg te nemen. Maar de komst van Laura had de verhoudingen weer verstoord. Niet lang nadat ze haar intrede in ons gezin had gedaan, staken oude veten opnieuw de kop op. Zij en moeder Audrey sloten al snel vriendschap en leken een bondgenootschap aan te gaan tegen moeder en haar kinderen. Toen hij zag dat zijn moeder en zijn jongere broers en zussen weer net zo onheus werden behandeld als hij zelf ooit behandeld was, voelde hij zich gedwongen tussenbeide te komen en te doen wat hij kon. We waren nog steeds het verlies van drie van onze zussen niet helemaal te boven en mijn moeders kinderen hadden het er moeilijk mee gehad, vooral Craig.

In latere gesprekken met Craig ben ik gaan inzien dat mijn broer, net als de meeste jongemannen van zijn leeftijd, lange tijd had nagedacht over wat hem in zijn jeugd was geleerd. Hij was tot de conclusie gekomen dat veel aspecten van ons geloof in het oog springende tegenstrijdigheden bevatten en niet logisch waren en ook geen waarachtige indruk op hem maakten.

Craig beschikte over een scherpe intelligentie en hij was vlug van begrip. Toen hij nog een middelbareschoolleerling aan de Alta Academy was, was hij begonnen zich in bepaalde aspecten van ons geloof te verdiepen in zijn zoektocht naar een dieper begrip van onze religie. Oom Warren leek Craig niet zo te mogen omdat hij niet als een mak schaap achter de kudde aan liep. Hij was een enthousiaste leerling en bij het vak geschiedenis van de priesterschap stelde hij vaak lastige vragen waarmee hij Warren in het bijzijn van de hele klas in het nauw dreef. Terwijl Craig serieus probeerde te begrijpen hoe de leer van de Kerk en onze cultuur zich precies tot elkaar verhielden, voelde Warren zich bedreigd door mijn broers nieuwsgierigheid en plakte hem het etiket 'lastpost' op. De twee kwamen dikwijls met elkaar in aanvaring.

Warren scheen het speciaal op Craig gemunt te hebben en te loeren op elke eventuele misstap die hij beging. Hij stond altijd klaar om hem de mantel uit te vegen en stelde hem vaak voor de hele klas tot afschrikwekkend voorbeeld. Het was natuurlijk bijzonder gênant als je vader op school ontboden werd nadat je je op de een of andere manier had misdragen, en Warren zag er geen been in de leerlingen aan die vernedering te onderwerpen.

Warrens houding ten opzichte van Craig en veel van mijn broers en zussen scheen niet alleen voort te komen uit ongenoegen over hun gedrag, maar uit een groter, fundamenteler probleem met de familie Wall. Het was bijna alsof hij zich door ons bedreigd voelde. Veel leden van ons gezin waren intelligent en wilskrachtig en niet bang om vragen te stellen als ze ergens hun twijfels over hadden, wat het lastig maakte om ons in het gareel te houden. Warren werd niet graag geconfronteerd met ongehoorzaamheid en vragen met betrekking tot de priesterschap. Ons geloof liet geen ruimte voor logisch redeneren en oprechte twijfel. Warren deed geen enkele moeite om dergelijke zaken te begrijpen of te dulden, maar beschouwde het als pure rebellie.

Tegen de tijd dat Craig eenentwintig werd, hadden zich deuren voor hem geopend en begon hij onze cultuur objectief te onderzoeken. Hij geloofde nog steeds, maar werd wel steeds sceptischer. Hij was het vertrouwen in de Kerk en zijn leiders kwijtgeraakt, omdat hij er moeite mee had datgene wat ze predikten in overeenstemming te brengen met de manier waarop ze zelf leefden. Dat onze zussen uitgehuwelijkt werden aan mannen die zo veel ouder waren dan zij, was voor Craig de bevestiging dat de FLDS-religie heel wat onrechtvaardige en onlogische elementen bevatte. Het was met name het huwelijk van onze halfzus Andrea dat hem dwarszat.

Andrea was getrouwd met Larry Steed, die ook getrouwd was met moeder Audreys dochter Jean. Omdat Jean een van de oudste meisjes in ons gezin was, hadden de jongere kinderen geen speciale band met haar, en Andrea was bang dat het leven in haar nieuwe huis moeilijk zou zijn. Vóór haar huwelijk maakten we ons allemaal zorgen over de openbaring van de profeet dat ze met Larry moest trouwen. We hadden zo onze bedenkingen of die verbintenis haar wel gelukkig zou maken en er begon twijfel de kop op te steken of dit huwelijk werkelijk Gods wil was geweest.

Hoewel Craig geleerd had Andrea's huwelijksbestemming als een goddelijke openbaring te beschouwen, trok hij die regeling meer dan ooit in twijfel. Hij was bang dat Larry en anderen het huwelijk hadden bekokstoofd en vermoedde dat het weinig te maken had met enige vorm van goddelijke influistering. Hij begon vraagtekens te zetten bij het meest fundamentele aspect van onze levenswijze: de goddelijke openbaring met betrekking tot de huwelijksbestemming. Een dergelijke gedachte ging in tegen alles wat we geloofden, maar zolang hij geen antwoord kreeg op zijn vragen, bleef Craig zijn innerlijke strijd voeren.

Nadat moeder Laura haar intrek in ons huis had genomen, bleef die strijd niet langer uitsluitend beperkt tot zijn innerlijk en zocht hij soms de confrontatie. Het ging er niet alleen om hoe moeder Laura zich gedroeg; haar aanwezigheid herinnerde hem er constant aan dat de waarden van de kerk scheuren vertoonden en dat het meervoudig huwelijk bij ons thuis niet werkte. Laura had evenals Audrey een krachtige persoonlijkheid en het had er alle schijn van dat onze moeder niet opgewassen was tegen die twee. Ik was te jong om te beseffen wat er precies speelde, maar ik had wel in de gaten dat Craigs bezorgdheid nog toenam als hij het idee had dat moeder onheus werd bejegend.

Achteraf vraag ik me af of veel van die ruzies mogelijk ontstonden doordat noch vader noch Audrey wist hoe ze moesten leven binnen een polygaam huwelijk. Zelfs als je daarmee bent opgegroeid en een rolmodel hebt, valt het niet mee om er een succes van te maken – om te weten wanneer je compromissen moet sluiten, wanneer je moet klagen, en wanneer je de vader erbij moet betrekken. Als je niet oppast, kunnen kleine meningsverschillen snel uitgroeien tot akelige conflicten. Aangezien Audrey was opgegroeid in een monogaam gezin, leek het voor haar moeilijk om een verzoenende houding aan te nemen en dat, gevoegd bij Laura's zelfbewuste houding, zorgde ervoor dat er aan mijn moeders behoeften vaak niet voldoende aandacht werd besteed.

Mijn moeders achtergrond maakte de zaken alleen nog maar ingewikkelder, omdat ze maar al te goed wist dat het polygame huwelijk, met al zijn haken en ogen, onder de juiste omstandigheden een succes kon worden. Moeder was opgegroeid in een huishouden dat ten voorbeeld werd gesteld als het ideale polygame gezin, waar de moeders goed met elkaar elkaar overweg konden en álle kinderen elkaar ook echt als broers en zussen beschouwden. Moeder omarmde haar geloof en de leer van de FLDS met betrekking tot vrouwen, en wenste een vredig huishouden. Aangezien het niet moeders stijl was om ruzie te maken met de andere vrouwen in huis, trok ze zich dikwijls terug in plaats van de strijd aan te gaan en de zaken nog erger te maken. Iedereen aan moeders kant vond dat vader meer voor haar zou moeten opkomen en we waren ontdaan toen hij de krachtiger vrouwen het heft in handen liet nemen.

De situatie wilde niet verbeteren. Craig, als oudste zoon van mijn moeder, nam de verantwoordelijkheid op zich om voor haar en haar kinderen op te komen als niemand anders dat deed. Toen zijn conflicten met de moeders Audrey en Laura escaleerden, werd mijn vader er vaak bij gehaald, wat leidde tot onenigheid tussen hem en Craig. Sommige ruzies liepen zo hoog op dat het tot handtastelijkheden kwam. Ik had mijn vader altijd als een redelijk man met een gelijkmatig humeur beschouwd, maar nu begon het langzamerhand duidelijk te worden dat de situatie hem boven het hoofd groeide en dat het hem moeite kostte zijn gevoelens onder controle te houden. Vader bleek het idee te hebben dat Craig de andere jongens in huis beïnvloedde en hun geloof aan het wankelen bracht, en in zijn pogingen dat probleem op te lossen, raakte hij de greep op ons gezin en op zichzelf kwijt.

Vader probeerde de tweedracht in het gezin aan te pakken tijdens onze regelmatige zondagsschoolbijeenkomsten in de woonkamer. Als onze priesterschapsleider was hij belast met het onderrichten van zijn kinderen in ons geloof en de grondbeginselen ervan. Iedereen, zelfs de moeders, werd geacht die zondagse bijeenkomsten bij te wonen. De kinderen vochten altijd om een plekje op een van de twee zitbanken. Wie daar geen plek wist te bemachtigen, moest op de grond zitten.

Vader was zeer punctueel en de bijeenkomst begon stipt om tien uur, meestal met een lezing uit het Boek van Mormon of de Bijbel. Tijdens deze bijeenkomst van ongeveer een uur wees vader een of twee van ons aan om te gaan staan en getuigenis af te leggen, terwijl hij op de bank voor de hoge ramen zat. Ik zag altijd aankomen wanneer hij op het punt stond familiekwesties aan de orde te stellen, omdat hij dan begon te praten over de Verordening, een leerstelling die het belang van eenheid benadrukte en de andere leerstellingen versterkte die we al ons hele leven te horen kregen. Hij zei dat we die eenheid in ons huis niet konden bereiken zonder volledige harmonie in het gezin. Ideale FLDS-kinderen werden geacht 'nederige, trouwe dienaren' van hun priesterschapsleider en de profeet te zijn. Dat hield in dat de dochters moesten 'ophouden met bekvechten', de moeders moesten 'ophouden met ruziën', en wij allen 'volgzaam moesten zijn en in de geest van de Heer moesten handelen'. Jammer genoeg voor hem schenen zijn woorden aan dovemansoren gericht, en hielpen ze nauwelijks om een eind te maken aan de groeiende onrust. Hoewel ik niet geloof dat mijn vader iemand de schuld in de schoenen probeerde te schuiven, had ik toch het idee dat hij Craig eruit pikte als oorzaak van de problemen binnen ons gezin.

Het nieuwe schooljaar was amper twee maanden oud toen vader een gewichtige aankondiging deed: Craig moest uiterlijk 1 november 1996 het huis uit. Aangezien hij ouder dan achttien was, vond men het te laat om hem naar een heropvoedingskamp te sturen, zoals te doen gebruikelijk was in dit soort gevallen. Vader wilde alleen nog maar dat hij vertrok.

Ik zal nooit de dag vergeten dat Craig moeder vroeg of ze hem bij de snelweg wilde afzetten, vanwaar hij verder zou liften. Sommigen van de jongere kinderen, onder wie ikzelf, reden mee in moeders kleine bruine Buick sedan om afscheid te nemen van onze oudere broer. De rit duurde een uur en verliep grotendeels in stilte, wat alles zei over de droefheid en bezorgdheid die we allemaal voelden. Mijn zus Teressa had het er het moeilijkst mee. Ze had een heel hechte band met Craig gekregen en nu vertrok ook hij uit ons leven. Met slechts weinig geld op zak en emotioneel zwaar gewond ging Craig op weg om zijn eigen antwoorden op zijn vele vragen te vinden.

Het werd me bijna te veel toen hij uitstapte en wegliep met een rugzak op zijn rug en een bord met DENVER erop in zijn hand. Jaren later zou mijn moeder me vertellen dat het achterlaten van Craig aan de kant van de weg die dag een van de pijnlijkste dingen was die ze ooit had moeten doen. Maar indertijd zweeg ze, zoals het een goede FLDS-vrouw betaamde. Het was haar plicht haar zoon het huis uit te zetten. Ze kon niet protesteren, en zelfs al zou ze dat doen, dan nog zou haar mening geen gewicht in de schaal leggen. Ze moest de bevelen van haar echtgenoot opvolgen; dat was het gebod van de kerk en daar hield ze zich aan, hoeveel verdriet het haar ook deed.

Evengoed duurde het enkele minuten voordat ze de kracht vond om de auto te starten en op te trekken. Terwijl we terug naar huis reden, zag ik tranen over de zachte huid van mijn moeders wangen lopen. Ze was nog steeds een mooie vrouw, maar op dat moment werd ze een schaduw van haar vroegere zelf. Ze was haar oudste zoon kwijtgeraakt, haar beschermer. Het was een wond die nooit volledig zou genezen. Teressa zat naast haar, de handen krampachtig gevouwen in haar schoot, met een bedroefde blik in de verte starend. Ze had zojuist haar broer en goede vriend weg zien lopen en ze wist niet of ze hem ooit nog terug zou zien. Het liefst had ik vanaf de achterbank mijn armen om hen beiden heen geslagen om de enige vorm van troost te bieden die ik als tienjarige te bieden had, maar ik was wel wijzer. Ik kon maar het beste mijn mond houden.

Pas vele jaren later hoorden we weer iets van Craig. Hij zocht bewust geen contact met ons omdat hij bang was zijn jongere broers en zussen nog meer verdriet te doen. Gaandeweg kreeg ik begrip voor zijn keus om afstand te bewaren tot ons gezin, maar indertijd moest ik dikwijls aan hem denken, waarbij ik me altijd een beetje droevig en ontmoedigd voelde. Ik stond niet alleen in mijn bezorgdheid over hem, maar ik hield mijn verdriet voor mezelf; over dat soort dingen praatte je niet. Thuis merkte ik een duidelijke verandering in mijn moeder op. Ze zong of neuriede nog maar zelden en ze begon er afgepeigerd en op de een of andere manier ouder uit te zien. Een algemeen gevoel van droefheid nam bezit van het huishouden, waardoor ik Michelle des te meer miste. Ik wilde me zo graag aan mijn moeder vastklampen zoals ik voorheen bij Michelle had gedaan. Zonder mijn zorgzame oudere zus in de buurt had ik niemand die me een veilig gevoel kon geven in de rusteloosheid die bezit van ons gezin had genomen en onze levens onherroepelijk veranderde.

De weken na Craigs vertrek hing er een sombere stemming in huis en zelfs de zwangerschap en ophanden zijnde bevalling van moeder Laura maakte de stemming er niet beter op. Het vertrek van Craig viel zelfs mijn vader zwaar, maar hij hoopte dat daarmee een eind zou komen aan de onrust binnen ons gezin. Vader had goede hoop gekoesterd dat de jongere kinderen bij afwezigheid van hun tobberige oudste broer weer in het gareel zouden gaan lopen, maar in plaats daarvan begonnen sommigen van hen uiting te geven aan hun boosheid over het verlies van zo veel oudere broers en zussen.

De zomer voordat Craig vertrok was mijn broer Travis, die vier jaar jonger was dan Craig, op vrijwel dezelfde manier als Craig vraagtekens gaan zetten bij zijn geloof. De kerkleiders besloten om Travis naar Short Creek te sturen voor een heropvoeding, zodat hij een geloviger mens zou worden. Kinderen wegsturen om heropgevoed te worden was de manier van de Kerk om diegenen aan te pakken die uit de pas liepen. Omdat Travis jonger was dan Craig, was er in de ogen van de priesterschap nog hoop voor hem en men ging ervan uit dat deze retraite hem wel weer in het gareel zou brengen. Tijdens een dergelijke retraite verrichten de jongens handenarbeid voor de priesterschap en worden ze intensief blootgesteld aan de leer van de Kerk. Na afloop van de retraite worden ze geacht terug te keren naar huis als goede gelovigen.

Travis werd ondergebracht bij een gezin in het zuiden van Utah dat bekendstond om zijn goede priesterschapskinderen. Men hoopte dat hij door zijn verblijf in dat gezin weer zou gaan beseffen wat er van hem werd verwacht als gehoorzaam en actief lid van de Kerk, maar de realiteit was dat heropvoeding een keiharde leerschool was. Travis, die niet de mogelijkheid had contact met zijn familie op te nemen, werd misbruikt door degenen die belast waren met zijn heropvoeding.

Travis mocht dan wel het huis uit zijn, maar zijn twijfels leken te zijn doorgesijpeld naar de tweeling, Justin en Jacob, en naar Brad, die allemaal dol waren op hun oudere broers en hen als rolmodel gebruikten. De jongere jongens uitten nu hun eigen twijfels over de rol van de kerk in ons gezin en moeder moest machteloos toezien hoe dezelfde ruzies die Craig en Travis met onze vader en onze moeders hadden, zich weer opnieuw afspeelden. Het vertrek van Travis en Craig had nauwelijks invloed gehad op vaders gedrag of de situatie in het gezin. Later hoorde ik dat moeder, die onder geen beding nóg een zoon kwijt wilde raken, mijn zus Rachel in vertrouwen begon te nemen over haar angsten. Ze was bang dat mijn vader niet meer in staat was het gezin te leiden en tot een eenheid te maken, en ze vond dat we hulp van buitenaf nodig hadden.

Hoewel we wisten dat de zaken er slecht voor stonden, was niemand van ons zich ervan bewust dat moeder het vertrouwen in onze vader aan het verliezen was. Het enige wat we wisten, was dat de problemen elke dag groter schenen te worden.

4

In Light and Truth

De profeet kan niets verkeerd doen.
—WARREN JEFFS

Na alle problemen in ons gezin wilde ik niets liever dan dat er aan het verdriet van mijn moeder een einde kwam en dat de rust weer hersteld werd. In augustus dat jaar was ik als vijfdeklasser teruggekeerd naar de Alta Academy. Hoewel ik nog niet in een klaslokaal op de bovenverdieping zat, zat ik nu in mijn tweede jaar bij de grote kinderen in de aula voor de dagopening.

Warren was niet alleen onze directeur, maar hij gaf ook een aantal vakken. Een ervan was geschiedenis van de priesterschap, dat elke dag op het programma stond en als het belangrijkste vak werd beschouwd. Oom Warren leerde ons alles over de geschiedenis van ons geloof, beginnend bij passages uit de Bijbel, via het Boek van Mormon naar het leven van Joseph Smith, de stichter van de mormoonse Kerk, en de meer recente ontwikkelingen binnen de FLDS. Oom Warren gebruikte voor zijn lessen altijd door de priesterschap goedgekeurde Bijbelteksten, die hij vervolgens in zijn eigen woorden uitlegde.

Het leerplan voor oudere meisjes omvatte onder meer het bestuderen van *In Light and Truth*, een FLDS-publicatie. Het boek was een verzameling beknopte preken en lessen van Joseph Smith, zijn opvolger Brigham Young, oom Rulon en vele anderen. Warren las de meisjes de verschillende teksten voor en gaf er zijn eigen draai aan. Hij las zelfs de teksten van zijn eigen preken voor op een manier die ons deed geloven dat de woorden rechtstreeks van God afkomstig waren.

We werden aangemoedigd zo vaak we konden naar geluidsbanden van oom Warrens belangrijke preken te luisteren. Op school klonken deze tapes dikwijls uit de luidsprekers. We beluisterden ze ook thuis, zoals andere gezinnen naar muziek luisterden, en naarmate ik ouder werd begon ik er ook zelfstandig naar te luisteren. Ik was vastbesloten een goede leerling te zijn, ook al waren niet alle aspecten van mijn geloof me volkomen duidelijk. Ik zocht naar antwoorden in de tapes en in mijn schoollessen, waarbij ik maar zelden om hulp vroeg als dingen me niet duidelijk waren. Als ik iets niet begreep, was het beter dat voor me te houden en niet de indruk te wekken dat ik de principes van de priesterschap in twijfel trok.

Sinds mijn achtste of negende volgde ik samen met de andere meisjes een cursus huishoudkunde, waarin we de grondbeginselen leerden van het bestieren van een huishouden. Het volgen van deze cursus bracht ons dichter bij ons uiteindelijke doel: volmaakte echtgenotes worden. Kooklessen vormden een buitengewoon belangrijk onderdeel van onze lessen. Onze leraren namen de meisjes apart en brachten ons naar de enorme bedrijfskeuken naast de aula. Daar werden ons elementaire kook- en schoonmaakvaardigheden bijgebracht die ons zouden voorbereiden op de grote gezinnen die we ooit zouden hebben. Er waren ook naailessen. We moesten allemaal in staat zijn onze speciale lange onderkleding en de enkellange strokenjurken te naaien die het hoofdbestanddeel vormden van onze garderobe, en te zijner tijd onze eigen bruidsjurk. De meeste van mijn jurken waren afleggertjes van mijn oudere zussen. Bij bijzondere gelegenheden, zoals mijn verjaardag, naaide moeder er een speciaal voor mij, en ik keek ernaar uit om ooit dergelijke dingen voor mijn eigen dochters te doen.

Op een middag begin december werd het duidelijk dat God ons gezin op de proef bleef stellen. Ik was op school en had net mijn lunch op, bestaande uit een broodje tonijn en een appel, toen oom Warrens assistente, Elizabeth, haar hoofd om de hoek van het klaslokaal stak en zei dat ik me op het kantoor van de directeur moest melden.

Met knikkende knieën liep ik achter Elizabeth aan door de hal. Ik had deze route al diverse malen afgelegd, en meestal was dat geweest om een 'correctie' in ontvangst te nemen. Onwillekeurig hield ik mijn adem in toen ik de hoek om sloeg en het kantoor van oom Warren naderde. Ik deed de deur open en ademde nerveus uit toen ik vijf van mijn broers en zussen samen met mijn moeder in Warrens kantoor zag zitten. Oom Warren zat achter zijn bureau, zoals altijd. Moeders bruine ogen zagen eruit alsof ze had gehuild, en ik wist dat er iets ernstigs aan de hand was. Ik ging snel zitten op een stoel tegenover Warrens bureau.

Niemand zei iets, waardoor ik nog banger werd. Ik kon de verwarring en angst op ieders gezicht zien en mijn hart begon tekeer te gaan. Oom Warrens zachte stem doorbrak de stilte.

'Ik breng een boodschap van de profeet over,' begon Warren op ijzige toon. 'De profeet heeft het vertrouwen in jullie vader verloren. Hij is niet langer waardig om het priesterschap te bekleden of een gezin te hebben.'

Geschokt en verward vroeg een van mijn broers om nadere uitleg. 'Hoe is dat mogelijk?'

Tijdens korte stilte staarde oom Warren hem aan, zijn irritatie duidelijk zichtbaar achter zijn dikke brillenglazen. 'Twijfel je aan de profeet en zijn wil?'

Niemand – en zeker niet een kind – was daartegen opgewassen. Dat nam niet weg dat de kinderen Wall er moeite mee hadden dingen te accepteren die naar onze mening niet eerlijk waren. Net als mijn broer Craig zochten we in elke willekeurige situatie naar de waarheid.

Mijn broer Brad was de volgende die zijn mond opendeed. 'Waar gaan we heen?' vroeg hij bedeesd.

'Dat is aan de profeet om te besluiten,' zei Warren tegen hem. 'Jullie gaan niet langer naar school.'

De stilte was oorverdovend toen hij ons zei dat we terug moesten gaan naar onze klaslokalen om onze spullen te pakken. Toen ik naar mijn moeder keek, zag ik pijn en droefheid op haar gezicht. We zouden niet teruggaan naar ons huis of naar school. Verwarring nam bezit van mijn geest. Als verdoofd verlieten mijn broers en ik in stilte Warrens kantoor, terwijl mijn moeder en mijn oudere zus Teressa achterbleven.

Ik schaamde me vreselijk terwijl mijn klasgenoten toekeken hoe ik mijn spulletjes bij elkaar pakte. We hadden geen duidelijke verklaring gekregen waarom vader het priesterschap was kwijtgeraakt of wat de aanleiding was geweest voor deze aankondiging die ons hele leven op zijn kop zette. We werden gewoon geacht de opdracht van de profeet uit te voeren. Ik was nog steeds bezig inzicht te verkrijgen in de wereld waarin ik opgroeide en het functioneren van de priesterschap. Hoewel we altijd ons best hadden gedaan om de profeet te behagen en te doen wat hij van ons verlangde, voelde dit alles volkomen verkeerd aan. Hoe kon onze vader zomaar van ons worden afgenomen? Waarom werd ons gezin uit elkaar gehaald? En hoe zat het met moeder Audrey, moeder Laura en hun kinderen? Zou vader hen ook kwijtraken? De vragen die in mijn geest brandden, zouden onbeantwoord blijven, en uit angst hield ik mijn mond.

Zodra we onze spullen uit de klaslokalen bij elkaar hadden gezocht, gingen we naar de aula op de begane grond en we werden van daaruit zonder plichtplegingen geëscorteerd over de oprijlaan en door het hek dat toegang gaf tot het huis van de profeet. We kregen te horen dat we daar de nacht zouden doorbrengen en dat we de volgende ochtend zouden vertrekken naar het zuiden van Utah, waar mijn moeder was opgegroeid. Het vooruitzicht dat we de nacht zouden doorbrengen in het huis van de profeet bezorgde me een veilig en behaaglijk gevoel, al was het maar voor even. Ik had het altijd heerlijk gevonden om daar op bezoek te gaan. Veel van oom Rulons vrouwen waren aardig voor me geweest, en ik hield van mijn oudere zussen en keek tegen hen op.

Van de rit naar het zuiden van Utah de volgende ochtend staat me niet veel méér bij dan een verzameling beelden en gevoelens. Het geknerp van de banden op vers gevallen sneeuw toen we vertrokken. De gedachte dat mijn broers en ik eigenlijk sneeuwpoppen in onze achtertuin zouden moeten maken in plaats van achter in een busje gepropt te worden. Het wegvegen van de condens van de binnenkant van de ruiten en onze school die ik na een bocht zag verdwijnen. Zelfs als we ons die ochtend in de gebruikelijke chaos hadden moeten haasten om op tijd op school te komen, zou ik me oneindig veel gelukkiger hebben gevoeld. Geen van ons wist of we hier ooit nog terug zouden komen en of we ooit mijn vader zouden terugzien. Ik was een kind dat geconfronteerd werd met een onuitsprekelijk verlies, volkomen in de war, zonder iemand die me antwoorden kon geven.

Rachel en Kassandra hadden zich bij ons gevoegd in twee personenbusjes van oom Rulon voor de vier uur durende rit naar het andere huis van de profeet in Hildale. Ze waren er om de tijd te helpen verdrijven en de jongere kinderen bezig te houden. Wat ik toen nog niet wist, was dat Rachel een rol had gespeeld in moeders beslissing om de profeet te betrekken bij onze huiselijke problemen. Later kwam ik te weten dat zowel Rachel als moeder van mening waren dat ons huis een slagveld was geworden, waarbij onschuldige kinderen in de vuurlinie terechtkwamen. Moeder had al enige tijd geleden Rachel deelgenoot gemaakt van haar angst om nog meer van haar zoons kwijt te raken en had haar om hulp gevraagd bij het opstellen van een brief aan de profeet. Ondertussen had Rachel op eigen houtje oom Rulon om raad gevraagd. Zij en Kassandra wisten dat moeder de vorige ochtend een bezoek had gebracht aan Warren, die optrad namens zijn vader. Om de situatie voor ons wat draaglijker te maken was besloten dat mijn twee zussen ons op de lange rit naar het zuiden zouden vergezellen. Ze probeerden spelletjes met ons te spelen om ons wat op te vrolijken, maar ik was te oud en me te zeer van de situatie bewust om me te laten afleiden.

Tijdens de rit zocht ik op het gezicht van mijn moeder naar antwoorden, maar ik vond ze niet. Ik wist dat ik de profeet – of God – niet ter discussie mocht stellen, maar ik was wanhopig. 'Zullen we vader ooit nog terugzien?' vroeg ik mijn moeder.

'Ik weet het niet, Lesie,' zei ze, de bijnaam gebruikend die ik al had zolang ik me kon herinneren. 'Dat zullen we moeten afwachten. Je moet maar veel bidden.'

Dat was de standaardreactie van moeder en de FLDS op vragen waarop geen gemakkelijk antwoord bestond.

Indertijd was ik zo gefocust op mijn eigen ervaringen dat ik er niet bij stilstond welk effect die dag op mijn vader had, en pas jaren later kregen we de kans daarover te praten. Enkele uren voordat wij bijeengeroepen werden in het kantoor van oom Warren, was vader ontboden in het huis van de profeet in Salt Lake. Hij werd onmiddellijk naar het privékantoor van de profeet gebracht, waar oom Rulon en zijn zoon Warren hem opwachtten. Zoals de laatste jaren gebruikelijk was geworden, deed Warren het woord namens zijn vader. Hoewel oom Rulon officieel nog altijd de profeet was, was hij al halverwege de tachtig en niet meer zo actief als hij ooit was geweest. Warren had veel van de traditionele verantwoordelijkheden van de profeet op zich genomen. Een jaar eerder was het Warren geweest die vaders huwelijksplechtigheid met moeder Laura had voltrokken, en ook nu weer sprak hij namens zijn vader. Toen mijn vader tegenover beide mannen plaatsnam, had hij geen idee wat hem te wachten stond. Warren kwam meteen ter zake.

'De profeet heeft zijn vertrouwen in jou als priesterschapsleider verloren en haalt Sharon en haar kinderen bij je weg,' zei hij.

De woorden sloegen in als een bom en vader was te overmand door emoties om te reageren. Het leek nog pas gisteren dat hij geëerd was met de toewijzing van een derde vrouw. Nu, zoals Warren zo botweg had medegedeeld, raakte vader Sharon en al haar kinderen kwijt. Terwijl hij naar Warren zat te luisteren, begon de realiteit van de situatie tot hem door te dringen: zijn priesterschapsverplichtingen ten opzichte van moeder Sharon en haar kinderen waren hem ontnomen, maar de moeders Audrey en Laura zouden onder zijn gezag blijven. Terwijl hij zat te luisteren, vroeg hij zich af hoe alles zo snel door zijn vingers had kunnen glippen. Toen hij opstond om te vertrekken, was hij te zeer overmand door emoties om iets te kunnen zeggen en hij verliet het vertrek volkomen verbijsterd. Mijn vader vertelde me later dat hij het gevoel had gehad alsof hij losgeraakt was van zijn lichaam toen hij die dag de onthulling van de profeet aanhoorde. De woorden waren gesproken, maar vader kon ze gewoon niet bevatten.

Toen hij weer thuiskwam, kwam hij tot de ontdekking dat de spullen van moeder Sharon en haar kinderen al waren weggehaald. De moeders Audrey en Laura waren geschokt door het nieuws. Ook zij hadden zich niet gelukkig gevoeld, maar ze hadden nooit gedacht dat het zo ver zou komen. De weken daarop voelde moeder Audrey een verpletterend verlies. Hoewel de zaken in huis al een hele tijd niet naar wens verliepen, greep het verlies van moeder Sharon en haar kinderen haar veel meer aan dan ze zich ooit had kunnen voorstellen.

Toen onze twee busjes bij het huis van de profeet in Hildale arriveerden, stond mijn moeders broer Robert ons op te wachten. Hij had opdracht gekregen ons naar de boerderij van de familie Steed te brengen, zo'n 250 kilometer van Short Creek vandaan, in de buurt van Widtsoe, Utah. Ik kreeg een warm gevoel vanbinnen toen ik zag hoe zijn omhelzing mijn moeder kracht scheen te geven. Het was lang geleden dat ze daar had gewoond, maar ik had het idee dat ze een zekere opluchting voelde bij het vooruitzicht weer naar huis te gaan.

Na de dood van grootvader Newel op zesentachtigjarige leeftijd hadden zijn zoons de boerderij overgenomen waar hij zijn grote gezin had grootgebracht. Oom Robert en zijn gezin woonden in het hoofdgebouw en waren op het uitgestrekte terrein een eigen school voor hun kinderen begonnen. De boerderij was al zo'n tachtig jaar in het bezit van de familie Steed, sinds grootvader Newel hem in 1916 had gesticht op de prille leeftijd van veertien jaar. Ondanks zijn jeugdige leeftijd was grootvader in zijn eentje met zestig stuks vee naar het afgelegen en dorre stuk land in zuidelijk Utah getrokken dat zijn vader als kolonist van de regering toegewezen had gekregen, en daar deed hij zijn belofte aan zijn vader gestand dat hij een volwaardige boerderij zou stichten. In zijn eentje verzorgde hij het vee, molk hij de koeien en karnde hij boter, en hij wist maar nauwelijks die eerste lange, strenge winter door te komen. Maar ook toen sneeuw en ijs het dal van de buitenwereld afsloten, doorstond Newel Steed alle ontberingen om zijn droom waar te maken: een leven leiden waarbij hij het mormoonse geloof kon belijden zoals Joseph Smith dat oorspronkelijk voor ogen had gestaan, een leven waarin het hem vrij stond om polygamie te bedrijven.

Grootvader Newels geloof in het principe van de polygamie schoot voor het eerst wortel toen hij op tienjarige leeftijd zijn vader vergezelde naar een clandestiene bijeenkomst van mannelijke leden van de mormoonse Kerk die genoemd principe in het geheim nog steeds in praktijk brachten. Dat was in de begintijd van Het Werk, tientallen jaren voordat die gemeenschap bekend kwam te staan als de FLDS. Mettertijd stond het grootvader Newel niet alleen vrij om zijn geloof te belijden, hij werd ook een van de meest gerespecteerde leden van de FLDS in zuidelijk Utah. Als de Steeds hun opwachting maakten bij een samenkomst, waren alle ogen gericht op hun perfect gekapte haar en hun fraaie zelfgemaakte kleding. De Steeds stonden bekend om hun goede smaak op het gebied van geweven stoffen en hun unieke, trendsettende interpretatie van de door de Kerk voorgeschreven kledingcode.

Ondanks deze rijke familiegeschiedenis die met de boerderij verweven was, was ik niet vaak op bezoek geweest bij oom Robert en zijn gezin. Toch leek hij oprecht blij ons te zien. Ik zal nooit vergeten hoe we achter in zijn overdekte witte pick-up reden. De rit naar Widtsoe leek eindeloos te duren, en er begon zich een licht gevoel van opwinding van me meester te maken. Ik had nauwelijks gelegenheid gehad om de boerderij van de Steeds te bezoeken sinds het overlijden van mijn grootvader Newel in 1988, en ondanks alle droevige en verwarrende ervaringen van de afgelopen dagen keek ik toch met een zekere gretigheid uit naar ons verblijf daar.

Toen we aankwamen, zag het huis er gezellig uit. De besneeuwde grond en de witte houten afrastering die de tuin rond het historische houten huis omgaf, zorgden voor een knusse sfeer. Na zo'n lange, emotionele reis was het prettig om liefdevol ontvangen te worden door de vele vrouwen en kinderen van oom Robert. Moeders broer was een trouw gelovige en hij en zijn gezin deden al het mogelijke om in te schikken en plaats voor ons vrij te maken in hun huis.

We waren geroerd door hun edelmoedigheid, maar de aanpassing viel niet mee voor een gezin dat een modernere levenswijze gewend was. Dit was het oorspronkelijke huis waarin mijn moeder was opgegroeid en het was niet gemoderniseerd. Er was geen elektriciteit of centrale verwarming. Het huis beschikte over een generator en werd verwarmd door een oude houtkachel. Oom Robert had een slaapkamer vrijgemaakt voor mijn moeder, mijn zussen en mij, maar mijn broers moesten een kamer delen met een paar van oom Roberts zoons. Oom Rulon had het goedgevonden dat mijn zus Kassandra bij ons bleef, en Rachel kwam ons opzoeken zo vaak ze kon. Bij verschillende gelegenheden bevonden zich wel zeven kinderen in sommige van de kamers.

Onmiddellijk na onze aankomst op de boerderij leek mijn moeder zich opgewekter te voelen. Ik voelde haar opluchting en vreugde dat ze weer terug was in het huis van haar jeugd. Haar nabijheid en die van mijn oudere zussen hielp ons door deze bange en moeilijke periode heen. Maar er waren momenten dat ik verlangde naar ons huis in Salt Lake en naar de rustgevende stem van mijn vader die het gezin voorging in het avondgebed.

Ofschoon iedereen bereid was ons in het gezin op te nemen, was het leven verre van gemakkelijk – vooral voor Teressa en mijn broers. Ik was nog te jong om alles wat er zich afspeelde te begrijpen, maar zij waren zich ten volle bewust van de harde realiteit van onze situatie. Terwijl we probeerden onze complexe emoties te verwerken, bleven we het gevoel houden dat vader onrechtvaardig was behandeld. Hoewel mensen buiten ons gezin misschien dachten dat de profeet en Warren ons redden van een vader die zijn gezin niet in de hand kon houden, heb ik het nooit zo bekeken. De situatie thuis was niet volmaakt en er moest wel degelijk iets veranderen, maar het uiteenrukken van het gezin zou het probleem niet oplossen. Het was een zoveelste wond waarvan ons gezin nooit zou herstellen.

We waren een paar weken op de boerderij, toen moeder plotseling vertrok en ons toevertrouwde aan de zorgen van Kassandra en Teressa. Hoewel ik mijn oudere zussen vertrouwde, maakte ik me zorgen over het onverwachte en heimelijke vertrek van mijn moeder. We kregen alleen maar te horen dat ze naar Hildale was gegaan om bij de profeet op bezoek te gaan. Tijdens haar afwezigheid werd ik zo ziek, dat ik er bijna aan onderdoor ging. Misschien was het de verandering van klimaat of de stress die het gevolg was van het kwijtraken van mijn vader waardoor ik voortdurend last had van verkoudheden en griepaanvallen. Ik was nooit helemaal de ziekte van Lyme te boven gekomen die ik de vorige zomer tijdens onze kampeertocht in de bergen had opgelopen, en ik voelde me dikwijls zwak en vermoeid. Ik werd regelmatig geplaagd door koortsaanvallen, en toen de winter inviel met zijn sneeuw en zijn kou, kon ik het maar niet warm krijgen. Een groot deel van de tijd liep ik rond met ontstoken amandelen en ik voelde me over het algemeen beroerd.

Kassandra en Teressa verzorgden me zo goed mogelijk, maar de homeopathische middeltjes cayennepeper, knoflook en echinacea konden niet voorkomen dat mijn gezondheid achteruitging. Er waren momenten dat mijn keel bijna helemaal dicht leek te trekken en mijn amandelen raakten ernstig ontstoken. Zelfs al was mijn moeder er geweest om me te verzorgen, zonder ziektekostenverzekering en zonder artsen in de buurt was er niet veel méér geweest dat ze voor me had kunnen doen. Toch verlangde ik naar haar troostende aanwezigheid.

Op de boerderij werd van ons verwacht dat we de handen uit de mouwen staken. Onze namen werden genoteerd op de takenlijst en we werkten gewoon met alle anderen mee, maar omdat ik zo ziek was, was het moeilijk voor me om mijn steentje bij te dragen. We waren ook verplicht samen met onze familieleden de ochtendlessen bij te wonen, waarbij we luisterden naar de opgenomen preken en lessen van Warren Jeffs. Er waren dagen dat ik me goed genoeg voelde om te schaatsen en te sleeën, en ik was in staat mee te doen met het grote oudejaarsavondfeest, waarbij we zelf snoep maakten en spelletjes deden met onze vele jonge neefjes en nichtjes.

Naast het gezin van oom Robert woonden ook mijn oom Lee en zijn vrouw Debbie op de boerderij, in een kleinere woning op het erf. Enkelen van mijn oudere neven deelden een slaaphut vlak achter het hoofdgebouw, waar ze vanuit Hildale door hun vaders naartoe waren gestuurd om mee te helpen bij het werk op de boerderij. Een van hen was mijn vijftien jaar oude volle neef Allen Glade Steed.

Vanaf ons eerste contact die winter mocht ik Allen totaal niet. Hij was slungelig en lomp, maar dat weerhield hem er niet van mijn jongere broertjes en zusjes en mij te sarren omdat we geen vader hadden. Hoewel hij waarschijnlijk heel goed wist dat zijn woorden ons kwetsten, herinnerde hij ons er met een glimlach vol leedvermaak aan dat we geen priesterschapsleider hadden. Wij namen het voor vader op en dat gaf aanleiding tot de nodige ruzies. Als meisje van tien was ik heel bedeesd en onzeker. Gedurende het grootste deel van mijn jeugd was ik aan de mollige kant geweest, en hoewel Allen zich heel goed leek te realiseren dat hij me tot in het diepst van mijn ziel kwetste, begon hij me Bolle te noemen.

Hij scheen er genoegen in te scheppen me in verlegenheid te brengen. Op een dag was ik opgetogen bij het vooruitzicht dat we zouden gaan schaatsen, omdat ik door ziekte veel uitstapjes naar de ijsbaan had moeten missen. Het waterbassin van de boerderij lag te ver van het huis om te lopen, dus meestal reden we er met de auto heen. Ik wachtte geduldig tot mijn broers en zussen klaar waren, en vervolgens holden we met zijn allen naar buiten, naar de aanhanger die Allen aan zijn quad had gekoppeld. Ze klauterden een voor een aan boord en net toen ik hetzelfde wilde doen, stiet Allen een harde, onaangename lach uit en trok snel op, waardoor ik mijn evenwicht verloor en op de grond viel, waarbij ik gevoelig mijn hoofd stootte. De tranen sprongen me in de ogen, maar ik vertikte het om me als een klein kind te gedragen en dus krabbelde ik weer overeind en riep 'Wacht!' Maar hij bleef gewoon lachen en reed weg terwijl hij me in de sneeuw liet staan.

Hoewel hij zich tegenover mij bijzonder onaangenaam gedroeg, was ik niet de enige op wie Allen het had voorzien. Mijn jongere broer Caleb en ik waren op een dag in de melkschuur, waar we toekeken hoe enkelen van de jonge Steeds de koeien molken. Ik voelde me slapjes na weer een periode van ziekte en had last van de bitterkoude winterlucht. Allen begon ons met een valse grijns nat te spuiten met de slang waarmee hij in de weer was, tot onze kleren doorweekt waren. Ik smeekte hem om op te houden, maar hij ging gewoon door. Caleb, die brutaler was dan ik, pakte een schop die in de buurt lag en smeet daarmee wat koeienmest naar Allen. Allen ging er woedend vandoor en zei tegen Robert dat Caleb zonder enige aanleiding koeienmest naar hem had gegooid terwijl hij aan het werk was.

Ik kon het zelfs nauwelijks verdragen Allen 's avonds aan de eettafel te zien. De Steeds bestierden hun huishouden als een bedrijf. Er werd op vaste tijdstippen en in ploegen gegeten; degenen die een plek vonden aan een van de twee eettafels in de keuken, aten het eerst. Als de rantsoenen op waren, was er dikwijls niets meer te eten. Anders dan Salt Lake en zelfs Short Creek, was Widtsoe een soort spookstadje, zonder kruidenierswinkels in de nabijheid. Het stadje zelf en de wijde omgeving waren al lang geleden verlaten vanwege een tekort aan water.

Onze naaste buren woonden ongeveer 25 kilometer verderop. Een groot deel van het voedsel was afkomstig van de grote moestuin op het land en werd ingemaakt en bewaard voor gebruik in de wintermaanden. Soms gingen we met honger naar bed.

De aanvaringen met Allen waren niet het enige probleem tussen de kinderen Steed en de kinderen Wall. Enige tijd nadat moeder vertrokken was, ontstond er onenigheid tussen mijn broers en enkelen van oom Roberts zoons. Hoewel beide gezinnen tot hetzelfde geloof behoorden, had onze vader ons anders opgevoed dan oom Robert zijn kinderen had opgevoed, en die verschillen vormden een twistpunt. Nu moeder tijdelijk uit beeld verdwenen was, voelden een aantal van oom Roberts oudere zoons zich geroepen mijn broers hun eigen strengere FLDS-geloofsopvatting op te dringen. Ze getuigden voortdurend van hun geloof in de profeet en raakten al snel geïrriteerd door het schijnbare gebrek aan overtuiging bij mijn broers. Die moesten niets hebben van die voortdurende, ongevraagde preken en Kassandra en Teressa voelden zich gedwongen te bemiddelen.

Tegen januari 1997 waren de voordelen van de regeling wel zo'n beetje uitgewerkt. Er was sprake van conflicterende persoonlijkheden en de strenge winter in zo'n afgelegen oord begon problematisch te worden. Hoewel mijn korte verblijf op de boerderij van de Steeds me ook het nodige plezier en enkele blijvende prettige herinneringen had bezorgd, was ik eraan toe om weer naar huis te gaan.

Net toen deze frustraties de overhand dreigden te krijgen, kwam er nieuws dat alles veranderde: oom Rulon had besloten dat vader zijn tekortkomingen had erkend en berouw had getoond, zodat zijn priesterschap hem weer teruggegeven kon worden. De gedachte aan een innige omhelzing van de man die ik zozeer gemist had, vervulde me met hoop. Eindelijk had ik het gevoel dat het gezinsverband weer werd hersteld. Thuis was het nooit volmaakt geweest, maar het was de enige plek waar ik wilde zijn.

5

De opkomst van Warren

De tijd dringt.
– FLDS-gezegde

Pas toen we terugkwamen bij het huis aan Claybourne Avenue kregen we te horen dat moeder verscheidene weken in Salt Lake City had doorgebracht om met de hulp van mijn zus Rachel ons huis op te knappen. Het bleek dat allebei mijn ouders afzonderlijk naar de profeet waren gegaan om een verzoeningspoging te doen, maar voordat mijn moeder en haar kinderen weer in het huis van mijn vader verwelkomd konden worden, moesten er bepaalde dingen gebeuren. De profeet had mijn ouders opgedragen zich opnieuw te laten dopen en opnieuw in het huwelijk te treden. Ze waren zelfs naar Californië gegaan voor een tweede huwelijksreis.

Een andere voorwaarde was dat moeder Audrey en Lydia, Audreys jongste dochter en haar enige nog thuis wonende kind, het huis moesten verlaten. Indertijd werd er geen verklaring gegeven voor hun vertrek, alleen dat Audrey op afstand berouw moest tonen. In feite waren onze problemen niet te wijten aan één enkele persoon; ze werden veroorzaakt door het leven in een gecompliceerd gezin met gecompliceerde problemen onder een enorme religieuze druk. Maar bij het zoeken naar een oplossing om ons weer bij elkaar te brengen, besloot de profeet dat het enige antwoord was ons gezin nogmaals uit elkaar te halen, ditmaal op een andere manier.

Vele jaren later vertrouwde moeder Audrey me toe hoe moeilijk ze het had gehad met ons vertrek naar de boerderij van de Steeds. Ze had zich leeg en verlaten gevoeld en ze was bang dat er iets helemaal mis was met de besluiten van de profeet met betrekking tot ons gezin. Ze was in de wolken geweest toen ze hoorde dat we eindelijk weer naar huis kwamen, maar haar vreugde veranderde al snel weer in verdriet toen ze te horen kreeg dat zij nu degene was die moest vertrekken.

Audrey moest een verblijfplaats zien te vinden, en pas na verscheidene telefoongesprekken met haar kinderen waren haar zoon Richard en zijn vrouw bereid haar in huis te nemen. Ze zou ermee moeten leren leven dat zij en haar echtgenoot getrouwd zouden blijven maar gescheiden van elkaar zouden leven. Als gelovige zou ze tot de Hemelse Vader bidden voor een spoedige hereniging.

Voor mijn vader en moeder leek dit werkelijk een kans op een nieuwe start. Ik zie nog steeds de blik op mijn moeders gezicht toen vader op een avond thuiskwam met een dozijn rode rozen en een gloednieuwe trouwring, die zij had helpen ontwerpen. Het was een ring met robijntjes en diamantjes en vader had hem laten inpakken in een doosje met een strik eromheen. Ik treuzelde in de woonkamer en was er getuige van dat mijn ouders enkele romantische ogenblikken deelden. Ik was blij te zien hoe ze hun liefde voor elkaar toonden. Moeder had er al tijden niet meer zo gelukkig uitgezien en toen ik haar zo zag, had ik weer goede hoop dat alles in orde zou komen.

Nu Craig er niet meer was, Travis zich in een heropvoedingskamp bevond en Audrey niet langer bij ons woonde, voelde het huis griezelig stil aan. De emoties liepen hoog op en er heerste een blijvend gevoel van leegte. Daarom keken we verlangend uit naar de komende aprilconferentie van alle FLDS-leden in Hildale, Utah, en Colorado City, Arizona. Die bijeenkomst zou ons niet alleen de gelegenheid geven om Travis te zien, maar ook de kans om ons gezin weer op het goede spoor te krijgen.

De aprilconferentie was slechts een van de vele jaarlijkse evenementen waarvoor de gehele gemeenschap – met inbegrip van degenen die in Salt Lake City en Canada woonden – naar Short Creek moest afreizen. De FLDS viert geen traditionele christelijke feestdagen zoals Kerstmis en Pasen. We hadden onze eigen feestdagen, waarvan er drie in de zomermaanden vielen. De eerste was op 12 juni, ter herdenking van de geboortedag van onze voormalige profeet Leroy Johnson. Gedurende zijn hele leven verzamelde hij op zijn verjaardag de mensen om zich heen en trakteerde ze allemaal op watermeloen. De mensen voelden zo veel liefde en respect voor hem, dat ze na zijn overlijden op deze dag bleven samenkomen om hem te herdenken. Vervolgens kwam Onafhankelijkheidsdag op 4 juli en Pioniersdag op 24 juli, met de traditionele pioniersdagparade. Van deze evenementen was Pioniersdag verreweg de grootste gemeenschappelijke viering, aangezien die de dag in 1847 herdacht waarop mormoonse pioniers zich voor het eerst in Salt Lake Valley vestigden. De zomerbijeenkomsten werden in het najaar gevolgd door het Oogstfeest, waarvoor alle leden zich verzamelden in de crik om te helpen bij het rooien van de aardappelen en het oogsten van andere gewassen, waarvan velen van ons gedurende de wintermaanden afhankelijk zouden zijn.

Van al deze jaarlijkse evenementen was de aprilconferentie de meest religieuze, en de mensen kwamen samen in de tweelinggemeente voor godsdienstige vorming. Voor de mannen was dit tevens de tijd voor de priesterwijdingsbijeenkomst. Tijdens deze belangrijke bijeenkomst werden de mannelijke leden van de gemeenschap beoordeeld op hun waardigheid en kregen ze te horen of ze al dan niet beloond zouden worden met een verheffing naar een hoger niveau van priesterschap. Jongemannen worden op hun twaalfde opgenomen in de priesterschap, wanneer ze diaken worden en toegang krijgen tot de gewijde, uitsluitend voor mannen toegankelijke priesterschapsvergaderingen. Naarmate ze ouder worden, kunnen ze binnen de Kerk hogere niveaus bereiken, mits ze over een aanbeveling van hun vader beschikken. Zodra een man de leeftijd van achttien jaar bereikt kan hij ouderling worden, en dan kan hij via een openbaring van de profeet een vrouw krijgen en een gezin stichten.

Vanwege het feestelijke karakter van al deze bijeenkomsten had ik zuidelijk Utah altijd geassocieerd met vreugde en een gevoel van saamhorigheid. Ons verblijf daar werd altijd gekenmerkt door uitgelatenheid en ontspannen plezier. Als kind boden die evenementen me de vrijheid om rond te hollen en met de andere kinderen in het park te spelen. Ik vond het ook heerlijk om naar de dierentuin in het centrum te gaan, die opgericht was door Fred Jessop, de bisschop van Hildale-Colorado City en een geliefde persoon in onze gemeenschap. De dierentuin herbergde veel exotische dieren, waaronder zebra's en lama's, en hij had hem laten bouwen opdat de kinderen voor dergelijk vermaak de gemeenschap niet hoefden te verlaten.

Oom Fred, zoals hij door iedereen werd genoemd, bezat een enorm wit huis dat gelegen was op een heuvel en dat vanuit de meeste delen van de stad te zien was. Evenals de woongemeenschap van de familie Jeffs in Salt Lake City was Freds huis groot genoeg om plaats te bieden aan een kraamcentrum voor de plaatselijke FLDS-gemeenschap, maar Fred Jessop had zelf geen biologische kinderen, aangezien hij door een kinderziekte onvruchtbaar was geworden. Zijn kinderen waren afkomstig van de echtgenotes van mannen die uit de priesterschap waren verstoten en die aan hem waren toegewezen.

Omdat hij zo intens betrokken was bij de gemeenschap, had ik altijd een goed gevoel over oom Fred gehad. Hoewel ik hem niet persoonlijk kende toen ik jonger was, hoorde ik wel verhalen over zijn leven. Als ik hem af en toe wel eens zag, leek hij me een vriendelijke en liefdevolle man die het beste met de mensen voorhad, een man die alle goede aspecten van de gemeenschap vertegenwoordigde.

Short Creek was een omgeving waar we ons niet vreemd of buitengesloten voelden. Het was de enige plek die ik kende waar ik gezellig met anderen kon omgaan en zomaar wat rond kon zwerven. Het besef dat we allemaal dezelfde dingen geloofden en ons in elkaars gezelschap niet hoefden te schamen, zorgde voor een diep gevoel van verbondenheid. In Salt Lake maakten buitenstaanders zich vrolijk over onze lange jurken en ouderwetse haardracht, maar in Hildale en Colorado City zag iedereen er hetzelfde uit als wij en gedroeg iedereen zich net als wij. Iedereen voelde zich thuis in de tweelinggemeente; iedereen kende elkaar van naam en velen waren aan elkaar verwant. Als íéts ons geplaagde gezin tot rust kon brengen, was het wel een uitstapje naar Short Creek. Terwijl onze afgeladen auto op weg was naar het zuiden van Utah voor de jaarlijkse aprilconferentie, had ik goede hoop dat de wonden van ons gezin geheeld zouden kunnen worden en dat ik verlichting zou kunnen vinden voor mijn eigen overweldigende eenzaamheid.

Helaas was de conferentie van dat jaar niet wat ik ervan verwacht had. Bij aankomst leken al mijn zorgen te verdwijnen toen allerlei vrienden en verwanten me begroetten. Samen maakten we plezier en begonnen we ons te ontspannen, en voor het eerst in maanden voelde ik me op mijn gemak. Maar op een dag liep ik, na urenlang buiten gespeeld te hebben, met een verhit gezicht een kamer in en zag daar moeder in een hoek zitten huilen. Ik vroeg haar wat er aan de hand was en door haar tranen heen zei ze dat ze Travis had gesproken en had gehoord wat er met hem aan de hand was. Het gezin dat hem in huis had genomen, vond dat hij een slechte invloed had op hun kinderen en had ook grote bezwaren tegen een groepje jongens met wie hij bevriend was geraakt. Net als Travis hadden veel van zijn nieuwe vrienden grote moeite met ons geloof en zochten ze naar manieren om daartegen in opstand te komen. Op de een of andere manier had Travis een auto weten te bemachtigen en om aan de benauwende atmosfeer in het gezin te ontsnappen begon hij daar de nacht in door te brengen.

Moeder wilde niet al te veel in details treden, maar het was duidelijk dat ze er kapot van was. Dit was de tweede keer dat ik haar zo had zien huilen, en herinneringen aan de dag dat we Craig aan de kant van de weg achterlieten, speelden door mijn hoofd. Later zou ik op deze gebeurtenis terugkijken en me afvragen of moeder alleen maar huilde van verdriet over de benarde positie waarin haar zoon zich bevond of ook vanwege de dubbele mislukking die deze situatie feitelijk inhield. Een priesterschapsmoeder wordt geacht haar kinderen op te voeden tot deugdzame mensen, en als een kind het verkeerde pad op gaat, wordt dat beschouwd als de schuld van de moeder. Moeder was zo wanhopig dat ze me deelgenoot maakte van haar ware gevoelens, en op de een of andere manier begreep ik de betekenis daarvan. Ik zat pas in de vijfde klas van de lagere school, maar op dat bittere moment was ik getuige van de voortschrijdende desintegratie van ons gezin.

Uiteindelijk bleek Travis' weerzin tegen de omstandigheden waaronder zijn heropvoeding plaatsvond onoverkomelijk. Korte tijd nadat we van de aprilconferentie naar huis waren teruggekeerd, hoorden we dat hij uit Short Creek was vertrokken en samen met een paar vrienden die eveneens de Kerk de rug hadden toegekeerd, een huis ergens in het zuiden van Utah had betrokken. De meesten van hen waren de weg kwijt en op zoek naar een manier om buiten de Kerk iets van hun leven te maken. Toen ik hoorde dat hij in hun gezelschap verkeerde, was ik blij, omdat het klonk alsof er sprake was van een soort gezinsverband dat hen zou helpen de moeilijke tijd door te komen die hun te wachten stond. Mijn ouders daarentegen hadden het gevoel dat hij in slecht gezelschap verkeerde, maar ze konden hem niet bereiken om invloed uit te oefenen op zijn doen en laten. Moeder werd verteerd door zorgen en vader door frustratie.

Vroeg in de zomer van 1997 werd ons gezin uitgenodigd om samen met veel van de leden uit Salt Lake een georganiseerde kampeertocht naar Bear Lake, Wyoming, te ondernemen. Het zou een van de weinige ke-

ren zijn dat de mensen in Salt Lake hun eigen gemeenschapsevenement organiseerden. Gedurende het grootste deel van mijn leven was
spelen in het water verboden geweest, omdat vader het te gevaarlijk
vond. Bij diverse gelegenheden was me ingeprent dat de duivel het water beheerste en dat zwemmen voor ons plezier de Heer zou beletten
ons tegen hem te beschermen.

Vanwege deze les voelde ik me opgewonden, maar ook een beetje
bang bij het vooruitzicht een paar dagen aan de oever van het meer
door te brengen. Toen ik vroeg of de duivel in het water zou zijn, kreeg
ik te horen dat, omdat de profeet zijn goedkeuring aan het uitstapje
had gehecht, het water gezegend zou zijn. Daardoor was ik helemaal
gerustgesteld en na aankomst ploeterde en speelde ik naar hartelust in
mijn lange jurk in het water. 's Nachts sliepen we in tenten op het
strand en het geluid van het water wiegde ons in slaap.

Op zeker moment werd mijn aandacht getrokken door een andere
groep kinderen, die in badpak in het water aan het spelen waren. Ze behoorden niet tot de FLDS, maar ook zij waren met het gezin op vakantie. Als een wetenschapper bleef ik hen observeren. Ik was nieuwsgierig
omdat ik geleerd had dat buitenstaanders slecht waren, maar op het
eerste gezicht maakten ze niet die indruk op me. Hoe langer ik naar
hen keek, hoe meer ik me begon te realiseren dat ze er helemaal niet
uitzagen zoals ik me had voorgesteld. Natuurlijk had ik wel eerder
vreemden gezien die geen deel uitmaakten van de FLDS – per slot van
rekening vormden wij een kleine minderheid in Salt Lake City. Maar ik
had hen nooit echt bestudeerd om te zien hoe ze zich gedroegen en hoe
ze met elkaar omgingen. Deze kinderen zagen er zonder meer aardig
uit. Ze waren weliswaar modern gekleed, maar ik vond hun kleren
mooi en helemaal niet onzedig. Stiekem was ik jaloers op hun blote benen, het gevoel van vrijheid en het plezier dat ze uitstraalden. Mijn enkellange blauwe jurk mocht dan mooi bij mijn blauwe ogen passen,
maar plotseling voelde ik me er niet zo gemakkelijk meer in.

Terwijl ik hen zag eten, lachen en spelen, realiseerde ik me dat die
kinderen in feite heel veel op ons leken, en dat het enige verschil hun
kleding was. Zelfs van veraf was het duidelijk dat er in deze gezinnen
sprake was van liefde, dat ze om elkaar gaven en dat ze ook om ons zouden geven. Ik was jong genoeg om nog te geloven wat me was geleerd,
simpelweg omdat dat het enige was wat ik wist, maar het observeren
van die gezinnen leverde een schokkend nieuw gezichtspunt op met

betrekking tot de leer van de kerk. Ik zei er tegen niemand iets over. Ik hield het voor mezelf.

Later in mijn leven zou ik me realiseren dat het, toen ik naar die kinderen stond te kijken, de eerste keer was dat ik vraagtekens zette bij de leer van de FLDS, ook al was het slechts onbewust.

Jammer genoeg voor mij werd het plezier van ons uitstapje naar Bear Lake grotendeels vergald door mijn chronisch ziek-zijn. Mijn amandelen waren zo ontstoken dat ze waren opengebarsten en er ontstekingsvocht in mijn bloedsomloop terecht was gekomen. Mijn vader besefte uiteindelijk dat de ernst van mijn situatie een bezoek aan de dokter vereiste en daar kreeg hij te horen dat een chirurgische ingreep noodzakelijk was. De artsen vertelden mijn ouders dat mijn keel- en neusamandelen verwijderd moesten worden en dat ze ook mijn aangetaste neusholte onder handen moesten nemen.

Me niet bewust van datgene wat me te wachten stond, genoot ik van alle aandacht die ik in het ziekenhuis kreeg. Ik was slechts enkele keren bij de dokter geweest, een keer voor een tetanusinjectie, een andere keer voor buisjes in mijn oren, en weer een andere keer om me te laten behandelen voor de ziekte van Lyme. Ik kreeg een ziekenhuishemd aan, en het feit dat mijn ouders zo bezorgd waren, maakte dat ik me bijzonder voelde, alsof ik op dat moment het enige kind van hen was dat ertoe deed. Vóór mijn operatie diende een anesthesist me een injectie toe om me in slaap te brengen. Het deed heel erg pijn en ik herinner me het brandende gevoel dat door mijn arm trok. Plotseling werd mijn arm gevoelloos en dommelde ik in slaap.

Toen ik weer wakker werd, was het anderhalve dag later. Mijn ouders hadden aan mijn bed gewaakt. Per abuis was me een volwassenendosis narcosemiddel toegediend en dat had me bijna het leven gekost. Ik kreeg te horen dat ik op een gegeven moment bijna gestorven was op de operatietafel. Hoewel ik me herinnerde dat ik een keer wakker was geworden, waarbij ik het gevoel had dat ik niet kon ademen, had ik geen idee dat mijn hart er feitelijk mee opgehouden was en dat ik met spoed naar een nabijgelegen kinderziekenhuis was overgebracht. Door alle consternatie was het er niet meer van gekomen om mijn amandelen te verwijderen. Mijn toestand was te ernstig geweest om die ingreep uit te voeren en het zou weken duren voordat een andere arts zou opereren. De dagen nadat ik weer bij bewustzijn was gekomen, kreeg ik geregeld minitoevallen, die mijn moeder de doodsschrik op het lijf joegen. Zoals te verwachten viel, voerden mijn ouders dit bijna fatale incident aan als argument voor de opvatting van de FLDS dat we artsen en reguliere medische zorg moesten mijden.

Terwijl ik langzamerhand weer herstelde, hernam het leven zijn gewone gangetje en aanvankelijk leek het erop dat, nu moeder Audrey er niet meer was, alles wat soepeler verliep. Maar op een gegeven moment werd duidelijk dat zolang er meer dan één vrouw in ons huishouden was, de situatie onhoudbaar was. Moeder Laura mocht in het huis blijven wonen met haar pasgeboren zoontje. Omdat het haar eerste kind was, leek moeder Laura wel een moederbeer met haar pasgeboren welp. Ze had behoefte aan haar eigen ruimte en ze besloot dat de dingen in het huishouden voortaan op haar manier moesten gebeuren. Tot overmaat van ramp oefende ze grote invloed uit op vader en bracht hem ertoe straffen uit te delen aan mijn broers Jacob, Justin en Brad. Alle drie de jongens hadden het voortdurend aan de stok met moeder Laura, die van mijn vader scheen te verwachten dat hij zijn 'liefde' bewees door hun gedrag te 'corrigeren'.

Moeder Audreys afwezigheid had nauwelijks verbetering gebracht in de explosieve atmosfeer. Eigenlijk werd de situatie er alleen maar slechter op. Voor zover ik kon zien, gebruikte moeder Laura Audreys afwezigheid om haar invloed op het gezin te vergroten, en plotseling veroorzaakte datgene wat ooit een oplossing had geleken, een nog grotere kloof in ons onsamenhangende gezin. Wat me nog meer zorgen baarde, was hoe paranoïde en bezorgd vader scheen te zijn geworden. Het verlies van zijn gezin was een enorme klap voor hem geweest en nu, onder druk van de priesterschap om ons gezin weer op de rails te krijgen, werd hij strenger voor alle gezinsleden in een poging zijn tanende gezag te versterken. Mijn moeder vormde geen uitzondering en ook zij werd voortdurend in de gaten gehouden. Vader was bang dat ze opnieuw naar de profeet zou gaan en telkens als hij haar aan de telefoon zag, maakte hij zich ongerust; uiteindelijk kwam het zo ver dat ze alleen nog maar met Rachel en Kassandra kon praten als hij niet in de buurt was.

In september begon ik aan de zesde klas op de Alta Academy, maar tegen die tijd was ook de school een bron van onbehagen geworden. Jarenlang had Warren Jeffs ons voorgehouden dat jongens en meisjes niet met elkaar mochten omgaan; zoals ik al in de tweede klas had geleerd, moesten we elkaar als slangen behandelen. Maar dit jaar werd hij steeds strenger in de leer en hij besloot beide geslachten fysiek van elkaar te scheiden en ze onder te brengen in afzonderlijke klaslokalen en verschillende gebouwen op het terrein. Het leerplan voor de meisjes van de zesde klas was volkomen anders dan dat van de jongens. We hadden verschillende pauzes en verschillende klassenactiviteiten, en er was tijdens de schooldag geen enkel moment meer waarop de jongens en meisjes contact met elkaar hadden. Warren vertelde ons dat die scheiding 'de wil van de profeet en van God' was, maar mij leek het tamelijk onzinnig.

In de hogere klassen werden de religieuze aspecten van het onderwijs, die altijd al een rol hadden gespeeld, allesoverheersend. Geleidelijk aan had oom Warren het traditionele aan de leeftijd aangepaste leerplan vervangen door de leer van de Kerk en leerstellingen van hemzelf. De Kerk had ons al jarenlang openlijk vooroordelen bijgebracht tegen iedereen met een andere huidskleur dan wij, maar nu werd Warrens taalgebruik nog onverzoenlijker. Hij leerde ons dat niet-blanke mensen behoorden tot de ergste en minderwaardigste zondaren op aarde en dat het omgaan met dergelijke mensen een van de grootste ongehoorzaamheden was waaraan een FLDS-lid zich schuldig kon maken.

Bovendien had hij ons lesmateriaal naar eigen inzicht herschreven. Boeken van auteurs die niet tot de Kerk behoorden, werden vernietigd en vervangen door boeken die door de Kerk waren goedgekeurd. Vakken als wis- en natuurkunde en moderne geschiedenis werden minder belangrijk en in plaats daarvan kwam de nadruk te liggen op onze religieuze vorming. Niet-goedgekeurde afbeeldingen werden uit de leerboeken verwijderd, en alles wat verband hield met de evolutie of de menselijke anatomie werd geschrapt. In feite werd alles wat niet in overeenstemming was met onze strikte geloofsleer uit het leerplan verwijderd en pagina's van boeken over controversiële onderwerpen werden er gewoon uit gescheurd.

Een voorbeeld van dit sluipende conditioneringsproces was de ontwikkeling van de schoolkrant, de *Student Star,* die later herdoopt werd tot *Zion's Light Shining.* Wat een aantal jaren eerder was begonnen als een leuke schoolkrant met luchtige verhalen, schoolmededelingen en andere interessante zaken, was veranderd in nog een vehikel voor strenge religieuze indoctrinatie. Warren had de krant overgenomen en vulde hem voornamelijk met preken en de leer van profeten en kerkleiders uit het verleden. Er kon niets afgedrukt worden zonder dat hij er zijn goedkeuring aan had gehecht. Opvallend genoeg waren het geen letterlijke Bijbelteksten, maar zijn interpretaties ervan die in de krant terechtkwamen. Spoedig werd de krant een integraal onderdeel van het leerproces op de Alta Academy en een belangrijk onderdeel van het leerplan. We werden geacht hem van de eerste tot de laatste letter te lezen en er werden ook toetsen over gegeven.

Door middel van deze en andere vormen van indoctrinatie kweekte oom Warren geleidelijk aan een generatie van trouwe volgelingen. De meesten van ons hadden van jongs af aan de Alta Academy bezocht. Bijna alles wat we over ons geloof wisten, hadden we van hem geleerd. Warren had onze visie op onze godsdienst en de wereld gevormd; en we hadden uitsluitend datgene geleerd wat Warren wilde dat we leerden. De leerlingen van de Alta Academy werd bijgebracht oom Warren te vrezen en te gehoorzamen als méér dan alleen onze directeur. Hij was degene die het dichtst bij de profeet stond, en als zodanig zogen we elk woord van hem in ons op.

In de loop der jaren had de profeet Warren geleidelijk aan een machtspositie bezorgd. 'Warren spreekt namens mij' is een zin die ik oom Rulon vele malen heb horen uitspreken. Inmiddels waren de FLDS-mensen Warren en de profeet als één gaan beschouwen. Naarmate oom Rulon ouder en zwakker werd, was het niet meer dan logisch dat de mensen Warrens woorden accepteerden als die van zijn vader en gewend raakten aan de geleidelijke overdracht van de macht. We wilden allemaal gered worden en we wisten dat het volgen van de profeet en Warren de enige manier was om daar zeker van te zijn.

Warrens toegenomen macht bleek heel duidelijk in 1998, toen hij ons een stap dichter bij de dag des oordeels bracht met een opzienbarende aankondiging: de Alta Academy zou gesloten worden en zijn vader zou het gebouw verkopen. Samen zouden ze verhuizen naar het andere huis van de profeet in het zuiden van Utah. Het jaar 2000 naderde met rasse schreden en spoedig zou Zion worden gesticht, in het nieuwe millennium. Ze begonnen uitgeselecteerde gezinnen in Salt Lake te sommeren hen naar het zuiden van Utah te vergezellen, zodat de gelovigen verenigd 'ten hemel zouden varen' als het einde der dagen aangebroken was.

Deze richtlijn sloot aan op een van de meest fundamentele aspecten van ons geloof. 'De tijd dringt' was lange tijd een soort mantra geweest voor de leiders van de Kerk. Jarenlang was de mensen op het hart gedrukt om waardig te blijven en zich voor te bereiden omdat het einde der tijden nabij was. We geloofden dat elke dag de aarde verwoest kon worden en dat alleen de zuiveren van geest en de rechtschapenen gered zouden worden. Iedereen die niet 'waardig' was, was slecht en zou niet gered worden. Als we in de ogen van de profeet niet gelovig waren, zouden we achtergelaten worden om verdelgd te worden.

In mei van dat jaar verliet de laatste examenklas van de Alta Academy het schoolgebouw en gingen de deuren voorgoed op slot. Die hele zomer waren Michelles echtgenoot Seth Jeffs en verscheidene andere FLDS-leden druk bezig om het leerplan van de school te kopiëren en te verspreiden, zodat de gezinnen die in Salt Lake Valley achterbleven, hun kinderen zelf konden onderwijzen. In de jaren die volgden kregen steeds meer gezinnen opdracht om de reis van vijfhonderd kilometer naar het zuiden van Utah te ondernemen. De tweelinggemeente Hildale-Colorado City kreeg een grote toestroom van mensen te verwerken.

Ondanks oom Rulons verslechterende gezondheid geloofde iedereen binnen de FLDS dat hij nog honderden jaren zou blijven leven, zelfs nadat hij in de zomer van 1998 werd getroffen door een beroerte. Als een van oom Rulons echtgenotes woonde mijn zus Kassandra in zijn huis ten tijde van de beroerte en zij was een van de weinige mensen die op de hoogte waren van zijn werkelijke toestand. Kassandra vertelde me later dat Rulon in zijn woongemeenschap in Hildale een familiebijeenkomst bijwoonde toen hij vooroverzakte in zijn stoel. De mensen om hem heen dachten dat hij gewoon was weggedommeld en lieten hem met rust, tot ze zich realiseerden dat er iets helemaal mis was. Oom Rulon werd naar zijn kamer gedragen en er werd onmiddellijk contact opgenomen met Warren.

Toen Warren in Short Creek arriveerde, werd er een ambulance gebeld en werd vastgesteld dat oom Rulon een beroerte had gehad. Later was Kassandra bij Rulon in het ziekenhuis, waar tests werden gedaan om vast te stellen welk deel van de hersenen was aangetast en in welke mate. Aanvankelijk herkende Rulon geen van zijn vrouwen of de andere bekende gezichten om hem heen en viel hij terug op de herinneringen uit zijn jeugd.

Toen de ernst van de toestand van zijn vader tot oom Warren doordrong, begon hij de zorg voor zijn vader te coördineren en te bepalen welke mensen hem mochten bezoeken. Er gebeurde niets met oom Rulon zonder Warrens medeweten en toestemming. Om zijn gedrag te rechtvaardigen hield Warren Rulons vrouwen voor dat hij, als zoon van de profeet, hemelse inspiratie zou ontvangen met betrekking tot degenen die 'gelovig' genoeg waren om in oom Rulons aanwezigheid te mogen verkeren. Iemand die onvoldoende in de geest van God leefde, zou zijn genezingsproces in de weg staan. Warren bepaalde zelfs welke vrouwen gelovig genoeg waren om met de profeet samen te wonen nadat hij uit het ziekenhuis was teruggekeerd.

Toen oom Rulons toestand zich stabiliseerde en langzaam begon te verbeteren, regelde Warren dat hij teruggebracht werd naar Salt Lake City, zodat hij toezicht kon houden op zijn vaders herstel tot de verhuizing van de familie naar Short Creek. Omdat hij zich zorgen maakte over de reactie van de mensen op het nieuws van de verslechterde gezondheidstoestand van de profeet, gaf hij alle vrouwen in huis opdracht niemand bij oom Rulon toe te laten. 'We kunnen de mensen niet laten zien hoe ernstig vaders beroerte is geweest.'

Kort na de terugkeer van oom Rulon in Salt Lake City zou er een maandelijkse priesterschapsvergadering op de Alta Academy plaatsvinden, die bijgewoond zou worden door enkelen van de invloedrijkste ouderlingen. Onder hen bevonden zich de 'Barlow Boys' – Danny, George, Sam, Louis en Truman – allen diepgelovige en zeer gerespecteerde priesterschapsvaders. Het was gebruikelijk dat deze groep patriarchen en ouderlingen vóór de bijeenkomst oom Rulon begroette in zijn privévertrekken in de woongemeenschap, maar uit vrees dat de mannen zich de ernst van zijn vaders toestand en zijn onvermogen om zijn plichten als profeet te vervullen zouden realiseren, gaf oom Warren enkelen van zijn broers opdracht dat bezoek te verhinderen. Kassandra hoorde Warren tegen zijn broer Isaac zeggen: 'Zorg dat ze vader niet te zien krijgen. Zeg maar dat hij ligt te rusten. Als we hun laten zien hoe ernstig hij eraan toe is, hebben we een probleem. We moeten hun vertellen dat vader het goed maakt. De Heer zal voor hem zorgen, en zij moeten met hun geloof en gebeden bijdragen aan zijn herstel.'

Toen Warren uiteindelijk mensen weer toestond om bij oom Rulon op bezoek te gaan, mochten slechts enkele zorgvuldig geselecteerde familieleden alléén bij hem toegelaten worden. oom Warren vertelde de mensen dat God zijn vader met deze beroerte had bezocht om de profeet wat tijd te geven om uit te rusten. Hij was ziek maar hij zou herboren worden, zei Warren, en alleen het onvoorwaardelijke geloof en de gebeden van de mensen zouden hem genezen. We geloofden oprecht dat als we maar gelovig genoeg waren, hij weer jong en sterk zou worden.

Zonder dat we het wisten was oom Rulon in de periode vlak na zijn beroerte nauwelijks in staat geweest zich te bewegen en moest hij overal mee geholpen worden, van zich aankleden tot en met eten. Hoewel hij genoeg vooruitging om talloze bijeenkomsten bij te wonen en voor te zitten, en bleef verkondigen dat Warren namens hem sprak, herstelde hij nooit meer volledig en zou hij de rest van zijn leven problemen met zijn geheugen houden. Warren nam de afspraken van zijn vader over. Iedereen die probeerde contact op te nemen met de profeet of hem te bezoeken, moest dat via hem doen. Omdat Warren wist dat zijn vader de verantwoordelijkheid voor de gang van zaken in de kerk niet meer aankon, nam hij ook de leiding van kerkelijke bijeenkomsten over en belastte zich met alle zaken betreffende de priesterschap, wat hem de volledige controle over het reilen en zeilen van de Kerk verschafte.

Het leek erop dat oom Warren zich er jarenlang op had voorbereid deze rol te vervullen. Hij was niet de oudste of jongste zoon van oom Rulon, maar hij had zijn uiterste best gedaan zich te profileren als de natuurlijke opvolger van zijn vader. Zelfs als tiener al, lang voordat Rulon profeet werd, had Warren ervoor gekozen niet met de andere kinderen mee te spelen en in plaats daarvan zo veel mogelijk tijd met zijn vader door te brengen, wat als buitengewoon eerzaam werd beschouwd. Toen hij directeur van de Alta Academy werd, ging hij dikwijls te rade bij zijn vader, en vanaf die tijd werd hun relatie steeds hechter. Warren werd Rulons bevlogen rechterhand, de zoon die de profeet altijd kon helpen dingen voor elkaar te krijgen.

Als directeur van de Alta Academy afficheerde Warren zichzelf als boegbeeld en tegen de tijd van oom Rulons beroerte wisten de mensen al dat als ze niet bij Rulon terecht konden, ze zich tot Warren moesten wenden. Uit respect voor zijn rol als zoon van de profeet luisterden de mensen naar Warren en gehoorzaamden ze hem blindelings. Alle gelovigen vertrouwden hem en geloofden dat hij uitsluitend sprak uit naam van zijn vader, onze profeet, en uit naam van God. Niemand zou het in zijn hoofd halen om iets anders te denken en Warren maakte dankbaar gebruik van dat vertrouwen door de gemeenschap zodanig te manipuleren dat de opkomst van een nieuwe en hardvochtige macht vrijwel onopgemerkt kon plaatsvinden.

Vóór het midden van de jaren tachtig was het gezag in de FLDS verdeeld tussen de profeet en een priesterschapsraad, maar een meningsverschil over wie het gezag had om huwelijken tot stand te brengen, had een eind gemaakt aan deze gedeelde hiërarchie en alle macht binnen de kerk was overgedragen aan de profeet. De onenigheid ontstond doordat sommige leden van de priesterschapsraad gelijktijdig huwelijken hadden gearrangeerd, waarbij soms per ongeluk dezelfde jonge vrouw aan meer dan één man werd beloofd, gebaseerd op vermeende openbaringen.

Leroy Johnson, de toenmalige profeet, vond dat onacceptabel. Hij stond erop dat alle huwelijken door hem tot stand zouden worden gebracht. Daar waren de leden van de priesterschapsraad het niet mee eens. Uiteindelijk kwam oom Roy als overwinnaar uit de strijd tevoorschijn en hij trok het algehele gezag over de priesterschap en het arrangeren van huwelijken naar zich toe. Deze historische gebeurtenis binnen onze kerk markeerde het begin van de doctrine van de onbeperkte macht van de profeet.

Enkele leden van de priesterschapsraad die de voorkeur gaven aan de traditionele leiderschapsstructuur verlieten verslagen de FLDS om hun eigen Kerk op te richten, die ze de Centennial Group noemden. Deze gebeurtenis stond onder gelovigen bekend als 'de afsplitsing'. Degenen die onze Kerk verlieten om de nieuwe sekte op te richten, werden als afvalligen bestempeld en werden door de FLDS niet langer als 'waardig' beschouwd. Oom Rulon en zijn vertrouwelingen ontmoedigden ten sterkste zelfs terloopse contacten met leden van die sekte, die zich op ongeveer 1,5 kilometer afstand van de crik vestigde.

Het gevaar van de nieuwe machtsstructuur na de afsplitsing was natuurlijk dat alle gezag over de FLDS bij de profeet berustte. Tijdens de laatste jaren van oom Roys leven vormde dat geen probleem, maar met Rulon en Warren aan het roer hield het een groot aantal risico's in.

6

De toestand loopt uit de hand

Ik wil de nederige dienaar van de profeet zijn.

– FLDS-gebed

In het najaar van 1998 woonde ons gezin nog steeds aan Claybourne Avenue en tot mijn en ieders verrassing kwam moeder Audrey weer terug naar huis. Haar jongste dochter, Lydia, was kort daarvoor getrouwd en nu ze geen kinderen meer thuis had, versterkte moeder Audrey haar vriendschap met moeder Laura, die nu halverwege de twintig was en haar zoontje grootbracht. Beide vrouwen hadden vanaf het begin een goede relatie met elkaar gehad en tijdens onze afwezigheid was die alleen nog maar hechter geworden. Maar het huis waarnaar moeder Audrey terugkeerde, was niet hetzelfde huis waaruit ze het jaar daarvoor vertrokken was. Plotseling scheen vader de voorkeur te geven aan het gezelschap van Laura. Het was Laura die met vader naar de supermarkt ging. Het was Laura die de boodschappenlijstjes van de andere moeders kritisch bekeek om vast te stellen of bepaalde artikelen wel echt noodzakelijk waren.

Net zoals moeder Audrey het moeilijk had gehad met de komst van vaders tweede vrouw, had moeder het nu moeilijk met de aanwezigheid van Laura. Dit is een van de inherente nadelen van het polygame huwelijk. De man voelt trots en opwinding bij de komst van een nieuwe vrouw in het gezin, maar voor de vrouwen die er al zijn, geeft het aanleiding tot wrok en jaloezie. Wat de zaak er voor mijn moeder nog erger op maakte, was dat de oude wonden tussen haar en Audrey nog niet waren geheeld. Opnieuw voelde moeder zich buitengesloten en werd de schuld van de huiselijke problemen van het gezin haar in de schoenen geschoven. Niemand was volkomen onschuldig, maar niemand was bereid de verantwoordelijkheid te nemen voor de problemen die ons gezin bleven teisteren.

Terwijl mijn moeder het het hardst te verduren had, gaf iedereen elkaar de schuld. Ik had het gevoel dat de twee andere moeders samenspanden tegen mijn broers en zussen en mij. Als er zich thuis een probleem voordeed, koos vader al snel partij voor een van de andere moeders, waarbij hij de versie van de kinderen negeerde en ermee instemde dat straf op zijn plaats was. Vanuit mijn gezichtspunt leek het erop dat moeders kinderen bij vader, Audrey en Laura geen goed konden doen. Mijn broers hadden zich aangewend om aan de gespannen atmosfeer te ontsnappen door verboden uitstapjes te maken naar de plaatselijke winkelgalerij en de Toys "R" Us, waar ze vrienden ontmoetten en videospelletjes speelden. Ondertussen begon mijn zus Teressa mijn moeder te verdedigen en het op te nemen tegen vader en zijn andere vrouwen, net als Craig had gedaan, een rebellie die haar de woede van vader opleverde.

Mijn vader, die doodsbang was dat hij zijn geliefde gezin opnieuw zou kwijtraken, werd steeds meer paranoïde naarmate Teressa en mijn broers hun tienervleugels uitsloegen en openlijker de confrontatie aangingen. Hoewel ze zich slechts gedroegen als normale tieners, werden ze als opstandig beschouwd en vader maakte zich grote zorgen over de invloed die hun gedrag zou kunnen hebben op zijn positie binnen de priesterschap. Hoe droevig het ook was, het was ons allemaal duidelijk dat vader eraan onderdoor ging terwijl hij uit alle macht probeerde zijn vrouwen en kinderen in toom te houden, overeenkomstig het oogmerk van de priesterschap.

Terugdenkend aan zijn strijd om ons gezin onder controle te houden, heb ik me dikwijls afgevraagd of vader door zijn eigen moeilijke jeugd emotioneel misschien onvoldoende toegerust was om zijn vierentwintig kinderen en drie vrouwen aan te kunnen. Toen hij nog een klein jongetje was, had zijn moeder het gezin in de steek gelaten; zoals grootvader Wall het vertelde, wilde ze gewoon niet meer getrouwd zijn. Grootvader Wall, die niet in staat was zijn twee jonge kinderen te verzorgen en tegelijk de kost te verdienen, had geen andere keus gehad dan vader en zijn zusje bij familieleden onder te brengen. Later moest er een andere regeling worden getroffen en toen kwam vader terecht op een boerderij voor weeskinderen in Utah. Omdat grootvader Wall in de kolenmijnen werkte, duurde het een tijdje voordat hij in de gaten kreeg dat de boer de kinderen, onder wie mijn vader, misbruikte. Toen grootvader er uiteindelijk achter kwam wat er aan de hand was, haalde hij vader meteen terug naar huis. In de loop der jaren verhuisden ze regelmatig en op een gegeven moment kwamen ze terecht in Utah, waar grootvader uiteindelijk hertrouwde. Maar problemen thuis dwongen vader om het huis uit te gaan toen hij zestien was. Hij maakte echter wel zijn middelbare school af. Na zijn eindexamen meldde vader zich aan bij de Nationale Garde en hij kreeg daar een opleiding bij de genie. Hij diende acht jaar als reservist. Later hielpen zijn discipline en leergierigheid hem bij het voltooien van verdere studies.

Vader verlangde orde en wilde dat zijn jongens goede priesterschapsmannen zouden worden; maar tegen de tijd dat mijn broers de tienerleeftijd bereikten, bleek het onmogelijk hen te vormen naar de FLDS-mal. Van gelovige jongens werd verwacht dat ze hun vader op nederige wijze dienden, hem begroetten met zinnen als 'Ik ben hier om u te gehoorzamen', 'Wat wilt u dat ik doe?' en 'Ik wil de nederige dienaar van de profeet zijn', en voortdurend uitdrukking gaven aan hun 'eeuwige liefde en trouw' voor de profeet en de priesterschap. Mijn broers luisterden echter naar een diepe innerlijke stem die hun vertelde dat zulk gedrag gewoon niet normaal was. Wat vader ook probeerde, zijn zoons hadden de grootste moeite om te leven volgens de principes van ons strenge geloof.

En dat nu ook Teressa – en niet alleen mijn broers – zich openlijk afzette tegen het geloof, veroorzaakte nog meer wrijving. Ik weet zeker dat het haar veel verdriet deed dat ze met vader overhoop lag, maar de situatie werd zo ondraaglijk dat ze het huis uit begon te glippen om conflicten te vermijden, al was het maar voor een paar uur. Ik had altijd opgekeken tegen Teressa en bewondering gehad voor haar sterke en onverzettelijke persoonlijkheid. Ze was niet bang om die eigenschappen tentoon te spreiden en datgene te doen wat volgens haar juist was. Dat vereiste de nodige moed, aangezien FLDS-vrouwen niet geacht werden een stem in het kapittel te hebben waar het hun eigen bestemming betrof. Ondanks deze sociale druk aarzelde ze nooit om haar mening te geven, tot grote ontzetting van mijn vader. Mijn moeder kon alleen maar diep bedroefd toekijken, onmachtig om iets aan de situatie te doen.

Door Teressa's opstandigheid nam de druk op haar om te trouwen toe. Nu begrijp ik dat het gebruikelijk was om een meisje dat 'problemen' met gehoorzaamheid had, zo snel mogelijk te laten trouwen en zwanger te laten maken om haar van het slechte pad af te brengen en haar te dwingen zich aan te passen aan het ideale vrouwbeeld van de FLDS. Onze moeder en enkelen van mijn oudere zussen begonnen er bij Teressa op aan te dringen 'zich aan de profeet over te leveren voor het huwelijk', maar zoals je van Teressa kon verwachten, weigerde ze. Wel wisten mijn ouders haar een ontmoeting met oom Rulon en Warren op te dringen. Tijdens die bijeenkomst bleef mijn zus koppig zwijgen en weigerde ze oom Rulons vragen te beantwoorden. Ze had mijn ouders van tevoren gewaarschuwd dat als ze gedwongen werd om met de profeet te praten, ze geen woord zou zeggen. Warren nam aanstoot aan haar gedrag en gaf haar later opdracht het grondgebied van de kerk te verlaten en naar de gemeenschap in Bountiful, Canada, te vertrekken om daar te werken, berouw te tonen en zich te bezinnen op de haar toebedachte rol in onze gemeenschap.

Niet lang nadat Teressa naar Bountiful was gestuurd, voegden mijn tweelingbroers Justin en Jacob zich daar bij haar. Ze zetten nog steeds vraagtekens bij bepaalde aspecten van ons geloof, en om te voorkomen dat de situatie met de tweeling uit de hand zou lopen, werden ook zij naar Canada gestuurd om daar heropgevoed te worden. Net als bij Teressa, hoopten mijn ouders dat een verblijf in Canada hun geloof zou versterken waardoor ze als betere FLDS-leden naar huis zouden terugkeren.

Gedrieën gingen ze aan het werk in een door de kerk gerund bedrijf dat palen en omheiningen produceerde in het verre Alberta, bijna zeven uur rijden ten noorden van Bountiful. Eenmaal daar aangekomen, moesten ze allemaal zware arbeid verrichten, samen met andere jongens en af en toe een enkel meisje die daarnaartoe waren gestuurd om heropgevoed te worden. Laat ze zo hard werken dat ze geen energie meer hebben om in de problemen te raken, was het parool. Hun voornaamste taak was bomen tot palen te verwerken. Het was zwaar werk, vooral voor Teressa in haar lange strokenjurken. Dikwijls werkten ze in de nachtploeg, zelfs bij temperaturen onder nul; en er waren nauwelijks veiligheidsvoorzieningen. Ze kregen geen loon, alleen kost en inwoning.

Er werd weinig moeite gedaan om het uiteindelijke doel van dit alles te verbergen. Het ging erom haar geest te breken door haar zo hard te laten werken dat ze zich onderwierp. Het huwelijk werd haar voorgehouden als enig alternatief voor het zware werk. Het was een strijd der geesten en ze waren vastbesloten die van haar te ondermijnen. Na vele maanden gaf Teressa zich uiteindelijk gewonnen en werd er aangekondigd dat ze zou trouwen met Roy Blackmore, de achttienjarige zoon van de echtgenoot van mijn zus Sabrina en een van zijn andere vrouwen. Hoewel het wat haar betrof een ongewenst huwelijk was, zou haar echtgenoot in elk geval van haar eigen leeftijd zijn. Daar kwam nog bij dat Teressa indertijd oprecht geloofde in oom Warrens profetieën dat het einde der tijden nabij was. Ze was ervan overtuigd dat ze niet waardig was om gered te worden en geloofde dat ze slechts twee jaar huwelijk voor de boeg zou hebben voordat ze bij de verwoesting van de wereld voor alle eeuwigheid te midden van de goddelozen in de hel zou belanden.

De bittere kou van Canada, zware lichamelijke arbeid en intense druk waren ervoor nodig geweest, maar uiteindelijk was Teressa gebroken. Ze was zeventien toen ze trouwde en ze was de mooiste bruid die ik ooit had gezien. Ze had goudblond haar en prachtige blauwe ogen. Ze zag er fantastisch uit, maar ik wist dat er onder dat stralende uiterlijk wrok schuilging omdat ze haar eronder hadden gekregen.

Ik was pas twaalf toen Teressa in het huwelijk trad en permanent lid werd van de Canadese FLDS-gemeenschap. Als het lastige kleine zusje had ik nooit een hechte relatie met haar gehad. Heimelijk verafgoodde ik Teressa en wilde ik net als zij worden. Terwijl ik getuige was van haar schermutselingen binnen ons gezin, kwam ik erachter dat het belangrijk was om voor jezelf op te komen als er iets niet deugde. Hoewel ze er uiteindelijk in had toegestemd te trouwen, kwam ze op voor haar overtuigingen en haar rechten als persoon, zelfs als haar opvattingen tegen die van de kerk in gingen. Haar optreden was vrijpostig en opstandig, maar ik was oud genoeg om in te zien dat er iets bewonderenswaardigs in school. Indertijd besefte ik het niet, maar dat ik als ontvankelijk jong zusje getuige was van Teressa's verzet, bracht een verandering in me teweeg. Pas jaren later zou ik erachter komen wat die verandering precies inhield.

Op 7 juli 1999 vierde ik mijn dertiende verjaardag met ons gezin in Salt Lake City, niet wetend dat het de laatste keer zou zijn dat ik ooit nog iets samen met mijn vader zou vieren.

Ik was nu het oudste meisje in huis en ik nam veel van de huishoudelijke taken op me die daarvoor door Teressa waren uitgevoerd. Omdat er geen school was, begon ik ook regelmatig te koken en schoon te maken. Verder knapte ik allerlei karweitjes op en ik hield me ook nog eens bezig met de zorg voor moeders jongste twee dochters, Sherrie en Ally. Vaak zorgde ik ook voor moeder Laura's zoontje, maar ik moest voorzichtig zijn met hoe ik hem behandelde. Moeder Laura speelde nog altijd de rol van moederbeer en gedroeg zich heel beschermend ten opzichte van hem. Haar gedrag kon frustrerend zijn, maar moeder deed haar best om me te laten inzien dat Laura's handelwijze begrijpelijk was. Zij had hetzelfde gehad met mijn broer Travis, toen ze uiteindelijk haar baan bij vaders bedrijf had opgezegd opdat ze overdag voor hem en haar andere kinderen kon zorgen.

Er kwam een droevige blik in haar ogen terwijl ze ongetwijfeld aan Travis dacht, met wie het niet goed ging. Zijn woonsituatie met de andere jongens die de FLDS de rug hadden toegekeerd, was uiteindelijk verslechterd en onhoudbaar geworden. De meeste jongens die de gemeenschap gedwongen hadden verlaten, waren nog maar tieners en waren opgegroeid in een zeer besloten clan waar ze maar weinig regulier onderwijs hadden genoten. Hoewel ze elkaar zo veel mogelijk steunden, zat er voor hen niet veel anders op dan genoegen te nemen met eenvoudige, laagbetaalde baantjes. Uiteindelijk besloot Travis dat hij niet langer op die manier kon leven en hij keerde terug naar Salt Lake City om een nieuwe start te maken. Zijn jarenlange harde werk als lid van de FLDS-gemeenschap hielp hem bij het vinden van een baan in de bouw en opnieuw betrok hij een huis samen met andere voormalige FLDS-jongens. Maar uiteindelijk had de verhuizing niet het gewenste resultaat. Net als in zuidelijk Utah had hij het ook in Salt Lake moeilijk en eigenlijk had hij hulp nodig.

Omdat hij halverwege zijn 'heropvoeding' in Short Creek de kerk verlaten had, werd hij nu bestempeld als afvallige. Afvallig zijn was nog erger dan niet gelovig zijn. Een afvallige was iemand die het geloof was kwijtgeraakt of de Kerk en de priesterschap de rug had toegekeerd. Afvalligen werden beschouwd als een van de ergste soorten kwaad. De leer van de FLDS gebood dat alle leden het contact verbraken met mensen die ervoor kozen afvallig te worden – zelfs leden van je eigen gezin. Aan dit gebod werd zo streng de hand gehouden, dat we uiterst voorzichtig moesten zijn in de omgang met onze broer. We waren gewaarschuwd dat de straf zwaar zou zijn, maar niemand van ons wist precies wat dat inhield. Toch waren we niet bereid een broer en zoon volkomen aan zijn lot over te laten.

Na maanden van afwezigheid maakte Travis weer deel uit van ons leven, en op geregelde tijden kwam hij even langs om te kijken hoe het met zijn jongere broers en zussen ging. Meestal kwam hij alleen gedag zeggen, maar vervolgens wierp hij hongerige blikken op ons eten. Vader en moeder konden er niet tegen om hun kind in die toestand te zien en schoven hem ondanks het risico af en toe een bord eten toe. Hoe moeilijk hij het ook had, Travis kon zich er niet toe brengen vader om hulp te vragen. Moeder en ik schoven hem stiekem verwenpakketten toe tijdens zijn verboden bezoekjes aan ons huis. Hoewel het strijdig was met de leer van de Kerk, konden we het niet over ons hart verkrijgen hem honger te zien lijden.

Het was verschrikkelijk om te zien hoe de leden van ons gezin geleidelijk aan kapot werden gemaakt uit naam van ons geloof. Zelfs terwijl ons huiselijk leven steeds chaotischer werd, bleef vader onze jaarlijkse kampeertocht en picknicks in de bergen organiseren in een poging de goede tijden die we ons allemaal herinnerden, te doen herleven. Maar de realiteit van onze situatie viel niet te ontkennen, en de afwezigheid van zo veel van mijn broers en zussen maakte het moeilijk om net zoveel van die uitstapjes te genieten als vroeger.

Ik kwam pas later achter de droevige waarheid dat oom Warren op de hoogte was van de problemen in ons gezin. Moeder had opnieuw in het geheim met Rachel gesproken en had haar toevertrouwd dat mijn vader zijn gezin niet volledig onder controle had. Natuurlijk koos Rachel moeders kant zonder vader naar zijn mening te vragen, om uiteindelijk tot de conclusie te komen dat vader het gezin niet op de juiste manier leidde en dat hij nauwelijks zeggenschap had over datgene wat zich onder zijn dak afspeelde. Rachel begon verhalen over te brieven aan Warren, een praktijk die steeds algemener werd nadat onze profeet Rulon als gevolg van zijn beroerte een stapje terug had moeten doen en zich noodgedwongen op de achtergrond hield.

Toen Rulon Jeffs profeet werd, vergrootte hij de rol van de profeet op het gebied van het huwelijk door zich niet langer te beperken tot het bekendmaken van wie er mocht trouwen. Als vóór zijn tijd een echtpaar huwelijksproblemen had, werden ze aangemoedigd om die zelf op te lossen, behalve bij ernstige zaken zoals overspel en afvalligheid. Rulon begon zich bezig te houden met een soort huwelijkscounseling. Zogenaamd was die gericht op het oplossen van huwelijksproblemen, maar in feite ging het hem niet zozeer om het oplossen van problemen als wel om de controle over echtelieden.

Door deze nieuwe praktijk raakte de profeet op de hoogte van de intiemste geheimen van de leden en Rulon had er geen moeite mee van die informatie gebruik te maken. Onder het mom van counseling begon de profeet – en later Warren – besluiten te nemen die ingrepen in de persoonlijke levenssfeer, zoals bemoeienis met de seksuele betrekkingen tussen echtelieden en soms zelfs scheiding van gezinnen door mannen te verbannen en vervolgens met hun echtgenotes te trouwen.

Toen Warren na de beroerte van oom Rulon vaster in het zadel kwam te zitten, werden deze irrationele richtlijnen nog strenger en ingrijpender in hun consequenties. FLDS-mannen moesten zich nu zorgen maken over elke misstap in hun huishouden – zelfs als die geen enkele invloed had op het huwelijk. Warren begon sommige vrouwen aan te moedigen hun echtgenoot te bespioneren in naam van de Heer en verlangde van hen dat ze elke overtreding, hoe klein ook, aan hem meldden. Hij onderzocht alles, van het bezit van wereldse muziek tot ernstiger overtredingen zoals godsdienstige twijfel of een gebrek aan loyaliteit.

Geen enkele overtreding was te klein wat oom Warren betrof, en dat was slecht nieuws voor ons gezin. Het was bij ons thuis geen geheim dat Warren het al geruime tijd voorzien had op vele leden van het gezin Wall. Nu, met onze problemen, was het slechts een kwestie van tijd voordat hij deze informatie tegen ons zou uitspelen.

Toen Justin en Jacob terugkeerden uit Canada, vonden ze het moeilijk zich weer aan te passen aan het gezinsleven. Ze hadden het zwaar gehad in de besloten FLDS-gemeenschap, waar het heel anders toeging dan in Salt Lake. Er waren minder invloeden van buiten om hen in verleiding te brengen, geen warenhuizen of winkelcentra of videohallen vol jongelui. Als ze in Canada al voortgang hadden geboekt op het gebied van hun geloof, dan verdween die alweer snel na hun terugkeer.

En dat Travis weer in de buurt was, maakte de tweeling nog ongeduriger. Travis had belangstelling opgevat voor technomuziek en ging naar feesten die 'raves' werden genoemd. De muziek had een krachtige beat en songteksten die totaal anders waren dan alles wat hij ooit had gehoord, en steeds als hij bij ons thuis kwam, vertelde hij de tweeling daarover. Zelfs voor mij, een kind nog, was het duidelijk hoeveel invloed hij op hen had, aangezien ze allebei hetzelfde wilden doen wat hun oudere broer deed. Indertijd kon ik de situatie nog niet helemaal bevatten, maar ik begreep wel dat Travis zijn nieuwe wereld met mijn broers wilde delen.

Toen kwam in juli 1999 de dag die ons gezin definitief zou veranderen. Travis had Justin en Jacob zo enthousiast gemaakt voor de raves dat ze er per se een wilden bijwonen. Aangezien Travis niet bij ons woonde, was hij van plan er alleen heen te gaan en de tweeling had geen vervoer. Ze wilden dolgraag naar de party en smeekten mijn moeder om hen daar af te zetten. Vader waarschuwde haar dat ze dat niet moest doen. Hij had zijn buik vol van de hele toestand thuis en hij wilde absoluut niet dat de tweeling naar dat feest ging.

Het lidmaatschap van de FLDS was geen garantie dat vader niet te maken kreeg met het soort zorgen waarmee alle ouders van tieners vroeg of laat worden geconfronteerd. Zijn tweelingzoons waren nog geen achttien en wat hem betrof was het nog altijd zijn plicht hen te beschermen als hij het idee had dat ze zich problemen op de hals haalden. We hadden allemaal gehoord over de wereldse muziek en het dansen op die raves en het leek niet zo vreemd dat vader zich zorgen maakte. Bovendien zou oom Warren als hij erachter kwam dat Justin en Jacob zonder vaders toestemming naar een feest waren geweest, dat als excuus kunnen gebruiken om vaders positie in de priesterschap nog verder te ondermijnen en zou vader het risico lopen zijn gezin nogmaals kwijt te raken.

De zaterdag van het feest brak aan en overeenkomstig de familietraditie wilde mijn moeder dat we die dag de gezins-Suburban zouden wassen zodat die schoon en glanzend zou zijn voor het kerkbezoek van de volgende dag. Meestal wasten we de wagen op onze oprit. Moeder probeerde het karwei altijd zo leuk mogelijk voor ons te maken en ditmaal besloot ze met ons naar de autowasplaats te rijden op de heuvel een eindje voorbij ons huis.

Het begon al een beetje te schemeren toen we bij de autowasplaats stopten en munten in de automaat begonnen te gooien. We waren de wagen aan het afspoelen, toen we iemand over de weg naar ons toe zagen hollen. Ik voelde een koude rilling door me heen trekken toen ik zijn gehavende gezicht zag en de manier waarop hij hinkte, en me plotseling realiseerde dat het Brad, mijn vijftienjarige broer was.

Brad liep naar mijn moeder toe en klemde zich als een klein kind aan haar vast, zijn armen om haar heen geslagen en met schokkende schouders. Ik was volkomen ontreddert toen ik mijn oudere broer, die ik altijd zo sterk had gevonden, in tranen zag. Moeder dirigeerde ons naar de andere kant van de Suburban zodat zij en Brad enige privacy zouden hebben. Bezorgd gluurden we om de wagen heen om te zien wat er gebeurde. Terwijl Brad haar vertelde wat er was gebeurd, zag ik een blik die het midden hield tussen woede en verdriet op moeders gezicht verschijnen. Hoewel ik pas jaren later de details hoorde van wat er was voorgevallen, maakte haar gezichtsuitdrukking duidelijk dat het iets ergs was geweest.

Vader was thuisgekomen in een leeg huis. Terwijl wij de auto aan het wassen waren, was de tweeling het huis uit geglipt om een paar vrienden te ontmoeten. Er was niemand om vader te vertellen waar we waren en hij begon te vrezen dat moeder zich misschien toch had laten overhalen om Justin en Jacob naar het feest te rijden. Terwijl de minuten verstreken zonder dat hij iets van moeder hoorde, begon vaders fantasie met hem op de loop te gaan. Op dat moment kwam Brad thuis. Onmiddellijk vroeg vader hem waar zijn broers waren.

Aangezien Brad geen flauw idee had, reageerde hij op een typische tienermanier: 'Weet ik veel.' Nijdig over het gebrek aan respect bij zijn zoon, ging vader even de kamer uit om te kalmeren.

Op dat moment begon moeder Laura zich ermee te bemoeien en liep alles uit de hand. Woedend over de manier waarop mijn broer tegen vader had gesproken, vond ze het nodig om Brad een uitbrander te geven. Ik was er uiteraard niet zelf bij geweest, maar jaren later kreeg ik te horen dat er een verhitte woordenwisseling volgde en dat Laura zo boos werd dat ze haar hand ophief om Brad een klap te geven, waarop Brad in een reflex haar arm beetpakte om zichzelf te beschermen. Op dat moment kwam vader de kamer weer binnen en hij dacht dat Brad Laura aanviel. Wat er vervolgens gebeurde, was waarschijnlijk een van de meest dramatische momenten in de geschiedenis van de familie Wall. De confrontatie tussen Brad en mijn vader draaide uit op een handgemeen en eindigde ermee dat Brad het huis uit vluchtte en naar de autowasplaats holde.

Nadat moeder Brads afschuwelijke verhaal had aangehoord, kwam ze snel in actie. Ze zei dat we allemaal in de Suburban moesten stappen en onze gordels moesten vastmaken. Ik vroeg me af waar we naartoe gingen en wat moeder van plan was, maar ik wist dat ik geen vragen moest stellen of commentaar moest leveren. Ik wist niet wat Brad haar had verteld, maar moeder leek heel erg van streek.

Moeder reed snel, gedreven door droefheid en wanhoop. Bij de eerste gelegenheid waar ze een munttelefoon hadden, stopte ze. Ze greep mijn hand en trok me mee, de telefooncel in. Terwijl ik naast haar in het glazen hokje stond, wist ik meteen dat ze oom Warren belde; ze had haar grens bereikt en wachtte vaders verklaring niet af voor ze contact opnam met de zoon van de profeet.

Ze vertelde oom Warren wat er die dag was voorgevallen en luisterde ingespannen terwijl hij haar vertelde wat haar te doen stond. Ik begreep niet wat moeder probeerde te bereiken, maar ik besef nu dat ze alleen maar probeerde datgene te doen wat het beste was voor haar kinderen. Er hadden inmiddels zo veel pijnlijke gebeurtenissen plaatsgevonden, ook al vóór mijn geboorte, dat moeder het gevoel had dat ze nergens anders meer terecht kon voor hulp en nu een beroep deed op de enige instantie waarin ze vertrouwen had. Wij kinderen konden weinig anders doen dan hulpeloos afwachten hoe alles zich zou ontwikkelen. Ik stond daar met mijn hoofd tegen mijn moeder aan gedrukt te luisteren naar de stem van oom Warren, die uit de hoorn kwam en in de bedompte lucht van de telefooncel leek te blijven hangen. Zonder aarzelen schudde Warren een lijst instructies uit zijn mouw, waaronder die dat we niet terug naar huis mochten gaan. Ik had al eens eerder ons huis moeten verlaten en ik vond de gedachte dat nog eens te moeten meemaken, onverdraaglijk.

Na afloop van het telefoongesprek smeekten mijn broers en ik haar in de auto om terug naar huis te gaan en we probeerden haar ervan te overtuigen dat alles in orde zou komen. We waren bang voor wat ons nu weer te wachten stond en hoe lang we ditmaal weg zouden moeten blijven. De knoop die zich in mijn maag had gevormd werd groter en pijnlijker. Ik was vervuld van angst bij het besef dat niets ooit nog hetzelfde zou zijn.

Die zomer verlieten we voor de tweede en laatste keer mijn vaders huis. Warren en de profeet vonden het niet eens nodig om met vader te praten en hem de gelegenheid te geven zijn kant van het verhaal te vertellen of een poging te doen om een minder drastische oplossing te vinden. We gingen nog een laatste keer terug naar huis om te slapen, en de volgende ochtend stapten we met zijn allen in de Suburban en bracht moeder ons naar het huis van een ouderling die opdracht had gekregen ons verdere vervoer te regelen. Ditmaal zou vader niet alleen moeder verliezen, maar ook, binnen niet al te lange tijd, moeder Laura. Voor mijn vader was dit de zwaarst denkbare straf. Hem werd te verstaan gegeven dat hij niet alleen zijn priesterschap en zijn gezin was kwijtgeraakt, maar ook zijn plek in het koninkrijk der hemelen. Voor een FLDS-lid betekende dat het verlies van alles. Net als bij ons eerste vertrek was zijn hart gebroken, maar nu was het duidelijk dat het nooit meer zou genezen.

7

Een nieuwe echtgenoot voor moeder

Tot in alle eeuwigheid.
– FLDS-huwelijksgelofte

Ik herinner me niet hoe we in Hildale kwamen of wie ons erheen reed. Wat ik me wel herinner, is de pijnlijke stilte tijdens de lange autorit en Brads overweldigende schuldgevoel. De ruzie met mijn vader viel hem dan wel niet aan te rekenen, maar hij zat er vreselijk mee in zijn maag en gaf zichzelf de schuld van wat er met ons gezin gebeurde. Als hij de vorige dag niet zo met vader in de clinch was gegaan, zou alles misschien bij het oude zijn gebleven. Hoewel de situatie verre van volmaakt was geweest, waren we daar inmiddels wel aan gewend. Nu raakten we opnieuw ontworteld en gingen we een onzekere toekomst tegemoet.

De volgende ochtend verzamelde moeder haar kinderen om ons naar het huis van de ouderling in Salt Lake Valley te brengen. Wij wisten niets, alleen maar dat we zouden vertrekken. Toen moeder probeerde ons allemaal in de Suburban te krijgen, weigerden Justin en Jacob en zeiden tegen haar dat ze pas in zouden stappen als ze wisten waar we heen werden gebracht. Ze hadden er bij moeder op aangedrongen niet te vertrekken en haar ervan verzekerd dat alles wel weer goed zou komen, maar ik wist dat ze in haar hart besloten had de wil van de profeet uit te voeren. Het enige wat voor haar van belang leek te zijn, was wat Warren tegen haar had gezegd. En ik neem aan dat ze, verblind door wat ze dacht dat de wil van de profeet was, het enige deed wat ze juist achtte en ervoor koos haar zoons achter te laten in naam van haar geloof. Hevig geëmotioneerd lieten we de tweeling thuis achter, terwijl mijn moeder ons vertelde dat iemand van de kerk ervoor zou zorgen dat ze zich later bij ons zouden voegen. Dat zou er nooit van komen.

Zonder de tweeling reden er die dag nog maar vijf kinderen – Brad, Caleb, Sherrie, Ally en ik – met moeder de stad uit. Ik was te jong om zelfstandig conclusies te kunnen trekken, en ik voelde me hulpeloos terwijl ik de drukke straten van Salt Lake zag plaatsmaken voor de dorre, verschroeide rode aarde van zuidelijk Utah. Zelfs voor Brad was ons vertrek een bittere pil. Gedurende de afgelopen maanden had vader geprobeerd zijn relatie met de jongens te verbeteren. Hij had quads gekocht en had ze in de weekenden meegenomen naar de bergen om daar te rijden. Tot dan toe had vader dergelijke dingen, zelfs fietsen, verboden omdat we daarmee van het terrein af zouden kunnen, maar door samen met de jongens in de bergen te gaan rijden, begon de verstandhouding tussen hen geleidelijk aan te verbeteren.

Wat geen van ons zich die dag realiseerde, was dat het niet door de mishandeling van Brad kwam dat vader zijn gezin kwijt was geraakt. Binnen de FLDS is mishandeling lang niet zo'n taboe als in de buitenwereld en kinderen worden door hun ouders vaak hardhandig gestraft. Wat Brad was overkomen, was weliswaar tragisch, maar zou normaal gesproken geen aanleiding zijn om een FLDS-man het priesterschap te ontnemen. Misschien was de reden dat Warren en zijn vader zo'n drastische stap nodig achtten, dat mijn vader het gezag over zijn gezin was kwijtgeraakt, en het leek duidelijk dat hij dat gezag nooit meer zou terugkrijgen. Doordat de jongere kinderen altijd beïnvloed werden door de oudere kinderen, groeide het gezin van mijn vader op met twijfel en soms opstandigheid jegens hem en de kerk. Als de priesterschap niet optrad tegen deze ontwikkeling, zou die kunnen overslaan naar andere kinderen en andere gezinnen. Dat was een te groot risico voor een religie die steunde op absolute controle over de leden. De enige oplossing hiervoor was de rest van het gezin uit die omgeving weg te halen in de hoop dat een nieuw thuis met een nieuwe priesterschapsvader ons tot ideale kerkleden zou kneden.

'Laten we teruggaan, moeder,' smeekte ik, overmand door een plotselinge aandrang om tegen haar aan te kruipen en me aan haar rok vast te klampen alsof ik een peuter was. 'Laten we alsjeblieft naar huis gaan.'

Haar gezicht stond strak, haar ogen hadden hun glans verloren en daarachter voelde ik dezelfde angst die we allemaal voelden. Ze keek me aan en het enige wat ze kon zeggen, was: 'Je moet maar heel veel bidden, Lesie.'

Schitterende oranje en rode tinten kleurden de late middaghemel toen we stopten bij het huis van oom Fred Jessop, de plaatselijke bis-schop. Het was moeilijk voor me om op dat moment een bron van troost te vinden, maar we waren tenminste bij het huis van oom Fred. Vanwege zijn belangrijke positie in de gemeenschap dwong hij respect af, en hoewel ik oom Fred nooit persoonlijk had ontmoet, keek ik tegen hem op. Evengoed krampte mijn maag samen van angst terwijl we naar zijn voordeur liepen met onze tassen met daarin de weinige spul-letjes die we inderhaast hadden kunnen meenemen: wat schone kleren en een enkele pyjama.

Het grote contrast tussen oom Freds huis en het huis waarin ik was opgegroeid, was onmiskenbaar. Zijn grote L-vormige woning was een van de grootste in de gemeenschap, met meer dan vijfenveertig kamers verspreid over twee verdiepingen en drie grote vleugels die aan het oor-spronkelijke huis waren toegevoegd. Vijftien van oom Freds nog in le-ven zijnde vrouwen en meer dan dertig van zijn kinderen woonden daar toen we eind juli arriveerden. Hoewel ik zijn uitgebreide woonge-meenschap dikwijls had gezien vanaf de speelplaats een paar straten verderop, was ik er nog nooit binnen geweest.

Achter de voordeur bevond zich een enorme eetkamer. De Jessops zaten aan twee lange tafels, met aan weerskanten plaats voor achttien personen, en vier kortere tafels. Hoewel ik opgegroeid was in wat velen als een zeer groot gezin zouden beschouwen, hadden er nooit ook maar bij benadering zo veel mensen in onze eetkamer gezeten. Ik kreeg onmiddellijk oom Fred in het oog aan het hoofd van een van de twee lange tafels. Er werd volop gekletst en er klonk het onvermijdelijke ge-kletter van aardewerk of het gekrijs van een baby.

Toen we naar binnen stapten, leek het wel een scène uit een film: er daalde een stilte neer over het rumoerige vertrek en iedereen hield op met eten om naar ons te kijken. De aankomst van een gezin dat in moeilijkheden verkeerde was voor hen niets nieuws. Al heel wat vrou-wen en kinderen die in dezelfde situatie als wij verkeerden, waren ons hier voorgegaan. Toch voelde ik me vreselijk opgelaten en beschaamd terwijl ik achter mijn moeder aan liep naar een enorme woonkamer die vol stond met in rijen opgestelde stoelen en banken. Zoals alle FLDS-gezinnen hielden de Jessops thuis gebedsdiensten, en alleen al vanwege het aantal mensen in huis hadden ze daar een grote en speci-aal ingerichte ruimte voor nodig. Toen we het enorme langwerpige vertrek betraden, was ik diep onder de indruk.

Vermoeid door de emotionele toestanden van de voorgaande dagen, ging ik dicht bij mijn moeder zitten. Er ontstond enige beroering bij de deuropening, waar enkelen van Freds kinderen naar ons gluurden alsof we tentoongesteld werden. Iedereen was nieuwsgierig, en de volgende dagen zou ik erachter komen dat veel van Freds kinderen eenzelfde soort verhaal hadden als ik, maar daar werd nauwelijks over gesproken. In veel opzichten voelde het aan alsof we met zijn allen een groep verstotelingen vormden die gedwongen waren ons verleden achter ons te laten en ons eigen plekje te vinden in dit grote, gemengde gezin.

Gedurende de tien minuten die het duurde voordat oom Fred zijn eten ophad, nam ik mijn omgeving nieuwsgierig in me op. Zoals veel leden van de FLDS had oom Fred naarmate zijn gezin steeds groter werd, een aantal malen zijn huis laten uitbouwen. Het vertrek waarin we ons bevonden, maakte deel uit van het oorspronkelijke huis, maar ik kon zien dat het niet lang geleden opnieuw was geschilderd en dat er nieuwe vloerbedekking was gelegd. Door de gewelfde plafonds en de grote ramen leek de ruimte heel open, net als het huis aan Claybourne Avenue dat vader opnieuw voor ons had ingericht. In het midden stond een grote, comfortabel uitziende La-Z-Boy-stoel die ongetwijfeld van oom Fred was.

En inderdaad, nadat hij binnen was komen schuifelen, maakte hij het zich in die stoel gemakkelijk. Uit respect stonden we allemaal op en gaven hem een voor een een hand. Ik voelde me aanvankelijk geïntimideerd door de manier waarop hij ons aanstaarde en ik zei geen woord. Ten slotte verscheen er een brede glimlach op zijn gezicht en hoofdschuddend zei hij op joviale toon tegen ons: 'Wat moet ik nou toch met jullie aan?'

Fred Jessop was aangewezen om zich over ons te ontfermen totdat de profeet besloten had waar we thuishoorden, en uit de moeite die hij deed om ons op ons gemak te stellen, bleek duidelijk dat hij die rol serieus opvatte. Hij gebaarde naar een van zijn vrouwen en gaf haar opdracht te controleren of onze kamers in gereedheid waren gebracht. Daarna nodigde hij een handvol van zijn jonge dochters uit om erbij te komen en zich aan ons voor te stellen. Samen met hen luisterden we naar enkele verhalen uit oom Freds jeugd voordat hij ons naar de bovenverdieping stuurde om ons te installeren voor de nacht. Hij was zo vriendelijk geweest ons een maaltijd aan te bieden, maar we voelden ons allemaal te verdoofd om te eten en gingen die avond met een lege maag en een bezwaard gemoed naar bed.

We kregen twee kamers in de zuidvleugel. Brad en Caleb deelden een kamer, terwijl moeder, mijn jongere zusjes Sherrie en Ally en ik de grotere kamer namen, waar een tweepersoonsbed voor hen stond en een kleine slaapbank voor mij. Beide kamers bevonden zich aan het eind van een lange gang met een deur die toegang gaf tot een klein terras, waar we buiten konden zitten om te genieten van het spectaculaire uitzicht op de Vermillion Cliffs, die de gemeenschap omgaven als de muren van een fort. Aanvankelijk trok het dorre rode landschap me totaal niet aan, maar na verloop van tijd begon ik de rauwe pracht te waarderen van de ruige rode bergen die ons omringden.

Die eerste paar avonden voelde ik me ellendig en huilde ik mezelf in slaap. Ik was totaal van streek door wat er met ons gebeurde en ik smeekte mijn moeder om ons mee terug naar huis te nemen. Niemand kon me uitleggen waarom oom Warren en de profeet ons weer bij vader hadden weggehaald, en pas vele jaren later kwam ik erachter wat er werkelijk was gebeurd.

Hoewel ik vreselijk veel heimwee had, bleef ik hopen dat we ons in Short Creek thuis zouden gaan voelen. Ik had er zo veel positieve herinneringen aan door al die zomerfestivals en FLDS-bijeenkomsten. Hildale was de plek waar we onze levensstijl niet voor anderen verborgen hoefden te houden. Ik herinnerde me vieringen van Pioniersdag jaren geleden en stelde me voor hoe geweldig het zou zijn om een dergelijke gemeenschapszin dagelijks te ondervinden. Een van de hoogtepunten van Pioniersdag was een parade. Dat was een belangrijke gebeurtenis binnen de gemeenschap waar reikhalzend naar werd uitgekeken en alle leden werkten hard om hun bijdrage te leveren. Prachtige praalwagens, rijen marcherende jongens en groepen op muziek dansende meisjes trokken in een onafzienbare rij van wel twee kilometer lang door het centrum, waar massa's mensen langs de kant van de weg stonden toe te kijken.

Zelf was ik ook een paar keer een van de dansmeisjes geweest. Mijn zussen Kassandra en Rachel waren belast met de choreografie. Hun artistieke en muzikale talenten bezorgden hun in de gemeenschap een zekere mate van respect. Weken voor de parade kwamen honderden meisjes bij elkaar om de danspassen die mijn zussen hadden bedacht, te repeteren totdat ze die perfect beheersten. Het was een indrukwekkend gezicht hoe rij na rij identiek geklede meisjes hun danspassen in perfecte harmonie uitvoerden terwijl ze door de straten trokken.

Net als de dansmeisjes kwamen de marcherende jongens, oftewel de Zonen van Helaman, al weken voor de parade bij elkaar om zich voor te bereiden op hun grootste uitvoering van het jaar. Oom Rulons Zonen van Helaman was een programma om jonge jongens eendracht en discipline bij te brengen. Tijdens de zomervakantie kwamen de jongens van de gemeenschap bijeen om te oefenen in het op militaire leest geschoeid marcheren. Elk peloton stond onder leiding van een ouderling die optrad als leider en mentor. Elke maandag bij het aanbreken van de dag kon je de voetstappen van honderden exercerende jongens horen. Het was voor iedere jongeman een eer om een plek in dit korps te verdienen. De jongens demonstreerden hun zorgvuldig ingestudeerde formaties bij veel gemeenschapsfeesten.

Na de ochtendparade begaf iedereen zich voor het ontbijt naar Cottonwood Park, waar op een zorgvuldig gemaaide open plek tussen het groen rijen picknicktafels stonden opgesteld. Bijdragen om het ontbijt te bekostigen werden in dank aanvaard maar waren niet verplicht en het was de bedoeling dat niemand zich buitengesloten voelde. FLDS-families belastten zich met het bereiden van elk denkbaar ontbijtgerecht. Voor mij was dit altijd een welkome afwisseling geweest van de klonterige havermoutpap die 's ochtends op het werkblad van ons langwerpige keukeneiland op ons stond te wachten.

De hele dag door gingen de mensen gezellig met elkaar om en genoten van elkaars gezelschap. De kinderen mochten hun fantasie de vrije loop laten, terwijl de volwassenen zich een dagje konden onttrekken aan de dagelijkse sleur. Lachende kinderen krioelden door de menigte en vermaakten zich urenlang op het speelterrein. Het park beschikte over een echte rijdende miniatuurtrein en terwijl ik in de rij stond te wachten om er een ritje mee te maken, kon ik mijn opwinding nauwelijks de baas blijven.

De dag eindigde met een bal in het Leroy S. Johnson Meeting House, een enorm, in koloniale stijl opgetrokken gebouw dat mijn vader had helpen ontwerpen. De dansen waren verre van modern – we deden de wals, de two-step en quadrilles. Meisjes in hun golvende lange japonnen en jongens in hun zondagse pakken zwierden in het rond. Deze speciale gebeurtenissen waren de enige gelegenheden waarbij er sprake kon zijn van lichamelijk contact tussen jongens en meisjes. We mochten zelf onze partners kiezen en elkaar net genoeg aanraken om de danspassen te kunnen uitvoeren. Als de avond ten einde liep, moesten we elkaar weer als giftige slangen beschouwen.

Als de zomerwarmte was verdwenen en de kinderen alweer twee maanden op school zaten, bood het Oktoberfeest een ontsnapping aan de dagelijkse sleur. Een groot deel van de aardappelen, zuivelproducten en vleeswaren die door de leden van de gemeenschap werden geconsumeerd, was afkomstig van de boerderij van Parley Harker, die zich bevond in Bural, vele kilometers buiten het stadje. Bij deze gelegenheid kwamen veel mensen samen om te helpen bij het binnenhalen van de oogst, waar we het hele jaar door van zouden eten. Dat evenement, ook wel Oogstfeest genaamd, was een van de populairste feesten van de FLDS, met festiviteiten die drie of vier dagen duurden en eindigden met werkprojecten op zaterdag.

Evenals bij de zomerevenementen werden de dagen van het Oogstfeest doorgebracht in het park, waar iedereen kon genieten van voedsel en muziek. Sommige winkels in het stadje gingen ter gelegenheid van het feest vroeg dicht, en veel gezinnen namen deel aan het georganiseerde programma dat elke dag werd aangeboden. In het park stonden allerlei kraampjes waar de heerlijkste dingen werden aangeboden: geglazuurde appels, taart, suikerspinnen, popcorn, noem maar op. Het Oogstfeest omvatte zelfs een jaarlijkse footballwedstrijd voor mannen en oudere jongens, gespeeld in Maxwell Park, dat niet alleen over een voetbalveld maar ook over een honkbalveld beschikte. Het was een van de weinige kansen voor mannen uit alle FLDS-gemeenschappen om samen te komen en te genieten van de rauwe agressie van een contactsport. Vrouwen waren uiteraard niet welkom, zelfs niet als toeschouwer. Evengoed reden sommigen van de oudere meisjes langzaam voorbij om vanaf de weg stiekem een blik op het veld te werpen terwijl ze zogenaamd op weg waren naar een andere activiteit.

Hoewel ik wist dat dit speciale gelegenheden waren, bleef ik hopen dat de gemeenschapszin waarvan iedereen tijdens die dagen doordrongen was, de rest van het jaar zou aanhouden. Er waren niet veel dingen aan de verhuizing naar Hildale waar ik naar uitgekeken had, maar de hoop me eindelijk ergens thuis te voelen was er één van.

Dit optimisme hield niet lang stand. Het bleek niet mee te vallen om ons aan te passen aan de vele bewoners van oom Freds huis. Wij hadden van vader een andere opvoeding gekregen dan veel van de kinderen in oom Freds huis. Wij hadden onze jeugd doorgebracht te midden van mensen die niet tot de FLDS behoorden, en vader deelde mijn moeders wens om ons muzikaal te scholen. Het was altijd moeders droom geweest om viool te spelen, en hoewel het niet aangemoedigd werd, was moeder vasthoudend genoeg om haar kinderen muziekles te laten geven, waardoor wij allemaal een grote liefde en waardering voor klassieke muziek ontwikkelden. Ik herinner me uit mijn vroege jeugd haar pogingen om ons kennis te laten maken met de wereld van de muziek, waarbij ze ons meenam naar concerten, uitvoeringen van het symfonieorkest en muziekuitvoeringen in Salt Lake. Ook al had mijn vader het nog zo druk, hij had altijd geprobeerd tijd vrij te maken voor zijn gezin, of het nu ging om picknicks, kampeertochten of muzieklessen. En omdat vader zo veel reisde, wisten we door zijn verhalen het nodige over andere plaatsen in de wereld.

De reikwijdte van onze ervaringen verschilde nogal van die waarmee de meeste mensen in Hildale waren opgegroeid. Voor mijn broers en zussen en mij betekende het leven in de besloten gemeenschap van Short Creek een soort cultuurschok. Tot onze verhuizing had ik me nooit gerealiseerd hoe geïsoleerd de mensen die daar woonden in feite waren. Wat de zaak nog ingewikkelder maakte, was dat wij met enige scepsis bejegend werden omdat we uit Salt Lake afkomstig waren. Ik had altijd al een onderstroom van concurrentie gevoeld tussen de gemeenschappen van Salt Lake City en Hildale-Colorado City, en met het verstrijken der tijd scheen die onuitgesproken rivaliteit die ik als bezoeker al had gevoeld, wortel te schieten in Fred Jessops huishouden.

Het leek erop dat de andere moeders in het huis bijna vanaf de allereerste dag ons allemaal, ook moeder, nauwlettend in de gaten hielden. Mijn broers en ik werden er dikwijls uitgepikt en vernederd vanwege onbenullige voorvalletjes die genegeerd werden als het andere leden van het huishouden betrof. Oom Fred zag er geen been in om de schijnwerper op ons te richten als hij vond dat we iets verkeerds hadden gedaan. We hadden het gevoel dat de mensen in Freds huis onze geest probeerden te breken om te bewerkstelligen dat we ons beter zouden houden aan de voorschriften van het FLDS-geloof zoals zij het kenden. Maar ik hield vast aan mijn overtuiging dat dezelfde spirit die ons in het verleden zo vaak in de problemen had gebracht, ons ook zou helpen sterk en trouw aan onszelf te blijven.

Enkele dagen nadat we onze intrek in Freds huis hadden genomen, begon ik aan de tweede klas op de openbare middelbare school in Colorado City. Het was heel opwindend om naar de openbare school te gaan, en vanaf het allereerste moment had ik het daar geweldig naar mijn zin, omdat mijn gedachten afgeleid werden van onze gezinssituatie. Elke dag reed ik samen met andere kinderen uit zijn gezin in een van Fred Jessops busjes naar school, omdat oom Freds huis zo hoog op de heuvel lag dat er geen bushalte in de buurt was. Aan het eind van de dag haalde moeder ons weer op van school. Die ritjes naar huis waren zo'n beetje de enige momenten waarop we allemaal bij elkaar waren zonder dat een van de volwassen Jessops in de buurt was, en we koesterden die gelegenheden. Op de dagen dat ze niet kon komen, liep ik soms de ruim drie kilometer van school naar huis om even alleen te kunnen zijn voordat ik terugkeerde naar de drukte van oom Freds huis.

Bijna het hele bestuur en vrijwel alle leraren van onze school en de meesten van mijn klasgenoten behoorden tot de FLDS, maar anders dan het leerplan op de Alta Academy, dat geworteld was in onze religie, voegde het lesprogramma op de Colorado City Unified School zich meer naar de voorschriften van de staat. Degenen die niet tot de FLDS behoorden, kwamen uit de directe omgeving. Onder hen bevonden zich leden van de Centennial Group. De omgang met kinderen van buiten de FLDS was een geweldige ervaring. Ik sloot al snel vriendschap met een meisje van de Centennial Group dat Lea heette, maar de oude vete tussen de twee sekten belette me ook buiten schooltijd met haar om te gaan. De kerk had verordonneerd dat de leden van de Centennial Group afvalligen waren en dus werd ik geacht niet met hen om te gaan.

Terwijl ik steeds meer gewend begon te raken aan het leven in Short Creek, had ik het geluk een heel goede vriendin te vinden die eveneens tot de FLDS behoorde. Ze heette Natalie en ze was een van de aardigste mensen die ik ooit had ontmoet. Ze was de eerste jongere in Hildale die me leek te accepteren zoals ik was – iets wat ik bij oom Fred thuis niet gewend was. Voor het eerst sinds ik in Short Creek was gearriveerd, had ik het gevoel dat ik iemand kon vertrouwen en eindelijk begon ik uit mijn schulp te kruipen en op te bloeien.

Vriendinnen waren niet het enige wat ik prettig vond aan school. De openbare school opende mijn ogen voor een gevarieerd lesprogram-

ma, dat een dorst naar kennis in me opwekte. Door de nadruk op godsdienstonderricht op de Alta Academy had ik diverse belangrijke vakken gemist en ik moest hard werken om die in te halen. Met zo veel afleiding thuis had ik het aanvankelijk moeilijk met het strenge regime
van de openbare school, maar met de hulp van mijn docent exacte vakken, David Bateman, maakte ik kennis met een heel nieuwe wereld. Op
de Alta Academy werd er vrijwel niets aan exacte vakken gedaan, maar
meneer Bateman daagde me uit om het beste uit mezelf te halen en
trok zelfs extra tijd uit om me te laten kennismaken met de rol van de
exacte vakken in het leven van alledag. We lagen wel eens met elkaar
overhoop, maar ik was gek op zijn lessen en hij werd mijn favoriete leraar. Ik ontwikkelde ook een liefde voor schrijven en geschiedenis en ik
merkte dat ik in allebei goed was. Eindelijk begon ik me aan mijn nieuwe schoolleven aan te passen, hoewel ik het onmogelijk vond om me
aan te passen aan mijn nieuwe thuis. Sinds we onze intrek hadden genomen in het huis van oom Fred, had ik achterbakse streken en scheld-
partijen van de andere meisjes in het huis moeten verduren. Mijn bijna
fatale reactie op de anesthesie tijdens de mislukte poging om mijn
keelamandelen te verwijderen, had geresulteerd in een aantal blijvende
bijverschijnselen. Een ervan was het vasthouden van vocht, en samen
met het babyvet dat ik altijd al had gehad, had dat de laatste maanden
bijgedragen aan een beetje overtollig gewicht. Omdat ik wat dikker was
dan de anderen, was ik het mikpunt van hatelijke opmerkingen geworden, want een aantal van oom Freds dochters was vastbesloten me te
kleineren. Met vijftien meisjes in de leeftijd van twaalf tot zeventien in
huis was het net een soort slaapzaal geworden, waar zich verschillende
kliekjes vormden die elkaar meedogenloos pestten. Ik voelde me al
heel onzeker over mijn uiterlijk en hun commentaren maakten het alleen nog maar erger. Ik voelde me zo gekwetst en vernederd, dat ik mezelf begon uit te hongeren om af te vallen.

Als mijn moeder niet had ingegrepen, had de situatie flink uit de
hand kunnen lopen. Ze had gemerkt dat ik nauwelijks at en ondernam
onmiddellijk stappen om er wat aan te doen. Moeder zag in hoe gekwetst ik me voelde en verzekerde me liefdevol dat ik, wat anderen ook
mochten zeggen, bijzonder en mooi was en me niet voor mezelf hoefde
te schamen. Ik was gewoon een jonge tiener die mijn plaats in een huishouden vol tienermeisjes probeerde te vinden.

De problemen beperkten zich niet tot mijn gewicht. Telkens als ik over mijn vader sprak, werd ik geplaagd door de andere meisjes in huis, die er kennelijk genoegen in schepten me te melden dat hij niet langer mijn vader was. Ik had al verscheidene verhitte discussies gevoerd en had eenvoudigweg geweigerd me van vader te distantiëren of toe te geven dat hij een slecht mens was.

'Wacht maar af,' zeiden ze dan op hun beurt. 'Je moeder gaat met Fred trouwen.'

Ik had me moeten realiseren dat ze uit ervaring spraken, aangezien het hun en hun moeders al eerder was overkomen. Niettemin weigerde ik de hoop te laten varen dat we op de een of andere manier allemaal weer herenigd zouden worden.

Ten slotte brak de dag aan waarop die vage praatjes werkelijkheid werden. We hadden enkelen van de Jessop-meisjes geholpen met het oogsten van maïs uit de gemeenschappelijke tuin en we waren net allemaal weer binnen, toen een van Freds dochters naar me toe kwam.

'Je moeder gaat met vader trouwen,' zei ze op betweterige toon.

'Echt niet,' reageerde ik onmiddellijk vinnig, terwijl ik mijn best deed zelfverzekerd te klinken. 'Op een dag gaan we weer terug naar huis.'

Ik was niet van plan mijn vader zomaar op te geven. Als moeder werkelijk oom Freds vrouw werd, betekende dat dat al haar kinderen aan oom Fred zouden toebehoren en dat we hem vanaf de dag van hun huwelijk zouden moeten aanspreken met vader. Wat de Kerk betrof, zou de man die me had grootgebracht, de man van wie ik dertien jaar lang gehouden had en die ik al die tijd vader had genoemd, niet langer mijn vader zijn. We mochten zelfs niet meer als zodanig aan hem denken. Eigenlijk mochten we helemaal niet meer aan hem denken. Als moeder en oom Fred trouwden, zouden we letterlijk toebehoren aan Fred Jessop en zouden we geacht worden onze liefde en loyaliteit van het ene moment op het andere naar hem over te hevelen.

Het zou ook betekenen dat we afstand moesten doen van onze familienaam Wall en de achternaam Jessop moesten aannemen. Als een vrouw en haar kinderen overgingen naar een andere man – ongeacht de reden – waren ze verplicht afstand te doen van de naam van de vader, alsof hij nooit had bestaan. Warren predikte dat als een gezin een nieuwe echtgenoot en vader kreeg, God hun bloed en DNA veranderde zodat dat overeenkwam met dat van de echtgenoot aan wie ze nu toebehoorden. Als er geen waardig bloed door onze aderen stroomde, konden we geen toegang tot het rijk der hemelen verkrijgen.

Maar ik wilde geen nieuwe naam en geen nieuw DNA, en ik wilde al helemaal geen nieuwe vader. Ik wilde mijn oude vader terug en ik begreep niets van de dingen die er nu allemaal gebeurden. En ik was niet van plan me daar zomaar bij neer te leggen.

Van streek na de zoveelste confrontatie met de meisjes in het huis, holde ik naar boven om mijn hart bij moeder uit te storten. Toen ik de deur van de slaapkamer openduwde, stond ze voor de spiegel iets te passen wat een bruidsjurk in de maak bleek te zijn, terwijl mijn zus Kassandra veranderingen aanbracht. Ik was verbijsterd en volkomen sprakeloos. Op dat moment drong het tot me door dat ze inderdaad met oom Fred zou gaan trouwen. De relatie met mijn moeder was al wekenlang enigszins gespannen, en dat ik inmiddels in de puberteit was gekomen deed de toch al verzwakte band tussen moeder en dochter ook geen goed. Ik kon er gewoon niet bij dat moeder vader zomaar liet schieten, maar daar stond ze voorbereidingen te treffen om met iemand anders in het huwelijk te treden alsof mijn vader niet langer bestond. Terwijl ik haar aanstaarde, werd al mijn hoop de bodem in geslagen. Ik zag een vertrouwde glinstering in haar zachte bruine ogen die ik al een hele tijd niet meer had gezien, een glinstering waar de hoop uit sprak dat alles in orde zou komen. Een dergelijk gevoel had ik zelf al lange tijd niet meer gehad.

Ik was te zeer geschokt om iets te zeggen en holde naar het grote balkon, waar ik troost vond in een rieten schommelbank. Toen ik weer wat tot rust was gekomen, legde moeder uit dat oom Rulon haar had opgedragen om met oom Fred te trouwen, maar ik was woedend. Ze had niet eens de moeite genomen om mij in te lichten. Ik had het uit het geruchtencircuit moeten horen, en dat maakte het alleen nog maar moeilijker te verteren. Het nieuws trof mijn broers Brad en Caleb nog harder. Ze hadden het erg zwaar in Short Creek en zonder de tweeling waren ze op elkaar aangewezen om te overleven. Brad en Caleb dachten hetzelfde als ik over het nieuwe huwelijk van moeder en het idee andermans kind te worden, was iets wat ze niet konden accepteren.

Niet lang na mijn ontdekking voegde Rachel zich bij Kassandra in het huis van de Jessops om ons te helpen bij het maken van jurken voor de plechtigheid. De daaropvolgende dagen was iedereen in huis aardig voor ons. Hoewel ik het niet graag wilde toegeven, vond ik het prettig dat ik voor de verandering ook eens wat aandacht kreeg en dat ik niet overal buiten werd gehouden. Moeders huwelijk met oom Fred zou onze status in het huishouden verhogen: we zouden niet langer 'vluchtelingen' zijn, maar echte kinderen van de bisschop.

Ik was heel verdrietig toen ik op die 2^e september 1999 in de woonkamer van oom Rulons huis toekeek hoe mijn moeder overgedragen werd aan een andere man. Uiterlijk was ik het toonbeeld van een mooi priesterschapskind. Mijn zussen hadden een prachtige, roze jurk voor me genaaid met een 7 centimeter brede kanten ceintuur in de taille, en mijn haar was voor de gelegenheid gedaan door Felita, de bekende 'haarkoningin van Hildale'. Maar vanbinnen stond ik op instorten. Hoezeer ik ook mijn best deed, ik kon de tranen die achter mijn ogen brandden, nauwelijks bedwingen. Toen de plechtigheid begon, had ik spijt als haren op mijn hoofd dat ik ooit boze gevoelens jegens mijn vader had gekoesterd vanwege bepaalde dingen die er waren gebeurd. Terwijl ik naar mijn moeder keek, vergat ik plotseling alle problemen die ons gezin ooit had gekend. Het enige waaraan ik kon denken, was dat we nooit meer herenigd zouden worden, en ik betreurde het diep dat ik niet elk moment dat we samen hadden doorgebracht, had gekoesterd. Als ik dit van tevoren had geweten, zou ik meer genoten hebben van mijn tijd samen met vader en het hele gezin.

Oom Fred zag er oud uit naast mijn moeder, die er zelf heel elegant uitzag in de prachtige, witte kanten jurk die mijn zussen voor de gelegenheid hadden genaaid. Ik kon er met mijn verstand niet bij dat moeder de vrouw van een andere man zou worden. Hoe kon ze, na zo lang van mijn vader te hebben gehouden, nu ineens van oom Fred houden – en dat alleen maar omdat de profeet het had gezegd? Zelfs in de ogen van een FLDS-kind waren de woorden van de profeet niet genoeg om die liefde weg te nemen. De priesterschap, God, de profeet... niets kon rechtvaardigen wat hier gebeurde. Moeder ging dit huwelijk aan in de hoop op een betere toekomst voor ons allen, omdat ze oprecht geloofde dat de profeet wist wat het beste was voor haar en haar kinderen. Het vergde ook heel wat van haar, maar voor mij viel dat indertijd moeilijk te begrijpen.

Ik durfde er niet voor uit te komen, maar ik had al een tijdje mijn twijfels over bepaalde aspecten van ons geloof. Ik kon niet begrijpen hoe ons gezin zo verbrokkeld was geraakt en waarom de Heer kinderen weghaalde bij hun vader. Ik had het er moeilijk mee dat moeder gelukkiger leek en zelfs een opgetogen indruk maakte in haar nieuwe positie als echtgenote van Fred Jessop. Hoewel de verbintenis haar status binnen het gezin had verhoogd, maakte ze zich er bij mijn broers en mij niet bepaald populair mee, maar uiteindelijk wisten we dat ze weinig keus had. Sinds we weken geleden in Hildale waren gearriveerd, was elk contact met mijn vader ons verboden. Telkens als ik om uitleg vroeg, kreeg ik te horen dat oom Warren dat zo had bepaald. Ze zeiden dat mijn vader boete moest doen en dat hij een slechte invloed op ons had. Ik wist nu dat ze bang waren dat als we met vader praatten, hij ons misschien zou vragen terug te komen en dat de priesterschap dan de controle over ons zou kunnen verliezen. Ik was ook van streek omdat mijn moeder niet méér moeite had gedaan om Justin en Jacob naar Hildale te halen. Het was alsof ze zowel haar echtgenoot als haar kinderen in de steek had gelaten, alles in naam van God.

Ik luisterde terwijl oom Warren, die aan de rechterkant van de profeet zat, een preek voorlas. Ik hield mijn adem in en bad dat oom Warren deze verbintenis niet zou bezegelen 'tot in alle eeuwigheid'. Soms wordt een stel slechts tijdelijk met elkaar in de echt verbonden, bijvoorbeeld als een vrouw wier man is overleden een verzorger op aarde nodig heeft tot ze zich bij hem kan voegen in het koninkrijk der hemelen. Ik had het huwelijk misschien nog kunnen accepteren als het alleen maar een tijdelijke verbintenis was geweest. Dat zou betekenen dat mijn broers en ik in elk geval in de hemel met vader konden worden herenigd. Maar nu oom Warren haar 'tot in alle eeuwigheid' met Fred in de echt had verbonden, was het laatste restje hoop daarop de bodem in geslagen.

8

De voorbereiding op Zion

Als we kinderen hebben die van het rechte pad afwijken, moeten
we ze net zo lang hard laten werken tot ze zich uitspreken tegenover de priesterschap; en een voor een zullen ze voor de profeet
worden geleid en duchtig worden aangepakt.
— WARREN JEFFS

We woonden iets meer dan drie maanden bij de Jessops toen de angst
dat de wereld zou vergaan overweldigend werd. Ons leven lang was ons
ingeprent dat we ons moesten voorbereiden op de Grote Verdelging en
de verlossing van Zion. Het nieuwe millennium stond voor de deur en
er was ons verteld dat als het zover was, God de wereld zou verdelgen
en dat alleen de meest waardigen behouden zouden blijven.

Warren maakte duidelijk dat de komende apocalyps, die de beweeg-
reden was geweest om de profeet naar Short Creek over te brengen,
spoedig zou plaatsvinden. Uit naam van zijn vader gaf hij alle FLDS-leden die nog in Salt Lake woonden, opdracht om naar het zuiden te
trekken, zodat alle door God uitverkoren waardige mensen samen
zouden zijn als we opgeheven zouden worden om de Heer te ontmoeten.

Hoewel de komst van Zion iets was om naar uit te kijken, vroeg ik
me toch af hoe dat in zijn werk zou gaan. Zoals met veel van onze religieuze profetieën het geval was, werd ik erdoor in verwarring gebracht.
Er was ons altijd voorgehouden dat als we vanbinnen niet honderd
procent zuiver waren, we het risico liepen samen met de goddelozen
ten onder te gaan. Ik overdacht de dertien jaar van mijn leven en alle
keren dat ik aan mijn geloof had getwijfeld, alle keren dat ik niet volkomen gehoorzaam of volmaakt volgzaam was geweest. Omdat ik sinds
we onze intrek in oom Freds huis hadden genomen, meermaals aan het

woord van de profeet had getwijfeld, wist ik dat ik niet honderd procent zuiver was, en ik was doodsbang.

Zelfs nu de apocalyps ons boven het hoofd hing, werd er oud en nieuw gevierd in oom Freds huis, en verscheidene FLDS-leden die eerder als zijn 'kinderen' in zijn huis hadden gewoond, kwamen het feestje meevieren. Hoewel het huis zinderde van de energie, was het me duidelijk dat ik niet de enige was die zich zorgen maakte. We maakten massa's popcorn om op te knabbelen terwijl we allemaal wachtten op het moment dat de Heer zou nederdalen.

Toen het jaar 2000 aanbrak zonder dat de wereld verging, was iedereen danig in de war. De dagen daarop hield oom Warren ons voor dat we van geluk mochten spreken dat God ons meer tijd had geschonken om ons voor te bereiden. Tevredengesteld met die verklaring namen velen van ons hun leven weer op, dankbaar voor het uitstel en de extra tijd die dat opleverde om onze zielen te reinigen.

Het volwaardig lid zijn van Fred Jessops gezin verloor al spoedig zijn glans. Hoewel oom Fred in de kerk predikte dat een vader zijn kinderen binnenskamers moest berispen, stelde hij dikwijls mijn broer en mij tot voorbeeld tijdens de gebedsdiensten die hij thuis hield. 'Sharon, het overhemd dat je zoon draagt, bevalt me niet,' zei hij bijvoorbeeld tegen mijn moeder in aanwezigheid van het hele gezin. Bij meer dan één gelegenheid pikte hij mij eruit om me in het bijzijn van iedereen de les te lezen om een verscheidenheid aan redenen: ik deed niet genoeg in het huishouden, mijn kleren voldeden niet aan de kledingcode, of hij had bezwaar tegen het soort muziek waar ik in de beslotenheid van mijn kamer naar luisterde. Het was alsof niets wat ik deed, zijn goedkeuring kon wegdragen. Maar vroeg of laat zou hij ons allemaal in het gareel dwingen.

Vooral de muziek vormde een twistpunt. In Freds huis, evenals in andere FLDS-huizen, werd er de voorkeur aan gegeven dat we luisterden naar de tapes van oom Warren. Hoewel ik die tapes steeds opnieuw afspeelde, had ik ook klassieke muziek waar ik al mijn hele leven naar luisterde, die me tot troost was en me hielp te ontspannen. Zelfs die kleine invloed van buitenaf was de Jessops al te veel en Fred stak zijn minachting voor mijn keuzes niet onder stoelen of banken. Dat was op zich al een probleem, maar wat het leven bij de Jessops pas echt ondraaglijk maakte, was het gegeven dat het onmogelijk was om andere gezinsleden te vertrouwen. Op een keer ging een andere moeder zover dat ze zich in moeders kleerkast verstopte om ons te bespioneren en ons te betrappen bij het luisteren naar wereldse muziek. Toen ik haar ontdekte achter een paar jurken, werd ze heel boos op me omdat ik haar gezag in twijfel trok. Ze vond niet dat ze iets verkeerds had gedaan en bezorgde mij zelfs nog problemen vanwege dat voorval. Naderhand wilde Fred onze volledige muziekcollectie zien en nam hij alles in beslag wat volgens hem te werelds was.

Dit soort voorvallen maakte het nog moeilijker om oom Fred als mijn nieuwe vader te accepteren, en het werd er in de loop van de tijd niet beter op. Uiteindelijk probeerde hij me te treffen in het enige aspect wat me beviel in mijn nieuwe leven – de school. Het begon allemaal toen een van mijn nieuwe stiefzusters tegen oom Fred klikte dat ik bevriend was met een jongen op school. Austin Barlow was aardig voor me geweest toen ik nog 'de nieuwe' in de klas was die zich een plaats probeerde te verwerven, en gedurende dat schooljaar volgden we veel dezelfde lessen en raakten we bevriend. Hij was de eerste jongen die ik ooit had ontmoet die niet de draak met me stak. Het was een nieuwe ervaring voor me om niet zoveel beperkingen te hebben en echt vriendschap met een jongen te kunnen sluiten. Het was prettig om vriendelijk behandeld te worden door iemand van het andere geslacht en een tijdje was ik zelfs in stilte verliefd op hem, hoewel het nooit méér was dan een onschuldig schoolmeisjesgevoel.

Toch werd mijn omgang met Austin een bron van grote narigheid toen mijn stiefzusters ons op een dag na school met elkaar zagen praten. Een van hen vond het haar plicht om dat aan Fred te melden. Die dag tijdens het avondgebed gaf oom Fred me in aanwezigheid van het hele gezin een uitbrander vanwege deze 'relatie' die mijn toekomst zou 'bezoedelen'. Ik boog beschaamd mijn hoofd terwijl hij me een vreselijk schuldgevoel bezorgde vanwege iets waaraan ik me helemaal niet schuldig had gemaakt. Ik probeerde hem te onderbreken, maar hij ging gewoon door met zijn tirade en dwong me mezelf tegen zijn beschuldigingen te verweren.

'Heb je hem gekust?' wilde hij weten.

'Natuurlijk niet,' zei ik met trillende stem, terwijl alle ogen in het vertrek op me gericht waren. 'Ik zou hem zelfs niet durven aanraken.'

Ondanks mijn ontkenning ging oom Fred maar door. Mijn wangen gloeiden en ik wilde het liefst weghollen en me ergens verstoppen.

Tot die tijd was de school mijn enige toevlucht geweest om te ontsnappen aan de chaos in het huis van de Jessops. Het was de enige plek waar ik me veilig voelde. Op de Alta Academy was ik altijd bang geweest voor oom Warren. Zijn kritische blik was altijd op ons gericht en elke kleine overtreding werd zeer ernstig opgenomen. Op deze nieuwe school voelde ik me vrij op een manier die ik nooit eerder had ervaren. Omdat het een openbare school was, hoefde de directeur zich niet te houden aan de strenge richtlijnen van de FLDS. Nu ik wat vrijer kon ademhalen, begon ik beter in mijn vel te zitten en ik genoot van de omgang met kinderen uit andere polygame sekten.

Dat alles veranderde met één enkel woord van oom Fred. Hoewel het niet tegen het schoolbeleid was om met leden van het andere geslacht te praten, drong oom Fred erop aan dat het schoolhoofd, een lid van de FLDS, me zou schorsen. Plotseling was ik afgesneden van de weinige vrienden die ik had. Opnieuw voelde ik me verraden en boos. Later sprak ik er mijn stiefzus over aan; hoewel ze ontkende wat ze gedaan had, wist ik wel beter. Dat voorval maakte duidelijk dat alle dingen die ik op mijn nieuwe school gewaardeerd had, van voorbijgaande aard waren. De priesterschap oefende op de openbare school net zo veel macht uit als het geval was geweest op de Alta Academy. Waar ik me ook bevond, oom Warren en de FLDS drongen door tot in elk aspect van mijn leven.

Toen ik eindelijk weer terugging naar school, kon ik nooit meer met Austin praten. Iedereen hield ons in de gaten om ervoor te zorgen dat we geen contact meer met elkaar hadden. Desondanks probeerde ik nog steeds vriendschappelijke betrekkingen te onderhouden met de jongens en meisjes in mijn klas. Ik was dat jaar ook bevriend met Steven, een van de zoons van mijn leraar exacte vakken; toen ik na mijn schorsing terugkeerde, behoorden hij en mijn twee vriendinnen Natalie en Lea tot de weinigen die geen commentaar leverden op mijn afwezigheid.

Brad had het moeilijk sinds we in Hildale waren gearriveerd, en zonder de steun van de tweeling leek elke dag hem zwaarder te vallen. In een poging hem op te monteren had vader hem de quad gestuurd die hij in Salt Lake voor hem had gekocht en Brad had hem op het terrein achter het huis van oom Fred geparkeerd. Maar een paar dagen nadat de quad was bezorgd, kwam Brad 's ochtends tot de ontdekking dat oom Fred hem in beslag had genomen. Hoewel veel mensen in de Creek, onder wie ook enkele leden van oom Freds eigen gezin, een terreinvoertuig bezaten, nam Fred dat van Brad in beslag zonder er zelfs maar met hem over te praten. Het leek erop dat hij Brad wilde straffen voor de problemen die hij volgens Fred had veroorzaakt. Ondanks Brads smeekbede om hem terug te geven, was Fred onvermurwbaar.

Dat was de bekende druppel voor Brad, die al vanaf het begin nauwlettend in de gaten werd gehouden door oom Fred. Het begon allemaal toen Fred Brad eruit pikte omdat hij zich niet aan de kledingcode hield. De gebreide pullovers met lange mouwen die Brad over zijn onderkleding droeg, konden niet de goedkeuring wegdragen van de ouderlingen, die mannen alleen overhemden wilden zien dragen. Brads slobberbroeken konden evenmin de toets der kritiek doorstaan en leverden hem de nodige schimpscheuten van oom Fred op. Maar zijn kleding was niet het enige probleem; ook zijn houding begon hem moeilijkheden te bezorgen. Hij weigerde oom Fred 'vader' te noemen, of hem als zodanig te accepteren, en hij begon gezinsbijeenkomsten over te slaan. Als hij thuis was, bleef hij op zijn kamer, waar hij met Caleb naar niet door de Kerk goedgekeurde muziek luisterde. Zo vaak ik maar kon, glipte ik hun kamer binnen om samen met hen naar enkele van de verboden cd's te luisteren.

Nu er nog maar zo weinig Wall-kinderen samen waren, waren we allemaal naar elkaar toe gegroeid, maar na de verbeurdverklaring van Brads quad wisten we diep vanbinnen dat onze tijd samen ten einde liep. Toen Brad erachter kwam wat Fred gedaan had, was hij razend. De quad was het enige geweest wat hij nog overhad van onze echte vader.

Moeder deed wat ze kon om haar laatste twee zoons bij zich te houden. Ze smeekte hun passages uit het Boek van Mormon en andere kerkelijke lectuur te lezen en zei dat hen dat zou helpen hun opdracht te begrijpen. Ze beloofde hun de weg te helpen vinden door voor hen te bidden, maar Brad was zestien en zijn innerlijke stem voerde hem in een andere richting. Hij weigerde zich te schikken naar oom Freds wensen, en vanaf dat moment werd de situatie voor hem alleen maar beroerder.

Toen ik op een dag op zijn kamer was, forceerden enkele politieagenten die tot de FLDS behoorden de deur en begonnen op 'professionele' wijze zijn spullen te doorzoeken. Ze waren zogenaamd op zoek naar vuurwapens, waarvan het gerucht ging dat hij die in zijn bezit had, maar we wisten allemaal dat ze op zoek waren naar wat dan ook dat hem in de problemen kon brengen. Ik was woedend over hun actie en keek nerveus toe terwijl ze de kamer doorzochten en uiteindelijk een klein tv-toestel dat mijn broer stiekem had gekocht van een jongen op school, zijn cd-speler, een handvol van zijn verboden cd's en wat tekeningen van een motorfiets die hij had gemaakt, in beslag namen.

Vanaf het moment dat de politie aan de deur kwam, was het voor ons duidelijk dat oom Fred erachter zat. Het bewijsmateriaal dat in Brads kamer was aangetroffen, overtuigde de ouderlingen ervan dat hij heropgevoed moest worden en ze besloten hem naar Canada te sturen.

Brad had de tweeling over hun ervaringen in Canada horen praten en hij wist dat hij daar beslist niet heen wilde. Niet alleen bevond de werkplaats zich op een afgelegen locatie in Alberta, maar hij zou samen met andere 'gevallen' jongelui gehuisvest worden in een caravan met een minimum aan comfort. Met temperaturen die dikwijls tot vijfentwintig graden onder nul daalden en werk dat grotendeels in de buitenlucht moest worden verricht, zou Brad een sterke wil en een passie voor het geloof nodig hebben die hij eenvoudigweg niet bezat. Hij had genoeg van de Kerk en van degenen die hem leidden, en hij wist dat hij een uitweg moest vinden. De enige vraag was hoe.

Tegen zijn zin begon hij aan de lange rit naar Canada onder begeleiding van de mannen van de priesterschap. Ze stopten om te overnachten in een hotel in Salt Lake City, en daar zag Brad zijn kans schoon. Terwijl zijn begeleiders sliepen, gooide hij zijn spullen uit het raam en sprong erachteraan. Vanuit een telefooncel belde hij onze broer Travis om hulp.

Gedurende de volgende dagen volgden ze het spoor van Brad naar vaders huis en Warren zelf probeerde hem te overtuigen om terug te keren naar Hildale. Toen hij weigerde, kreeg vader een telefoontje van een kerkleider, die hem meedeelde dat hij Brad en de tweeling onder zijn hoede moest nemen en dat mijn moeder voor de meisjes en Caleb zou zorgen. Het was een van de weinige keren dat de priesterschap kinderen op deze wijze van elkaar had gescheiden.

Brads afwezigheid was een enorme klap voor me en veroorzaakte een grote leegte. Alsof het verlies van nog een broer niet genoeg was, onderging de school waar ik me zo prettig voelde een verandering. Kort voor Brads ontsnapping ging ik over naar de derde klas, maar helaas bleek dat het einde van mijn openbare-schoolcarrière en de laatste keer dat ik veel van de vriendinnen die ik daar had gemaakt, zou zien.

Het hele jaar had ik uitgekeken naar mijn allereerste diploma-uitreiking. Het zou voor het eerst zijn dat ik erkenning kreeg omdat ik iets tot een goed einde had gebracht. Terwijl ik te midden van mijn vriendinnen in de aula stond in de prachtige zachtlila jurk die mijn zus me had helpen naaien, voelde ik me uiterst voldaan. Moeder had zelfs een corsage voor me gekocht bij de plaatselijke bloemist – ook voor het eerst – en ik was helemaal opgewonden toen ik die opspeldde.

Eindelijk had ik een uitlaatklep voor mijn innerlijke worstelingen gevonden in het studeren, en mijn voorkeur voor de exacte vakken had me in een nieuwe richting geleid. Plotseling begonnen dromen die ik nooit eerder had gehad mijn geest te vullen. Voor het eerst had ik het gevoel dat ik het vermogen had om mijn eigen lot vorm te geven, dat niet alles in mijn leven was voorbeschikt. Ik moest gewoon blijven uitblinken op school en dan zou ik misschien mijn doelen kunnen bereiken en mijn eigen koers kunnen uitzetten.

Maar oom Warren zou ook aan deze droom een einde maken. Die zomer verkondigde hij in de kerk dat de mensen hun kinderen van de openbare scholen moesten halen. 'De tijd dringt,' zei hij vanaf de kansel. 'De profeet wil dat zijn mensen hun kinderen van de wereldse scholen af halen en priesterschapsscholen beginnen.'

Hij had de FLDS-mensen al eerder opdracht gegeven zich verre te houden van afvalligen en hen gewaarschuwd dat iedereen die betrapt werd op contacten met hen, streng gestraft zou worden. Nu resulteerde zijn richtlijn om de kinderen van school te halen in de sluiting van de Colorado City Unified School en een groot verlies aan banen en inkomen voor velen in de gemeenschap. Er waren meer dan duizend leerlingen geweest op het moment dat ik er kwam, maar dat aantal daalde tot niet meer dan een handvol in de dagen die volgden op oom Warrens decreet.

Uiteraard begon Warren zijn eigen privéschool in Hildale, en er werden veel meer leerlingen aangemeld dan hij kon plaatsen. Het scheen dat uitsluitend de zeer rechtschapenen werden toegelaten. Er was ook een door Fred Jessop geleide school, de Uzona Home School, en er waren nog verscheidene andere privéscholen die door diverse plaatselijke families werden georganiseerd. Als een van Fred Jessops kinderen zou ik zijn school bezoeken, die hij merkwaardig genoeg opende in hetzelfde gebouw waarin het jaar daarvoor de onderbouw van mijn middelbare school gehuisvest was geweest. Veel voormalige docenten van de openbare school werkten nu voor oom Fred, voornamelijk als vrijwilliger, zoals verwacht wordt van FLDS-leden. Op de openbare scholen hadden de leraren salaris ontvangen en hun gezinnen waren afhankelijk van dat inkomen. Hoewel financiële bijdragen aan de privéscholen werden aangemoedigd en het binnenkomende geld onder de leraren werd verdeeld, was het zelden voldoende om het verlies aan salaris te compenseren.

Om er zeker van te zijn dat niemand zijn verbod op de openbare school in de wind zou slaan, maakte oom Rulon, door middel van een toespraak door Warren, een einde aan vrijwel elk contact tussen de FLDS-mensen en buitenstaanders. Oom Warren zei dat de profeet ons opriep om afvalligen ten strengste te mijden. Hij benadrukte dat de profeet het vertrouwen zou verliezen in eenieder die omging met afvalligen. Zij die dat vertrouwen verloren, zouden hun gezin en hun huis kwijtraken – allebei eigendom van de priesterschap. Warren maakte duidelijk dat het de profeet ernst was.

Die zomer vierden we moeders vijftigste verjaardag en ik werd veertien, maar ik vond het moeilijk om me over een van beide gebeurtenissen te verheugen. Ons leven werd met de week beperkter. Alles was onvoorspelbaar geworden en het enige wat zeker leek met betrekking tot onze toekomst, was dat er sprake zou zijn van méér regels, waarschuwingen en angsten. De onrust verspreidde zich, en het was slechts een kwestie van tijd voordat die zich aan mijn slaapkamerdeur zou melden.

9

Een openbaring van de profeet

Want het woord van de profeet zult ge ontvangen alsof het
afkomstig is uit mijn eigen mond.
– Doctrines and Covenants, art. 21

In augustus 2000 begon ik aan de derde klas van de Uzona Home
School, en het was een grote teleurstelling. Om te beginnen behoorde
iedereen daar tot de FLDS, en dat vertrouwde conformisme was frustrerend. Ook had het leerplan op Uzona een belemmerend effect. Met
de aandacht weer voornamelijk gericht op de godsdienst, net als op de
Alta Academy het geval was geweest, besefte ik dat ik de vele vakken
waarin ik plezier had gekregen, niet zou kunnen blijven volgen. De
openbare school had vrijwel onbeperkte mogelijkheden geboden,
maar hier voelde ik me claustrofobisch bij het besef dat ik niet de dingen zou kunnen leren die ik wilde leren.

Bijna vanaf de eerste dag was ik veel alleen op Fred Jessops school.
Geen van de vrienden en vriendinnen die ik op de openbare school
had gemaakt, had zich hier ingeschreven, en het viel niet mee om opnieuw te beginnen. Thuis verging het me al niet veel beter, aangezien
veel van de andere meisjes van mijn leeftijd me op een vervelende manier bleven behandelen. Hoewel er ook wel een paar aardige kinderen
waren die eveneens te lijden hadden van het onaangename gedrag van
de andere meisjes, maakten de emotionele problemen waarmee we allemaal te kampen hadden het er voor ons niet gemakkelijker op om
echt contact met elkaar te maken en op elkaar te vertrouwen. Het gevolg was dat we allemaal onze eigen boontjes moesten doppen.

Dit gebrek aan acceptatie leidde ertoe dat ik het grootste deel van
mijn tijd op mijn kamer doorbracht met mijn moeder, Sherrie en Ally.
Dat isolement was moeilijk te verdragen, maar het gaf me de kans om

mijn twee jongere zusjes tot steun te zijn. In hun korte leven hadden ze al heel wat narigheid en verwarring te verduren gehad terwijl ze getuige waren van de strubbelingen in ons gezin. Hoewel ik hoopte dat ze door hun jeugdige leeftijd niet al te veel hadden meegekregen van de moeilijkheden van de afgelopen vier jaar, was ik me ervan bewust dat hun in de onzekere toekomst die ons gezin tegemoet ging, nog de nodige problemen te wachten stonden. Ik koesterde een soort ideaalbeeld dat als ik er voor mijn zusjes kon zijn, als we op elkaar konden steunen en een hecht groepje vormden binnen het grote Jessop-gezin, zij misschien niet het verdriet en het verraad hoefden te voelen waardoor ons leven de laatste tijd was vergald. We maakten deel uit van een groot gezin en een nog grotere gemeenschap, maar eigenlijk hadden we alleen maar elkaar.

Uiteindelijk kwam ik erachter dat veel van de wrevel die ik bij de andere meisjes bespeurde, te wijten was aan mijn huishoudelijke kwaliteiten, die soms geprezen werden door oom Fred. Omdat er zo veel mensen in het huis woonden en er zo veel werkzaamheden moesten worden verricht, werd er veelvuldig een beroep op mijn vaardigheden gedaan. Iedere moeder moest één keer per week een maaltijd bereiden, en mijn moeder moest op vrijdag de lunch verzorgen. Ik hielp haar daarbij en we probeerden er altijd iets bijzonders van te maken door bijvoorbeeld een driegangenmenu te bereiden of de maaltijd een Mexicaans of Italiaans tintje te geven. We dienden soep of een salade op, een bijzonder hoofdgerecht en een zelfgemaakt toetje zoals kwarktaart, mijn specialiteit. Voor ons bestond het plezier niet alleen uit het bereiden van het voedsel, maar ook in het opsieren van de eetkamer, bijvoorbeeld door verse bloemen uit de achtertuin op de plastic tafelkleden te zetten. Ons doel was niet alleen een goede maaltijd te bereiden maar ook een prettige atmosfeer te creëren, een plek waar iedereen zich thuis voelde.

Het omvangrijke gezin begon uit te kijken naar moeders lunches. Ik genoot ervan deze wekelijkse taak samen met mijn moeder uit te voeren, wat ons moeder-dochtertijd opleverde terwijl het ons tegelijkertijd de kans bood onze culinaire talenten te presenteren. Ik putte veel voldoening uit mijn werk en probeerde alles perfect te doen. Terwijl ik jarenlang mijn moeder en mijn zussen nauwlettend had gadegeslagen, had ik mijn eigen vaardigheden gepolijst en ik voelde me voldaan als anderen genoten van onze creaties. Dat onze vrijdagse lunches zo populair waren geworden, gaf me een gevoel van voldoening en ik vond het leuk om van een afstandje toe te kijken terwijl het gezin het over het eten had en over hoe gezellig alles eruitzag. Maar zelfs deze poging om het iedereen naar de zin te maken, werd door de meeste andere meisjes en enkele moeders in huis nauwelijks gewaardeerd. Ik kon niet begrijpen waarom iets wat uit het hart kwam en bedoeld was om anderen plezier te doen, tot zo veel naijver kon leiden.

Omdat ik noch thuis noch op school mijn draai kon vinden, begon ik meer tijd door te brengen met mijn zus Kassandra en ik bleef zo vaak mogelijk bij haar in het huis van de profeet logeren. Ze had een gezellige kamer op de begane grond, met een grote slaapbank en een onderschuifbed, waarin ik sliep. Gedurende de afgelopen paar jaar had ik een hechtere band kunnen vormen met een paar van mijn oudere zussen en Kassandra was een goede vriendin geworden. Om allerlei redenen werd ook zij ongedurig in het huiselijk leven. Oom Warren had Rulons echtgenotes steeds meer aangemoedigd de banden met hun eigen familie te verbreken en hun aandacht volledig op oom Rulon te richten. Terwijl oom Rulons vrouwen voorheen speciale vrijheden genoten, werden ze nu onder druk gezet om thuis te blijven en te bidden. Dat viel niet goed bij mijn zus, die drieëntwintig was, levenslustig, en er weinig voor voelde zich volledig te voegen naar deze nieuwe beperkingen.

Een voordeel van Kassandra's positie was dat ze kon beschikken over een auto en financiële middelen, en we begonnen heimelijk uitstapjes te maken naar St. George, een stad 65 kilometer verderop, om te winkelen. Ik voelde me volwassen terwijl Kassandra en ik door winkels dwaalden en in een restaurant lunchten. Dikwijls namen we moeder, Caleb, Sherrie en Ally mee. Natuurlijk wisten we dat we de regels overtraden door geen mannelijke begeleider mee te nemen, maar een chaperon zou het avontuur bedorven hebben. Wel liepen we het risico dat we ons ernstige problemen op de hals haalden. Er had alleen maar een achterdochtig FLDS-lid hoeven verklappen dat we zonder begeleiding op pad waren.

Als het onmogelijk was om een uitstapje naar St. George te maken, leenden we soms heimelijk quads of paarden van kennissen en gingen daarmee de uitgestrekte woestijn in die Short Creek omgaf. Bij die gelegenheden, die helaas altijd veel te snel voorbijgingen, voelde het alsof we vrij waren om te doen wat we wilden, alsof we een opwindend leven leidden en de geldende gedragscodes tartten.

Hoewel deze uitstapjes opwindend waren, moesten we voortdurend uitkijken voor de politie. Het was algemeen bekend dat het plaatselijke politiekorps vrijwel geheel uit FLDS-leden bestond, die volgens velen niet alleen de wet handhaafden, maar hun gezag ook gebruikten om ervoor te zorgen dat de richtlijnen van de priesterschap werden nageleefd. Ook al overtraden we geen enkele wet, ons gedrag ging in tegen de richtlijnen van de Kerk en we waren banger voor religieuze vergelding dan voor wat dan ook.

Hoewel de plaatselijke politie ons niet vaak betrapte tijdens onze uitstapjes, had mijn broer Caleb minder geluk. Nu Brad zich in Salt Lake bevond, had de aandacht van oom Fred en zijn gezin zich gericht op mijn twaalf jaar oude broer, die net als Brad problemen ondervond in het huis van de Jessops. Hij was er al een keer in geluisd door een paar zoons van oom Fred toen ze hem vroegen een video van een binnen de gemeenschap opgevoerd toneelstuk terug te brengen die ze zonder toestemming uit Freds kantoor hadden meegenomen. Als nieuwkomer in het gezin deed Caleb wat hem gevraagd werd zonder er verder bij na te denken, maar toen een van oom Freds vrouwen hem in het kantoor zag, ging ze er meteen van uit dat Caleb geld van oom Fred stal en belde ze de politie.

Ik was erbij toen de agenten arriveerden, mijn twaalf jaar oude broer de handboeien omdeden en hem in de politieauto zetten. Ik schreeuwde tegen hen dat ze hem met rust moesten laten, maar ze reden weg in de richting van het gemeenschapshuis, waar oom Fred toezicht hield op een van de gezellige avondjes die daar op vrijdag werden georganiseerd. Mijn broer werd in het bijzijn van alle aanwezigen voorgeleid aan oom Fred. Duidelijk geïrriteerd omdat hij zich vernederd voelde nu de gemeenschap op de hoogte was van een probleem binnen zijn gezin, droeg Fred de agenten op om Caleb naar huis te brengen, waar hij hem later onder handen zou nemen.

Dergelijke voorvallen bezorgden me het beklemmende gevoel dat Caleb zijn langste tijd in het huis van de Jessops had gehad. Ook hij was dat jaar begonnen op oom Freds privéschool en ook hij had aanpassingsproblemen. Het was me duidelijk dat hij zich zonder zijn broers volkomen alleen voelde, gedwongen om in zijn eentje te worstelen met zijn vragen met betrekking tot de Kerk en zijn leer. Veel van de oudere jongens in Freds huis voelden zich geroepen te proberen hem in het gareel te krijgen. Hij liet zich niet breken en ongeveer een half jaar na

Brads vertrek maakte moeder me vertwijfeld midden in de nacht wakker en zei: 'Ik geloof dat ik beneden iets hoorde. Ik denk dat Caleb weggaat.'

'Wat?' zei ik slaapdronken. 'Waar gaat Caleb heen?'

'Ik denk dat hij probeert ervandoor te gaan. Je moet hem tegenhouden.'

Ik sprong onmiddellijk uit bed en holde naar beneden. Al mijn oudere broers hadden me in de steek gelaten, en ik kon het niet verdragen om nu ook nog een jongere broer kwijt te raken. Hij was de enige jongen in mijn leven met wie ik nog mocht praten. Mijn hart bonkte in mijn borst toen ik bij zijn kamer kwam en die leeg aantrof. Ik holde naar buiten en toen ik bij de oprit kwam, zag ik een auto snel wegrijden. Ik wist gewoon dat het Brad was. Hij was Caleb komen redden, maar mij waren ze vergeten.

In de koude, donkere nacht holde ik achter de auto aan totdat ik niet meer kon. Uitgeput steunde ik met mijn handen op mijn knieën en ik bleef een tijdlang staan hijgen. Terwijl ik langzaam terugliep naar huis, zonk het hart me in de schoenen. Ik had kracht geput uit mijn recente gevoel van verbondenheid met Brad en Caleb. Hoewel ze allebei nog jong waren, had ik me door hun aanwezigheid in huis toch enigszins beschermd gevoeld. Ze waren mijn broers en ze gaven om me. Ze steunden me. Ik was zo geïsoleerd geraakt van de rest van het gezin, dat ik me zonder hun gezelschap niet kon voorstellen hoe ik verder moest. Ik was nu nog de enige die moeder met Sherrie en Ally kon helpen.

Moeder had het ongelooflijk moeilijk met het verlies van haar twee laatst overgebleven zoons. Ze was er kapot van en smeekte hun over de telefoon om terug te komen. Ze vertelde hun dat ze hen nodig had en dat ze haar in de steek hadden gelaten. Maar zij voelden zich net zo goed in de steek gelaten en smeekten haar om terug te keren naar Salt Lake en voor hen te zorgen. Toen ze zei dat ze dat niet kon doen, beschuldigden ze haar ervan dat ze haar geloof belangrijker vond dan hen. Het was een afschuwelijk dilemma voor haar, maar de realiteit was duidelijk: haar geloof vereiste dat ze de profeet en de religie boven al het andere stelde. Het maakte niet uit hoeveel ze van ons hield, hoezeer ze ons miste of hoe graag ze ons bij zich wilde hebben. Ze kon haar plicht ten opzichte van de profeet en de priesterschap niet verzaken.

Ik kon niet begrijpen hoe mijn moeder een dergelijke keuze kon maken. Voor mij was het een uitgemaakte zaak dat ze bij vader en haar kinderen hoorde te zijn. In veel opzichten vormde de situatie met Brad en Caleb een weerspiegeling van wat er met Justin en Jacob was gebeurd, en ik nam haar nog steeds kwalijk dat ze hen in Salt Lake City bij mijn vader had achtergelaten. Maar naarmate we langer bij oom Fred woonden en ik ervoer hoe het leven daar werkelijk was, was ik blij dat zij dat nooit hadden hoeven meemaken. Evengoed miste ik hen vreselijk.

Justin en Jacob bleken het in Salt Lake niet veel gemakkelijker te hebben. Het verpletterende verdriet dat vader voelde nadat zijn gezin hem was afgenomen en aan een andere man was toegewezen, had hem bijna de das omgedaan. Maar in plaats van toenadering te zoeken tot de tweeling en te proberen gezamenlijk hun verdriet te verwerken, leek het erop dat hij zich alleen nog maar bezighield met de vraag waarom Warren en oom Rulon ons bij hem weg hadden gehaald en met het doen van de dingen die zij nodig achtten om boete te doen.

Justin en Jacob hadden nog altijd de vader niet terug met wie we waren opgegroeid, en ze werden opnieuw naar een heropvoedingskamp gestuurd, ditmaal om te beginnen in Idaho. Maandenlang verhuisden ze van het ene kamp naar het andere, en in elk ervan werden ze onderworpen aan zware arbeid en verschrikkelijke leefomstandigheden en waren ze gedwongen voor zichzelf te zorgen. Dat gebeurde allemaal met het doel hun geloof te versterken, maar het wakkerde hun wrok tegen de priesterschap alleen maar aan. Toen het duidelijk werd dat ze zich niet zouden aanpassen, werden ze teruggestuurd naar vaders huis in Salt Lake.

Na hun terugkeer bleven de spanningen tussen hen en vader bestaan en het duurde niet lang voordat er een soortgelijke verwijdering ontstond tussen vader enerzijds en Brad en Caleb anderzijds. Terwijl ik me voorstelde dat ze allemaal gelukkig waren bij vader thuis, worstelden ook zij om de restanten van het gezin in stand te houden en te overleven in een uiteengevallen huishouden. Aangezien bepaalde kwesties tussen vader en Brad niet waren uitgesproken vóór ons vertrek naar het huis van Fred Jessop, bleef hun relatie gespannen. Brads terugkeer naar het oude huis in Salt Lake opende opnieuw de wonden uit het verleden en leidde er uiteindelijk toe dat Brad in een pleeggezin werd geplaatst. Een groot deel van het probleem kwam voort uit de emotionele tol die de afgelopen jaren van vader hadden geëist. Hij moet zich overrompeld hebben gevoeld. Slechts enkele dagen nadat wij opdracht hadden gekregen hem te verlaten, werd ook moeder Laura bij hem weggehaald. Ze was indertijd negen maanden zwanger en werd onmiddellijk de vierde vrouw van Fred Lindsay uit Hildale. Een paar dagen na het huwelijk schonk ze het leven aan vaders zoon. Droevig genoeg zou vaders nieuwe zoon nooit de kans krijgen zijn biologische vader te leren kennen. Volgens de wet van de priesterschap behoorden Laura en haar zoons nu toe aan Fred Lindsay.

Vader kreeg geen bezoekrecht, zoals hij dat ook in ons geval niet had gehad. Hoewel de rechtbanken bezoekregelingen konden vaststellen, laat de FLDS zich over het algemeen niets gelegen liggen aan de rechtbanken en de wetten van de mensen. Een beroep doen op de rechter om problemen op te lossen, wordt beschouwd als een duidelijk verraad aan de priesterschap, en gerechtelijke bevelen worden stelselmatig genegeerd. Evenals Sharon en Laura had ook moeder Audrey opdracht gekregen om te vertrekken, maar ze weigerde moedig en bleef in het huis aan de zijde van mijn vader.

Beroofd van de steun van vrijwel mijn gehele familie, trok ik me nog verder terug in mezelf en vond troost in mijn bezoekjes aan Kassandra, die door toedoen van Warrens instructies aan Rulons echtgenotes steeds minder frequent werden. De weken en maanden verstreken langzaam, tot op een dag meer dan een jaar na mijn aankomst in het huis van de Jessops alles plotseling tot stilstand kwam. Dat was de dag waarop mijn hele leven veranderde – de dag waarop Fred Jessop zijn gezin meedeelde dat de profeet een goddelijke openbaring had gehad – een openbaring met betrekking tot een huwelijk.

Achteraf is het me duidelijk dat oom Fred al enige tijd hints had gegeven, maar ik was pas veertien. Ik had de draagwijdte van zijn woorden niet begrepen en ze afgedaan als niet meer dan bemoedigende opmerkingen. Het was begonnen in het vroege voorjaar van 2001, terwijl moeder in Canada was, op bezoek bij twee van mijn zussen. Ze had een lift naar de FLDS-gemeenschap daar gekregen van een geloofsgenoot en ik moest in mijn eentje de vrijdagse lunch verzorgen. Vanwege de hoeveelheid werk die het bereiden van een maaltijd voor vijftig gezinsleden met zich meebracht, was ik extra vroeg opgestaan. FLDS-leden geloven dat God ook vroeg opstaat, dus we ontbeten om half zes, en alle maaltijden werden elke dag op een vast tijdstip opgediend. Het was het verstandigst om voor elke maaltijd vroeg in de rij te gaan staan, zodat je kon eten voordat de tafels werden afgeruimd en de afwas moest worden gedaan.

Toen het lunchtijd was, kondigde ik enthousiast via de intercom aan dat de maaltijd was opgediend en wachtte ik gespannen in de eetkamer tot de gezinsleden begonnen te arriveren. Terwijl de mensen binnenkwamen, liep ik naar de enorme ramen, die een indrukwekkend uitzicht boden op het stadje, met op de voorgrond een stukje van onze tuin, en ik koesterde me daar even in het overdadig binnenvallende zonlicht terwijl ik me trots en voldaan voelde omdat ik zo'n grote maaltijd helemaal in mijn eentje had bereid. Op veertienjarige leeftijd had ik dat voor elkaar gekregen zonder te klagen of anderen om hulp te vragen.

Toen de moeders binnenkwamen, kon ik zien dat ze onder de indruk waren, maar ik verwachtte geen enkele vorm van openlijke waardering. Tot mijn verbazing vertrouwde moeder Katherine me toe hoe tevreden ze was en dat ik 'fantastisch werk' had geleverd. Zij was een van de weinige moeders die aardig tegen me waren en ik was heel erg op haar gesteld geraakt tijdens mijn verblijf in het huis van oom Fred. Ze was vriendelijk en oprecht, eigenschappen die ik altijd bewonderd had in mijn zus Michelle.

Toen we begonnen te eten, hoorde ik toevallig moeder Katherine tegen oom Fred zeggen dat ik helemaal in mijn eentje die heerlijke maaltijd had bereid en opgediend. Hoewel het haar bedoeling was oom Fred te attenderen op mijn prestatie, voelde ik al snel de onderstroom van irritatie bij de andere meisjes aan tafel. Hun ongenoegen nam toe toen moeder Katherine te kennen gaf dat ze het prettig zou vinden als de andere meisjes in huis net zo veel verantwoordelijkheid als ik aan de dag zouden leggen.

'Op een dag zul jij een man heel gelukkig maken,' zei oom Fred op trotse toon. 'Je zult een goede echtgenote voor iemand zijn.'

Het was een prettig gevoel om Freds goedkeuring te krijgen in plaats van een reprimande. Ook al was ik pas veertien, ik wist dat dit het mooiste compliment was dat een meisje kon krijgen. Iemands echtgenote worden was de uiteindelijke bestemming en droom van alle FLDS-meisjes. Ik wist niet goed hoe ik moest reageren, dus ik giechelde maar wat en bleef dooreten. Zoals gebruikelijk zouden de woorden van oom Fred alleen maar meer hoon van mijn stiefzusters uitlokken, maar dat liet me koud. Ik was tevreden over wat ik had gedaan, en zelfs toen mijn irritante neef Allen Steed verscheen om een hapje mee te eten, bedierf dat mijn goede stemming niet.

Gedurende het afgelopen half jaar was ik Allen steeds vaker gaan zien. Hij deed dikwijls vrijwilligerswerk voor Fred, werkte in de dierentuin, knapte allerlei karweitjes op en hielp een handje waar dat nodig was. Zijn familie woonde slechts een paar straten verderop, maar de laatste tijd bleef hij steeds vaker bij de Jessops eten. Hij scheen voornamelijk geïnteresseerd te zijn in het kijken naar de vele dochters. Ik kreeg er de kriebels van. Hoewel ik nog steeds een hekel had aan mijn neef, was het gevoel nu anders. Toen we bij elkaar hadden gewoond op de boerderij van de Steeds, was Allen slungelig en lomp geweest, maar ook een pestkop. Nu was hij steviger geworden en zijn vreemde gedrag bezorgde me een ongemakkelijk gevoel.

Op zijn negentiende kon hij mijn broers en zussen niet meer behandelen zoals hij dat in het verleden had gedaan. Toch was er iets aan hem wat niet helemaal in orde leek. De andere meisjes en ik hadden het er achter zijn rug over hoe vreemd hij was. Steeds als hij langskwam, begonnen we te giechelen en praatten we erover hoe hij naar de knappe meisjes staarde die door het huis fladderden terwijl ze baby's verzorgden of hun moeders hielpen bij het bereiden van de avondmaaltijd. Als hij met me praatte, deed hij zijn best om de indruk te wekken dat hij niet meer zo vals was, maar ik kende de echte Allen. Hij mocht dan wel ouder en meer volwassen zijn geworden, hij was nog altijd dezelfde persoon die mij liggend in de sneeuw had achtergelaten terwijl hij hard lachend wegreed om te gaan schaatsen. 's Avonds was ik altijd blij als een van de moeders tegen hem zei dat het tijd werd om naar huis te gaan. Hij scheen nooit de subtiele en minder subtiele hints op te pikken dat hij te lang bleef. Maar hoe irritant hij ook was, oom Fred scheen hem te mogen en bleef hem klusjes toeschuiven.

Na die vrijdagse lunch begon oom Fred meer aandacht aan me te besteden. Tot nog toe had ik weinig contact met hem gehad, afgezien van regelmatige berispingen, maar plotseling leek hij met me te willen praten. Een paar dagen na mijn solodebuut in de keuken liep ik hem tegen het lijf in de hal en hij bleef even staan om een praatje met me te maken.

'Hoe oud ben je nu?' vroeg hij op zijn gebruikelijke vriendelijke toon.

Ik vertelde hem dat ik onlangs mijn veertiende verjaardag had gevierd.

'Ach, je houdt me voor de gek, nietwaar?'

'Nee, ik ben veertien,' antwoordde ik wat ongemakkelijk, omdat ik niet begreep waar hij naartoe wilde. Maar mijn verwarring verdween snel toen oom Fred begon te grinniken, en ik grinnikte met hem mee.

Een paar weken later waren moeder en ik in de keuken bezig met het bereiden van weer een vrijdagse lunch. Samen waren we druk in de weer om groenten te wassen en te snijden. Ik stond aan het aanrecht, toen oom Fred de keuken binnen kwam en een arm om mijn schouder legde. 'Spoedig zul je een goede echtgenote voor iemand zijn,' zei hij zachtjes in mijn oor.

Moeder stond vlakbij en ik zag een verbaasde blik op haar gezicht verschijnen. Ook al was ik enigszins van mijn stuk gebracht door zijn opmerking, oom Fred was mijn priesterschapsleider en het besef dat hij met me ingenomen was, bezorgde me een goed gevoel. Ik was blij met zijn complimenten, zelfs als hij ze vergezeld liet gaan van cryptische opmerkingen over een huwelijk. Bovendien kon hij niet serieus willen dat ik 'spoedig' zou trouwen. Ik was pas veertien.

Moeder bleef zich echter zorgen maken. Haar ongerustheid nam nog toe toen oom Fred me uitnodigde om hem en drie van mijn oudere stiefzusters te vergezellen op een uitstapje naar Phoenix, waar hij proviand kocht als aanvulling op onze eigen voedselvoorraad voor zes maanden en voor de voorraadschuur van de gemeenschap, een metalen loods waar sommige FLDS-leden gratis voedsel konden afhalen. Freds provisiekamer was de grootste die ik ooit had gezien en de inloopkoelkast was groter dan die in een flink restaurant. Omdat hij regelmatig dergelijke uitstapjes naar Phoenix maakte, had Fred daar een huis. Een uitnodiging om hem te vergezellen werd als een grote eer beschouwd. Sinds ik in Freds huis was komen wonen, hadden verscheidene jongens en meisjes die uitnodiging gekregen, maar mij had hij nog nooit uitgekozen. Hoewel ik indertijd probeerde me er met een schouderophalen van af te maken, voelde ik me in werkelijkheid teleurgesteld en een beetje jaloers omdat ik nooit gevraagd werd – een bewijs te meer dat ik niet echt tot het gezin behoorde.

Ik had kunnen weten dat er iets aan de hand was toen hij mij uitnodigde, maar ik was veel te opgewonden bij de gedachte dat ik er nu echt bij hoorde. Het enige waaraan ik kon denken was dat mijn 'vader' voor het eerst sinds ik uit Salt Lake was vertrokken, waardering voor me toonde. Ik dacht dat ik er misschien echt bij begon te horen en dat het gewoon een kwestie van tijd zou zijn voordat de andere meisjes me ook begonnen te accepteren.

De reis naar Phoenix was een prettige onderbreking van ons gebruikelijke leventje. We aten in restaurants, en ik vond het leuk een paar van de meisjes te ontmoeten die de andere ouderlingen tijdens het uitstapje vergezelden. In de euforie van het moment stond ik er nauwelijks bij stil dat de laatste twee dochters die Fred naar Phoenix hadden vergezeld, spoedig na hun terugkeer waren getrouwd. Toen die gedachte bij me opkwam, zette ik haar meteen weer van me af, in het besef dat minstens acht van oom Freds dochters ouder waren dan ik. Die zouden ongetwijfeld eerder dan ik uitgehuwelijkt worden.

Een paar weken nadat we teruggekomen waren uit Phoenix, deed oom Fred een aankondiging tijdens onze wekelijkse gebedsdienst in zijn woonkamer. Iedereen was daar bijeen toen hij ons meedeelde dat de profeet een 'plaats' had gevonden voor drie van zijn meisjes aan de zijde van ouderlingen van de priesterschap. We wisten allemaal wat dat betekende; de drie niet met name genoemde meisjes zouden gaan trouwen. Als de profeet een huwelijk voor een meisje arrangeerde, werd dat dikwijls aangeduid met het woord 'plaats'. Als de profeet je vader laat weten dat hij een 'plaats' voor je heeft, wordt dat verondersteld een van de belangrijkste momenten in het leven van een FLDS-meisje te zijn. We keken allemaal opgewonden om ons heen terwijl we ons afvroegen wie de gelukkigen zouden zijn. Sommigen van de meisjes probeerden het uit oom Fred los te peuteren, maar hij bleef geheimzinnig glimlachen en zei niets.

Er gingen enkele dagen voorbij en iedereen wachtte nog altijd gespannen op de bekendmaking wie de drie gelukkigen waren en wanneer de huwelijken zouden plaatsvinden. Op een avond toen we allemaal bijeen waren voor het avondgebed, werd er op subtiele wijze bekendgemaakt wie de uitverkoren meisjes waren. Na het gebed was het gebruikelijk dat de jongens Fred een hand gaven en de meisjes een lichte omhelzing van hem kregen. Ik sloot me achter mijn moeder aan in de rij om oom Fred te omhelzen, en terwijl ik mijn armen om hem heen sloeg, betrok hij ook mijn moeder in de omhelzing. Terwijl hij zich vooroverboog, glimlachte hij en zei met een zachte stem tegen me: 'Jij bent een van de drie meisjes.'

Ik staarde hem met grote ogen aan en mijn mond viel open. Het duurde even voor het volledig tot me was doorgedrongen wat hij had gezegd. Ik vroeg me af of ik hem wel goed verstaan had.

'U verwart me waarschijnlijk met iemand anders,' stamelde ik. 'Ik ben pas veertien, weet u nog wel?'

Hij verzekerde me dat ik wel degelijk een van de uitverkorenen was en zei dat ik me moest gaan voorbereiden. Ik kreeg een misselijk gevoel in mijn maag toen hij nogmaals mijn moeder en mij omhelsde. Er verscheen een vrolijke blik op Freds gerimpelde gezicht; hij was duidelijk in zijn nopjes omdat hij me het vreugdevolle nieuws had kunnen overbrengen. Ik werd geacht me in de zevende hemel te voelen. Maar ik voelde me alsof mijn hart was blijven stilstaan, en gevoelens van weerzin begonnen de kop op te steken. Ik wist dat veel meisjes die nog in hun tienerjaren waren, werden uitgehuwelijkt. Ik had zelfs gehoord over meisjes die al uitgehuwelijkt werden op hun vijftiende. Er deden verhalen de ronde over oom Roys tijd als profeet, toen er echt jonge meisjes zoals ik en zelfs nog jongere waren uitgehuwelijkt.

Maar ik had al geruime tijd niet meer gehoord van iemand die op haar veertiende was getrouwd. Ik wist dat het voltrekken van huwelijken van meisjes onder de achttien de laatste tijd een stuk heimelijker plaatsvond. Nog niet zo lang geleden had oom Rulon met zoveel woorden gezegd dat we een eind aan die praktijk zouden maken nadat er wetten waren aangenomen die huwelijken van meisjes onder de achttien verboden. Op een dag zei hij in de kerk dat we 'de wet van het land' zouden volgen met betrekking tot kindbruidjes. Maar later zei oom Warren dat de Heer zijn werk op aarde niet kon stopzetten alleen maar omdat de wetten van het land veranderd waren. Die wetten waren gemaakt om het werk van de priesterschap te belemmeren en daarom hoefden we ons er niet aan te houden. Dat was een van de steeds vaker voorkomende momenten waarop Warren publiekelijk de macht en het gezag naar zich toe trok. Warren nam de leiding over en zijn wil leek de overhand te hebben op die van zijn vader. De FLDS-mensen legden zich daar gewoon bij neer. En dus bleven er huwelijken van minderjarige meisjes plaatsvinden, maar ze werden in het geheim voltrokken, aangezien de profeet en zij die de plechtigheid voltrokken, het risico liepen door de overheid gerechtelijk vervolgd te worden.

Geschokt en verdoofd liep ik met mijn moeder weg en probeerde mezelf ervan te overtuigen dat het niet waar kon zijn, maar iets in me wist wel beter.

10

De hemelse wet

Als u deze openbaring of enig andere openbaring van de Heer
weigert te aanvaarden, dan beloof ik u dat u verdoemd
zult worden.

— BRIGHAM YOUNG

Al vanaf mijn geboorte hoorde ik bij de FLDS. Ik had nooit anders geweten en het was de enige levenswijze die ik me kon voorstellen. Ik
wist dat het de taak van de profeet was om voor te schrijven wat het
beste voor ons was en dat de woorden die hij sprak, rechtstreeks van
God afkomstig waren. Ik geloofde dat mijn aanstaande huwelijk de wil
van God was en dat er daarom niets aan te doen viel. Maar toch moest
ik het proberen.

Ik wist ook dat ik anders was dan andere meisjes in onze gemeenschap. Ik wilde doorleren en misschien ooit wel verpleegkundige of
onderwijzeres worden. Tijdens mijn jaar op de openbare school was ik
gaan beseffen dat er dingen mogelijk waren waarvan ik nooit had durven dromen. Natuurlijk, ik wist dat ik moeder van goede priesterschapskinderen wilde worden, maar niet op mijn veertiende. Ik wilde
kinderen én een toekomst, en ik durfde te denken dat beide mogelijk
waren.

Het duurde een tijdje voordat het volledig tot me doorgedrongen
was wat oom Fred tegen me had gezegd. Toen ik erover nadacht, kon ik
gewoon niet begrijpen dat de profeet zou willen dat ik zou trouwen, en
ik had er geen goed gevoel bij. Ik dacht nog steeds dat oom Fred mij
misschien verward had met een van de oudere meisjes in huis, en ik besloot met hem te gaan praten. Ik beklom de trap naar zijn kantoor op
de eerste verdieping en wachtte in de hal tot hij me zou opmerken.
Toen hij me in de deuropening zag staan, verscheen er een vriendelijke

glimlach op zijn gezicht en hij nodigde me uit om verder te komen. Ik verdrong mijn angst en nam plaats in een van de bruine leren stoelen, popelend van ongeduld om hem te laten weten hoe ik over de aankondiging dacht. Het kantoor leek op dat van oom Warren op de Alta Academy, met een groot bureau, een bank en een paar stoelen voor diegenen die hem om advies kwamen vragen. Als gerespecteerd lid van onze gemeenschap beschikte Fred over de nodige invloed. Hij was door Leroy Johnson tot bisschop van Short Creek benoemd lang voordat oom Rulon onze profeet werd, wat hem de positie van tweede adviseur van de profeet opleverde en de derde plaats in de hiërarchie van de kerkleiding, vlak na Warren, die eerste adviseur was.

Toen oom Fred me vroeg wat ik op het hart had, tuimelden de woorden bijna mijn mond uit.

'Ik wil er zeker van zijn dat u begrijpt dat ik pas veertien ben,' zei ik op zachte, respectvolle toon. 'Ik ben bang dat u me misschien met iemand anders verwart.' Oom Fred was ver in de zeventig en hij vergat soms dingen, zelfs namen van mensen.

'Nee hoor, jij gaat trouwen,' antwoordde hij zonder enige aarzeling.

Ik voelde de paniek in me opwellen en ik zocht koortsachtig naar de juiste woorden. 'Ik weet niet of dit wel goed voor me is,' zei ik na een lange stilte. 'Ik heb niet het gevoel dat ik er klaar voor ben. Ik heb niet het gevoel dat ik dit zou moeten doen, omdat ik nog maar zo jong ben. En ik geloof dat er zo veel andere meisjes in huis zijn die meer dan ik toe zijn aan die roeping.'

Zonder op mijn argumenten in te gaan, zei oom Fred dat ik maar veel moest bidden.

Ik wist niet wat ik moest zeggen en ik realiseerde me dat het wel degelijk zijn bedoeling was dat ik zou trouwen. Ik vroeg hem of hij me dan ten minste kon vertellen wie mijn toekomstige echtgenoot was. Als ik wist wie God voor me uitgekozen had, zou dat me misschien geruststellen.

'Dat zal je op het juiste moment onthuld worden,' antwoordde hij.

Ik voelde me lichamelijk ziek terwijl ik opstond om te vertrekken. Het gesprek was afgelopen en ik zou niet weten wat ik verder nog had moeten zeggen.

De volgende dagen werd ik overstelpt met gelukwensen van mijn eigen familie en veel van mijn stiefzusters, die tot mijn grote verbazing wisten dat ik een van de drie meisjes was die uitverkoren waren om te trouwen. Ik probeerde uit alle macht mijn ware gevoelens te verbergen wanneer ze tegen me zeiden wat een geluksvogel ik was, en op sommige momenten was het best wel prettig om zo veel aandacht te krijgen. Trouwen is de hoogste eer voor een meisje binnen de FLDS. Het was waar vrouwen voor leefden – onze droom en onze missie. Ook al was ik pas veertien, het was moeilijk om niet meegesleept te worden door alle opwinding. Maar die gevoelens zouden spoedig verdwijnen en mijn ongerustheid keerde terug.

Ik kwam erachter dat ik niet het enige jonge meisje was dat een echtgenoot toegewezen had gekregen. De profeet had ook mijn stiefzusje Lily uitverkoren, die slechts een paar maanden ouder was dan ik. Het derde uitverkoren meisje was Nancy. Ze was een paar jaar ouder dan Lily en ik en leek opgetogen bij het vooruitzicht datgene te bereiken waar ze zich haar hele leven op had voorbereid.

Er ontstond een hechte band tussen Lily en mij terwijl we onze gedachten over onze identieke situaties lieten gaan en probeerden ons met onze toekomst te verzoenen. Net als ik had Lily een moeilijke tijd achter de rug. Een paar maanden eerder was ze een heimelijke vriendschap begonnen met een oudere FLDS-jongen die kort geleden vanuit Salt Lake City naar Hildale was verhuisd. Aangezien de profeet de enige is die zijn fiat kan geven aan romantische relaties, ging deze vriendschap in tegen de leer van de Kerk. Op een gegeven moment kwam oom Fred erachter wat er aan de hand was en hij verbood haar nog langer met de jongen om te gaan. Lily was buiten zichzelf van verdriet en probeerde een eind aan haar leven te maken met behulp van paracetamol en ibuprofen.

Haar poging mislukte, en haar huwelijksaankondiging leek een reactie te zijn op haar ongepaste vriendschap, alsof de boven haar gestelde machten van mening waren dat een huwelijk haar terug zou dwingen in de juiste FLDS-instelling. Op sommige momenten, als Lily zich net zo opgetogen toonde als Nancy, leek die aanpak zelfs te werken. Maar mijn weerstand verslapte geen moment en wat iedereen ook mocht zeggen, ik wilde er nog steeds niet aan dat het mijn tijd al was.

De dagen na de aankondiging van oom Fred noteerde ik mijn gedachten over wat er gebeurde in een dagboek.

Zondag 15 april 2001
Het is me het weekendje wel geweest. Er zijn nogal wat dingen gebeurd

die me het gevoel geven dat mijn leven een beetje op zijn kop staat. Giste-
ren was een ronduit zenuwslopende dag. Het ging over...

Mijn moeder kwam de kamer binnen en ik voelde dat ze zich over me
heen boog terwijl ik bezig was mijn zorgen en vragen aan het papier toe
te vertrouwen.

'Lesie, je moet wel een beetje oppassen met wat je schrijft,' waarschuwde ze me, mijn bespiegelingen onderbrekend. 'Je woorden zijn
niet privé.'

Ik keek verbaasd naar haar op. 'Hoe bedoelt u? Wie zou er in mijn
dagboek snuffelen?'

'Weet je, wat je opschrijft over deze belangrijke tijd in je leven, zal
ooit je nalatenschap aan je kinderen zijn, en het zouden trotse dingen
moeten zijn. Je wilt er later geen spijt van krijgen.'

Moeders woorden overrompelden me. Ze hield me voor dat ik niet
zou moeten opschrijven wat mijn werkelijke gevoelens waren over de
hele situatie. Ik was ontzet door het idee dat mijn privéontboezemin-
gen misschien niet privé zouden blijven, en dat deze persoonlijke over-
denkingen me als tekenen van ongehoorzaamheid en ontrouw nage-
dragen zouden worden. In verwarring gebracht door deze nieuwe druk
om alleen maar te schrijven wat ik eigenlijk zou moeten voelen, sloeg ik
de bladzijde van mijn met plaatjes van vlinders versierde dagboek om
en begon opnieuw.

Zondag 15 april 2001
  Vandaag was een fantastische dag. Het was alsof de Heer hem speciaal
voor mij gezonden had. De ochtend was zo vredig dat mijn ziel helemaal
tot rust kwam. Het was een veelbewogen weekend. Er zijn heel wat dingen
gebeurd die mijn wereld op zijn kop hebben gezet. Ik heb heel veel belang-
rijke zaken aan mijn hoofd. Zonder de nabijheid van de Heer zou ik me
overrompeld voelen. Gisteren was een heel bijzondere ervaring. Het was
ongeveer tien uur toen moeder Amy belde en me vertelde dat vader me
wilde zien. Terwijl ik me gereedmaakte om naar hem toe te gaan, probeer-
de ik uit alle macht te bedenken waar het over zou kunnen gaan. Er gin-
gen wel een dozijn mogelijkheden door mijn hoofd. Toen ik zijn kantoor
binnen kwam, was hij in gesprek met iemand anders, wat mij een paar
minuten respijt gaf. Spoedig kreeg hij me in het oog en begon hij met me te
praten. Hij bracht me in herinnering dat hij met Lily en mij gepraat had

over het onderwerp huwelijk. Toen hij het daar in een eerder stadium over had gehad, had hij gezegd dat er in mei dingen te gebeuren zouden staan. Nu vertelde hij me dat de profeet de plechtigheid ergens in de loop van de volgende week had gepland. Ik was zo verrast dat ik niets wist te zeggen. Ik zal nooit de emoties vergeten die door mijn hoofd speelden. Ik smeek de Heer al een hele tijd om een plaats voor me te vinden naast een man die van me zal houden en die me zal onderrichten. Maar vooral bid ik dat de Heer me een teken zal geven zodat ik met heel mijn hart zal weten dat waar ik geplaatst word, de plaats is waar ik behoor te zijn.

De volgende dagen had ik meerdere malen contact met oom Fred. Hoewel ik moeders advies om zelfs in mijn schrijfsels gehoorzaam te blijven ter harte nam, was ik in werkelijkheid vervuld van angst over mijn toekomst. Na een paar bezoekjes aan oom Fred vertelde ik hem dat ik wilde dat hij zou weten dat ik niet probeerde om me tegen de wil van de profeet te verzetten; ik had alleen maar meer tijd nodig. Ik zou er beter klaar voor zijn als ik nog twee jaar respijt zou krijgen.

'Ik kan het niet,' zei ik tijdens een ander gesprek tegen hem. 'Weet u, ik geloof gewoon niet dat ik hieraan toe ben. Ik heb veel gebeden, maar ik heb er geen goed gevoel over. Alles zegt me dat ik gewoon eerst nog wat ouder moet worden. En ik moet me kunnen voorbereiden op een dergelijke verantwoordelijkheid.'

De toon van oom Fred was vriendelijk maar vastberaden. We hadden hier al een paar dagen over gesproken, maar ten slotte kwam hij met een nieuwe reactie: 'Dit is het woord van de profeet, en je zult je tot hem moeten wenden als je het gevoel hebt dat je er nog niet aan toe bent.'

Ik werd overspoeld door een golf van opluchting. Ik had zijn zegen om contact op te nemen met de profeet met betrekking tot mijn situatie. Terwijl ik het kantoor van oom Fred uit liep, bedacht ik wat ik zou zeggen als ik de volgende ochtend oom Warren aan de telefoon kreeg. Die nacht sliep ik nauwelijks. Ik maakte me zorgen over de reactie van oom Warren op mijn verzoek om de profeet te mogen spreken en ik was nog steeds klaarwakker toen het zwart van de nacht plaatsmaakte voor het purper van de dageraad. Ik had nauwelijks nog contact met oom Warren gehad sinds mijn tijd op de Alta Academy, en ik wist dat ik eerst met hem zou moeten praten voordat ik zijn vader te spreken kon krijgen. De gedachte aan het gesprek dat me te wachten stond, vervulde me met dezelfde angst die ik altijd had gevoeld als ik de trap naar zijn kantoor op de Alta Academy beklom.

Die ochtend zat moeder naast me toen ik de telefoon oppakte en zijn kantoor belde. Uiteindelijk werd ik doorverbonden met oom Warren en met beverige stem vertelde ik hem waarom ik belde. Terwijl ik mijn best deed om mijn zenuwen in bedwang te houden, legde ik hem uit dat ik het gevoel had dat dit huwelijk niet de juiste weg voor me was en ik benadrukte nog maar eens hoe oud ik was. 'Ik geloof niet dat ik er al aan toe ben om te trouwen. Ik ben gewoon nog niet klaar voor een dergelijke verantwoordelijkheid.'

Ik maakte me zorgen over de lange stilte aan de andere kant van de lijn, die uiteindelijk verbroken werd door zijn hypnotische stemgeluid. 'Twijfel je aan de profeet en zijn openbaringen?' vroeg hij.

Struikelend over mijn woorden probeerde ik duidelijk te maken dat het niet mijn bedoeling was om me tegen de profeet te verzetten. 'Ik wil me er alleen maar van overtuigen dat hij weet dat ik pas veertien ben en hoe ik erover denk.'

'Ik zal met de profeet praten,' verzekerde oom Warren me. 'Ik zal hem vertellen dat je jezelf te jong vindt en nog wat tijd nodig hebt. Vergeet niet te bidden.' Hij zei dat hij contact met oom Fred zou opnemen nadat hij met oom Rulon had gesproken.

Ik zou niet alleen bidden, ik zou ook vasten, in de hoop dat God mijn zorgen zou begrijpen. Het telefoongesprek met oom Warren had me mijn laatste restje energie gekost, maar ik voelde me in elk geval wat beter nu ik hem deelgenoot had gemaakt van mijn gedachten. Ik geloofde oprecht dat de leiders van de priesterschap naar me zouden luisteren en ik voelde hoe mijn ongerustheid begon af te nemen.

Toen ik weer terug op mijn kamer was, knielde ik naast mijn bed en sprak met God alsof hij mijn vriend was. 'Ik geloof dat U naar me luistert,' zei ik terwijl ik mijn ogen sloot en een beeld van hem voor me opriep. 'En dat U rekening houdt met mijn belangen. Ik smeek U.' Terwijl ik vocht tegen mijn tranen, vermande ik me. 'Ik weet dat U daar boven bent en dat U me kunt horen. Als ik mezelf waardig heb betoond, dan kunt U deze situatie voor me veranderen.'

Toen ik wakker werd, was het midden op de dag en lag ik op de grond naast mijn bed. Ik was zo uitgeput geweest doordat ik de nacht voor mijn gesprek met oom Warren niet had geslapen, dat ik midden in mijn gebed tot God in slaap was gevallen. Maar ik was ervan overtuigd dat God zou zien dat ik een goed mens was en mijn smeekbede zou verhoren. Bij dat besef begon ik me wat opgewekter te voelen en de donkere wolken die dagenlang boven me hadden gehangen, weken tijdelijk terug.

De dagen daarop kregen mijn twee stiefzusjes te horen met wie ze zouden trouwen. Lily werd uitgenodigd voor een rit door de stad samen met onze drieëntwintigjarige stiefbroer Martin, die door de profeet als haar echtgenoot was aangewezen, ook al waren ze gedurende enkele jaren als broer en zus grootgebracht. Nancy's beoogde echtgenoot, Tim Barlow, was al getrouwd met een van Nancy's zussen, alsook met een van haar stiefzusters.

Het is leden van de FLDS niet toegestaan om op de traditionele Amerikaanse manier afspraakjes te maken. Maar als een meisje eenmaal beloofd is aan een man van de priesterschap, krijgt het nieuwe stel soms de gelegenheid rustig wat tijd met elkaar door te brengen. De man komt dan naar het huis van het meisje om haar op te halen voor een ritje in zijn auto. Zowel Nancy als Lily werd de gelegenheid geboden hun toekomstige echtgenoot op deze manier te ontmoeten en hem wat beter te leren kennen, maar om de een of andere reden verkeerde ik nog steeds in onzekerheid over met wie ik zou trouwen. Dat was verontrustend, maar ik bleef hopen dat dit betekende dat het bij nader inzien mijn tijd nog niet was.

Mijn hoop bleek van korte duur. Toen er een paar dagen verstreken en oom Warren nog steeds niets van zich had laten horen, keerde mijn ongerustheid terug en werd de toekomst opnieuw onzeker. Ik bleef de gesprekken met Fred en Warren keer op keer in mijn hoofd afspelen, waarbij ik mezelf steeds voorhield dat ze zich gewoon niet realiseerden hoe jong ik was.

Ten slotte ontbood oom Fred me op zijn kantoor. 'Oom Warren heeft contact met me opgenomen, en de profeet wil dat het huwelijk doorgaat.'

Zijn woorden troffen me als een zweepslag. Ik kon me nauwelijks concentreren terwijl hij vervolgde: 'Dit is Gods roeping en jouw opdracht. Je moet je geest en je hart openstellen en doen wat er voor jou is geopenbaard.'

'Ik weet gewoon niet of ik dat wel kan, omdat ik het gevoel heb dat het niet juist is,' zei ik, terwijl ik de brok in mijn keel wegslikte. Zorgvuldig legde ik uit dat ik niet ongehoorzaam wilde zijn aan de profeet; integendeel, ik geloofde dat het gehoorzamen aan zijn woord de sleutel was tot mijn uiteindelijke redding. Ik zou veel bereidwilliger zijn om een dergelijk besluit van de profeet te accepteren als hij me gewoon een paar jaar liet wachten totdat ik me meer gereed voelde.

Fred liet me uitspreken, maar bleef zeggen dat dit de wil van de profeet en van God was. Toch bleef iets in me zich verzetten. Oom Fred hield vol dat dit het pad was dat God voor me had gekozen. Het voelde aan alsof ik gestraft werd, en ik wist niet precies waarom. Hoewel het moeilijk was om een uitweg te zien, bleef ik vastbesloten te vechten voor wat in mijn ogen juist was.

Tegen het eind van de week had ik er genoeg van dat iedereen over mijn aanstaande huwelijk begon en was ik de vijandige houding van een paar van mijn stiefzusters beu. Ik voelde dat veel van de oudere meisjes zich zorgen maakten omdat ze gepasseerd waren ten gunste van iemand die zo veel jonger was. Als het aan mij had gelegen, zou ik graag met hen hebben geruild. Dat zei ik ook tegen oom Fred tijdens een van mijn gesprekken met hem, maar hij had me angst aangejaagd door me te vertellen dat als ik weigerde de bestemming te volgen die de profeet voor me had geopenbaard, ik waarschijnlijk geen tweede kans meer zou krijgen. De eeuwige zaligheid van een meisje hing af van een huwelijk met een man van de priesterschap. Ik geloofde zijn woorden en was doodsbang altijd alleen te moeten blijven.

Terwijl ik op donderdagavond aanstalten maakte om de gebedsdienst bij te wonen, was ik emotioneel uitgeput. Ik had urenlang in mijn moeders kamer zitten huilen. Ik wist dat zij ook haar twijfels had over mijn huwelijk, en hoewel ik als ongehoorzaam werd beschouwd, moedigde ze me toch aan om voor mezelf op te komen. Maar ze moest wel op haar tellen passen. Als oom Fred erachter kwam dat ze me steunde, zou ze zelf een reprimande krijgen van de profeet. Het zou bijzonder ernstige consequenties voor haar hebben als ze haar rol als onderdanige echtgenote overschreed, en haar eeuwige zaligheid, waarvoor ze al zo veel had opgeofferd, zou haar in een oogwenk ontnomen kunnen worden.

Ik voelde me getroost door moeders aanwezigheid toen we die avond de woonkamer binnen gingen voor het gebed. Ik ging naast haar zitten en wachtte tot de rest van het gezin zich verzameld had. Terwijl het vertrek zich begon te vullen, viel me op dat sommige moeders op de vloer gingen zitten. 'Komt u toch hier zitten,' zei ik uit respect tegen een van hen, terwijl ik naar de stoel naast me gebaarde. 'Of neem anders mijn stoel.'

Toen ze mijn aanbod afsloeg en liever op de vloer bleef zitten, begon ik me zorgen te maken. Misschien was iedereen wel boos op me. Veel mensen beschouwden mijn gedrag van de laatste tijd als onvolwassen, en daardoor voelde ik me een beetje als een kind dat een driftbui krijgt. Voor hen was het gehoorzamen aan de wil van de profeet een volkomen vanzelfsprekende zaak. Er werden geen vragen over gesteld, er waren geen andere opties. Hoewel de temperatuur in het vertrek die avond aangenaam was, had ik het koud en ik dook dieper weg in mijn donsjack. Op dat moment zag ik Allen in de deuropening staan.

'Geweldig,' dacht ik; dat kon er ook nog wel bij. Ik kon me maar moeilijk voorstellen dat ik familie van hem was. Ik hoopte maar dat hij niet mijn kant op zou kijken; in mijn huidige toestand kon ik zelfs de schijn van beleefdheid niet ophouden. Ik zag zijn logge gestalte onbeholpen het vertrek binnen stappen en raakte onmiddellijk van streek toen ik me realiseerde dat hij mijn kant op kwam. In een dergelijke omgeving zou hij nooit rechtstreeks op me afkomen, tenzij er iets bijzonders aan de hand was.

Terwijl Allen met logge tred op me af liep, bleef ik hopen dat hij een andere richting in zou slaan, maar dat gebeurde niet. Hij liep recht op me af en nam zonder iets te zeggen plaats op de enige nog vrije stoel in het vertrek, die naast de mijne. Op dat moment drong het tot me door welk lot me te wachten stond en het was alsof ik plotseling geen lucht meer kon krijgen. Ik voelde hoe de ogen van iedereen in het vertrek op me gericht waren. Overmand door ongeloof kon ik de druk niet langer aan en zonder erbij na te denken sprong ik op uit mijn stoel, verliet het vertrek en holde naar boven. Ik was bang, vervuld van weerzin en boos op iedereen. Ze wisten hoe ik me voelde en hoezeer ik hierop tegen was, maar dat scheen niemand iets te kunnen schelen.

Terwijl ik op weg was naar mijn kamer, voelde ik de tranen over mijn wangen lopen. Ik wilde Allens gedrag maar al te graag afdoen als toeval, maar ik wist dat hij niet zomaar in het bijzijn van het hele gezin op de enige vrije stoel naast me was komen zitten. Dat de moeders ervoor gekozen hadden om op de vloer te gaan zitten in plaats van op de stoel naast me, betekende dat het afgesproken werk was. Het hele gezin was ervan op de hoogte. Ze wisten allemaal met wie ik zou gaan trouwen voordat ik het zelf wist. Niet alleen zou ik gedwongen worden te trouwen op mijn veertiende, ik zou ook gedwongen worden te trouwen met de enige man aan wie ik in mijn korte leven een hekel had gekregen.

Even later hoorde ik mijn moeder achter me aan komen. Ze vroeg me op haar te wachten en haar te vertellen wat eraan scheelde. Ik snikte wanhopig toen ik bij de deur van haar slaapkamer kwam en die blindelings openduwde. Mijn moeders kamer was mijn enige toevluchtsoord, en ik liet me op haar bed vallen voordat mijn benen het begaven.

'Ik weet met wie ik ga trouwen!' riep ik.

'Werkelijk? Met wie dan?' vroeg moeder, die aan haar stem te horen volledig in het duister tastte.

'Allen!' schreeuwde ik, zonder zelfs maar mijn hoofd van het kussen op te tillen. Ik kon gewoon niet geloven dat moeder het niet door had gehad op het moment dat hij naast me kwam zitten.

'Hij is een volle neef van je,' zei ze ter geruststelling tegen me. 'Dat zouden ze je niet aandoen.' Daarop begon ze zelf te huilen. Toen ik eindelijk tot bedaren kwam, ging ik overeind zitten om naar moeder te luisteren. 'Als je je werkelijk zorgen maakt, moet je er met vader over gaan praten,' zei ze in een poging me te troosten.

'Ik ga niet trouwen!' zei ik opstandig, aangemoedigd door mijn moeders woorden. 'En zeker niet met Allen!'

Het duurde nog geen tien minuten voordat ik opgeroepen werd via de intercom. 'Elissa, vader wil je spreken.'

O, fantastisch. Wat nu weer? dacht ik. Ik deed niet eens een poging om mezelf toonbaar te maken. Ik voelde nauwelijks meer iets terwijl ik naar oom Freds kantoor liep. Ik verwachtte dat hij boos op me zou zijn en ik was enigszins verbaasd toen ik hem schijnbaar onaangedaan aantrof.

'Ga zitten, Elissa,' zei hij met een gebaar naar de leren stoel tegenover zijn bureau. 'Hoe gaat het met je?' vroeg hij terloops.

'Vader, ik weet met wie ik ga trouwen,' flapte ik eruit.

'O, werkelijk? Met wie dan?' vroeg hij.

'U gaat me bij Allen plaatsen.'

Het duurde even voordat hij mijn vermoeden bevestigde. Maar ik had het bij het rechte eind. 'Eh, inderdaad,' zei hij. 'Dat heeft de profeet voor je geopenbaard.'

'Nee! Ik wil dat u weet dat ik dat niet doe. Ik trouw niet met Allen. Ik wil gewoon niet met die man trouwen!'

Ik stond versteld van mijn eigen moed. Ik had geen moment geaarzeld voordat ik die woorden sprak. Een week geleden zou ik nog over mijn woorden zijn gestruikeld, maar nu was ik vastbesloten. Het besef dat Allen mijn echtgenoot zou worden, had mijn vastberadenheid alleen maar groter gemaakt. Ik zweeg even om op adem te komen. Tot nu toe had ik me vastgeklampt aan de hoop dat oom Rulon tot het besef zou komen dat dit niet goed voor me was. Maar op dat moment besefte ik dat ik zelf met hem zou moeten gaan praten.

De verwarring op oom Freds gezicht verdween snel en maakte plaats voor een strenge blik. 'Wil je je verzetten tegen datgene wat de profeet voor je heeft onthuld?' vroeg hij op scherpe toon.

'Realiseert u zich dat Allen een volle neef van me is?' bracht ik hem in herinnering.

'Dat maakt voor de Heer geen verschil,' hield oom Fred me voor. Leden van de FLDS geloven dat huwelijken tussen naaste verwanten in orde zijn als de profeet dat openbaart. Zelfs zorgen over geboorteafwijkingen worden afgedaan met de verklaring dat een kind dat 'onvolmaakt' ter wereld komt, zo door God gezonden was omdat het kind 'te speciaal' was en in het koninkrijk der hemelen weer ongeschonden zou zijn. Geboorteafwijkingen worden nooit geweten aan neven en nichten die met elkaar trouwen of aan incest, maar doen zich voor omdat 'God het zo wilde'. Hoewel buiten onze gemeenschap voortdurend geruchten de ronde deden dat baby's die met een aangeboren afwijking ter wereld kwamen, direct na hun geboorte werden verdronken, was dat gewoon niet waar. Deze kinderen werden in ere gehouden omdat ze in de ogen van God zo speciaal waren. Met de verklaring dat mijn huwelijk een openbaring van de profeet was, werden alle wereldlijke zorgen over huwelijken tussen bloedverwanten en de gevolgen daarvan ontkracht.

'Nou, ik wil dat u weet dat ik dit niet kan doen,' zei ik nijdig. 'Ik kan mezelf er gewoon niet toe brengen. Ik trouw niet met die man.'

'Nou, dan zul je contact moeten opnemen met oom Warren, want het gaat per slot van rekening over een openbaring. Dus zul je met de profeet moeten gaan praten en hem dit zelf moeten vertellen.'

Ik herinner me niet eens meer wie de telefoon opnam toen ik de volgende ochtend oom Warren belde. Meestal was het een van de vrouwen of zoons van oom Rulon.

'Ik moet zelf met de profeet praten,' zei ik tegen degene aan de andere kant van de lijn. Ik was onverzettelijk in mijn standpunt dat ik niet zou trouwen tenzij ik de openbaring uit de mond van de profeet zelf zou horen. Na enkele ogenblikken kreeg ik een afspraak voor de volgende dag.

Ik probeerde tot rust te komen terwijl ik dacht aan alles wat er de afgelopen dagen was gebeurd. Morgen rond dezelfde tijd zou ik weten of ik met Allen zou trouwen, maar voordat dat besluit genomen zou worden, zou ik de gelegenheid krijgen oom Rulon persoonlijk te benaderen, om hem te vertellen dat ik het gevoel had dat dit huwelijk niet juist voor me was. Hoewel ik me zorgen maakte, had ik ook goede hoop dat als hij me in eigen persoon zag, hij een nieuwe openbaring van God zou krijgen, een openbaring dat ik te jong was, dat ik niet was voorbestemd om een veertienjarige bruid te zijn. Ik was voorbestemd om andere dingen te doen, om te leren, te groeien, een opleiding te volgen... misschien zelfs wel verpleegkundige te worden. Ik kon deze bestemming voor mezelf zien, maar uiteindelijk was het enige wat ertoe deed, of de profeet dat ook kon zien.

11

Het woord van de profeet

Je hebt het hart op de verkeerde plaats.

— WARREN JEFFS

Later die ochtend, nadat ik de afspraak had gemaakt, probeerden moeder en Kassandra, door de priesterschap onder druk gezet om me ervan te overtuigen dat ik wel degelijk voorbestemd was om in het huwelijk te treden, mijn interesse te wekken door me mee te nemen om voorbereidingen te treffen voor het 'leuke gedeelte' – de bruiloft.

Samen reden we naar St. George, naar de stoffenwinkel, waar we diverse materialen en patronen bekeken om te bepalen hoe mijn trouwjurk eruit ging zien. Wat ik indertijd niet wist, was dat zelfs mijn zussen naar oom Warren waren gegaan om hun zorgen met betrekking tot mijn huwelijk kenbaar te maken, en te horen hadden gekregen dat ze me moesten aanmoedigen om mijn verzet te staken. Toen ons bezoek aan de stoffenwinkel geen enthousiasme bij me los wist te maken, dwaalden we door het winkelcentrum, waar we in een van de etalages een paar prachtige witte kreukelsatijnen schoenen zagen staan. Ze waren echt heel mooi, met een elegante gesp op de enkel en een hakje. Kassandra zei dat ze perfect zouden passen bij elke bruidsjurk, maar zelfs de betoverende schoenen konden me niet de winkel binnen lokken.

'Ik heb die schoenen niet nodig,' zei ik nijdig. Het had een opwindende tijd voor me moeten zijn – het voorbereiden van mijn huwelijk, het uitzoeken van de materialen voor een jurk, en het aanschaffen van die speciale schoenen – maar het voelde alsof me gevraagd werd een tenue voor mijn begrafenis uit te zoeken. Mijn gedrag grensde aan het onbeschofte toen mijn moeder en mijn zus me uit de schoenenwinkel, waar Kassandra ondanks mijn tegenwerpingen de schoenen had gekocht, meesleepten naar een restaurant. Buiten de deur eten met moeder en Kassandra was een bitterzoete ervaring. Met die verschrikkelijke gebeurtenis die me boven het hoofd hing, viel het niet mee om me te ontspannen tijdens wat mijn laatste momenten als zorgeloze tiener zouden blijken te zijn. Ik voelde me gekwetst omdat er zo veel druk op me werd uitgeoefend en omdat niemand die er iets aan kon doen, naar me luisterde. De meesten van mijn zussen waren jong getrouwd, maar met uitzondering van Teressa niet vóór hun achttiende. Ik wist niet of ook maar een van hen kon begrijpen wat ik doormaakte. Ze probeerden me te troosten en moed in te spreken, maar dat maakte mijn angst er niet minder op.

Me ervan bewust dat ik de volgende ochtend oom Rulon zou ontmoeten, zocht ik na terugkomst in mijn kleerkast alvast mijn mooiste jurk uit. Een ontmoeting met de profeet, vooral over een onderwerp als dit, was zeer belangrijk. Ik wilde er zowel mooi als respectvol uitzien – het toonbeeld van de volmaakte priesterschapsdochter.

De volgende ochtend stapte ik in moeders oude mosterdkleurige Oldsmobile en streek rusteloos mijn jurk glad. Het huis van oom Rulon was te ver weg om er te voet heen te gaan en ik voelde me getroost door moeders aanwezigheid tijdens de korte rit. De afgelopen dagen had ze een wat teruggetrokken indruk gemaakt en hoewel ik ervan overtuigd was dat mijn situatie daar een heleboel mee te maken had, had ze nauwelijks gesproken over wat haar bezighield. Ze probeerde me ervan te overtuigen dat alles in orde zou komen, maar ik wist dat ze vanbinnen bang was. Ik waardeerde het dat ze bereid was me terzijde te staan.

Terwijl ik in de wachtkamer zat, repeteerde ik wat ik tegen oom Rulon zou zeggen. In het verleden, als ik bij Kassandra of Rachel logeerde, was ik wel uitgenodigd om met oom Rulon en zijn gezin het avondmaal te gebruiken. Het was een grote eer als ik na de maaltijd de profeet een hand mocht geven, maar dit zou een volkomen andere situatie zijn. Ditmaal ging het over mij.

In de wachtruimte was het druk met komende en gaande mensen. Na enige tijd kwam oom Warren eindelijk tevoorschijn en begroette me. Hij droeg zijn gebruikelijke donkere pak en stropdas en met een brede glimlach en vriendelijke stem richtte hij het woord tot me.

'Elissa, hoe gaat het met je?' Hij gebaarde dat ik hem naar het kantoor moest volgen.

Uitgeput nam ik plaats op de dichtstbijzijnde stoel. Ik was het groot-ste deel van de nacht wakker gebleven om te bidden en ik voelde me licht in het hoofd door mijn aanhoudende vasten. Warren ging aan zijn vaders bureau zitten, dat tegen de muur stond, en draaide zijn stoel om, om me aan te kijken. Nu was er geen bureau meer dat tussen ons in stond, zoals het geval was geweest op de Alta Academy.

'Vertel me eens wat er aan de hand is,' begon hij met een zachte stem. 'Wat is het probleem?'

Ik aarzelde, terwijl ik me afvroeg wanneer oom Rulon zich bij ons zou voegen. Toen hij niet onmiddellijk zijn opwachting maakte, voelde ik me verplicht mijn zorgen een tweede keer aan oom Warren voor te leggen.

'Nou, ik weet dat u me verteld hebt dat ik moet trouwen. En ik weet dat u dat als een openbaring beschouwt. Ik geloof niet dat dit goed voor me is, omdat ik het gevoel heb dat ik nog wat meer tijd nodig heb om op te groeien. Ik ben gewoon nog niet toe aan een dergelijke ver-antwoordelijkheid. En ik wil niet met mijn eigen neef trouwen.'

Oom Warren keek verbaasd. 'Je neef?'

'Ja,' zei ik. 'U hebt me gevraagd te trouwen met Allen Steed, die een volle neef van me is.'

'Tja,' begon hij met een verwarde blik die me zorgen baarde, 'heb je wel genoeg gebeden?'

'Jazeker. En alles zegt me dat ik dit niet moet doen. Elk deel van mijn ziel en mijn hart vertelt me dat dit niet goed voor me is.'

'Heb je het daar met je vader over gehad?'

'Ja, ik heb diverse keren met oom Fred gesproken. En ik heb hem verteld dat dit iets is waartoe ik op dit moment niet bereid ben, dat ik er de voorkeur aan geef om niet te trouwen. En hij heeft me opgedragen naar u toe te gaan en u op de hoogte te stellen van mijn zorgen.'

Oom Warren dacht even na. 'Tja,' zei hij terwijl hij opstond, 'de pro-feet heeft je opgedragen dit te doen.'

'Dat weet ik, maar ik moet het van hemzelf horen,' antwoordde ik, terwijl mijn stoïcijnse façade het plotseling begaf en ik in tranen uit-barstte. 'Ik moet weten of hij zich van de situatie bewust is en hem in elk geval vragen of hij me twee jaar respijt kan geven. Ik wil alleen maar twee jaar uitstel voordat ik trouw.'

'Elissa,' zei hij, terwijl hij me een papieren zakdoekje aanbood uit de doos op zijn bureau, 'dit is een goddelijke openbaring. Het is een eer dat de profeet je plaatst in een goed priesterschapshuwelijk. Wijs je die eer af?'

'Nee,' zei ik, terwijl ik de tranen van mijn wangen veegde. 'Ik wil alleen maar dat u weet waar ik sta, hoe ik erover denk, en waarom ik me zo voel.'

Terwijl ik nerveus mijn papieren zakdoekje zat te verscheuren, zag ik een regenboog van bloemen in de tuin vlak buiten het grote erkerraam. Mijn papieren zakdoekje was helemaal aan flarden en er vielen stukjes op de vloer terwijl ik mijn positie duidelijk maakte. 'Wil ik met dit huwelijk akkoord gaan, dan moet ik het uit de mond van de profeet zelf horen,' zei ik.

Warren, die zich vermoedelijk realiseerde dat ik niet van plan was bakzeil te halen, besloot met zijn vader te overleggen. Ik keek hem na terwijl hij het kantoor verliet via een tweede deur, die toegang gaf tot oom Rulons privévertrekken.

Enkele minuten later verscheen Warren weer in de deuropening.

'De profeet kan je een paar minuten te woord staan,' zei hij tegen me. Terwijl ik opstond om hem door de lange gang te volgen, bekroop me de angst voor wat oom Rulon tegen me zou zeggen. Ik stond op het punt de belangrijkste man van de Kerk te ontmoeten, de belichaming van God op aarde, en ik ging hem vertellen dat ik dacht dat hij het mis had met zijn visie op mijn toekomst.

Terwijl we via prachtige openslaande glazen deuren de eetkamer betraden, raapte ik mijn moed bij elkaar. Ik had dagenlang met de Heer gesproken en die zou ongetwijfeld weten hoe ik me voelde. Nu was het aan oom Rulon om een beslissing over mijn toekomst te nemen. In de eetkamer stonden twee langwerpige, glanzende houten tafels, voorzien van kleurige tafelkleden, en oom Rulon zat aan het hoofd van een ervan, zijn bord nog vol eten. Hij glimlachte vriendelijk terwijl hij gebaarde dat ik dichterbij moest komen. Ik voelde hoe zijn hele lichaam beefde van ouderdom toen hij mijn handen in de zijne nam.

'Wat kan ik voor je doen?' vroeg hij.

Ik werd overmand door emotie terwijl ik naast hem neerknielde; ik probeerde mijn kalmte te bewaren, maar mijn keel trok zich samen en de tranen begonnen over mijn wangen te stromen. Oom Rulon had een tweede beroerte gehad en was nu hardhorend, maar hij scheen geconcentreerd te luisteren toen ik hem over mijn gevoelens begon te vertellen. In stilte dankte ik God dat hij me dit moment geschonken had. Al die tijd had ik gevast en tot de Hemelse Vader om hulp gebeden en ik geloofde dat hij ervoor gezorgd had dat ik die dag voor de profeet kon verschijnen.

Met aarzelende stem legde ik oom Rulon uit dat het niet mijn bedoeling was om hem of Gods bedoelingen met mij te trotseren, maar dat ik het gevoel had dat ik nog te jong was om te trouwen. 'Het enige wat ik vraag, is nog twee jaar om wat volwassener te worden,' zei ik smekend. 'En als ik dan toch moet trouwen, zou u dan alstublieft iemand anders dan mijn neef Allen voor me kunnen vinden? Allen is wel de laatste met wie ik ooit zou willen trouwen. Dus, alstublieft, als het enigszins mogelijk is, laat u dit dan niet doorgaan.'

Er verscheen een verwarde blik op het gezicht van de profeet terwijl ik hem in de ogen keek. 'Wat zei je nou precies, lieve kind? Zou je dat nog eens willen herhalen?' vroeg hij bezorgd. Ik haalde diep adem en probeerde wanhopig mijn hartslag onder controle te krijgen terwijl ik mijn zorgen en bedenkingen voor hem herhaalde.

Op dat moment boog oom Warren zich voorover en mengde zich in het gesprek: 'Deze jongedame vindt dat de plaats die u voor haar gevonden hebt niet juist is en denkt dat zij het beter weet,' begon hij.

De manier waarop Warren mijn woorden verdraaide, beviel me niet. Hij deed het voorkomen alsof ik ondankbaar was en dacht dat ik het beter wist dan de profeet. Dat verontrustte me en wekte de indruk dat ik opstandiger was dan ik me in werkelijkheid voelde, maar ik durfde er niets van te zeggen.

'Ze heeft het idee dat u een verkeerde beslissing hebt genomen en wil uw toestemming om niet te hoeven trouwen,' vervolgde Warren terwijl ik gefrustreerd naar hem opkeek. Hij maakte dat ik me afschuwelijk voelde dat ik een dergelijk verzoek durfde te doen, omdat ik het woord van de profeet en God in twijfel durfde te trekken.

Er stond verwarring op oom Rulons gezicht te lezen toen hij opkeek naar Warren en toen mij weer aankeek. Hij bleef even zwijgen en glimlachte toen vriendelijk. 'Volg je hart, lieve kind, volg maar gewoon je hart,' zei hij tegen me terwijl hij me zachtjes op mijn hand klopte.

Hoewel hij me geen rechtstreeks antwoord had gegeven, waren zijn woorden duidelijk en bevrijdend. Het hart klopte me in de keel. Eindelijk luisterde er iemand naar me en gaf me de kans om zelf over mijn lot te beslissen. Terwijl ik overeind kwam, voelde ik me alsof er een loden gewicht van mijn borst was getild. De profeet had me gezegd dat ik mijn hart moest volgen; het was de wil van God dat ik op mijn eigen oordeel af ging.

'God zegene je, en zorg dat je volgzaam blijft,' zei Rulon glimlachend terwijl hij zijn bestek oppakte.

Oom Warren ging me voor, de eetkamer uit en de gang door. Ik gaf hardop uitdrukking aan mijn opluchting: 'De profeet heeft gezegd dat ik mijn hart moet volgen, en mijn hart zegt me dat ik dit niet moet doen.'

Plotseling vertraagde Warren zijn pas. 'Elissa,' zei hij, terwijl hij zijn blik op me richtte. 'Je hebt het hart op de verkeerde plaats. Dit is wat de profeet je heeft geopenbaard, en dit is je opdracht en je plicht.'

Ik wist niet wat me overkwam. Ik had zojuist een ontmoeting met de profeet gehad, waarbij hij me zelf had gezegd dat ik mijn hart moest volgen, en mijn hart vertelde me dat dit niet goed was. En nu vertelde Warren, die volgens mij slechts de spreekbuis van zijn vader was, me dat mijn hart zich op de verkeerde plaats bevond.

'Maar hij heeft me gezegd dat ik mijn hart moest volgen,' bracht ik hem in herinnering. 'En mijn hart schreeuwt nee!'

Oom Warren keek me verbaasd aan.

Het was alsof hij geen woord had gehoord van wat ik had gezegd. Ondanks oom Rulons uitspraak gaf Warren geen krimp. De verklaring van de profeet deed niet ter zake; het enige wat ertoe deed, was wat Warren wilde.

Het was etenstijd toen ik die zaterdagavond terugkwam in het huis van oom Fred. Iedereen zat aan tafel. Ik had al vier dagen aaneen gehuild, ik had niet gegeten en nauwelijks geslapen. Mijn leven was één groot drama geworden en het was alsof de mensen voortdurend hun maaltijd onderbraken om hun aandacht op mij te richten, telkens als ik het huis binnen kwam. Ik holde naar boven, naar mijn kamer, en liet me huilend op mijn bed vallen.

Moeder kwam achter me aan naar boven en ging naast me op het bed zitten. 'Gaat het wel een beetje?' vroeg ze, terwijl ze zachtjes over mijn hand streek.

'Nee, moeder. Ik zou nog liever dood neervallen dan dat ik hiermee door moet gaan.'

'Lesie, als het nu de wil van de Heer is, misschien dat alles dan toch wel in orde komt. Zo slecht kan Allen toch ook weer niet zijn.'

'Als ik met Allen trouw, kan er geen sprake van zijn dat het ooit nog in orde komt,' zei ik vastberaden tegen haar.

'Dus wat ga je nu doen?'

'Ik ga nog liever dood dan dat ik trouw.' Ik zag dat mijn woorden mijn moeder van streek maakten, maar op dat moment interesseerde dat me niet. Het enige wat ertoe deed, was hoe ik onder dit afschuwelijke lot uit kon komen.

Ik was nog geen half uur thuis toen er op de slaapkamerdeur werd geklopt. Het was een van oom Freds vrouwen met de boodschap dat oom Fred me wilde spreken. Ik wist wat hij zou gaan zeggen, en met lood in de schoenen begaf ik me naar zijn kantoor. Toen ik daar aankwam, zat een van de andere moeders op de bank.

Waarom moet er nou weer iemand anders bij zijn? dacht ik bij mezelf terwijl ik ging zitten.

'En, hoe is het gegaan?' vroeg oom Fred terwijl hij me vanachter zijn massieve houten bureau aankeek.

'Nou, ik heb met oom Rulon gesproken en hij heeft me gezegd dat ik mijn hart moest volgen.'

Er verscheen een brede glimlach op het gezicht van oom Fred. 'Dus ik kan Warren vertellen dat het een definitief ja is?'

'Nee!' riep ik geschrokken. 'Ik weet het niet. Ik wil het niet, ik kan het niet. Mijn hart... mijn hele wezen schreeuwt gewoon nee.'

'Verzet je je tegen het woord van de profeet?'

'Nee, het is niet mijn bedoeling om ongehoorzaam te zijn aan de profeet. Ik probeer alleen maar te doen wat het beste voor me is.'

'Wel, je moet goed weten dat als je het aanbod van de profeet afwijst, het heel waarschijnlijk is dat je helemaal nooit zult trouwen...'

'Ik kan het gewoon niet,' viel ik hem in de rede.

'En dan zou je in dit huis niet langer welkom zijn,' zei oom Fred.

De tranen begonnen me over de wangen te lopen. Alle keren dat ik contact met oom Fred had gehad sinds het begin van deze hele ellende, had ik geprobeerd mijn kalmte te bewaren, maar nu, uitgeput, hongerig en verslagen, kon ik me niet langer goed houden. Hij zag zijn kans schoon om van die situatie gebruik te maken. Ik voelde me aan alle kanten in het nauw gedreven. Ik haatte oom Fred en oom Warren en zelfs mijn moeder omdat ze me in deze positie hadden gebracht. Ik was veertien jaar oud, ik had geen geld en ik kon nergens heen. Toen mijn broers en mijn zus de grenzen van de rebellie hadden verkend, waren ze naar een heropvoedingskamp gestuurd. Hoewel dat zwaar voor hen was geweest, was het tenminste niet blijvend. Een huwelijk met Allen

147

was niet alleen blijvend, het was oneindig – een straf die na dit leven in het volgende zou blijven voortduren.

Als ik niet met hem trouwde, bleef er niets anders meer voor me over. Voor een veertienjarig meisje zonder gezin en zonder verblijfplaats zou dat zo ongeveer neerkomen op een doodvonnis. Ik was altijd een optimistisch iemand geweest, maar toen de mogelijkheid van deze naargeestige toekomst me aangrijnsde, besefte ik dat zelfs ik er niets voor voelde om het zo ver te laten komen. Ik kon niet naar de plaatselijke politie; ik was bang dat ze me gewoon terug zouden brengen naar oom Fred en me bij Warren zouden aangeven. Ik overwoog om de gemeenschap de rug toe te keren, maar mijn angst voor die verdorven andere wereld was overweldigend. Ik dacht terug aan alle verhalen van mijn moeder over politiemensen die haar midden in de nacht achternazaten en probeerden haar vader in de gevangenis te gooien. Wie wist wat de boze krachten in de buitenwereld me zouden kunnen aandoen als ik met dit verhaal bij hen aankwam?

'Laat je een bruidsjurk maken?' vroeg oom Fred terwijl ik nog steeds zachtjes snikte.

'Nee!' zei ik terwijl ik opstond. 'Zelfs al zou ik wel gaan trouwen, dan nog zou ik nooit een bruidsjurk dragen. En ik ga helemaal niet trouwen, dus heb ik ook geen bruidsjurk nodig.'

Toen ik terugging naar mijn moeders kamer, vond ik daar het concept van een brief die ze had opgesteld. Daarin smeekte ze haar nieuwe echtgenoot, mijn nieuwe vader, om zich in te leven in mijn situatie en zich te realiseren hoe moeilijk dit alles voor me was. Ze vroeg om twee jaar uitstel en maakte duidelijk dat als ik nu trouwde, dat problemen in de toekomst zou veroorzaken. Ze had zelfs haar twijfel over Allen geuit en uitgelegd dat hij een zeer onvolwassen indruk maakte en niet klaar leek voor een rol als echtgenoot, en ze herhaalde nog maar eens dat Allen en ik een volle neef en nicht van elkaar waren.

De brief verbaasde me. Ik had haar gesmeekt om iets te doen om het huwelijk te voorkomen, en al die tijd had ze er zo zeker van geleken dat alles op de een of andere manier vanzelf wel op zijn pootjes terecht zou komen. Nu probeerde ze eindelijk mijn belangen te behartigen, maar als vrouw had ze geen enkele invloed op oom Fred of de profeet. Toch hield ik des te meer van haar, omdat ze naar me luisterde terwijl niemand anders dat scheen te doen.

Die avond plofte ik doodmoe in bed, maar ik kon de slaap niet vatten. Ik zocht naar redenen waarom Warren de woorden van de profeet zou verdraaien. Hij had aangedrongen op het huwelijk alsof de profeet dat voor me besloten had, maar ik had uit de mond van oom Rulon het tegenovergestelde gehoord. Ik wist niet of dit werkelijk de wil van God was.

Aan de ene kant leek het erop dat ik bij Allen geplaatst werd voor al het werk dat hij voor oom Fred had gedaan, maar aan de andere kant had ik het idee dat er een veel belangrijker reden was, ik wist alleen niet welke. Oom Fred had de profeet kunnen vragen om Allen te belonen met een van zijn eigen dochters, maar hij had mij gekozen, het jonge meisje uit het probleemgezin, het meisje wier broers allemaal de priesterschap de rug toe hadden gekeerd. Het was geen geheim dat ik een hechte band met mijn broers had gehad, vooral na de verhuizing naar de woning van oom Fred. Misschien vonden oom Fred en Warren het risico dat ik hun voorbeeld zou volgen, te groot. Terwijl de Kerk er geen enkel bezwaar tegen had om jongens te laten gaan, is het me inmiddels duidelijk dat het vooruitzicht een meisje kwijt te raken voor de leiding onverteerbaar was. Als ik vertrok, zouden andere meisjes mijn voorbeeld wel eens kunnen volgen, of misschien zouden ze aan bepaalde zaken kunnen gaan twijfelen. Achteraf besef ik dat ik zelfverzekerd was en niet bang om vragen te stellen. Kortom, ik vormde een probleem, en als ze dat niet oplosten, zouden ze dat later moeten bezuren.

De volgende dag verliep nog beroerder. Tegen de tijd dat ik die zondag in de kerk arriveerde, voelde ik me buitengewoon droefgeestig. De gebeurtenissen van de afgelopen dagen, het heen en weer geslingerd worden tussen droefheid, hoop en vrees, hadden ten slotte hun tol van me geëist. Ik koos een plek in een van de rijen en probeerde tot rust te komen voordat de preek begon. Op dat moment voelde ik Allens lichaam naast het mijne. Hij zat slechts enkele centimeters bij me vandaan en hij zei geen woord. Dat was ook niet nodig. Ik wist dat hij het was.

'Wat moet dat nu weer betekenen?' snauwde ik tegen hem.

Allen struikelde over zijn woorden. 'Oom Fred heeft me gezegd dat ik naast je moest gaan zitten.' Mijn zwaarmoedigheid maakte plaats voor woede. Ik kon gewoon niet geloven dat oom Fred me dit aan zou doen ten aanschouwen van de hele gemeenschap. Iedereen kon nu getuige zijn van mijn privéworsteling. Oom Fred maakte misbruik van me door Allen daar te laten zitten. Tot op dat moment wisten nog maar weinig mensen dat ik bij Allen Steed was geplaatst, maar ons naast elkaar laten zitten in de kerk diende als een 'stilzwijgende' publieke aankondiging. Het feit alleen al dat hij zo dicht naast me zat, voelde als een aanval.

Toen ik die middag de kerk verliet, werd ik belegerd door vrienden en kennissen, die me plagerig 'mevrouw Steed' noemden. Nu de hele gemeente wist dat oom Rulon een openbaring had gehad over mijn huwelijk, zouden verdere pogingen om eronderuit te komen, algemeen beschouwd worden als het trotseren van het woord van de profeet. Ik kon maar nauwelijks mijn woede bedwingen over de sluwe handelwijze van oom Fred. Hij had mijn privésituatie feitelijk aan de grote klok gehangen en elke hoop dat ik onder dit huwelijk uit kon komen, de bodem ingeslagen.

Ik staarde voorbij de vrolijke schare die zich rond me verzameld had naar de majestueuze rode bergen verderop en overwoog van een van de steile rotswanden te springen. Het zou niet moeilijk zijn om naar boven te klimmen en het zou vast hoog genoeg zijn om het niet te overleven. Hoe moeilijk het ook voor me te accepteren was, op mijn veertiende dacht ik serieus na over zelfmoord.

Op dat moment had het me duidelijk moeten zijn dat de priesterschap het voor een vrouw onmogelijk maakte om beslissingen over haar eigen leven te nemen, ook als ze wist wat goed voor haar was. Het huwelijk had helemaal niets te maken met God of de profeet of iets van dien aard. Het was een instrument om vrouwen onder de duim te houden, hen te laten geloven dat ze geen andere opties hadden en dat de enige uitweg een sprong van grote hoogte in de armen van de Heer was. Toch geloofde ik nog steeds.

Ik had mijn vader niet meer gesproken sinds ik bijna twee jaar daarvoor bij hem uit huis was gehaald, maar na de kerkdienst die dag had ik voortdurend visioenen dat vader, Brad en Caleb me zouden komen redden. Ze zouden midden in de nacht langskomen en we zouden ontsnappen onder dekking van de duisternis. De enige aanwijzingen die we achter zouden laten, zouden onze voetafdrukken in het huis en onze bandensporen in het gravel zijn. 's Ochtends zouden de mensen wakker worden en hun mond zou openvallen. Ik zou als zondares worden bestempeld en worden vervloekt door Warren en Fred. Mijn moeder en mijn zussen zouden er kapot van zijn dat ik hen in de steek had gelaten, maar ik zou in elk geval nog in leven zijn. Het leek me beter om hen in de steek te laten en in leven te blijven dan om hier te blijven en te sterven. Ik had alleen maar iemand nodig die me zou komen redden, die me een plek kon bieden waar ik heen kon gaan.

Maar dat was allemaal maar fantasie. Ik had geen manier om contact op te nemen met vader, Brad en Caleb, en zij waren niet op de hoogte van mijn aanstaande huwelijk.

Net toen ik dacht dat het allemaal niet erger meer kon worden, nadat ik die middag na de kerkdienst was thuisgekomen, zei oom Fred dat ik een wandeling met Allen moest gaan maken. Er waren mensen in de buurt die hem dat hoorden zeggen en het was onmogelijk te weigeren zonder de indruk te wekken opstandig te zijn tegenover mijn priesterschapsvader. Moeder wierp me een blik toe. Eerder had ze me gezegd dat ik vriendelijk tegen Allen moest zijn, hoe ik me vanbinnen ook voelde, en met die terloopse blik maakte ze me duidelijk dat ik die woorden niet moest vergeten.

De wandeling zou beschouwd worden als ons 'eerste afspraakje'. Lily en Nancy hadden de luxe gehad van een autoritje samen met hun toekomstige echtgenoot; ik werd uit wandelen gestuurd terwijl alle ogen van het gezin op me waren gericht.

Allen liep niet op zijn gemak naast me in zijn zwarte pak. Voor een ander meisje in een andere situatie zouden zijn blonde haar en blauwe ogen misschien aantrekkelijk zijn geweest. Hij had een krachtige kaak en een mooi gebit en er was niets lelijks of onverzorgds aan hem. Toch bezorgden zijn gezicht en zijn lompe houding me kippenvel.

Aarzelend gingen we op weg naar de bergen, waar we een korte wandeltocht zouden maken. Allen deed aardig tegen me, maar ik kon mezelf er met geen mogelijkheid toe brengen aardig tegen hem te zijn. Ik wist dat ik me afschuwelijk gedroeg, maar ik kon er gewoon niets aan doen. Hij bleef maar proberen mijn hand vast te houden, maar elke keer duwde ik zijn hand weg.

Ik slaakte een geïrriteerde zucht en zei: 'Ik wil niet dat je me aanraakt.' Op dat moment verschenen er tranen in zijn ooghoeken.

'Waarom heb je zo'n hekel aan me?' vroeg hij, terwijl zijn krachtige mannelijke gezicht er heel even jongensachtig en kwetsbaar uitzag.

'Het spijt me, maar ik mag je gewoon niet, en ik kan me geen eeuwigheid met jou voorstellen.'

Even leek hij verbijsterd door mijn reactie. Maar toen knikte hij vriendelijk en zei wat iedere goede priesterschapsman zou zeggen:

'God zal je gevoelens veranderen zolang je maar blijft geloven. Na verloop van tijd zul je anders over me gaan denken.'

Ik wist dat dat nooit zou gebeuren, maar ik hield mijn mond.

Gedurende de rest van ons 'afspraakje' zwegen we voornamelijk, terwijl ik voortdurend bedacht dat dit uur me niet snel genoeg voorbij kon zijn. Ik zou hem best een betere verklaring willen geven voor mijn gevoelens, maar ik kon ze niet onder woorden brengen. Het was gewoon een aangeboren gevoel dat God ieder van ons meegeeft om het verschil tussen goed en fout in te zien. Die innerlijke stem vertelde me dat hij in een heleboel opzichten niet de juiste man voor me was. Al voordat het huwelijk gesloten was, had ik een hekel aan hem. Hij had nog niet eens mijn hand vastgehouden, maar nu al had hij me van mijn onschuld beroofd.

12

Man en vrouw

Er is geen dwang in deze hemelse wet. De profeet dwingt je niet
naar de hemel. En als je een huwelijk aangaat, heb je nooit het
recht om te denken dat je in die situatie gedwongen bent. Je weet
wel beter. Zelfs als ik erop aandring, weet je dat het toch jouw
eigen keus zal zijn als je ja zegt tegen de profeet.

— WARREN JEFFS

De met bloemen beschilderde klok aan de wand gaf half vijf aan toen
ik in moeders kamer wezenloos voor de spiegel naar mezelf stond te
staren. Het gezicht dat terugstaarde kwam me onbekend voor. In plaats
van de jonge, levendige veertienjarige stond er een wezenloos lichaam
met ogen die gezwollen en geïrriteerd waren door het urenlange huilen.

'Dus zo ziet de dood eruit,' fluisterde ik tegen mezelf.

Ik reageerde nauwelijks toen moeder mijn afhangende schouders
naar achteren trok. Ze probeerde mijn houding te corrigeren zodat
mijn zus Kassandra nauwkeurig de maat kon nemen voor de zoom van
mijn bruidsjurk.

De avond was lang en uitputtend geweest. Na mijn vreselijke 'eerste
afspraakje' met Allen had ik me teruggetrokken op mijn eigen kamer,
waar mijn moeder me aangetroffen had. Ik had haar aarzeling gevoeld
nog voordat ze een woord had gesproken.

'Lesie, misschien is dit toch gewoon het beste,' zei ze bemoedigend.
'Dit moet de wil van God en de profeet zijn.'

'Moeder, ik kan het gewoon niet,' antwoordde ik wanhopig.

'Iedereen verwacht het van je,' zei moeder op nuchtere toon. Ze had
me heen en weer zien pendelen tussen oom Fred en oom Warren in
mijn pogingen om het huwelijk te voorkomen of ten minste uit te stel-

len. Maar steeds opnieuw had ze me huilend op onze kamer aangetroffen, gefrustreerd door mijn eigen onvermogen om de gevestigde machten ervan te overtuigen dat het mijn tijd nog niet was.

'Je kunt niet anders,' zei moeder. 'Je hebt geen andere keus.'

Het viel me zwaar om die woorden uit haar mond te horen. Haar steun van de voorgaande week leek die avond te verdampen, en plotseling voelde ik me gekwetst omdat ze zich gewonnen gaf. Ik begreep niet waardoor die verandering teweeg was gebracht, en ik voelde het als een verpletterende slag dat de belangrijkste persoon in mijn leven capituleerde voor oom Warren en oom Fred. Op dat moment was ik boos op de hele wereld. Wat ik toen niet wist, was dat oom Fred moeder apart had genomen en haar te verstaan had gegeven dat het haar verantwoordelijkheid was dat het huwelijk doorgang vond zoals de profeet had gelast. Ze had opdracht gekregen om te zorgen dat het doorging, 'of anders...'

Heel veel mensen kunnen maar moeilijk begrijpen waarom ik niet langer boos ben op mijn moeder. Voor buitenstaanders is het moeilijk de instelling te begrijpen die eigen is aan onze cultuur. Ons werd geleerd dat de priesterschap en de profeet vóór alles gaan, en moeder was bij zes van haar eigen kinderen al gedwongen geweest deze keuze te maken. Het valt moeilijk uit te leggen waarom ze me niet gewoon in de auto zette en wegging, maar naar haar overtuiging zou een dergelijke actie ons allebei verdoemd hebben. Ze maakte deel uit van Gods uitverkoren volk en ze wilde het Utopia waarin ze zich al dacht te bevinden, niet opgeven.

Voor haar stond de buitenwereld gelijk aan de hel en daarin wilde ze voor geen geld terechtkomen. Omdat Fred en Warren haar verantwoordelijk stelden voor het doorgaan van het huwelijk, zou ik als ik dwars ging liggen niet alleen mezelf veroordelen maar ook haar. Niet alleen zou ze haar eeuwige leven in de waagschaal stellen, ze zou ook haar huis en haar plaats in de gemeenschap verliezen, alsmede de relatie met de oudere en jongere dochters die ze nog had binnen de FLDS. Zodoende sproten haar gevoelens niet alleen voort uit bezorgdheid over mijn verlossing, maar ook over die van haarzelf en de veiligheid van haar jongste twee dochters. Zoals zo veel FLDS-leden was moeder een trouw volgelinge. Haar was geleerd zich volledig te schikken naar de priesterschap. Ik kende de kracht van mijn moeders geloof en ik denk dat het nooit bij haar is opgekomen om zichzelf de vraag te stellen of deze Kerk, dit leven, wel de juiste keuze was als haar veertienjarige dochter erdoor tot een huwelijk werd gedwongen. Als ze daar vraagtekens bij ging zetten, zou ze veel andere beslissingen die ze in haar moeizame verleden had genomen, onder ogen moeten zien.

Ook toen al wist ik dat ze geen werkelijke keuze had. De Kerk was haar thuis. Het was alles wat ze had, en net als duizenden anderen kon ze niet vertrekken zonder het risico te lopen haar plek en die van haar kinderen te midden van de gelovigen kwijt te raken.

Hoewel het me pijn deed dat ze zich aansloot bij het koor van stemmen dat me het huwelijk in dwong, wist ik dat Fred en Warren erachter zaten; toen ik haar die woorden hoorde zeggen, was het alsof zij zelf spraken. Ze gebruikten haar gewoon om mij te beïnvloeden. En ik wist dat ik geen andere keus had dan naar hen te luisteren.

Die avond zat ik urenlang op moeders bed zwijgend toe te kijken hoe zij en Kassandra gehaast de bruidsjurk ontwierpen en in elkaar zetten. Moeder had het idee laten varen om de stof te kopen in de winkel in de stad en had uiteindelijk wat materiaal gekocht in een winkeltje in Hildale. Misschien had ook zij het onvermijdelijke voor zich uit geschoven in de hoop op een wonderbaarlijk uitstel, maar hier zaten we nu, nog slechts enkele uren verwijderd van de huwelijksvoltrekking, druk bezig een acceptabele jurk te maken.

'Hoe wil je de jurk?' vroeg Kassandra, die haar best deed mij erbij te betrekken.

'Dat maakt me niet uit,' zei ik tegen mijn zus. 'Als het maar eenvoudig is.' Ik wilde niets feestelijks; er was niets feestelijks aan wat er voor mij in het verschiet lag.

'Elissa, als je niet stilzit, prik ik je met de spelden,' zei Kassandra terwijl mijn lijf schokte van het snikken. Het waren tranen van wanhoop en ik kon ze onmogelijk bedwingen.

Toen de avond van haastige voorbereidingen voorbij was, brak de huwelijksdag aan. Gekleed in een bruidsjurk en netjes gekapt zat ik totaal uitgeput op mijn moeders bed.

'Ik weet hoe moeilijk dit voor je is, maar ik wil dat je je mooi voelt,' zei Kassandra terwijl ze een doosje in mijn handen stopte. Door het deksel van doorzichtig plastic zag ik eenzelfde sierlijke tiara als die we tijdens onze winkeluitstapjes naar St. George bewonderend hadden bekeken. Gedurende de maanden dat Kassandra en ik samen waren geweest, hadden we talloze uren doorgebracht in winkels voor feestkleding, waar we ons vergaapten aan chique jurken waarvan we wisten dat we die nooit konden dragen, en ingewikkelde scenario's verzonnen waarvan we wisten dat die zich nooit zouden voordoen terwijl we fonkelende tiara's pasten. Nu gaf mijn zus me dit prachtige aandenken aan onze gezamenlijke fantasie. Maar hoezeer ik de gedachte erachter ook op prijs stelde, het benadrukte slechts hoe ver ik verwijderd was van mijn dagdromen.

Mijn zus en mijn moeder ondersteunden me aan weerszijden terwijl ik het bordes van Fred Jessops huis af daalde. Maar toen ik beneden kwam, werd ik weer terug naar boven gestuurd om een gewone jurk aan te trekken, om niet de aandacht te vestigen op datgene wat er te gebeuren stond. Moeder kon me nauwelijks overeind houden terwijl ik haar hand stevig vasthield en we naar buiten stapten. Er stonden drie auto's voor het huis van oom Fred te wachten. Zonder erbij na te denken nam ik naast moeder plaats op de achterbank van oom Freds grote Chevy Suburban en ik klikte als verdoofd mijn gordel dicht, toen iemand riep: 'Nee, Elissa, jij rijdt met Allen mee.'

Ik voelde me verpletterd. Ik kon me gewoon niet voorstellen dat ik met hem en zijn familie zou meerijden. Al die tijd had ik mijn moeder aan mijn zijde gehad als mijn anker, en juist nu had ik haar heel hard nodig. Dit zou de rest van mijn leven mijn lot zijn: verlangen naar de geborgenheid van thuis, maar gedwongen zijn om samen te leven met een vreemde.

In een poging tot ridderlijkheid probeerde Allen mijn tas te dragen, maar ik snauwde hem af, ook al waren zijn ouders erbij. Ik wist dat mijn gedrag ongepast en kinderachtig was, maar ik wist gewoon niet hoe ik me moest gedragen. Ik wilde meegaand en gelukkig zijn, maar iets in me wist gewoon dat dit alles helemaal verkeerd was. Niets had me voorbereid op de enorme stap die ik geacht werd te zetten, en ik was gewoon een kind dat verdriet had en om zich heen sloeg. Voor Allen was het waarschijnlijk ook niet gemakkelijk. Ik had maar weinig gedaan om mijn afkeer van hem te verbergen. Ook hij werd beroofd van zijn volmaakte bruiloft en geen van tweeën bezaten we de macht om de trein tot stilstand te brengen.

De drie auto's die de bruiloftsgasten vervoerden, reden van het huis van oom Fred naar de woning van oom Rulon in Hildale, waar zich nog enkele auto's bij onze stoet aansloten, op weg de stad uit. We volgden de auto waarin oom Warren en zijn vader zaten. Mijn zus Rachel en een paar van oom Rulons andere vrouwen zaten bij hen in de auto; Warren had hun gevraagd hun echtgenoot te vergezellen om onderweg voor hem te zorgen. Terwijl ik die ochtend op de passagiersplaats naast Allen zat, had ik het gevoel dat we eindeloos onderweg waren, ook al duurde de rit maar een paar uur.

Omdat ik zelfs niet naar Allen wilde kijken, staarde ik naar de auto waar Lily en Nancy in zaten. Moeder en de moeders van de andere meisjes die die dag zouden trouwen, zaten in oom Freds Suburban. We boften zogenaamd, omdat oom Warren alle moeders van de bruiden had toegestaan mee te komen. Vanwege de recente belangstelling van de autoriteiten voor de activiteiten binnen de FLDS werd het veel bruiden verboden familie uit te nodigen bij de huwelijksvoltrekking, en in de meeste gevallen was alleen de vader erbij.

Terwijl we over de snelweg reden, liet ik mijn blik over de uitgestrekte vlakten van Utah dwalen. Het had me duidelijk moeten zijn dat veel aspecten van het geloof gebaseerd waren op het beknotten van de rechten van vrouwen. Als een meisje voor haar mening uitkomt, zorg dan dat ze trouwt. En als ze eenmaal getrouwd is, zorg dan dat ze zwanger wordt. Als ze eenmaal kinderen heeft, zit ze voor haar leven vast. Het is voor een FLDS-vrouw vrijwel onmogelijk om haar kinderen mee te nemen als ze vertrekt, en geen enkele moeder wil haar kinderen achterlaten. Indertijd was ik nog te jong en te naïef om het patroon te kunnen zien. Ik kon alleen maar bedenken dat dit land en deze mensen mijn thuis waren, maar ik – evenals de meeste FLDS-vrouwen – had het onuitgesproken maar onmiskenbare gevoel in de val te zitten. Aan de ene kant scheen er geen eind aan het weidse landschap te komen; aan de andere kant leken de muren steeds meer op me af te komen.

Ik vroeg me af wat Nancy en Lily dachten. Lily scheen zich te schikken in de situatie. Zo te zien speelde Nancy de rol van het ideale FLDS-bruidje, genietend van elk moment sinds de aankondiging van haar huwelijk. Ze zag het niet als een vonnis maar als het begin van onze ware weg naar de hemel, onze weg aan de zijde van onze echtgenoot. Terwijl ik naar hun auto keek, was ik woedend op mezelf omdat ik niet in staat was van deze bijzondere dag te genieten. Het uitvoeren van de wil van de profeet zou mijn hart moeten vervullen van de liefde voor God. Mijn stiefzusters zagen er gelukkig uit, terwijl ik me beroofd voelde van de vreugde die ik zo graag had willen voelen op mijn huwelijksdag.

Hoewel ik dat niet wist toen we vertrokken, was het plan om naar

Caliente in Nevada te rijden, vlak over de staatsgrens. Een van de FLDS-mannen, Merrill Jessop, bezat daar een motel. In het verleden waren huwelijken meer in de openbaarheid voltrokken, althans volgens FLDS-normen, ofwel in het huis van de profeet in Salt Lake City of op zijn compound in Hildale, en mochten familie en vrienden de plechtigheid bijwonen. Maar inmiddels vonden alle huwelijken met minderjarige meisjes in het geheim plaats. De jonge meisjes werden naar afgelegen locaties buiten de jurisdictie van Utah en Arizona gereden om de wet te ontduiken. Wij gingen naar Nevada, waar de wetten minder streng waren. Er zouden geen bewijzen van de plechtigheid zijn, geen onnodige getuigen, en absoluut geen foto's of documenten. Vroeger was het gebruikelijk om als dat wettelijk mogelijk was, door de staat verstrekte huwelijksvergunningen te regelen, maar nu Rulon en Warren steeds weer voorspelden dat het einde der tijden nabij was, was dat niet meer nodig. Bovendien waren sommige FLDS-verbintenissen in de ogen van de staat onwettig en werden er dus geen huwelijksvergunningen voor verstrekt. Het enige wat ertoe deed, was dat de profeet de wet van God ten uitvoer bracht.

Mijn geest was vervuld van sombere gedachten en ik verkeerde min of meer in een toestand van verdoving. We hadden ongeveer een uur in noordelijke richting over de I-15 gereden, toen ons konvooi stopte bij een tankstation in Cedar City, Utah. Ik had mijn hand al op de portiergreep voordat we goed en wel stilstonden en zodra Allen de motor afzette, sprong ik uit het witte Ford-busje. Moeder moest me vanuit oom Freds Suburban gezien hebben en haastte zich achter me aan naar de toiletruimte.

'Moeder, ik kan dit niet!' zei ik huilend.

'Jawel, dat kun je wel,' verzekerde ze me terwijl ze de tranen van mijn wangen veegde.

'Ik kan niet eens naar die knul kijken, laat staan hem aanraken.'

'Dat komt allemaal vanzelf wel goed,' zei ze tegen me. 'Dit is onze opdracht en dus zullen we ermee moeten leren leven.' Ze probeerde natuurlijk om me te troosten, maar het was precies wat ik niet wilde horen.

Moeder liep met me mee terug naar het busje waar Allen en zijn familie zaten te wachten. Ik voelde me misselijk en trok me in mezelf terug. Ik voelde me leeg vanbinnen, alsof ik helemaal geen gevoelens meer had. Gedurende de nacht ervoor hadden alle woede en wrok die ik in me had, plaatsgemaakt voor droefheid en verdriet, en nu waren zelfs die gevoelens verdwenen. Ik had mijn strijd gevoerd en verloren. Hoe aardig Allens ouders ook voor me waren en hoe opgewonden zijn twee moeders ook zaten te babbelen achter in het busje, ik vond het moeilijk om met hen te praten. Beide vrouwen hadden die ochtend duidelijk de nodige tijd aan hun uiterlijk besteed. Aangezien vrouwen en meisjes van de FLDS zich aan strikte kledingcodes moeten houden, is er maar weinig onderscheid tussen formele en vrijetijdskleding; de meeste verschillen zitten in de gebruikte materialen. Jurken voor speciale gelegenheden werden dikwijls gemaakt van zijde, satijn en andere bijzondere materialen. Het was duidelijk dat Allens moeders hun mooiste jurken droegen.

We hadden bijna 250 kilometer gereden toen een bord aankondigde dat we waren gearriveerd in Caliente, Nevada. Ik vertoonde geen enkele reactie, ik begreep het alleen maar. Het was alsof ik in de hel arriveerde; mijn lot wachtte me in deze stoffige, dorre landstreek waarvan de naam toepasselijk 'heet' betekent.

Het Hot Springs Motel was een sjofel bouwwerk aan de voet van een lage heuvel langs Nevada State Road 93, even buiten Caliente. De moed zonk me in de schoenen bij de aanblik van het oude witgepleisterde gebouw met zijn opzichtige groenmetalen dak en een bordje met de tekst RECEPTIE. Allen en zijn ouders hadden het erover gehad dat sommige van de kamers over een *hot tub* beschikten. Normaal gesproken zou een dergelijke luxe mijn belangstelling hebben gewekt, maar vandaag interesseerde het me totaal niet. Ik kon niet geloven dat ze gezellig zaten te babbelen terwijl ik op het punt stond de meest catastrofale gebeurtenis van mijn leven te ondergaan. Langzaam stapte ik uit de auto en wachtte op nadere instructies. Ik had gehoord dat een paar van Merrill Jessops vrouwen in het motel werkten en daar ook woonden, maar die dag had Merrill een van zijn zoons gestuurd om ervoor te zorgen dat alles gladjes verliep. We zouden niet lang blijven; kennelijk wilden ze ons zo snel mogelijk weer weg hebben.

Enkele FLDS-mensen kwamen naar buiten om de profeet en ons konvooi te begroeten. We kregen opdracht ons te verkleden voor de plechtigheid in een van de motelkamers op de eerste verdieping. Mijn instinct zei me om ervandoor te gaan, maar waarnaartoe? Ik stond als aan de grond genageld, me er niet eens van bewust dat Lily naast me stond en me ertoe probeerde te bewegen haar en de andere vrouwen naar binnen te volgen. Ze wist hoe ik me voelde. Hoewel ze maar een paar maanden ouder was dan ik, bezat ze een zelfbeheersing die ik onder de gegeven omstandigheden niet kon opbrengen. Hoewel Lily niet zo'n hekel had aan haar aanstaande echtgenoot als ik aan de mijne, scheen ook zij haar bedenkingen te hebben. Toch beschikte zij over de lichamelijke en emotionele vastberadenheid om me naast haar de trap op te leiden. Terwijl ik met trillende handen mijn bruidsjurk vasthield, wierp ik een blik in het vertrek met de kale witte wanden en voelde slechts weerzin. Zo had ik me mijn trouwlocatie nooit voorgesteld.

Terwijl ik mijn spulletjes op het bed met de lelijke, veelkleurige sprei gooide, barstte ik in tranen uit. Lily sloeg haar armen om me heen en beloofde me dat alles in orde zou komen. Zij en nog een van mijn stiefzusters hielpen me bij het aantrekken van mijn bruidsjurk.

'Meiden, ik kan dit echt niet,' zei ik terwijl Lily de sierlijke zilveren tiara die Kassandra me cadeau had gedaan, in mijn haar speldde. Ik had me altijd voorgesteld dat de dag van mijn huwelijk een betoverende dag zou zijn en dat ik een kroon zou dragen, net als de prinses in de sprookjes die ik als kind had gelezen, maar terwijl Lily de tiara in mijn kapsel bevestigde, voelde ik me totaal niet als een prinses die nog lang en gelukkig zou leven. 'Ik kan hier echt niet mee doorgaan,' zei ik, terwijl ik in de verleiding kwam om de tiara van mijn hoofd te rukken.

Nancy ergerde zich aan mijn aanhoudende gebrek aan respect. 'Ik kan niet geloven dat je je niets aantrekt van de profeet en Gods wil in de wind slaat. Ik kan gewoon niet geloven dat je niet gehoorzaam bent,' zei ze tegen me.

Haar woorden brachten me van mijn stuk en even dacht ik: misschien heeft ze wel gelijk. Ik was inderdaad ongehoorzaam, maar ik was haar kritiek ook beu.

'Dat ik mijn eigen leven belangrijk vind, wil nog niet zeggen dat ik me niets aantrek van de profeet,' antwoordde ik koeltjes.

'Oké, daar moeten ze het dan maar mee doen,' zei ze over haar schouder voordat ze de kamer uit beende en de trap af liep.

Lily en ik keken elkaar aan en probeerden elkaar te troosten. In een poging me aan het lachen te maken zei ze: 'Er is een achterdeur. We zouden ervandoor kunnen gaan.'

Heel even zaten we in gedachten verzonken, terwijl we ons allebei afvroegen of we werkelijk zouden kunnen ontsnappen.

'Nou,' zei ze met tegenzin, 'laten we maar naar beneden gaan. Ze zitten op ons te wachten.'

In de deuropening haalde ik diep adem en ik probeerde mijn evenwicht te bewaren op de witte schoenen die mijn zus voor me had gekocht. Allen stond onder aan de trap toen ik eindelijk mijn hoofd om de hoek van de deur stak in reactie op de herhaalde aansporingen van beneden om op te schieten. Op dat moment kon ik alleen maar denken: waarom ga je niet gewoon dood. Hij wilde mijn hand pakken, maar ik kon mezelf er niet toe brengen hem aan te raken.

'O, Lesie, wat ben je mooi!' riep moeder in een poging me op te beuren. Deze woorden, in de loop van de geschiedenis door ontelbare moeders uitgesproken tegen hun dochters op ontelbare trouwdagen, konden me niet troosten of zelfs maar een glimlach op mijn gezicht brengen. Evenals Allens moeders had ook die van mij haar mooiste jurk aangetrokken – een prachtig lichtblauw zijden exemplaar. Kassandra had voor de gelegenheid moeders lange bruine haar gekapt en zelfs door mijn tranen heen zag ik dat ze er prachtig uitzag.

Als verdoofd volgde ik de groep naar een overdekte patio naast de receptie, waar ik wachtte tot mijn plechtigheid zou beginnen. Ik was opgelucht dat ik niet als eerste hoefde. Ik keek om me heen, waarbij mijn blik onvermijdelijk op Allen viel. Hij probeerde met me te praten, maar ik hield mijn lippen stijf op elkaar.

'Moeder,' drong ik opnieuw aan, 'dit gaat de grootste vergissing van mijn leven worden. Ik voel het en ik weet het.' Het kon me niet schelen dat mijn zus Rachel vlak naast moeder stond. Het deed me verdriet om die twee vrouwen met hun opgewekte glimlach te zien, ook al wist ik dat die van mijn moeder gekunsteld was.

'Je moet gewoon sterk zijn,' zei moeder. 'De Heer weet heus wel wat hij doet.' Terwijl moeder en Rachel met elkaar babbelden, vroeg ik me af wat er zich afspeelde achter de deuren van het kleine bijgebouwtje waar een van de bruidsparen mee naartoe was genomen. Mijn gedachten werden plotseling onderbroken door de stem van oom Rulons zoon Nephi, die me ontbood. 'Het is zover,' zei hij. 'Ze wachten op jullie.'

Ik verstijfde en meteen vroeg hij: 'Komen jullie mee?'

Het onzekere gevoel dat ik altijd kreeg als ik op de Alta Academy op oom Warrens kantoor werd ontboden, kwam plotseling tienvoudig versterkt terug, en ik kon nauwelijks mijn ene been voor het andere krijgen. De hoofdpijn die ik al dagenlang had door het vele huilen, werd erger met elke moeizame stap die ik zette.

Het bijgebouwtje waarin de huwelijksvoltrekking zou plaatsvinden, stond los van de rest van het motel. Het bed was verwijderd en er waren een paar stoelen neergezet voor de plechtigheden. Ik kon bijna voelen hoe mijn moeder, bezorgd dat ik misschien zou proberen ervandoor te gaan, vlak achter me bleef terwijl ik in mijn lange jurk en op mijn hakjes moeizaam over het grint liep.

Op de drempel van het vertrek bleef ik even staan om te zien wat me te wachten stond. De tranen biggelden me over de wangen terwijl ik het smakeloze roze interieur in me opnam. Er stonden drie rijtjes stoelen, twee rijtjes van drie en een van twee. De twee stoelen vooraan waren voor Allen en mij. Mijn moeder zat samen met Allens twee moeders op de middelste rij, met Allens vader recht achter haar. Haar gezicht bood me niet veel troost, maar ik was blij dat ze er was.

De profeet zat in het midden van het vertrek, in een grote La-Z-Boy, eenzelfde exemplaar als oom Fred in zijn woonkamer had staan. Oom Rulon had de twee op hem na machtigste mannen binnen de FLDS aan zijn zijde. Oom Fred, fungerend als mijn vader, zat aan zijn linkerkant. Oom Warren zat rechts van hem, symbolisch voor zijn rol als rechterhand van oom Rulon.

Hoewel de profeet zich vlak bij me bevond, betwijfelde ik of ik die korte afstand kon overbruggen om hem een hand te geven zoals gebruikelijk was. Ik voelde de ijzig starende blik van oom Warren op me rusten, maar ondanks mijn neiging om ervandoor te gaan, slaagde ik erin naar hen toe te lopen om hen te begroeten. Iedereen keek naar me terwijl ik eerst de uitgestoken hand van oom Rulon en daarna die van oom Warren en oom Fred schudde.

Oom Warren, die door zijn vader gemachtigd was om ons in de echt te verbinden, vroeg Allen en mij plaats te nemen op de voorste twee stoelen. Als verdoofd gehoorzaamde ik. Na ongeveer een minuut stond Warren op en begon met monotone stem een passage voor te lezen uit *In Light and Truth: Raising Children in the Family Order of Heaven*. Mijn gedachten dwaalden af, maar toen oom Warren zei 'Willen jullie allebei gaan staan?' belandde ik met een schok weer in het heden.

Ik hoorde wat hij zei maar bleef als verlamd op mijn stoel zitten. Oom Warren keek me over zijn bril heen aan en zei: 'Willen jullie alsjeblieft opstaan en elkaars hand pakken?'

Ik stond op en zei: 'Kan het niet zonder elkaars hand vast te houden?' Mijn verzoek werd genegeerd en Allen nam mijn slappe hand in de zijne. Terwijl oom Warren met de plechtigheid begon, voelde ik me duizelig worden alsof ik flauw zou vallen. Ik wist dat ik mijn volle aandacht bij deze geheiligde woorden zou moeten houden, maar ik kon me er niet op concentreren. Mijn geest was nog steeds op zoek naar een uitweg.

'Neem jij, broeder Allen Glade Steed, zuster Elissa Jessop bij de rechterhand en neem je haar tot je wettige echtgenote...'

Net als bij het huwelijk van mijn moeder met oom Fred, hield ik mijn adem in en bad wanhopig dat oom Warren me niet tot in alle eeuwigheid in de echt zou verbinden.

'... en beloof je haar wettige echtgenoot te zijn...'

Ik bad dat God dit toch ten minste voor me zou doen, dat hij Warren die woorden niet zou laten uitspreken, dat hij me met iemand anders in de hemel samen zou laten zijn.

'... tot in alle eeuwigheid.'

Alle hoop was vervlogen en de tranen liepen me over de wangen. Vanaf dit moment zou mijn hele leven verkeerd aanvoelen; zelfs in de dood zou ik me nog beroerd voelen.

Ik wilde het liefste weghollen terwijl oom Warren verderging met de plechtigheid. 'Beloof je in aanwezigheid van God, zijn engelen en deze getuigen dat je uit vrije wil en uit eigen keuze alle wetten, riten en verordeningen met betrekking tot deze heilige verbintenis zult vervullen?'

Allen antwoordde meteen: 'Ja.'

Ik voelde hoe de doordringende blik van oom Warren zich op mij richtte en mijn hart begon te bonken.

'Neem jij, zuster Elissa Jessop, broeder Allen Glade Steed bij de rechterhand en geef je jezelf aan hem...' Ik hoorde zijn woorden niet langer, want het duizelde me. Mezelf aan Allen geven? *Nee. O, alstublieft God, nee!* schreeuwde mijn geest. Ik probeerde me te concentreren op de woorden die gesproken werden.

'... uit vrije wil en uit eigen keuze?' besloot hij, en hij wachtte op mijn antwoord.

Uit vrije wil en uit eigen keuze? dacht ik. Niets aan deze dag had iets te maken met mijn vrije wil en mijn eigen keuze. Gedurende de afgelopen week had ik wanhopige pogingen in het werk gesteld om de man die deze woorden sprak, duidelijk te maken dat ik dit niet wilde en hem gesmeekt me de tijd te gunnen om eerst volwassen te worden. Meer dan wie ook wist hij dat dit niet mijn 'vrije wil en eigen keuze' was.

Ik kon het woord niet over mijn lippen krijgen en het werd heel stil in het vertrek. Oom Warren staarde me met zijn strenge blik doordringend aan en zag er vreselijk intimiderend en machtig uit. Ik voelde de starende blikken van alle aanwezigen terwijl ik daar sprakeloos stond. De tijd leek stil te staan terwijl ik het vertrek rond keek op zoek naar een antwoord. Ten slotte liet ik mijn blik op mijn moeder rusten, wier gekwelde gezichtsuitdrukking alleszeggend was. Als ik mezelf en mijn familie dit moment ontzegde, zou ik in gaan tegen alles wat belangrijk voor ons was. Een overweldigend gevoel van verslagenheid daalde op me neer; hoe hard ik ook gevochten had, het was nu allemaal voorbij.

Warrens stem verbrak de stilte. 'Zou de moeder van de bruid willen opstaan en haar dochter tot steun willen zijn?' Moeder stond op en pakte mijn linkerhand. Ik voelde hoe haar hand trilde. Ik wierp een tersluikse blik op haar gezicht en zag dat ze tegen haar tranen vocht.

'Neem jij, zuster Elissa, broeder Allen bij de rechterhand en geef je jezelf aan hem als zijn wettige echtgenote tot in alle eeuwigheid?' herhaalde Warren op een toon die de vraag als een bevel deed klinken. Zelfs toen de stilte ondraaglijk werd, kon ik het woord nog steeds niet over mijn lippen krijgen. Plotseling voelde ik hoe moeder keihard in mijn vingers kneep. Dat bracht me met een schok in de werkelijkheid terug en ik besefte dat ik hoe dan ook antwoord zou moeten geven.

'Goed dan,' zei ik, bijna fluisterend. 'Ja.'

Ik hoorde de collectieve zucht van opluchting in het vertrek. Het was alsof alle aanwezigen hun adem hadden ingehouden in afwachting van wat ik zou zeggen, en ogenschijnlijk dankbaar waren dat ik eindelijk toegaf. De afgelopen momenten had ik gebalanceerd op de grens tussen hemel en hel en ik was uiteindelijk gedwongen om voor de hemel te kiezen, maar in mijn geval zou die hemel mijn hel zijn.

'In de naam van de Heer Jezus Christus, en op gezag van de heilige priesterschap, verklaar ik jullie tot wettige echtgenoten, tot in alle eeuwigheid...'

Mijn ziel was gebroken. Ik zou nu tot in alle eeuwigheid Allens vrouw zijn en er was niets wat ik daar nog aan kon doen.

'Je mag de bruid kussen,' zei oom Warren.

In een reflex deinsde ik terug toen Allen zich naar me toe boog om me te kussen.

De tranen liepen me over de wangen en het kostte me moeite om mijn schouders niet te laten schokken. Ik keek naar beneden en schudde mijn hoofd. Dwing me hier alsjeblieft niet toe, smeekte ik inwendig. Oom Warren keek me doordringend aan en siste bijna: 'Kus Allen.' Ik moest denken aan die keer op de lagere school, toen oom Warren me vertelde dat ik jongens als giftige slangen moest behandelen. Voor mij was Allen nog erger dan dat en ik kon mezelf er niet toe brengen hem te kussen. Ten slotte gaf ik hem dan toch maar een vluchtig kusje op de lippen. Ik wilde daar zo gauw mogelijk weg. Ik kon het niet langer verdragen. Op het moment dat ik me wilde omdraaien om te vertrekken, nam oom Warren mijn hand en die van Allen in de zijne en zei: 'Ga nu heen en vermenigvuldig je; bevolk de aarde met goede priesterschapskinderen.'

Door de tranen in mijn ogen kon ik nauwelijks iets zien toen ik ervandoor ging. Ik vluchtte een aangrenzende kamer binnen en barstte in snikken uit. Mijn moeder kwam achter me aan en ik holde van haar weg en sloot mezelf op in een badkamer, waar ik huilend ineenzakte op de vloer. Ik kon het niet geloven. Ik was zojuist getrouwd.

Vrijwel meteen hoorde ik haar sussende stem aan de andere kant van de houten deur, bijna smekend: 'Lesie, doe alsjeblieft open.'

Moeder kreeg gezelschap van mijn zus Rachel en van Allen, die ook vergeefs probeerden me naar buiten te laten komen. Ik was een paar minuten binnen, toen er op de deur werd geklopt en ik de stem van een van een ouderling, oom Wendell Neilson, hoorde. Ik had oom Wendell altijd graag gemogen en ik voelde me schuldig en gegeneerd dat ik hem nu ontweek.

'Ik wil graag de eerste zijn die de nieuwe mevrouw Steed gelukwenst,' zei oom Wendell tegen me toen ik eindelijk de badkamerdeur opendeed. Ik vond kortstondig troost in zijn stevige omhelzing. 'Het komt allemaal best in orde. Als je maar op God vertrouwt.' Hij probeerde me op te vrolijken door te zeggen dat ik de vruchten zou plukken van mijn gehoorzaamheid aan de profeet. 'Op een dag zullen duizenden samenstromen om jouw verhaal van geloof en moed aan te horen.' Zijn vriendelijke woorden waren bedoeld om me een hart onder de riem te steken, maar ik wilde niet dat mijn afgedwongen gehoorzaamheid anderen ten voorbeeld zou worden gesteld. Zowel hij als mijn moeder probeerde me moed in te spreken door me voor te houden dat een huwelijk voor een vrouw het hoogst bereikbare was en dat ik me vereerd en gezegend zou moeten voelen.

Nadat ik uit de badkamer tevoorschijn was gekomen, kreeg ik te horen dat ik me samen met de andere bruiden moest gaan verkleden voor de lunch. Ik vond het vreselijk om naast Allen aan tafel te moeten zitten. Tijdens de lunch kon ik nauwelijks denken, laat staan eten. Ik was nog maar tien minuten getrouwd en nu al was mijn huwelijk een nachtmerrie.

13

Moederziel alleen

De enige echte vrijheid van vrouwen ligt in het gehoorzamen aan
de heilige hemelse wet van het huwelijk, het zich onderwerpen
aan haar heer en meester en het leven naar zijn gebod.

— RULON JEFFS

Het was laat in de middag toen we weer in de auto's stapten voor de terugreis naar Hildale. Tijdens de lange rit werd er nauwelijks gesproken en gedurende het grootste deel ervan verkeerde ik in een toestand van verdoving, terwijl ik me afvroeg waar ik na onze terugkeer zou komen te wonen. Gedurende de afgelopen paar jaar was ik al zo dikwijls verhuisd, en altijd zonder vooraankondiging. Sinds ik te horen had gekregen dat ik zou gaan trouwen, was ik zo druk bezig geweest me tegen het huwelijk te verzetten, dat ik er helemaal niet bij had stilgestaan waar we zouden gaan wonen als het eenmaal achter de rug was.

Ik was opgelucht toen we stopten bij het huis van oom Fred, waar de hele familie Jessop naar buiten kwam om ons te begroeten. Iedereen had gespannen onze komst afgewacht en sommige leden van de familie begonnen foto's te maken terwijl we uit de auto stapten. Van de plechtigheden zelf waren geen foto's gemaakt vanwege het risico dat die in verkeerde handen zouden vallen, dus dit zouden de eerste foto's zijn voor onze fotoalbums. Tientallen mensen wensten ons geluk en lieten ons poseren voor onze eerste foto's als echtpaar. Iedereen riep tegen me dat ik moest glimlachen en dat deed ik dan ook braaf. Ik was doodmoe en kon nauwelijks nog normaal denken. Als verdoofd deed ik wat er van me werd gevraagd en ik deed mijn best om mijn beminnelijkste FLDS-gezicht op te zetten.

Voor oom Freds huis stond een met paarden bespannen wagen te wachten om met de jonggehuwden een ritje door de stad te maken. Hij behoorde toe aan een plaatselijk FLDS-lid dat die middag naar het huis van oom Fred was gekomen om onze trouwdag te vieren. Ik miste de kracht om me te verzetten en pakte Allens uitgestoken hand om erin te klimmen voor de rit.

Zodra we terugkeerden bij oom Freds huis, stapte ik uit en liep naar binnen om te ontkomen aan de aanhoudende druk om voor nog meer foto's te poseren. Mijn gezicht was rood en gezwollen van het huilen en ik weigerde te voldoen aan de herhaalde verzoeken om Allen voor de camera te kussen.

Na de rit en de foto's gingen we naar het huis van Allens ouders, waar zijn hele familie zich had verzameld om ons te verwelkomen. Ik glimlachte beleefd toen Allens moeder me begroette met een boeketje seringen. Een voor een maakte ik kennis met de leden van zijn familie, die allemaal hun best deden om me op mijn gemak te stellen. Allens moeder had een bedrijfje waarin nachtjaponnen en ander nachtgoed werden genaaid. Ironisch genoeg had zij mijn bruidsuitzet genaaid, een witte satijnen nachtjapon en een roze satijnen peignoir met sierlijke bloemetjes erop. Ze waren een geschenk van mijn moeder geweest, die ze op maat had laten maken door Allens moeder, nog voordat ze wist dat ik met hem zou gaan trouwen.

Die avond ontving oom Fred ons in zijn huis voor het avondmaal, dat afgesloten werd met ijs en taart. Maar ik had nog steeds geen idee waar we zouden gaan wonen; daar had niemand iets over gezegd.

Op sommige momenten die avond werd ik meegesleept door de opwinding van het feest, maar telkens werd ik even later weer geconfronteerd met de harde werkelijkheid van mijn situatie. Ik wilde zo graag gelukkig zijn en van dit moment genieten, maar iets binnen in me stond dat gewoon niet toe. Later die avond stond me een aangename verrassing te wachten, toen mijn vriendin Natalie langskwam om me geluk te wensen. Hoewel we niet langer op dezelfde school zaten, had ik heel wat tijd met haar doorgebracht. We waren heel close geworden en zij was een van de weinigen buiten oom Freds huishouden met wie ik kon praten en die ik kon vertrouwen. Op de ochtend van mijn huwelijk had Natalies moeder, Lavonda, mijn haar gedaan. Merkwaardig genoeg had Natalie toen niets tegen me gezegd. Ze scheen zich zorgen te maken terwijl ze toekeek hoe ik me voorbereidde op mijn huwelijk. Sinds ik op de hoogte was gebracht van mijn aanstaande huwelijk, had ik me in haar aanwezigheid niet helemaal meer op mijn gemak gevoeld, en ik had gemerkt dat dat wederzijds was. Ze leek bang te zijn dat ze door met mij om te gaan, de aandacht op zichzelf zou vestigen en dat haar dan hetzelfde lot te wachten zou staan.

Nu was ze hier in het huis van oom Fred, in het gezelschap van een paar van haar zussen, om een lied te zingen ter gelegenheid van mijn huwelijk. De meisjes hadden prachtige stemmen en hadden enkele cd's opgenomen voor de gemeenschap. Ik was zo geroerd dat ze me vereerden met dit fantastische optreden, dat ik er niet bij stilstond wat me te wachten stond nadat ze vertrokken waren. Terwijl ze met glanzende ogen hun lied ten gehore brachten, kwam het geen moment bij me op dat de gebeurtenissen van die dag mijn leven en mijn vriendschap met Natalie zouden veranderen. Ik was niet langer een veertienjarig vrijgezellenmeisje zoals zij. Ik was officieel anders; ik was getrouwd. Terwijl het haar nog steeds vrij stond om zich als een kind te gedragen, waren de normen voor mij van de ene dag op de andere veranderd. De droevige waarheid was dat we na die dag niet langer als goede vriendinnen met elkaar optrokken.

Toen iedereen die avond vertrok, bekroop me een afschuwelijk gevoel van verlatenheid. Het ene moment waren we allemaal druk aan het feestvieren en het volgende nam iedereen afscheid. Vlak na de gebedsdienst die avond ging een opgewekte oom Fred onze processie vóór, de trap op naar onze 'nieuwe' slaapkamer, wat dezelfde kamer was waarin ik had geslapen sinds ik in zijn huis was gearriveerd. Hij vertelde Allen en mij dat we in zijn huis zouden wonen totdat de Kerk ons een eigen huis zou toewijzen. Het nieuws dat ik dicht bij mijn moeder in de buurt zou zijn, was een opluchting voor me. In afwachting van onze komst had hij een paar moeders opdracht gegeven de slaapkamer die ik met mijn twee zusjes had gedeeld, in te richten als bruidssuite.

Ze hadden een zelfgemaakte banier met de tekst HUWELIJKSNEST-JE opgehangen. Toen ik een blik in de kamer wierp, zag ik dat er ander meubilair in stond dan toen ik die ochtend vertrokken was. Het stapelbed dat mijn zusjes deelden, was naar mijn moeders kamer verplaatst, samen met al hun spulletjes. Mijn eenpersoonsbed was vervangen door een tweepersoonsexemplaar, dat ik geacht werd te delen met Allen, met ingang van diezelfde nacht. De beddensprei was versierd met een heleboel chocolaatjes, die in de vorm van een groot hart waren gerangschikt. Er stonden zelfgebakken koekjes en mousserende cider op ons te wachten. Er lag ook een met de hand gemaakt plakkaat op het bed met de tekst ALLEN EN ELISSA GETROUWD TOT IN ALLE EEUWIGHEID, 23 APRIL 2001. Alsof het horen van die woorden nog niet genoeg was geweest, moest ik ze nu ook nog met eigen ogen aanschouwen. Ik wist best dat al deze gebaren goed bedoeld waren, maar ze benadrukten alleen maar hoe verkeerd het allemaal aanvoelde.

Het was een surrealistisch tafereel. Nog maar een dag geleden was deze kamer een veilig toevluchtsoord geweest, waar ik kon ontsnappen aan de waanzin van mijn aanstaande huwelijk. Nu hing er een onheilspellende atmosfeer en de muren leken op me af te komen. Ik kon de aanblik nauwelijks verdragen, laat staan dat ik er kon slapen. Terwijl ik probeerde te kalmeren, werd ik plotseling opgetild. Allen had me in zijn armen genomen en maakte aanstalten om me over de drempel te dragen. Ik sloeg mijn handen voor mijn gezicht toen ik camera's op ons gericht zag en begon te huilen toen hij met mij in zijn armen de kamer binnen liep.

De camera's bleven klikken buiten het huwelijksnestje en mijn uitgebreide familie drong erop aan dat ik zou glimlachen voor de foto's, met het argument dat ik op een dag terug zou willen kijken op deze 'gelukkige' dag. Na wat wel een eeuwigheid poseren voor de camera's leek, wenste oom Fred ons nogmaals geluk. Hij zei dat hij trots op me was omdat ik gedaan had wat de profeet me had opgedragen, maar die trots van hem voelde bezoedeld en akelig – heel anders dan het gevoeld zou hebben als ik die speciale woorden had gehoord uit de mond van mijn echte vader, na een huwelijk dat ik werkelijk wilde.

Moeder bleef zo lang mogelijk in de gang rondhangen om me tot steun te zijn. Ik had haar zien huilen in het motel in Caliente, toen ik toevallig de badkamer binnen was gegaan en haar had aangetroffen in de armen van mijn zus Rachel. Ik wist dat ook zij het hier moeilijk mee had, maar ze kon me nu geen enkele bescherming meer bieden. Na een paar minuten kondigde ze ten slotte aan: 'Ik ga maar eens naar bed.'

'Nee, moeder, u kunt nog niet weggaan,' zei ik smekend. Ze antwoordde niet met woorden, maar uit haar ogen bleek haar verdriet. Ik had geen idee wat een huwelijksnacht precies inhield, maar het vooruitzicht vervulde me met afschuw en ik was bang om de kamer binnen te gaan. Ik zag moeder in haar kamer verdwijnen en de deur achter zich dichtdoen. Ik wilde niets liever dan achter haar aan gaan, maar ik wist dat dat onmogelijk was.

De paniek sloeg toe toen Allen de deur dichtdeed. Ik was nog nooit eerder met een man alleen geweest, en hier bevonden we ons uitgerekend in een slaapkamer. Ik had geen idee wat ik moest zeggen en er viel een ongemakkelijke stilte. Stijfjes ging ik op de rand van het bed zitten en ik kromp ineen toen hij naar me toe kwam. Hij ging naast me zitten en ik schoof snel opzij, greep mijn nachtjapon en vluchtte door de gang naar de badkamer om die aan te trekken. Zodra ik de deur had dichtgedaan, liet ik me op de vloer zakken en leunde met mijn rug tegen de deur. Ik kon niet eens meer huilen; ik had geen tranen meer.

Ik bleef een hele tijd in de badkamer, ten prooi aan tegenstrijdige emoties. Terwijl een deel van me boos was omdat ik de strijd had verloren, was er ook die andere kant, de kant van de gelovige dochter van de priesterschap, die zich getroost voelde omdat ik gedaan had wat me was opgedragen. Ik deed mijn best mezelf ervan te overtuigen dat het allemaal wel in orde zou komen en dat God over de situatie waakte. Ik bedacht hoe hard ik had gevochten en ik dacht aan al die mensen die me geluk hadden gewenst en me hadden verzekerd dat ik op een dag gelukkig zou zijn. Plotseling voelde ik de aandrang om over te geven en in paniek boog ik me over de wastafel. Toen de misselijkheid eindelijk verdween, staarde ik naar mezelf in de spiegel, terwijl ik me wanhopig afvroeg wat ik nu moest doen.

Ik wist dat ik de deur open moest doen en terug moest gaan naar de slaapkamer, maar eigenlijk wilde ik niets liever dan naar mijn moeders kamer hollen en me in een hoekje verstoppen.

Dit is wat de priesterschap me heeft opgedragen, hield ik mezelf voor. Ik heb geen keus. En met die gedachte trok ik mijn schoenen en jurk uit, maar mijn speciale kerkelijke ondergoed hield ik aan. Ik trok mijn nachtjapon aan over mijn onderbroek, panty, onderjurk en beha. Daaroverheen sloeg ik de nieuwe roze satijnen peignoir strak om me heen. Ik dacht niet dat Allen zou proberen me aan te raken, maar ik voelde me gewoon veiliger met al die lagen kleding. Zelfs met al die kleren aan kon ik me nog altijd niet voorstellen met een man alleen in een kamer te zijn.

Het was niet alleen dat ik bang was voor Allen, ik was totaal van streek door het vooruitzicht samen met hem in bed te liggen. Als naïef veertienjarig meisje had ik geen idee dat mensen in bed méér deden dan alleen maar slapen. De waarheid was dat ik niets wist over seks. Absoluut niets. Ik wist niet eens dat seks bestond. Het was een woord dat niet gebruikt werd in de FLDS-cultuur, en over de activiteit die ermee werd aangeduid, werd nooit gesproken vóór het huwelijk. Ik wist niet dat echtgenoten het deden. Ik was binnen de FLDS opgegroeid zonder enig idee waar baby's werkelijk vandaan kwamen. Niemand had me ooit iets over jongens verteld, behalve dan dat ze giftige slangen waren. Ik had geen idee wat Allen van me verwachtte nu ik zijn vrouw was. Het enige wat ik wist, was dat ik niet wilde dat hij me zou aanraken, punt uit.

Allen zat op het bed toen ik terugkwam uit de badkamer. Ik keek toe hoe hij overeind kwam om zelf naar de badkamer te gaan en ik voelde me opgelucht toen ik de douche hoorde lopen. 'Ik ga gewoon slapen voordat hij terugkomt uit de badkamer,' dacht ik.

Toen ik hem de kamer weer binnen hoorde komen, deed ik mijn ogen dicht en verroerde me niet, om de indruk te wekken dat ik diep in slaap was. Plotseling voelde ik hem over me heen gebogen staan en toen zijn hand die zachtjes aan mijn schouder schudde. Ik kneep mijn ogen stijf dicht en ten slotte gaf hij het op; hij kroop naast me in bed, drukte zich even tegen me aan en draaide zich toen om om te gaan slapen. Het was een van de langste nachten van mijn leven. Ik was doodmoe, maar te bang om te gaan slapen, omdat ik geen idee had wat er zou kunnen gebeuren. Ik probeerde ertegen te vechten, maar er waren momenten gedurende de nacht dat ik van pure uitputting wegdommelde.

Tegen het aanbreken van de dag had ik me alweer aangekleed en was ik op het terras om de zon te zien opkomen. Omdat ik niet goed wist hoe ik me moest gedragen als Allen wakker werd, begon ik de weg af te lopen. Ik liep urenlang, hoog de stoffige bergen in, terwijl ik mijn situatie overpeinsde. Ik had al vaak over dit ruige pad gelopen en de vertrouwdheid ervan bood me een zekere mate van troost. Ik hoopte een oplossing te bedenken, maar toen ik laat die ochtend terugkwam bij oom Freds huis, had ik die nog niet gevonden. Moeder en Allen vroegen zich af waar ik gebleven was. Moeder maakte die ochtend nog meer foto's. Ze wilde dat ik foto's zou hebben voor mijn fotoalbum, en hoewel ze de beste bedoelingen had, vond ik het moeilijk om naast Allen te poseren.

Die middag ontbood Fred de drie pasgetrouwde stellen op zijn kantoor om ons mede te delen dat hij ons allemaal op huwelijksreis stuurde en hij overhandigde iedere man een envelop met geld voor de reis.

De volgende ochtend zouden we hem vergezellen op zijn gebruikelijke trip naar Phoenix om de voorraden van de gemeenschap aan te vullen. Het vooruitzicht weer naar Phoenix te gaan bezorgde me een kortstondig gevoel van opwinding. Ik was er al eens eerder geweest en had ervan genoten. Ik nam aan dat ik tijdens dit uitstapje minder tijd met Allen zou hoeven doorbrengen.

Hoewel het geschenk voor iedereen was bedoeld, leek het duidelijk dat oom Fred hoopte dat Allen en ik door samen enige tijd buiten zijn huis door te brengen, nader tot elkaar zouden komen. Gedurende een groot deel van die dag deed Allen zijn best om lief en aardig te zijn, maar telkens als hij mijn hand probeerde te pakken, trok ik die terug. Toen hij die avond in bed dicht tegen me aan kwam liggen, schoof ik zo ver naar de rand van het bed dat ik er bijna uit viel.

Ik had geen idee hoe het de andere pasgetrouwde stellen was vergaan, maar de volgende ochtend verzamelden we ons voor het vertrek. Het was voor iedereen duidelijk dat onze relatie nogal te wensen overliet. Dat bleek overduidelijk tijdens de rit naar Phoenix, toen zowel Nancy als Lily dicht tegen haar nieuwe echtgenoot aan zat in oom Freds Suburban, terwijl ik ervoor zorgde dat zich tussen Allen en mij een lege stoel bevond.

Toen we in Phoenix arriveerden, deelde Fred ons mee dat hij voor ieder stel een motelkamer had gereserveerd, en dat nieuws joeg me schrik aan. Ik had me dit reisje zo'n beetje hetzelfde voorgesteld als de trip die ik in het verleden met oom Fred had gemaakt, maar nu realiseerde ik me dat Allen en ik alleen zouden zijn. Na onze nacht in het motel in Phoenix zouden we rondreizen door Texas, New Mexico en Colorado, waarbij we onderweg steeds in motels zouden overnachten.

Nadat we onze kamer in Phoenix hadden betrokken, haastte ik me naar de badkamer voor een lange douche. Mijn plan was simpel: ik zou elke avond zo lang mogelijk in de badkamer blijven, in de hoop dat Allen al zou slapen als ik terugkwam. Die eerste avond was dat helaas niet het geval. Toen ik de badkamer uit kwam, had hij alleen zijn onderbroek aan. Het enige wat ik kon denken was: trek een broek aan. Ik had nog nooit een man met zo weinig kleren aan gezien, afgezien van een paar mannen in zwemkleding, en zelfs bij die aanblik had ik me niet op mijn gemak gevoeld. Nu kromp ik ineen bij het zien van mijn echtgenoot in zijn ondergoed.

Allen kwam naar mijn kant van het bed en ging naast me zitten.

Langzaam kroop zijn hand omhoog onder mijn pyjamajasje en maakte mijn beha los.

Ik draaide me meteen van hem weg en keek hem met een vlammende blik aan. 'Blijf van me af.'

'Nou,' zei hij, 'het zal er vroeg of laat toch van moeten komen.'

Ik keek hem uitdrukkingloos aan. Ik had geen idee wat 'het' was. Het enige wat ik wist, was dat ik niets met hem te maken wilde hebben.

Die avond sliep ik in het andere tweepersoonsbed, maar de volgende avond gebeurde precies hetzelfde, waarbij Allen me nog meer aanraakte. Doodsbenauwd greep ik zijn hand terwijl hij die in de richting van mijn onderlichaam liet glijden. 'Doe dat alsjeblieft niet,' smeekte ik met een van angst trillende stem. Ik was nog nooit door iemand op een dergelijke manier aangeraakt, en het voelde totaal verkeerd aan. Hij probeerde me te kussen, en ik ontweek zijn lippen zo goed mogelijk.

De volgende dag bleef ik Allen ontwijken toen we met de andere stellen op stap waren. Ze plaagden ons en probeerden me zover te krijgen dat ik mijn nieuwe echtgenoot zou kussen.

'Als je hem kust, geef ik je honderd dollar,' zei Nancy's echtgenoot Tim op een middag tegen me.

'Nee,' zei ik vastberaden. 'Nee, geen sprake van.'

Tim glimlachte. Hij was aardig voor me geweest en op de een of andere manier had ik het gevoel dat hij mijn situatie begreep. Hij was heel anders dan Lily's echtgenoot, Martin, die voortdurend iedereen voor de gek hield. Ook al was ik vastbesloten me niet door Allen te laten kussen, toch slaagden de anderen erin een paar foto's te nemen terwijl hij onverwachts zijn armen om me heen sloeg en zijn lippen op de mijne drukte. Zelfs nu nog als ik naar die foto kijk, vind ik het pijnlijk om te zien hoe ik hem met beide armen van me af probeerde te houden. Terwijl hij me stevig vasthield en zijn natte lippen op de mijne drukte, deed ik mijn uiterste best om mijn woede in bedwang te houden. Het enige voordeel van deze weerzinwekkende en gênante kus was dat Tim hem als echt genoeg beschouwde om me de honderd dollar te geven, het grootste bedrag dat ik ooit in handen had gehad. Maar helaas zou het niet lang van mij blijven. Mijn priesterschapshoofd eiste het later tijdens onze huwelijksreis van me op.

Die afgedwongen kus was de enige keer dat ik Allen kuste tijdens de huwelijksreis. Ik deed mijn best om zelfs niet met hem te praten. Om te voorkomen dat Allen mijn hand zou vasthouden, begon ik met een potlood op een papieren zak de gebeurtenissen tijdens de reis te noteren. Ik voelde me bijna schuldig toen Allen op een gegeven moment begon te huilen door de plagerijen die hij van Lily en Nancy te verduren kreeg vanwege mijn tegenzin om bij hem in de buurt te komen. Maar dat hij me ondanks mijn protesten aan bleef raken, voorkwam dat ik medelijden met hem kreeg.

Gedurende de laatste nacht van onze huwelijksreis werd ik wakker door een hand op mijn blote huid onder mijn nachtjapon.

'Wat doe je?' zei ik.

'Ik doe waar ik recht op heb,' zei Allen. 'Ik ben je echtgenoot,' voegde hij eraan toe, alsof dat hem rechten op mijn lichaam verschafte.

'Raak me niet aan, alsjeblieft,' was de enige reactie die ik kon bedenken. Ik had geen idee waarom hij zo nodig aan mijn intiemste lichaamsdelen wilde voelen. Het was duidelijk dat ik constant op mijn hoede zou moeten zijn, zelfs 's nachts, als ik verondersteld werd te slapen.

De volgende ochtend, toen we op weg waren naar huis, hoorde ik Nancy en Lily giechelend fluisteren over 'lichamelijke betrekkingen' met hun echtgenoot. Hoewel Allen er niet voor teruggeschrokken was mijn lichaam te betasten, had ik geen idee waar ze het over hadden.

'En,' fluisterde Nancy met een samenzweerderig glimlachje op haar gezicht, 'hebben jullie het al gedaan?'

'Wat? Nee,' antwoordde ik niet-begrijpend.

'Nou,' zei ze, 'misschien zou het vannacht kunnen gebeuren. We zouden Allen een beetje kunnen opjutten.'

Ik voelde me lichtelijk gefrustreerd omdat ik het hele gesprek niet begreep, maar later zou ik verlangend terugkijken op mijn naïviteit.

Ik was opgelucht toen we die zaterdag terugkeerden in Short Creek en weer naast mijn moeder gingen wonen. Hoewel ik 's nachts met Allen alleen moest zijn, voelde ik me getroost door het besef dat moeder in de buurt was. Ik bleef bang en kon het gevoel niet van me afzetten dat me had overvallen toen Allen zei dat hij 'recht' op me had. Alsof hij me kon opeisen, alsof iemand me zojuist aan hem overhandigd had en hij nu met me kon doen wat hij wilde. Hoewel ik geen idee had wát hij dan wel van me wilde, wist ik dat het er vroeg of laat van zou komen. En net als bij de meeste dingen die er in mijn leven waren gebeurd, zou ik er niets tegen kunnen doen. Ik was echter niet van plan om me zomaar gewonnen te geven.

Een paar weken na onze bruiloft nodigden Allens ouders ons uit om bij hen thuis zijn verjaardag te vieren. Hij zou op 12 mei twintig worden, maar aangezien we op die dag een reis naar Canada hadden gepland om andere familieleden op te zoeken, had Allens moeder voortijdig een heerlijk verjaardagsdiner voor ons bereid. Na het eten kwam Allen met de suggestie dat het leuk zou zijn om lopend terug te gaan naar het huis van oom Fred. Hij deed duidelijk zijn best om me op mijn gemak te stellen en ik wist eigenlijk niet goed hoe ik me tegenover hem moest gedragen, vooral na de manier waarop hij me had betast. Ik wilde niet met hem samen zijn, maar ik wist dat ik me onaangenaam had gedragen en daar voelde ik me schuldig over. Ik hield mezelf voor dat ik het moest proberen. Ik deed mijn best om mijn gevoelens van afkeer te verdringen en een manier te vinden om Allen te accepteren als mijn priesterschapshoofd, en dus stemde ik toe.

Nadat we enkele minuten hadden gelopen, voerde Allen ons over het schoolterrein niet ver van het huis van oom Fred. Er was daar een groot grasveld met een paar schommels en hij stelde voor dat we daar even stopten om te praten. We gingen op het gras zitten en keken omhoog naar de avondhemel.

'Hou je van me?' vroeg hij.

Ik zweeg. Het voelde goed om daar op het gras naar de sterren te zitten kijken. Het was een prachtige avond en ik kon heel veel sterrenbeelden zien. Niet dat ik nu direct van hem ging houden zoals ik verondersteld werd te doen, maar het was zijn eerste serieuze poging tot romantiek sinds we getrouwd waren.

Ik voelde hoe Allen naast me opstond en toen ik naar hem keek, was ik geschokt door wat ik zag: Allen stond voor me met zijn geslachtsdeel ontbloot. 'Wat doe je? Doe dat weg!' zei ik op gebiedende toon terwijl ik mijn ogen stijf dichtkneep.

'Zo zie ik eruit,' zei hij op zakelijke toon.

'Ik wil het niet zien,' riep ik terwijl ik haastig overeind kwam. Ik holde zo snel mogelijk naar huis, met Allen op mijn hielen. Ik had nog nooit een penis gezien, behalve bij het verschonen van luiers. De tranen liepen me over de wangen terwijl ik probeerde te begrijpen wat er zojuist had plaatsgevonden. Ik holde naar boven, naar moeders kamer.

'Wat is er aan de hand? Wat is er gebeurd?' vroeg moeder.

Ik kon mezelf er niet toe brengen het haar te vertellen. Ik voelde me te gegeneerd en ik was bang dat ze me de afschuwelijkste, verdorvenste, walgelijkste persoon ter wereld zou vinden. Het was alsof ik iets vreselijk verkeerds had gedaan door een man in een dergelijke staat te zien. Er was ons altijd geleerd dat het een zonde was om een jongen aan te raken, laat staan hem naakt te zien.

'Ik haat hem,' flapte ik eruit. 'Ik haat hem! Ik haat hem! Ik haat hem!'

'Wie?'

'Allen.'

'Lesie, wat is er gebeurd?'

'Ik ga die kamer niet binnen. Ik wil niet met hem praten.'

'Heeft hij iets gedaan?' vroeg moeder.

Ik barstte in snikken uit. Moeders pogingen om me te kalmeren werden onderbroken door een klop op de deur.

'Elissa?' klonk Allens stem.

'Ga weg!' riep ik.

'Lesie!' zei moeder vermanend. Ze wilde niets liever dan dat ik zou ophouden met mijn respectloze gedrag. Ik wist dat ik me kinderachtig gedroeg, maar ik kon er niets aan doen. Wat er gebeurde, was gewoon te moeilijk voor me en ik kon er niet mee overweg.

Ik bleef in moeders kamer tot twee of drie uur 's nachts voordat ik terugging naar mijn slaapkamer. Ik deed zo zachtjes mogelijk de deur open, in de hoop Allen niet wakker te maken. Maar toen ik naar binnen stapte, lag hij in zijn ondergoed boven op de beddensprei. Als in een reflex deinsde ik achteruit toen hij opstond en naar me toe kwam. Ik trilde over mijn hele lijf toen hij zijn hand uitstak en de knoopjes van mijn jurk begon los te maken.

'Blijf van me af,' riep ik. 'Ik wil niets met je te maken hebben.'

Plotseling trok hij zijn ondergoed uit en kwam helemaal naakt voor me staan. Ik deed mijn ogen dicht en smeekte hem: 'Doe dit alsjeblieft niet. Ik wil het niet.'

'Het is de bedoeling dat we dit doen,' zei Allen. 'Dit doen getrouwde mensen nu eenmaal.'

'Nou, ik weet niet wát je aan het doen bent, maar ik wil dat je ermee ophoudt.'

Allen aarzelde. 'Wil je dan nooit een baby?' vroeg hij.

'Niet van jou,' antwoordde ik met trillende stem.

'Weet je, ik ga je geen pijn doen,' zei hij terwijl zijn handen met de achterkant van mijn jurk bezig waren. 'De profeet heeft me gezegd dat ik dit met je moet doen.'

Toen hij het woord 'profeet' uitsprak, bedacht ik plotseling tot mijn schrik dat ik niet deed wat de priesterschap van me verlangde. Op de een of andere manier was het nooit bij me opgekomen dat de Kerk zou willen dat we datgene deden waar Allen nu mee bezig was. Ik probeerde vertrouwen te hebben in Allens woorden, maar de manier waarop hij me aanraakte was te verontrustend en bezorgde me een akelig gevoel. In paniek leunde ik tegen hem aan en fluisterde: 'Ga alsjeblieft gewoon slapen. Trek alsjeblieft wat aan.' Maar mijn woorden hadden geen enkel effect op hem. Terwijl hij mijn jurk uittrok, begon ik te huilen.

'Hou daarmee op,' zei Allen. 'Stel je niet aan als een klein kind. Weet je wat ik met je ga doen?'

'Nee,' zei ik, terwijl ik terugdeinsde. Hij kwam achter me staan en maakte mijn beha los. Nadat hij de rest van mijn kerkelijke ondergoed had uitgetrokken, pakte ik de deken van het bed en hield die voor me als een laatste bescherming. Hij rukte de deken uit mijn handen, zodat ik helemaal spiernaakt voor hem stond. Ik trilde over mijn hele lijf en schaamde me dood.

Hij deed een stap achteruit en liet zijn blik over mijn hele lichaam dwalen. 'Ik heb altijd al een naakte vrouw willen zien,' zei hij.

Ik had me nog nooit zo kwetsbaar gevoeld als op dat moment toen hij mijn naakte lichaam van top tot teen bekeek. De laatste keer dat iemand me in mijn blootje had gezien, was ik nog maar een klein meisje geweest. Ik was me ervan bewust dat Allen mijn lichaam in zich opnam met een blik die ik niet vertrouwde, maar ik was te bang om een poging te doen mijn kleren weer aan te trekken. Ik huilde terwijl hij me naar het bed leidde.

'Weet je wat ik nu met je ga doen?' zei hij met een vreemde stem.

'Nee,' zei ik jammerend. Hij begon me te vertellen wat hij met me van plan was, en dat bracht me in verwarring. Toen hij het nader begon te omschrijven, raakte hij opgewonden op een manier die ik nog nooit eerder had gezien en de blik op zijn gezicht was bijna dierlijk. Een gevoel van misselijkheid stak de kop op en met een onderdrukte kreet greep ik de deken en holde naar de deur, op weg naar de veiligheid van mijn moeders kamer. Toen ik zag dat ze er niet was, liet ik me op haar bed vallen en begon in haar kussen te snikken.

Door mijn gehuil werd mijn zusje Ally wakker. Ze kwam naar me toe en sloeg zonder een woord te zeggen haar armen om me heen.

'Het spijt me dat ik je wakker heb gemaakt. Ga maar weer slapen. Je moet morgen naar school,' zei ik.

'Ik help je gewoon met huilen.'

Door haar reactie moest ik nog harder huilen, maar die nacht sliep ik vredig in moeders bed, met mijn zusje naast me.

'Gaat het weer wat beter?' vroeg Ally me toen ik de volgende ochtend wakker werd.

'Ja hoor,' zei ik met een glimlach, en ze glimlachte terug. Hoewel ze nog jong was, wist ze dat het niet goed met me ging, maar mijn antwoord stelde haar tevreden en ze begon voorbereidingen te treffen voor haar schooldag.

Dat moest ik ook doen. Ik wilde de derde klas afmaken, omdat school heel belangrijk voor me was. Ik had dan wel een hekel aan de school van oom Fred, maar het was beter dan thuisblijven bij Allen. Ik was blij toen ik die ochtend op weg naar school ging, hoewel ik het heel vervelend vond dat iedereen me anders behandelde omdat ik getrouwd was. Het was alsof ze weigerden om me nog langer een veertienjarig meisje te laten zijn. Het huwelijk was kennelijk belangrijker voor een meisje dan wat dan ook – vooral leren.

Die ochtend was ik druk bezig met een algebratest, toen ik een hand op mijn schouder voelde. 'Er is iemand voor je bij de deur.' De stem van mijn leraar deed me opschrikken van mijn wiskundeprobleem.

Toen ik opkeek, zag ik Allen in de gang staan en de klas in gluren.

'Kunt u hem zeggen dat ik midden in een test zit?' vroeg ik mijn leraar.

'Ik ga hem helemaal niets zeggen,' zei meneer Richter tegen me. Hij was een van de strengere docenten en ik wist dat hij me niet zou helpen.

Ik stond op en liep aarzelend naar de deur. Toen ik daar aankwam, zag ik dat Allen in het gezelschap van de directeur was.

'Ik neem je een dagje mee,' zei Allen tegen me. 'De directeur vindt het goed.'

'Ik heb een test,' zei ik, in de hoop dat de directeur erop zou staan dat ik die eerst afmaakte. Maar aangezien dit een priesterschapsschool was, zag noch Allen noch de directeur er het belang van in dat ik de test afmaakte.

Ik volgde Allen naar de parkeerplaats en stapte in zijn truck. Ik was woedend, maar ik hield mijn mond terwijl we rondreden door Utah en

Arizona. Allen was boos over de manier waarop ik me de afgelopen nacht had gedragen en gaf luidkeels uiting aan zijn frustratie. Ik had hem nog nooit zijn kalmte zien verliezen en zijn boosheid kwam als een verrassing voor me. Boos worden werd binnen de FLDS niet erg gewaardeerd.

'Ik haat je,' zei ik tegen hem. 'En ik hoop dat je naar de hel gaat.'

Eerst leek het alsof hij op het punt stond in tranen uit te barsten, maar even later raakte hij helemaal overstuur en sloeg zo hard met zijn zonnebril op het stuur dat er een poot van zijn bril afbrak. 'Je hebt het toch niet aan je moeder verteld, hè?' wilde hij weten.

'Haar wát verteld?'

'Dus je hebt haar niets verteld?' Ik wist dat hij het had over wat er de afgelopen nacht in onze slaapkamer was voorgevallen.

'Nee.'

'Nou, dat is maar goed ook,' zei hij beschuldigend. 'Ze moet zich niet met onze zaken bemoeien. Als het aan mij lag, zouden we niet eens bij haar wonen.'

Die nacht weigerde ik naar mijn kamer te gaan en bleef ik bij mijn moeder, maar ik nam haar niet in vertrouwen, ondanks de steun die ze me aanbood. De volgende ochtend werd ik ontboden op het kantoor van oom Fred, waar ook Allen zich bleek te bevinden. Mijn maag keerde zich bijna om toen Fred gebaarde dat ik moest gaan zitten.

'Allen heeft me verteld dat je je opstandig tegenover hem gedraagt,' begon hij. 'Wat is er aan de hand?'

Ik wilde oom Fred de waarheid vertellen; ik wilde hem vertellen dat ik er zeker van was dat Allen de priesterschap en alle privileges die daaraan verbonden waren, onwaardig was. In plaats daarvan probeerde ik mezelf vrij te pleiten. 'Ik doe echt mijn best,' zei ik tegen hem.

Ik was woedend omdat Allen zich tot hem had gewend om zich erover te beklagen dat ik me niet als een onderdanige echtgenote gedroeg. Ik haatte de zelfvoldane blik op zijn gezicht toen oom Fred me een reprimande gaf vanwege mijn ongehoorzaamheid.

'Lesie, je doet je trouwbelofte niet gestand,' zei Fred met zachte stem. Aan zijn toon kon ik horen dat hij ontstemd was en ik kromp ineen. Aan het eind van het onderhoud pakte Allen me bij de hand en leidde me het kantoor uit. Ik wachtte tot we buiten oom Freds gezichtsveld waren voordat ik mijn hand losrukte en wegholde, op zoek naar mijn moeder.

Er waren een paar dagen verstreken, toen ik besloot dat ik met mijn moeder moest praten over Allens gedrag in onze slaapkamer. Ik was ervan overtuigd dat hij me maar wat op de mouw speldde toen hij zei dat het zijn goed recht was. Ik kon me niet voorstellen dat dat klopte, en dat wilde ik van moeder horen.

'Moeder, hoe krijgen mensen een baby?' vroeg ik haar ronduit.

'Nou,' stamelde ze, 'dat moet Allen je maar vertellen.'

Haar weigering om mijn vraag te beantwoorden zat me dwars. Als ik nu maar geweten had wat er aan de hand was, dan zou ik tenminste begrepen hebben wat Allen probeerde te doen. Nu voelde ik me door zijn gedoe alleen maar vies. Hoewel ze me slechts hoefde uit te leggen wat er moest gebeuren om een vrouw kinderen te laten krijgen, deed ze dat niet. Ze was door oom Fred terechtgewezen dat ze zich niet met onze zaken moest bemoeien, en ze kon me zelfs niet het enige vertellen wat ik moest weten.

Een paar dagen later raakte ik in gesprek met een van de meisjes die samen met mij waren getrouwd. Ze merkte dat ik erg van streek was en behoefte had aan een luisterend oor. Ze kreeg medelijden met me en vertelde me het een en ander over man-vrouwrelaties, maar haar uitleg was vreselijk vaag en een beetje beangstigend en toen we uit elkaar gingen, was ik nog verwarder dan ik al was.

Toen ik die avond naar mijn kamer ging, zat Allen op me te wachten.

'Het is tijd dat je je plicht als echtgenote vervult,' zei hij terwijl ik de kamer binnen kwam.

'Nee,' zei ik, terwijl ik in tranen uitbarstte. 'Dwing me alsjeblieft nergens toe. Ik wil dat soort dingen niet met je doen.'

'Waarom niet?' vroeg Allen me.

'Omdat ik je niet mag,' zei ik, niet in staat mijn gevoelens te verbergen. Ik kon zien dat mijn woorden hem kwetsten. 'Het laatste wat ik wil, is de rest van mijn leven samen met jou doorbrengen.'

Allens gezicht werd rood van woede. Hij pakte me vast en zonder nog een woord te zeggen kleedde hij eerst mij en daarna zichzelf uit. Ik was verstijfd van angst en vroeg hem nogmaals om me alsjeblieft met rust te laten. Hij duwde me neer op het bed. Ik beefde over mijn hele lichaam en de tranen liepen me over de wangen toen hij boven op me ging liggen.

'Hou alsjeblieft op; ik weet niet wat je aan het doen bent, maar ik kan dit gewoon niet,' smeekte ik.

'Het is oké,' zei Allen tegen me terwijl hij mijn hele lichaam betastte. 'Je gaat leren dat dit normaal is tussen man en vrouw...'

En toen gebeurde het dan toch eindelijk. Ik lag daar maar, verstijfd van angst. Het deed vreselijk pijn en ik dacht: alstublieft, God, laat me doodgaan. Toen hij bij me binnendrong, wilde ik om hulp schreeuwen, maar er was niemand die me kon helpen. Ik kon me nergens verstoppen. Mijn moeders kamer, de omhelzing van mijn zusje, oom Fred, oom Warren, niets en niemand zou me kunnen redden, en dus lag ik daar zwijgend naar de barsten in het plafond te staren, terwijl een deel van me stierf.

Toen het voorbij was, draaide ik me huilend op mijn zij en nam de foetushouding aan. Allen draaide zich om en viel in slaap, en ik lag daar met het gevoel dat ik meer dood dan levend was. Ik stond op en ging de badkamer in om me te wassen. Ik wilde niet naar mijn moeder gaan. Ik voelde me vies en gebruikt en ik was bang dat ze me een weerzinwekkend, slecht persoon zou vinden. Niets kon het bezoedelde gevoel binnen in me reinigen. Ik voelde me ziek en wilde alleen nog maar dood. Ik doorzocht het medicijnkastje en vond een half flesje paracetamol. Ik schudde de tabletten in de palm van mijn hand en slikte ze door. Omdat ik ervan overtuigd was dat dat niet genoeg zou zijn om een eind aan mijn leven te maken, pakte ik vervolgens een flesje ibuprofen en slikte ook de tabletten die daarin zaten door. Ik liet me naast de badkuip op de vloer zakken. Ik wilde alleen nog maar dood, zodat ik niets meer te maken zou hebben met Allen, oom Warren of Fred. Ik voelde me door hen allemaal, ook door mijn moeder, vreselijk gekwetst en verraden.

Moeder vond me de volgende ochtend vroeg op de vloer van de badkamer, met mijn hoofd in de toiletpot, brakend. Geschrokken trok ze me overeind en hield me in haar armen.

'Wat scheelt eraan, Lesie?' riep ze terwijl ze me naar haar kamer bracht. Ik kon mezelf er niet toe brengen haar te vertellen wat Allen met me had gedaan of dat ik twee flesjes pillen had ingenomen in een poging een eind te maken aan mijn leven, om vervolgens plotseling van gedachten te veranderen. Enkele minuten nadat ik de pillen had ingenomen, dwong ik mezelf om over te geven en ik had de laatste uren uit alle macht geprobeerd ze uit mijn systeem te krijgen. Hoe ellendig mijn leven ook was geworden, ik was er op het laatste moment voor teruggeschrokken er een eind aan te maken.

Ik had geen idee hoe ik uit dit huwelijk en uit dit leven kon ontsnappen, maar die avond had ik me gerealiseerd dat zelfmoord niet het antwoord was. Vanaf dat moment was mijn doel eenvoudig: overleven. Ik moest overleven in dit huwelijk tot ik mijn volgende stap kon bedenken. Die ochtend, met een maag die van streek was door een hele nacht braken en een lichaam dat uitgeput was door slaapgebrek, nam ik een besluit. Op de een of andere manier zou ik hierdoorheen komen; op de een of andere manier zou ik het overleven.

Deel 2

14

Het overleven begint

Geef jezelf met geest, lichaam, en ziel.
— WARREN JEFFS

De tweede week van mei reisde ik met Allen naar de gemeenschap in Canada om mijn zussen Teressa en Sabrina te bezoeken. We kregen een lift naar Bountiful, British Columbia, van een van Allens broers, die in Idaho woonde, net over de grens. Teressa en haar man, Roy Blackmore, woonden bij Roys vader Dwayne en zijn gezin. Sabrina was getrouwd met Dwayne, waardoor ze een van Teressa's schoonmoeders was, wat het wel zo gemakkelijk voor ons maakte om hen allebei te bezoeken.

Vanaf het moment dat Allen zijn goedkeuring had gehecht aan de reis, had ik er reikhalzend naar uitgezien, maar vanaf het moment dat we arriveerden was het voor iedereen duidelijk dat Allen en ik geen gelukkig stel waren. Mijn zussen deden hun best om het bezoek zo prettig mogelijk te maken en boden aan wat leuke foto's van ons te maken, maar ik probeerde er zo veel mogelijk onderuit te komen om samen met Allen te poseren. Mijn onwil om dicht bij hem te komen leverde me de nodige standjes op en mijn zussen drukten me op het hart dat ik volgzaam moest blijven.

Ondanks mijn aarzeling trok ik mijn bruidsjurk aan en liet Teressa mijn haar doen. Zowel Teressa als Sabrina beschikte over een aangeboren talent voor fotografie en ze kozen de perfecte openluchtachtergrond voor onze trouwfoto's. Ik wist dat ik hun goede bedoelingen op prijs zou moeten stellen, en een stemmetje in mijn hoofd bleef maar zeggen dat deze foto's ooit misschien iets voor me zouden betekenen. Maar hoezeer ik ook mijn best deed, ik kon niets doen aan het gevoel van afkeer dat telkens in me opkwam als ik dicht bij Allen in de buurt was. Ik deed mijn best om te doen alsof er niets aan de hand was, maar mijn lichaamstaal verried mijn weerzin.

Sinds die eerste nacht waarop Allen zich aan me had vergrepen, had hij me meerdere keren met geweld genomen. Ik wist niet wat ik moest doen of hoe ik hem moest tegenhouden. Ik had er niemand iets over verteld. Ik had hem gesmeekt om het niet te doen, maar hij verzekerde me dat het oké was. Avond na avond hield hij vol dat dit was wat er van ons werd verwacht. Het enige wat ik kon doen, was het allemaal lijdzaam ondergaan, ook al deed het me op alle mogelijke manieren pijn. Mijn herhaalde protesten maakten geen enkel verschil. Ik deed mijn ogen dicht en probeerde me voor te stellen dat ik ergens anders was of te zien tot hoe ver ik kon tellen. Ik wilde alleen maar dat het zo snel mogelijk voorbij was en ik wist dat als ik me zou verzetten, de kwelling alleen maar langer zou duren.

Tijdens onze reis naar Canada hoopte ik een tijdje verlost te zijn van deze ellende door zo veel mogelijk tijd met mijn zussen door te brengen, maar ik moest hoe dan ook 's avonds naar bed en altijd lag Allen op me te wachten, klaar om zijn gang te gaan. Zelfs in het huis van mijn zussen stond hij erop dat we het deden. Toen het voorbij was en hij van me af rolde om te gaan slapen, kleedde ik me snel weer aan en sloop op mijn tenen naar beneden om iets te drinken.

Het was al laat en het hele huis verkeerde in diepe stilte. Met tranen in mijn ogen ging ik op de achtertrap zitten die naar de keuken voerde, niet in staat de pijn die zich in me aan het opbouwen was, een plek te geven. Ik schrok op toen mijn zus Teressa in de deuropening verscheen. Ze was in de keuken toen ze me hoorde snikken en kwam onmiddellijk poolshoogte nemen. Ze had Allen nooit gemogen, en ze kon gewoon niet geloven dat ik gedwongen was om met hem te trouwen. Niettemin was ze bereid geweest hem het voordeel van de twijfel te geven.

'Wat is er aan de hand?' vroeg ze.

'O, daar kan ik echt niet over praten,' zei ik, gegeneerd dat ze me zo had aangetroffen.

'Natuurlijk kun je wel met me praten,' zei ze terwijl ze me over mijn hoofd aaide.

Het was heel moeilijk voor me om te vertellen wat er zich in de slaapkamer afspeelde tussen mij en mijn kersverse echtgenoot en ik kwam niet goed uit mijn woorden toen ik het probeerde uit te leggen. Uiteindelijk, dankzij Teressa's lieve, geruststellende woorden, lukte het me mijn afschuwelijke geheim te onthullen. Ik vertelde haar het een en ander over wat Allen 's nachts met me deed.

'Wat doet hij met me?' vroeg ik haar, verontrust door de woede die ik in haar ogen zag opvlammen.

'Je hebt echtelijke betrekkingen met Allen,' vertelde ze me. 'Weet je wat dat inhoudt?'

'Wat wil dat zeggen?' vroeg ik haar, niet zeker wat ze precies bedoelde.

Omdat het woord 'seks' niet gebruikt wordt binnen de FLDS-cultuur, vertelde Teressa me de grondbeginselen van 'man-vrouw' oftewel echtelijke betrekkingen. Ik begreep het nog steeds niet helemaal, want Allen deed heel wat méér met me dan wat ze me uitlegde. Ik vertelde haar dat ik me slecht en weerzinwekkend voelde en ze verzekerde me dat daar geen sprake van was en dat mij geen enkele blaam trof.

'Elissa, je hoeft dat niet van hem te accepteren. Je moet hem laten weten dat je dat niet wilt.'

'Dat heb ik tegen hem gezegd. Ik heb hem van het begin af aan verteld dat ik niet wil dat hij me aanraakt. En ik wil ook niets doen of zien. Ik wil hem niet eens kussen.'

'Dit kan gewoon niet. Misschien moet je er met oom Rulon en oom Warren over gaan praten, want die moeten weten hoe Allen je behandelt.'

Ik nam Teressa's woorden ter harte en het deed me goed te horen dat ik wel eens gelijk zou kunnen hebben. Misschien hoorde dit helemaal niet te gebeuren. Misschien deugde het wel helemaal niet wat we deden. Het enige wat ik zeker wist, was dat ik onmogelijk kon doorgaan met wat Allen van me wilde. Ik was verbaasd toen Teressa liet blijken dat ze teleurgesteld was in onze moeder omdat ze me niet had verteld wat er na de bruiloft zou gebeuren. Maar ze was boos op Allen, die me dwong seks met hem te hebben, terwijl ik nog zo jong was. Ze had gewild dat hij nog een tijdje zou wachten.

Tegen het eind van ons verblijf in Canada realiseerde ik me dat Teressa met iemand anders over mijn situatie moest hebben gesproken, omdat de spanning in huis begon op te lopen en Allen er weg wilde. Ik nam met tegenzin afscheid van mijn zussen, maar ik keerde terug naar huis met een gevoel van opluchting omdat ik Teressa deelgenoot had kunnen maken van de waarheid en zij had bevestigd dat datgene wat er gebeurde, verkeerd was.

'Laat hem niets met je doen waar je geen goed gevoel bij hebt,' drukte Teressa me voor ons vertrek op het hart. 'En als hij dat toch doet, vertel het dan aan iemand. Dan ga je naar oom Fred en je vertelt hem wat er aan de hand is.' Teressa wilde het hem zelf vertellen, maar als FLDS-vrouw was het haar verboden zich met mijn huwelijksaangelegenheden te bemoeien. Terwijl ik die dag met haar stond te praten, zag ik dezelfde opstandige vonk in haar ogen die ik altijd bewonderd had toen ik opgroeide. Haar stelligheid en haar kracht gaven me hoop. Ze was vastbesloten, en ik putte moed uit haar woorden.

Op de terugweg uit Canada hoorde ik dat Lily haar echtgenoot Martin en de FLDS in de steek had gelaten. Ondanks haar pogingen om volgzaam te blijven was ze kennelijk heel ongelukkig geweest in haar huwelijk, en ze was oom Freds huis ontvlucht kort nadat ik naar Canada was vertrokken. Iedereen was naar haar op zoek en de priesterschap was in paniek. Men was bang dat het afvallige deel van haar familie haar ertoe zou weten te bewegen een boekje open te doen over haar huwelijk als minderjarige, en tegen de tijd dat we in Hildale arriveerden, was Lily's verdwijning zo'n beetje het enige gespreksonderwerp.

De weken daarop hervatte Allen zijn werkzaamheden voor oom Fred, die onder meer bestonden uit het onderhoud van de dierentuin. In ruil daarvoor ontving hij een kleine vergoeding, die hij gebruikte voor ons levensonderhoud. We hoefden oom Fred geen kost en inwoning te betalen, maar Allen had geld nodig voor benzine en diverse andere zaken. Ondertussen probeerde ik de derde klas af te maken, maar door de bruiloft, de huwelijksreis en onze reis naar Canada had ik bijna een maand school gemist en uiteindelijk zakte ik voor mijn eindtoets.

Spoedig na onze terugkeer maakte ik een afspraak met oom Warren. Ik had moed gevat door Teressa's raadgevingen en door Lily's moedige stap. Ik wilde de FLDS niet de rug toe keren; ik wilde alleen mijn huwelijk de rug toe keren. Ik wist dat als ik de gemeenschap verliet, het me verboden zou worden mijn moeder en jongere zusjes nog te zien, en wat nog erger was, dat ik mijn kans om naar de hemel te gaan zou verspelen. En bovendien, waar moest ik heen? Het enige wat ik wilde was een oplossing waarbij ik bij het restant van ons gezin kon blijven, in de enige gemeenschap die ik ooit had gekend.

Hoe meer ik erover nadacht, hoe meer ik geloofde dat oom Warren een eind zou maken aan Allens praktijken. Iedereen wist dat hij het in feite had overgenomen van de met zijn gezondheid sukkelende profeet.

In het vertrouwen dat hij over de macht beschikte om Allen een halt toe te roepen, belde ik naar oom Rulons huis. Oom Warrens broer Nephi, die optrad als Warrens secretaris, nam de telefoon op. Ik vertelde hem dat ik oom Warren onmiddellijk wilde spreken, maar Nephi wilde me niet over de telefoon met hem laten praten. 'Waar gaat het over?' vroeg hij.

'Ik wil hem gewoon spreken,' antwoordde ik, niet van zins hem meer informatie te verschaffen. Uiteindelijk maakte hij een afspraak voor me.

Op de afgesproken dag was ik optimistisch gestemd toen ik de wachtkamer binnen kwam, maar de blikken die me werden toegeworpen door mensen die het kantoor van de profeet in en uit liepen, ondermijnden onmiddellijk mijn zelfvertrouwen. Iedereen wist dat er iets belangrijks aan de hand was als je hier kwam om oom Warren te spreken. Aangezien ik net getrouwd was, wierpen de mensen nieuwsgierige blikken in mijn richting, benieuwd wat er zo spoedig na de bruiloft aan de hand kon zijn.

'Elissa,' zei oom Warren toen hij me met een handdruk en een glimlach begroette. 'Hoe gaat het met je? Waar is Allen?' vroeg hij, verbaasd dat ik zonder hem was gekomen. 'Weet hij dat je hier bent?'

'Nee,' antwoordde ik, een beetje bang voor zijn reactie.

'Doe je dit achter Allens rug om?'

'Ik wilde u alleen spreken,' zei ik, me bewust van de strenge blik op zijn gezicht.

Toen ik hem naar het kantoor van de profeet volgde, voelde ik me wat meer op mijn gemak. Hij deed vriendelijk tegen me en ik was ervan overtuigd dat mijn welzijn hem aan het hart ging. Hoewel ik wist dat mijn familie in het verleden problemen met Warren had gehad, was me geleerd hem te vertrouwen, maar toch boezemde hij me als spreekbuis van de profeet ook angst in.

'Het gaat niet zo goed met me,' zei ik tegen hem terwijl hij tegenover me plaatsnam in de draaifauteuil. 'Ik kan hier niet mee doorgaan.'

'Waarom niet?' vroeg hij met een niet-begrijpende blik op zijn gezicht.

'Ik kan gewoon Allens vrouw niet zijn. Ik wil het niet en ik heb het nooit gewild.'

'Ach, je zult op een gegeven moment wel van hem leren houden,' verzekerde hij me.

'Maar hij betast me en doet dingen met me die ik niet prettig vind en die volgens mij ook niet goed zijn en die ik niet begrijp.' Ik was er zeker van dat hij, zodra hij dat hoorde, zou begrijpen wat er aan de hand was en, zoals Teressa had gezegd, een eind zou maken aan Allens praktijken, maar ik was geschokt door zijn reactie.

'Tja, dat is niet aan jou om te beslissen. Je echtgenoot is een man van de priesterschap,' zei hij op zijn trage, hypnotiserende manier. 'Je hoort gehoorzaam en onderdanig te zijn aan je priesterschapsleider.'

'Maar oom Warren,' zei ik smekend, 'ik weet niet wat hij met me doet. En hij betast mijn geslachtsdelen op manieren die ik niet prettig vind.'

Warren wist ongetwijfeld waar ik het over had, ook al had ik geen idee hoe ik over dit soort persoonlijke, geheime aangelegenheden moest praten met de machtigste man in onze gemeenschap. Woorden als 'seks' of 'verkrachting' kende ik niet eens, maar ik wist dat Warren begreep wat ik bedoelde.

'Allen is je priesterschapsleider en hij weet wat goed voor je is.'

Ik voelde de tranen opwellen en er vormde zich een dikke, droge prop achter in mijn keel.

'Het is de rol van de vrouw om zonder vragen gehoorzaam te zijn aan haar echtgenoot,' vervolgde hij, terwijl zijn kleine, zwarte ogen me doordringend aanstaarden. 'Hij is je priesterschapsleider en zal je later naar het koninkrijk der hemelen leiden, maar alleen als hij je beschouwt als een goede, aan de priesterschap gehoorzame, onderdanige echtgenote.'

'Het spijt me dat ik deze test waarvoor de profeet en God me gesteld hebben, niet heb doorstaan,' zei ik. 'Mag ik alstublieft bij hem weg? Alstublieft, ik wil een ontbinding,' smeekte ik. Een 'ontbinding' in de FLDS staat min of meer gelijk aan een echtscheiding. Er bestaat niet zoiets als een wettelijke scheiding. Geen enkel lid zou het in zijn hoofd halen om naar de rechtbank te gaan, ook niet als het huwelijk legaal was. Alleen de profeet kan een ontbinding verlenen, en het kwam slechts uiterst zelden voor dat een echtpaar verzocht om ontbinding van een huwelijk dat door God via de profeet was geopenbaard. Alleen al door erom te vragen, nam ik een groot risico.

'Ik kan hier gewoon niet mee doorgaan,' zei ik. 'Het spijt me. Ik smeek u om me alstublieft een ontbinding toe te staan.'

'Je doet krankzinnige dingen, die ertoe zullen leiden dat je van je ge-

Ik was het elfde kind van mijn moeder. In totaal kreeg ze veertien kinderen. Vanaf mijn geboorte bestond er een hechte band tussen ons.

Vader noemde me Goudhaartje, vanwege mijn lange blonde haar.

Al had ik veel zussen, degene die in leeftijd het dichtst bij me stond was zeven jaar ouder dan ik. Daardoor bracht ik in mijn jeugd nogal wat tijd door met mijn broers.

Onze jaarlijkse kampeertochten boden mijn broers en zussen de gelegenheid met elkaar op te trekken. In de uitgestrekte wildernis konden we vrij rondzwerven zonder de geheimzinnigheid van ons normale leven in acht te hoeven nemen.

Ook al behoorden we tot de FLDS, mijn ouders vonden het belangrijk om ons kennis te laten maken met klassieke muziek. Hier geef ik met mijn broers en zussen een vioolrecital in Salt Lake City.

FLDS-leden moeten door de kerk goedgekeurde kleding dragen, zelfs als het warm is. In onze enkellange pioniersjurken konden de zomers in Utah zwaar zijn, en voor de jongens was het ravotten in overhemden ook niet echt comfortabel. Ik sta links vooraan.

Deze foto van vader, zijn drie echtgenotes en zijn jongere kinderen is genomen in 1996. Mijn moeder staat achter vader.

Deze foto is genomen op Pioniersdag in Short Creek, toen een paar van mijn zussen en ik bij de dansmeisjes zaten. Ik ben de tweede van rechts.

Deze foto van mij en mijn vader is genomen op de Alta Academy kort voordat ik werd gedoopt in het doopgewelf in het souterrain.

Warren ging dikwijls met ons op schoolexcursie. Hij was ons schoolhoofd en genoot zeer veel respect, dus met hem op de foto gaan werd als iets bijzonders beschouwd.

Hier loopt mijn broer Craig naar de grote weg op de dag dat hij van vader het huis uit moet. In zijn hand heeft hij een bordje met de bestemming: DENVER. Mijn moeder vertelde me later dat het laten gaan van Craig een van de moeilijkste dingen was die ze ooit had moeten doen.

Ik logeerde bij mijn zussen in het huis van de profeet in Hildale, toen ik werd uitgenodigd om met de profeet Oom Rulon op de foto te gaan. Deze foto heb ik jarenlang gekoesterd.

Toen we naar de boerderij van de familie Steed werden gebracht, waren we omringd door onze uitgebreide familie. We waren met zovelen dat we in ploegen moesten eten. Op deze foto staan mijn broers en zussen en veel van onze neven en nichten.

Terwijl we op de boerderij van de Steeds verbleven, trouwden vader en moeder opnieuw. Hier staan vader en moeder met Warren en Rulon in Rulons woonkamer, waar de plechtigheid werd voltrokken.

Ook vandaag de dag ziet de Alta Academy er nog steeds uit als een gewoon huis, maar het is een enorm gebouw dat een heel eind naar achteren doorloopt. Het is nu onbewoond en staat op de nominatie gesloopt te worden; het bevat veel herinneringen aan mijn jongere jaren in Salt Lake.

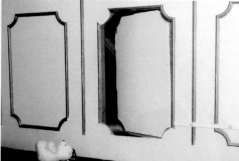

Een van de geheime ruimten in de Alta Academy waar vrouwen en kinderen zich konden verstoppen als er een onverwachte inval plaatsvond.

Een roep om hulp in een geheime bergplaats in de Alta Academy. Hoewel het nooit is bevestigd, deden er dikwijls geruchten de ronde dat de kruipruimten, die aan de buitenkant konden worden afgesloten, werden gebruikt om ongehoorzame kinderen en vrouwen te straffen.

Hoewel ons leven in Salt Lake niet volmaakt was, was het het enige thuis wat ik kende, en de enige plek waar ik wilde zijn.

Toen we in Short Creek arriveerden, was het landschap heel anders dan ik gewend was. Aanvankelijk vond ik de alom aanwezige rode rotsen overweldigend, maar na verloop van tijd begon ik de schoonheid ervan te waarderen.

Vanaf het begin was het leven in het huis van oom Fred moeilijk, met zo veel
kinderen uit verschillende gezinnen bij elkaar. Plotseling was ik omringd door
een grote groep meisjes in de leeftijd van twaalf tot achttien jaar, en soms konden
de groepjes die zich vormden heel gemeen zijn. Dit is een grote groep van mijn
stiefzusjes buiten het huis van oom Fred. Het was gebruikelijk dat meisjes van
dezelfde familie jurken van dezelfde stof droegen, zoals hier te zien is.

De verhuizing naar het huis van oom Fred
viel ons zwaar en het werd nog moeilijker
nadat Fred met moeder was getrouwd. Het
gevolg was dat we steeds dichter naar elkaar
toe groeiden en elkaar in vertrouwen namen
om de moeilijke tijd door te komen.

Hier ben ik met mijn moeder op het eindfeest
van de onderbouw van de middelbare school. Ik
was vreselijk trots toen ik slaagde, maar later die
zomer gaf Warren alle FLDS-leden opdracht van
de openbare school van Colorado City af te gaan.
Verder dan de onderbouw zou ik niet komen.

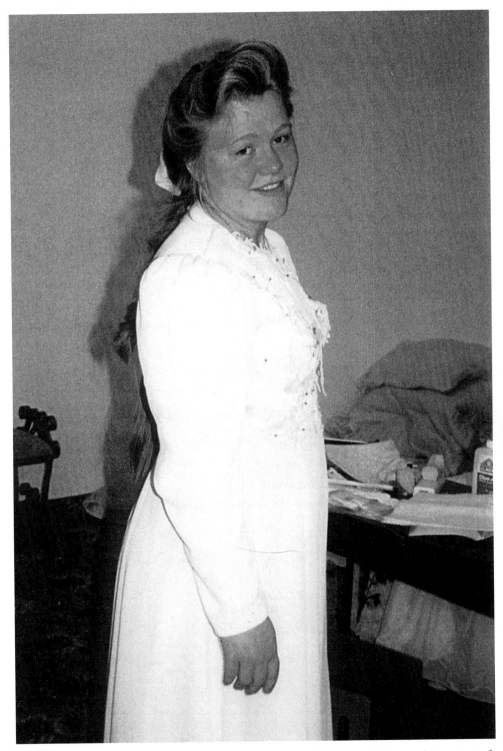

De ochtend van mijn trouwdag, de ergste dag van mijn leven. Mijn gezicht is zo rood door al het huilen.

Hier ben ik met Allen op onze trouwdag. Mijn stiefzussen en de andere moeders bij Fred thuis hadden urenlang gewerkt om mijn oude slaapkamer in een huwelijksnestje te veranderen. Het was een goedbedoeld gebaar, maar het benadrukte slechts de wanhoop die ik vanbinnen voelde.

Deze foto is genomen op het moment dat Allen me optilde om me over de drempel te dragen. Ik sloeg mijn handen voor mijn gezicht om mijn tranen te verbergen.

'Allen en Elissa getrouwd tot in alle eeuwigheid.'

Enkele weken na mijn huwelijk ontving ik voor mijn vijftiende verjaardag een aanmoedigingsdoos van Fred. Daarin zat een babypopje, en hoewel niemand iets zei, was de boodschap duidelijk: er werd van mij verwacht dat ik zou baren.

Om Allen te ontlopen zocht ik dikwijls mijn toevlucht bij mijn zussen en mijn moeder, bij wie ik zo veel mogelijk logeerde zodat ik niet bij hem hoefde te zijn.

Deze foto van mij en mijn zus is genomen op mijn zestiende verjaardag.

Hier zit ik achter het stuur van mijn Ford Ranger terwijl ik mijn stiefzussen en een paar andere meisjes rondrijd. Uiteindelijk zou die truck mijn thuis worden en zou ik er de nachten in doorbrengen om het bed niet met Allen te hoeven delen.

Tegen mijn zeventiende verjaardag was de situatie met Allen steeds problematischer geworden. Mijn moeder probeerde me op te vrolijken, maar eigenlijk kon niets me afleiden van mijn problemen.

Mijn eerste kerstochtend samen met Lamont in Oregon.

De laatste keer dat ik mijn moeder zag was op de dag na Freds begrafenis, waar ze voor het eerst haar kleinkind kon zien. Deze foto is genomen een paar maanden nadat ik de FLDS verliet.

Deze foto met Lamont en onze twee kinderen is genomen voor het proces tegen
Warren begon.

Hoewel Warren en zijn advocaat
Tara Isaacson een intimiderend
koppel vormden, probeerde ik kalm
te blijven. Terwijl ze haar hand op
zijn schouder legde, sprak ze de
woorden: 'Deze man is onschuldig.'

Tijdens zijn getuigenis vroeg Allen de rechter of hij mocht staan. Mij verbaasde zijn zonderlinge verzoek niet, maar het leidde tot het nodige gefluister in de rechtszaal.

Nadat het vonnis was uitgesproken, besloot ik de mediastilte die ik in acht had genomen te verbreken en een verklaring in het openbaar af te leggen. De weg die ik had afgelegd, was een moeizame geweest, maar voor het eerst in maanden leek er een last van me af te vallen.

Deze foto van Sherrie (links) en Ally had ik elke dag van het proces bij me om me kracht te geven op moeilijke momenten. Zelfs nu nog heb ik hem altijd bij me om mezelf eraan te herinneren waar ik voor strijd.

Lamont en ik met onze twee kinderen. We hebben een moeilijke weg afgelegd, maar samen bouwen we aan een betere toekomst voor onze kinderen en bidden tot God om ons daarbij te helpen.

loof valt,' viel oom Warren me streng in de rede. 'Soms moeten we in ons leven dingen doen waarvan we denken dat ze niet goed zijn. Maar als de Heer en de profeet het ons gebieden, zijn ze wel goed. Je moet je hart en je gevoelens op één lijn krijgen. Je moet berouw tonen. Je houdt je niet aan je huwelijksgeloften. Je bent niet gehoorzaam en onderdanig aan je priesterschapsleider. En dat is je probleem.

Je moet naar huis gaan en berouw tonen en je met geest, lichaam en ziel aan Allen geven, omdat hij je priesterschapsleider is, en je moet hem onvoorwaardelijk gehoorzamen, omdat hij weet wat het beste voor je is. De priesterschap en de geest van God zullen hem wijzen hoe hij met je om moet gaan.'

Oom Warren had duidelijk niet naar me geluisterd. Ik had hem uitgelegd dat Allen mijn geslachtsdelen betastte op een manier die ik afschuwelijk vond, maar Warren vertrok geen spier. Hij bleef volkomen onbewogen. Warrens enige reactie was dat ik naar huis moest gaan, berouw moest tonen en moest gehoorzamen. Ik had geen idee waarover ik berouw zou moeten tonen; het enige wat ik kon bedenken was dat ik Allen ongehoorzaam was geweest. Op de een of andere manier was dit allemaal mijn schuld, omdat ik in de ogen van de priesterschap mijn plicht niet vervulde.

'Zou u dan tenminste met Allen willen praten?' vroeg ik.

Warren stond op uit zijn stoel en liep naar de boekenkast vlak achter me. Hij pakte er een exemplaar van *In Light and Truth* uit en nam weer achter zijn bureau plaats. Hij bladerde het boek vluchtig door en markeerde een paar pagina's die volgens hem relevant waren voor mijn situatie. Ik kende het boek goed; het was het boek waaruit hij ons op de Alta Academy had onderwezen.

'Ik wil dat je naar huis gaat en elke dag het huwelijksconvenant leest. En ik wil dat je je de convenanten herinnert die je met God en met jezelf hebt gesloten,' gelastte hij me terwijl hij me het boek overhandigde. Ook maakte hij me duidelijk dat ik niet langer mijn moeder of wie dan ook in vertrouwen mocht nemen over wat er zich in mijn huwelijk afspeelde.

'Mag ik nog eens met u komen praten om u te laten weten hoe het gaat en misschien wat woorden van troost van u te ontvangen?'

'Wel, dat zul je via je echtgenoot moeten regelen,' zei oom Warren terwijl hij overeind kwam om me uit te laten. 'Hij moet erbij zijn als je hier komt. Ik wil niet dat je hier zonder hem komt.'

Elke hoop op een ontbinding vervaagde terwijl ik naar oom Warrens instructies luisterde. Niet alleen had hij me een ontbinding geweigerd, hij stuurde me naar huis om berouw te tonen en me met geest, lichaam en ziel te onderwerpen. Terwijl ik de hete middagzon in stapte, voelde ik me leeg en verstijfd en ik geloofde dat ik een heel slecht iemand was. Wat Allen en ik deden, voelde verkeerd aan, en ik voelde me onrein omdat ik eraan mee deed. Hoezeer ik ook mijn best deed, ik kon mijn tranen niet bedwingen.

'Wat is er gebeurd?' vroeg Kassandra me toen ik die middag het huis van de profeet verliet. Ze had me naar binnen zien gaan om met Warren te praten en had via het keukenraam in de gaten gehouden wanneer ik weer naar buiten kwam. Zodra ze me zag vertrekken, haastte ze zich naar me toe.

'Kassandra, ik mag niet met je praten,' zei ik terwijl ik mijn tranen probeerde te verbergen. 'Ik word geacht er niet met mijn zussen of met wie dan ook over te praten. Ik word geacht naar huis te gaan en mijn echtgenoot te gehoorzamen.'

Allen was van zijn stuk gebracht toen hij hoorde dat ik bij oom Warren was geweest, maar dat weerhield hem er niet van me te blijven betasten en zich aan me op te dringen. Hij rechtvaardigde zijn gedrag door te zeggen dat dit nu eenmaal moest gebeuren om een baby te krijgen; het was wat de profeet van ons verwachtte. Elke nacht dat we gemeenschap hadden, gebruikte hij mijn zielenheil als chantagemiddel. Wat het nog moeilijker maakte, was dat hij me dwong toe te kijken terwijl hij zichzelf betastte, waardoor ik me nog meer gegeneerd en onrein voelde. En erger nog, hij begon mijn onwetendheid op het gebied van seks te misbruiken door me te vertellen dat een man heel erg ziek kon worden als hij niet minstens om de paar dagen geslachtsgemeenschap had.

Ik vond het bijna onmogelijk om gehoorzaam te zijn en te doen wat oom Warren me had opgedragen. Ik kon me niet zonder meer onderwerpen aan de wil van mijn echtgenoot, maar mijn weerstand gaf me het gevoel dat ik faalde in de ogen van God. Als ik weerstand bood aan Allens toenaderingen, veroordeelde hij me omdat ik de profeet niet gehoorzaamde. Als ik aan hem toegaf, vertelde hij me zodra hij aan zijn gerief was gekomen, dat ik een verdorven vrouw was omdat ik toegaf aan mijn vleselijke lusten. In beide gevallen was ik een slecht mens, en ik raakte vreselijk in de war door deze psychologische spelletjes. Later besefte ik dat hij zich schuldig voelde nadat hij zijn zin had gekregen, omdat hij wist dat hij me niet alleen verkracht had om een kind te verwekken. Hij pleitte zichzelf vrij door de schuld op mij af te schuiven.

Op de een of andere manier was ik bij een punt aangeland waarop ik het misbruik kon verdragen, maar nu werd ik ook nog geconfronteerd met dit soort psychologische spelletjes. Allen maakte voortdurend gebruik van mijn gevoelens om zichzelf vrij te pleiten. Hoewel hij in gezelschap buitengewoon vriendelijk en zachtmoedig was, zag ik achter gesloten deuren een andere kant van hem. Privé was hij berekenend en overheersend. Soms verloor hij zijn zelfbeheersing.

In de loop van de tijd maakte Allen me deelgenoot van zijn fantasieën en daar knapte ik zo op af, dat ik mijn ogen dichtdeed en mijn handen voor mijn oren hield. Bovendien kwam ik erachter dat hij stelselmatig zijn vingernagels lakte met transparante lak, de enige soort die FLDS-meisjes durfden te gebruiken. Hij vertelde me dat hij graag wilde dat zijn nagels er netjes en schoon uitzagen, maar ik vond zijn gedrag zeer verontrustend voor een man.

Na een tijdje liet ik de hele schertsvertoning gewoon maar over me heen komen. Ik moest mezelf er voortdurend aan herinneren dat ik dit deed voor mijn eeuwige zielenheil en dat het ondertussen een kwestie van overleven was. Ik was bereid mijn aardse geluk op te offeren voor mijn geluk in het hiernamaals, ervan overtuigd dat ofwel Allen zou veranderen zodra we in de hemel kwamen, of dat God de situatie in orde zou maken.

Het voelde alsof we voortdurend gemeenschap hadden, minstens een of twee keer per week. Soms sliep ik in mijn moeders kamer om me eraan te onttrekken. Hoewel ik niet voor Allen wilde zwichten, had oom Warren me gewaarschuwd dat ik mijn zielenheil in de waagschaal stelde en ik had geen andere keus dan me te onderwerpen. Hoewel Warren Jeffs de woorden 'geslachtsgemeenschap hebben' niet gebruikt had toen hij me vertelde wat ik met mijn echtgenoot moest doen, was dat natuurlijk wel wat hij bedoelde met zijn richtlijnen om mezelf te 'onderwerpen' en 'mezelf met geest, lichaam en ziel te geven' aan mijn echtgenoot. Als Warren niet had gewild dat ik een seksuele relatie met Allen had, zou hij nooit van me hebben verlangd dat ik met hem trouwde met de opdracht om 'heen te gaan en ons te vermenigvuldigen en de aarde te bevolken met goede priesterschapskinderen'. Binnen enkele weken veranderde mijn strategie van overleven in een strategie van onderwerping.

Met de komst van de zomer begon ik me weer wat opgewekter te voelen. In juni vierden we de verjaardag van oom Roy, die het begin van de jaarlijkse zomerfestiviteiten markeerde. De gemeenschap begon zich voor te bereiden op de pioniersdagparade, maar jammer genoeg zouden de dansmeisjes dit jaar niet optreden. In het najaar van 1999 had oom Warren uitvoeringen en theatervoorstellingen verboden, en met name dansen. Omdat we het ook al zonder televisie of films moesten stellen, maakte dat verbod in feite een eind aan elke vorm van amusement. Oom Warren deed dat omdat het einde der tijden wederom nabij was en we ons moesten concentreren op het gebed in plaats van op lichthartige genoegens.

Naarmate Warren zijn greep op de gemeenschap verstevigde, nam bij Kassandra de frustratie toe. Het assisteren bij diverse voorstellingen, waaronder die van de dansmeisjes, was voor haar een van de weinige ontsnappingsmogelijkheden uit oom Rulons huis en altijd een bron van voldoening geweest. Mijn zus had zich een grote reputatie verworven vanwege haar creatieve choreografieën en met haar werk als dansinstructrice had ze plezier gebracht in het leven van de jonge FLDS-meisjes.

Kassandra was nog maar negentien toen ze met de drieëntachtigjarige profeet trouwde en het ging haar steeds moeilijker af zich neer te leggen bij de beperkingen waaraan ze als een van zijn vele vrouwen onderworpen was. Nadat Warren Rulons vrouwen jarenlang had aangemoedigd zich van hun familie los te maken, had hij hun kort geleden opgedragen alle banden met de rest van de FLDS-gemeenschap te verbreken. Op die manier zouden ze thuisblijven onder Warrens wakend oog. Kassandra vond het maar vreemd dat Warren zijn vader met zo veel jonge, knappe meisjes in de echt bleef verbinden terwijl Rulon veel te verzwakt was om zijn huwelijksplichten nog te kunnen vervullen.

In Kassandra's ogen was ze geen echtgenote, maar slechts een nummer. Heimelijk verlangde ze ernaar de hand vast te houden van een man van wie ze hield en samen met hem een eind te gaan wandelen. Maar hoe langer ze getrouwd was met de sukkelende Rulon, hoe duidelijker het werd dat een dergelijke simpele vreugde voor haar niet zou zijn weggelegd.

Toen Warrens nieuwste serie voorschriften van kracht werd, bereikte Kassandra's frustratie het kookpunt. Ze zag hoe Warren het gezin van zijn vader manipuleerde en controleerde, en dat maakte het voor haar moeilijk om aan zijn richtlijnen te voldoen. Evenals de meeste Wall-kinderen had Kassandra altijd een vrijere geest gehad dan veel FLDS-mensen en ze begon zich te verzetten tegen de onderdrukkende macht die haar zo veel beperkingen oplegde. Terwijl onze zus Rachel, die eveneens met Rulon was getrouwd, haar best deed om Warren te gehoorzamen en thuis te blijven, kon Kassandra de druk niet meer aan. Ze ontsnapte regelmatig aan haar benauwende huiselijke omgeving om meer tijd door te brengen met onze familie en vrienden. Haar verlangen naar afleiding en vriendschap, vooral met enkele jongemannen in de gemeenschap, ontging oom Warren niet en hij berispte haar omdat ze niet thuis bij haar echtgenoot was. Kassandra was echter vastbesloten om zo nu en dan wat gezelschap te zoeken en bleef zich in de ogen van de priesterschap misdragen.

Ik was bijna drie maanden getrouwd toen ik mijn vijftiende verjaardag vierde. Toen ik een jaar ouder werd, besloot ik beter mijn best te doen om oom Warrens richtlijnen te volgen en alles te doen wat de profeet van me verwachtte. Maar daarvoor zou ik veel van mijn instincten moeten begraven; als ik die niet zou onderdrukken, zou het me nooit lukken. Mijn enige keus was uit een ander vaatje te tappen, andere mensen ervan te overtuigen dat ik met liefde en plezier mijn plicht deed. Als ik anderen daarvan kon overtuigen, zou ik misschien ook mezelf kunnen overtuigen.

Allen ging met me paardrijden in de bergen om mijn verjaardag te vieren, en door dat sympathieke gebaar vroeg ik me af of ik misschien uiteindelijk toch van hem zou kunnen gaan houden. Zijn broer en schoonzus voegden zich bij ons voor mijn verjaardagsrit. Ik betrapte mezelf erop dat ik het zowaar naar mijn zin had in het kleine gezelschap. Die avond bij oom Fred thuis had de familie een verjaardagstaart voor me. Toen we later samenkwamen voor het gebed, verraste oom Fred me met een 'aanmoedigingsdoos'. Het was een grote, als cadeau verpakte doos die een heleboel kleinere ingepakte spulletjes bevatte die een vrouw nodig zou hebben in een nieuw huis. Er waren maatbekers, keukengerei en tafelkleden. Onderin vond ik een klein doosje met daarin een heel klein houten wiegje met een in een blauw dekentje gewikkeld plastic babypopje.

'Dat is slechts een kleine aanmoediging om je te laten zien hoe het kan worden,' zei oom Fred met een brede glimlach.

We hadden het naar onze zin gehad. Iedereen lachte terwijl ik de pakjes openmaakte, en ik lachte een beetje onzeker met hen mee. Ik was geroerd door het attente cadeau en doordat de familie aandacht besteedde aan mijn verjaardag. Maar toen ik het babypopje zag, voelde ik me plotseling onder druk gezet door de duidelijke hint dat het onderhand tijd werd om kinderen te krijgen. Ik had het gevoel dat het cadeau een aansporing van de priesterschap was.

Spoedig begon ik het idee te krijgen dat ik steeds minder tijd had om over mijn eigen problemen na te denken. Ongeveer een maand na mijn verjaardag werd ik door oom Fred belast met de opdracht me om Lily te bekommeren. Lily was eerder die zomer teruggekeerd naar Hildale, gelokt door de jongen die haar hart had gestolen vóór haar gearrangeerde huwelijk met Martin. Ik hoorde dat ze vóór haar terugkeer haar toevlucht had gezocht in het huis van haar broer, die eveneens de FLDS had verlaten, en dat de jongen van wie ze hield van Warren en Fred opdracht had gekregen Lily op te sporen en haar ervan te overtuigen dat ze moest terugkeren. Hoewel het niet duidelijk was of de jongen beloften had gedaan over een leven samen, gaf hij Lily het gevoel dat hij haar terug wilde in de FLDS. Uiteindelijk kon Lily de aantrekkingskracht van zijn woorden niet langer weerstaan en ze keerde terug naar Hildale, waar bleek dat de hele situatie een wrede valstrik was geweest met haar hart als lokaas.

Nu is het me duidelijk dat oom Fred en oom Warren erachter zaten. Het was een grote tegenstrijdigheid dat ze een jongen die Lily eigenlijk niet eens aardig zou mogen vinden, voor hun karretje hadden gespannen om haar te overreden terug te keren, en ze was er doodziek van dat ze haar gevoelens tegen haar hadden gebruikt. Lily was wanhopig door dit afschuwelijke verraad en omdat ze weer terug was in haar ongelukkige huwelijk en deed nogmaals een zelfmoordpoging met behulp van een overdosis pillen. Net als haar eerste poging mislukte ook deze, en vanaf dat moment werd ze nauwlettend in de gaten gehouden door een van Freds vrouwen.

Alsof dat nog niet erg genoeg was, werd Lily ook nog eens gemeden vanwege haar poging om de FLDS te verlaten, en ze had nog maar weinig vrienden binnen de gemeenschap. Gedurende haar kortstondige verblijf in de buitenwereld had ze haar haar laten afknippen tot net op haar schouders en een pony laten knippen. Het is FLDS-vrouwen verboden hun haar te knippen of het zelfs maar los te dragen; dat werd beschouwd als ongehoorzaamheid aan de profeet. Dat was precies wat de zeer weinige meisjes die wél vertrokken deden, aangezien het een manier was om te laten zien dat ze zich van de Kerk hadden losgemaakt. Maar nu brandmerkte haar haardracht haar als een paria, en overal waar ze zich vertoonde, beschouwden de mensen haar als een lastpost.

Omdat ze door vrijwel iedereen werd gemeden, probeerde ik haar de hand te reiken. In die tijd begon ik zelf ook steeds geïsoleerder te raken. Natalie en ik hadden vrijwel geen contact meer met elkaar. Als getrouwde vrouw paste ik niet langer bij mijn vroegere vriendinnen, die deel uitmaakten van de groep jonge tieners. Ik paste ook niet bij de groep oudere getrouwde volwassenen. Ik was een bruid van vijftien die overal buiten viel. Maar ik had in elk geval Lily.

Oom Fred vertelde me dat ik verantwoordelijk zou zijn voor al haar misstappen, en ik wilde niets liever dan haar het goede voorbeeld geven. Om Lily op te vrolijken stuurde oom Fred ons op een kampeertocht samen met onze echtgenoten, en ook onze stiefbroer Jonathan en zijn vrouw Jennie gingen mee. We deden ons best om ons te vermaken en over het algemeen slaagden we daar ook wel in. Martin nam een quad mee, waar we allemaal ritjes mee maakten. Jennie had een levendige persoonlijkheid en zorgde voor een opgewekte sfeer tijdens onze trip. Ik genoot echt van haar gezelschap en gedurende onze tijd in de wildernis werden we vriendinnen. Ik vond het spannend om een getrouwde vriendin te hebben.

Als onderdeel van mijn overlevingsstrategie had ik Warrens woorden ter harte genomen en tijdens die kampeertocht verzette ik me niet langer tegen Allen als hij probeerde gemeenschap met me te hebben, omdat ik me realiseerde dat het iets was wat er nu eenmaal bij hoorde. Af en toe kreeg ik er ook dingen mee gedaan. Ik vond het vervelend Allen om geld te moeten vragen, maar het was een stuk gemakkelijker als hij tevreden over me was. Het leven was draaglijker als hij niet boos was, en ik had liever dat de seks maar achter de rug was dan dat ik gedwongen werd toe te kijken hoe hij masturbeerde of, erger nog, dat hij met zijn vingers in me zat om opgewonden te raken.

Tijdens de kampeertocht probeerde ik me aan te passen en me te gedragen als iedere andere getrouwde vrouw, veel pratend en lachend, proberend me vrij te voelen en plezier te hebben. Het viel me gemakkelijker me te ontspannen buiten de beperkingen van Short Creek. Deze trip vormde voor mij het bewijs dat ik voor Allen en alle anderen de schijn van geluk kon ophouden. Ik gedroeg me meegaand, precies zoals me altijd was voorgehouden, en ondertussen begon ik enkele twijfels kwijt te raken die ik in de aanloop naar mijn huwelijk had gekoesterd met betrekking tot de FLDS. Voor het eerst in maanden begonnen de vragen die ik mezelf had gesteld – waarom God ons dwong te trouwen en waarom hij gezinnen uit elkaar rukte – naar de achtergrond te verdwijnen. Eindelijk leerde ik te glimlachen voor de camera.

Toch bleef ik nog altijd een vage twijfel koesteren over de houdbaarheid van mijn strategie. Ik kon nog steeds het gevoel niet van me af zetten dat het ongeluk op de loer lag. Om te overleven was ik erin geslaagd mezelf wijs te maken dat een ondraaglijke situatie draaglijk was, maar ik had geen idee hoe lang ik dat kon volhouden. Het viel niet mee om mijn echte ik te onderdrukken, die niet bij Allen wilde zijn en niet getrouwd wilde zijn. Ik kon die stem niet voor eeuwig het zwijgen opleggen. Uiteindelijk zouden de stemmen die ik verdrongen had, zich weer doen horen. De vraag was niet óf dat zou gebeuren, maar wanneer.

15

De verdelging staat voor de deur

Het laatste oordeel nadert snel en onze enige kans om te overleven
is volgzaam te zijn en te doen wat God ons opdraagt.

— RULON JEFFS

Terwijl het jaar 2002 snel naderbij kwam, begon oom Warren de komst
van Zion te verkondigen. Hij hield onheilspellende preken waarin hij
ons waarschuwde voor de ophanden zijnde massavernietiging en alle
trouwe leden gelastte geen tijd te verliezen en zo snel mogelijk naar
Short Creek te verhuizen.

Ik wist nooit goed wat ik precies moest denken van die preken die
geacht werden ons leven te veranderen. 'De verdorvenen in dit land
staan op het punt verdelgd te worden,' verklaarde oom Warren tijdens
een van onze kerkelijke bijeenkomsten. 'Dit is het land waar de nieuwe
stad, de stad Zion, zal worden gebouwd. Dit land moet eerst worden
schoongeveegd. Bij de Grote Verdelging wordt iedereen weggevaagd,
behalve de leden van de priesterschap, onder president Jeffs, die volgzaam zijn geweest.'

Ik wist dat ik als goede priesterschapsdochter deze waarschuwende
woorden ter harte zou moeten nemen, maar mijn vijftienjarige onder-
zoekende geest kon een zo onheilspellend concept niet bevatten.
Maandenlang had Warren de leden van de priesterschap gelast in zuidelijk Utah samen te komen in afwachting van de verdelging. De
Olympische Winterspelen van 2002 zouden in februari van dat jaar
worden gehouden in Salt Lake City, en mensen van over de hele wereld
zouden daar samenkomen. Warren vertelde ons dat God hen naar Salt
Lake lokte voor de verdelging, en alle FLDS-volgelingen die nog in Salt
Lake Valley woonden, kregen de opdracht hun huis te verkopen en te
verhuizen naar Short Creek, om daar samen met de leden van de pries-

terschap de komst van Zion af te wachten. Een golf volgelingen overspoelde de tweelinggemeente Hildale-Colorado City. Ze moesten zolang intrekken bij leden die al in de streek woonden, tot de priesterschap hun een huis toewees. Maar de instroom was zo groot dat sommige mensen uiteindelijk moesten kamperen op het land van anderen. Zij die wel onderdak vonden, woonden met twee of drie gezinnen in een huis.

Indertijd wist ik het niet, maar mijn vader en moeder Audrey bevonden zich onder al die mensen uit Salt Lake die met hun hele hebben en houden naar het zuiden waren getrokken om daar de hemelvaart af te wachten. Ongeveer een maand nadat we bij hem weg waren gehaald, was vader opnieuw opgenomen in de priesterschap, maar tegen die tijd waren wij al aan oom Fred toegewezen en mocht hij geen contact meer met ons hebben. Gedurende de twee daaropvolgende jaren was hij met Audrey in het huis aan Claybourne Avenue blijven wonen en in die tijd hadden Justin, Jacob, Brad en Caleb zich daar bij hem gevoegd.

Brad was zeventien en deed zijn best om de middelbare school af te maken toen Warren vader en Audrey opdracht gaf om naar Short Creek te komen. Hoewel hij een gedeelte van de tijd na zijn vlucht uit oom Freds huis bij pleegouders had doorgebracht, had hij kort geleden zijn pleeggezin verlaten en was hij gedwongen geweest andere woonruimte te zoeken. Vader had aangeboden om hem tijdelijk in huis te nemen en Brad woonde daar pas kort toen vader de verhuizing naar het zuiden van Utah aankondigde.

Warren maakte duidelijk dat vader en Audrey welkom waren maar mijn broers niet. Hij wilde hun opstandige invloed, zoals hij het noemde, niet in de buurt van Short Creek hebben. De priesterschap verlangde van ouders dat ze 'onwaardige' kinderen lieten vallen, en de meeste ouders hielden zich daaraan. Op verzoek van de profeet reden FLDS-vaders hun probleemkinderen naar naburige gemeenten; ze zetten hen daar af en zeiden tegen hen dat ze nooit meer contact met hun familie mochten opnemen. Hoewel ik ervan overtuigd ben dat vader zijn zoons niet aan hun lot wilde overlaten, was zijn toewijding aan de priesterschap, evenals die van honderden andere ouders, blind en absoluut. Hij volgde Warrens bevel op en zei tegen zijn zoons dat ze niet met hem en Audrey mee konden naar Short Creek.

Omdat ze negentien waren, konden Justin en Jacob eigen woonruimte vinden, maar het kostte hun moeite de eindjes aan elkaar te knopen, aangezien ze geen van beiden hun school hadden afgemaakt. Brad moest opnieuw op zoek naar woonruimte en uiteindelijk kon hij een kamer huren bij een vriend. Brad had een fulltimebaan terwijl hij tegelijkertijd zijn school probeerde af te maken. In de maanden daarna zouden we te horen krijgen dat hij zeer ernstig ziek was geworden en in het ziekenhuis was opgenomen. Hoewel hij herstelde, raakte hij door zijn ziekte zijn baan kwijt en kon hij geen eindexamen doen. Al spoedig raakte hij dakloos; hij sliep in zijn auto en had nauwelijks geld om voedsel te kopen. Uiteindelijk begon hij moeder te bellen. Hoewel ze van streek was, deed ze niets om hem te helpen, omdat ze volkomen gevangenzat in de cultuur en denkwijze van de FLDS.

Het achterlaten van Caleb lag wat minder eenvoudig. Hij zat in de eerste klas van de openbare middelbare school en had bij lange na nog niet de leeftijd waarop hij voor zichzelf kon zorgen, en het was duidelijk dat vader zich verplicht voelde voor hem een meer verantwoord plan te bedenken. De oplossing kwam van een voormalig FLDS-echtpaar genaamd Ron en Jamie Barlow, dat in Hurricane woonde, ongeveer twintig minuten van St. George. Vader zou hun betalen om voor Caleb te zorgen. De Barlows wilden dolgraag terugkeren naar het geloof en hadden op last van de profeet boete gedaan om weer in de Kerk opgenomen te worden. Ze hadden nog geen toestemming gekregen om weer in de gemeenschap te komen wonen, maar ze hoopten dat ze door de zorg voor Caleb op zich te nemen, het bewijs zouden leveren van de oprechtheid van hun bedoelingen.

Het duurde een paar maanden voordat ik erachter kwam dat mijn vader zich in Colorado City bevond. Toen ik hem ten slotte ontmoette, was onze kortstondige hereniging er een van gemengde gevoelens. Hij en Audrey woonden in een kleine camper op het gazon voor iemands huis, een hele verandering na hun ruime huis in Salt Lake City. Vader wilde een huis bouwen, maar de Kerk, als eigenaar van al het land in Short Creek, gaf hem geen toestemming omdat de tijd daarvoor te kort was.

Het terugzien van vader was een vreugdevol moment, maar het was ook pijnlijk. Het besef dat ik hem van de priesterschap niet als mijn vader mocht beschouwen, maakte onze ontmoeting ongemakkelijk, en ik wist niet goed hoe ik moest reageren. Er hadden in het verleden zo veel verdrietige zaken plaatsgevonden, dat ik er moeite mee had als het gesprek zich in die richting bewoog. Hij vertelde me dat hij pas kort geleden van mijn huwelijk met Allen had gehoord en gaf uiting aan zijn frustratie dat hij er niet was geweest om een poging te doen het huwelijk tegen te houden, ook al zou dat waarschijnlijk niets hebben uitgehaald. Toen hij vroeg hoe het met me ging, zei ik gewoon dat alles prima was. Klagen was ongepast en ik deed mijn best om een goede priesterschapsdochter te zijn.

Uiteindelijk werd ik zo in beslag genomen door wat er in mijn eigen leven gebeurde, dat ik niet de tijd of de energie had om boos op mijn vader te zijn. Ik had belangrijker zaken aan mijn hoofd. Begin 2002 begon ik te vermoeden dat ik zwanger was. In paniek kocht ik vier zwangerschapstests tijdens een winkeltripje met mijn moeder naar St. George. Ik durfde haar nog steeds niet te vertellen wat er in mijn huwelijk gebeurde en hield de tests voor haar verborgen door haar in de auto te laten wachten terwijl ik de winkel binnen ging. Zodra ik weer thuis was, sloot ik mezelf op in de badkamer. Zorgvuldig las ik keer op keer de instructies. Elke test was weer een beetje anders en ik raakte behoorlijk in verwarring. Toen de eerste test positief uitviel, ging ik door naar de volgende, waarbij er tot mijn afgrijzen opnieuw een positieve uitslag tevoorschijn kwam. Nog steeds niet overtuigd, gebruikte ik ook de twee resterende tests en vatte kortstondig moed toen een ervan een negatief resultaat scheen op te leveren. Maar toen ik de instructies opnieuw las, realiseerde ik me dat ik me had vergist en de angst sloeg me om het hart.

Ik bleef lange tijd als verstijfd zitten, terwijl ik naar de vier tests staarde die naast elkaar op het linoleum van de badkamervloer lagen. Twee maanden eerder had een van de moeders in Freds huis Lily en mij een video laten zien waarin de bijzonderheden van de menselijke voortplanting uit de doeken werden gedaan en waarin ook aan de orde kwam wat er met het lichaam van een vrouw gebeurt als ze zwanger is. Nu was die video mijn leven. Opnieuw had ik mijn lot niet meer in eigen hand.

Ik ontdeed me van de vier tests en hield de resultaten voor me. Ik hield me bezig met de gewone dagelijkse bezigheden zonder Allen te vertellen dat hij vader ging worden. Wekenlang hield ik het geheim, terwijl ik erover piekerde hoe ik deze nieuwe hindernis moest overwinnen en me grote zorgen maakte over de veranderingen die er in mijn leven zouden plaatsvinden. Op een avond in het voorjaar werd ik wakker van een afschuwelijke pijn in mijn buik en ik haastte me naar de badkamer om over te geven. Ik was maar net op tijd en even later realiseerde ik me dat er bloed langs mijn benen liep. Ik dacht echt dat ik doodging, dat God me zou doden vanwege mijn ongehoorzaamheid aan de profeet en Allen. Ik wilde het liefst naar de kamer van mijn moeder en haar wakker maken, maar ik was te bang dat ik haar in de problemen zou brengen. Ze was gewaarschuwd dat ze zich niet met onze zaken moest bemoeien en ik wist dat ze zich aan die richtlijn moest houden.

Ik bleef bijna vier uur lang in de badkuip zitten, bloedend en met vreselijke krampen. Ik kon mezelf er niet toe brengen naar mijn moeder te gaan – hier kon ik haar niet mee belasten. Ten slotte, toen de pijn begon af te nemen, nam ik een douche om het bloed af te spoelen, en ik ging ervan uit dat ik de baby was kwijtgeraakt. Mijn eerste gedachte was om Kassandra te bellen en haar te vertellen wat er was gebeurd, maar ik gaf mezelf de schuld van de miskraam. Indertijd geloofde ik dat miskramen plaatsvonden omdat God de moeder onwaardig vond. Ik was ervan overtuigd dat ik was gestraft voor mijn verdorvenheid en ik wilde niet dat iemand anders dat zou weten.

Gedurende de volgende vier dagen kon ik nauwelijks de kracht opbrengen om uit bed te komen en ik vertelde niemand wat er was gebeurd. Het enige wat ik wilde, was voor altijd slapen. Kassandra kwam diverse keren langs en kreeg uiteindelijk genoeg van mijn ogenschijnlijke luiheid, omdat ik zonder enig excuus in bed lag. Ondanks haar herhaalde verzoeken om te vertellen wat er aan de hand was, kon ik de woorden niet over mijn lippen krijgen. Het enige wat ik kon doen, was zwijgend in bed blijven liggen.

Die winter vertelde oom Fred Allen en mij enthousiast dat we eigen woonruimte zouden krijgen op grondgebied van de Kerk, een stacaravan met twee slaapkamers op een klein caravanterrein even over de staatsgrens in Colorado City, vlak naast een van Audreys zoons. De stacaravan zou oom Freds geschenk aan ons zijn en we konden hem naar eigen goeddunken inrichten.

Jonge ouderlingen in de FLDS ontvingen dikwijls onroerend goed tijdens een van de vele bijeenkomsten van de priesterschap die elk jaar plaatsvonden, of tijdens een privéontmoeting met de bisschop. Jongemannen die waardig waren bevonden, speelden mee in een loterij waarbij letterlijk een hoed werd doorgegeven met daarin de gegevens van beschikbare percelen grond in de gemeenschap. Het perceel dat iemand trok, was het perceel waarop hij zijn huis mocht bouwen. De tweelinggemeente Hildale-Colorado City vormde een op zichzelf staande gemeenschap waar onderling diensten werden uitgewisseld. Huizen werden meestal gebouwd met gebruikmaking van dit systeem en arbeid werd dikwijls beschikbaar gesteld als onderdeel van de zaterdagse werkprojecten van de kerk.

Allen was opgetogen bij het vooruitzicht zijn eigen woonruimte te hebben, maar ik vond de gedachte om bij mijn moeder weg te gaan onverdraaglijk. Nog erger was het vooruitzicht om elke nacht samen met Allen in een stacaravan te moeten doorbrengen. Hoewel de stacaravan klein was, beschikte hij over een gecombineerde woon-eetkamer en keuken van redelijke afmetingen en de twee slaapkamers waren van elkaar gescheiden door een badkamer. Gelukkig voor mij moest er nog het nodige aan gebeuren voordat we hem konden betrekken, en Allen legde zich enthousiast toe op het opknappen van het interieur. Als hij niet aan het werk was, was hij bezig in de caravan. Ik was blij dat hij het zo druk had, want dan was ik tenminste even van hem verlost en kon ik meer tijd met mijn moeder en mijn zussen doorbrengen. Nu hij een doel voor ogen had, werd zijn aandacht enigszins van mij afgeleid en ik was allang blij dat het project slechts langzaam vorderde.

Hoewel ik er niet bepaald naar uitkeek om samen met hem de caravan te betrekken, concentreerde ik me op het genieten van de kleine dingen in het leven. Maandenlang had ik mijn gevoelens zo goed mogelijk onderdrukt en geprobeerd de situatie leefbaar te maken. Bijna dagelijks probeerde ik mezelf ervan te overtuigen dat het allemaal wel goed zou komen en dat mijn gevoelens voor hem op een gegeven moment wel zouden veranderen, maar ik voelde me nog steeds bijzonder ongemakkelijk over het hebben van gemeenschap met hem.

Vroeg in het voorjaar hielpen enkele familieleden van Allen ons met het werk aan de stacaravan. 's Avonds roosterden we marshmallows en hotdogs boven een open vuur op het erf. Toen ze vertrokken en ik ze uitzwaaide, bedacht ik hoe prettig de dag verlopen was. Maar zoals altijd het geval was met Allen, zou ook dit plezierige moment weer vergald worden.

Ik was net zo'n beetje klaar met opruimen, toen hij achter me kwam staan en in mijn oor fluisterde dat we die nacht moesten blijven om de stacaravan in te wijden.

'Je bent niet goed wijs,' zei ik. Ik wilde helemaal niet met hem slapen, laat staan in een lege stacaravan zonder stroom, meubilair en verwarming. Ik was nog steeds bezig de emotionele nasleep van mijn miskraam te verwerken en had totaal geen belangstelling voor intimiteiten. Maar hij drong aan.

'Dat is toch hartstikke leuk,' zei hij.

Ik schudde mijn hoofd en keek naar het kale interieur en de nog natte verf op de wanden. Dit was nog geen thuis, en de ruimte was ongezellig en koud. We stonden in de slaapkamer, waar hij een luchtbed had opgeblazen en daar een slaapzak overheen had gelegd. Zelfs de aanblik van een geïmproviseerd bed was al te veel voor me, maar toen ik de slaapkamer uit wilde lopen, greep Allen mijn arm stevig vast. Ik protesteerde terwijl hij me weer de slaapkamer in trok. Bij de seksuele contacten tussen Allen en mij maakte hij sowieso altijd de dienst uit, maar deze avond voelde ik me absoluut hulpeloos. Hoewel ik in deze periode probeerde mijn gevoelens opzij te zetten en me aan hem te onderwerpen, toonde hij nog steeds geen respect voor me en dwong hij me om seks met hem te hebben, ook als ik het niet wilde.

Ik probeerde me aan zijn greep te ontworstelen, maar hij trok me naar zich toe en duwde me op het luchtbed. Terwijl ik me van het luchtbed op de vloer liet rollen, zei ik tegen hem: 'Ik wil vanavond niets met je te maken hebben.' Meedogenloos rukte hij me de kleren van het lijf en duwde me terug op het luchtbed. Ik zat in de val, niet alleen lichamelijk maar ook geestelijk. Allen lag boven op me en negeerde mijn smeekbeden om op te houden. De lucht van verse verf was allesoverheersend terwijl ik in stilte begon te tellen; het zou zo voorbij zijn.

Toen de dag naderde waarop we een jaar getrouwd waren, begon ik een speciale jurk in mijn favoriete tint roze te naaien in een poging enig enthousiasme voor die gelegenheid op te brengen. Op de ochtend van 23 april was ik bezig met mijn kapsel, toen een van de moeders plotseling van onder aan de trap naar me riep dat oom Fred me nu meteen wilde spreken.

Ik had niet eens mijn schoenen aan toen ik de trap af holde en oom Fred aantrof in het gezelschap van een geüniformeerde politieagent uit Colorado City. Het was Rodney Holm, dezelfde agent die mijn broers het leven zuur had gemaakt en Caleb uit oom Freds huis had gehaald na dat misverstand over Freds tapes.

'Ik wil dat je schoenen aantrekt en met deze agent meegaat,' zei oom Fred tegen me. Ik voelde mijn hart tekeergaan terwijl ik probeerde te bedenken wat ik verkeerd had gedaan, maar niemand wilde me iets zeggen.

'Rodney, wil je me alsjeblieft vertellen waarom ik met je mee moet?' vroeg ik. Toen hij niet reageerde, raakte ik gefrustreerd en zei tegen hem dat hij niet het recht had me zonder verklaring mee te nemen. Maar oom Fred stond erop dat ik mijn schoenen aantrok en met hem mee ging.

Huilend holde ik naar mijn kamer. Het scheen niemand iets te kunnen schelen wat er gebeurde en moeder was er niet. Ze werkte de laatste tijd voor een vrouw uit de gemeenschap, en paste op haar gehandicapte kleuter, dus ze was overdag niet thuis. Wanhopig belde ik Kassandra. Ze hield moeder gezelschap bij het oppassen en ze waren allebei in alle staten toen ik hun vertelde wat er aan de hand was, maar er was niets wat ze konden doen om me te helpen.

Zodra ik weer beneden kwam, kreeg ik handboeien om en werd ik naar de politieauto gebracht die buiten stond te wachten, terwijl de hele familie Jessop toe stond te kijken. Tegen de tijd dat we bij het politiebureau stopten, was ik hysterisch. Rodney liet me in de auto achter terwijl hij naar binnen ging. Na een paar minuten kwam hij weer tevoorschijn en vertelde me dat hij me naar de Mark Twain, een restaurant in de stad, moest brengen. Ik had geen idee waarom. Toen we daar aankwamen, duwde Rodney me voor zich uit naar binnen, nog steeds met handboeien om, en op dat moment zag ik Allen. Rodney boeide ons aan elkaar vast en ik hoorde gelach. Toen ik me omdraaide, zag ik oom Fred met twee van zijn vrouwen, en Lily en Nancy met hun echtgenoten. Ik stond daar gegeneerd en met betraande wangen in de jurk waaraan ik zo hard gewerkt had.

Iedereen had van de grap geweten. Hoewel ik glimlachte tijdens de feestelijke bijeenkomst, kookte ik inwendig van woede. Ik voelde me vernederd en diep gekwetst. Allen wist hoe ik over de plaatselijke politie dacht, na de manier waarop ze mijn broers en mij hadden behandeld. Maar hij snapte het gewoon niet. Na de lunch grinnikte hij terwijl hij het portier van zijn auto voor me openhield. 'Vond je het leuk?' vroeg hij.

Ik ontplofte. 'Snap je niet hoe ik me voelde?' schreeuwde ik in zijn gezicht. 'Je brengt me nu meteen naar mijn moeder! Ik haat je!'

Later zag ik wel in dat Allen het als een leuke verrassing voor me had bedoeld, maar dat hij me bij wijze van grap had laten arresteren, bewees dat hij totaal geen idee had van mijn gevoelens. Toen hij zag hoe overstuur ik was, kwam hij met een boeketje rozen aanzetten, maar ik was nog steeds boos. Bij het boeket zat een handgeschreven kaartje: 'Lieve Elissa, je bent de bloem van mijn leven. Liefs, Al.' Maar geen woord van verontschuldiging.

Hoewel ik wist dat het kaartje met de beste bedoelingen was geschreven, geloofde ik zijn woorden niet. Bij zijn pogingen tot het naleven van zijn priesterschapsverplichting om mij tot een 'betere' echtgenote te maken, had hij me herhaaldelijk lichamelijk en emotioneel tot in het diepst van mijn ziel gekwetst. In een liefdevol huwelijk zouden attenties als dit kaartje bijzonder zijn geweest en me warme gevoelens hebben bezorgd, maar nu leek het er meer op dat Allen probeerde me het verleden te laten vergeten. Hoewel hij had gezegd dat hij spijt had van talloze zaken in ons huwelijk, had hij dat nooit gedaan om de reden die voor mij het belangrijkst was. Ik nam aanstoot aan de manier waarop hij me het gevoel gaf dat hij recht had op mijn lichaam, alleen omdat ik hem als echtgenote was toegewezen. Dáárvoor vroeg hij nooit om vergeving en hij maakte ook niet de indruk dat hij daar ook maar enige spijt van had.

Onze eerste trouwdag was een keerpunt voor me. Na dat moment waarop Rodney me aan Allen vast had geketend, vroeg ik me af of ik nog wel de fut had om te proberen het huwelijk te laten functioneren. Elke illusie die ik me had gemaakt dat het allemaal wel goed zou komen, lag in duigen, en al het opgekropte hartzeer dat ik had geprobeerd te negeren, kwam weer boven.

Allen scheen zichzelf nog steeds wijs te maken dat alles in orde was. Hij bleef me kaartjes en briefjes sturen. 'Draag dit kaartje altijd bij je om je eraan te herinneren hoe speciaal je voor me bent', luidde de tekst op een van de voorbedrukte kaartjes. 'Het besef dat jij deel van mijn leven bent, brengt op de gekste momenten een glimlach op mijn gezicht. Ik ben het allerliefst bij jou. Jij bent de liefde van mijn leven en dit kaartje zal je eraan herinneren hoeveel ik altijd van je zal houden. Liefs, Allen G. Steed.'

Dat hij zijn volledige naam onder zo'n kaartje zette, bevestigde hoezeer zijn woorden en zijn daden met elkaar in strijd waren. We waren nog altijd vreemden voor elkaar. Hoezeer ik ook mijn best had gedaan, ik kon mezelf niet dwingen om van hem te houden en meer dan ooit was ik ervan overtuigd dat ik daartoe ook nooit in staat zou zijn. Hoe vaak hij mij ook zijn liefde betuigde, ik wist dat je mensen van wie je houdt niet kwetst. Door de manier waarop hij me behandelde, had ik het gevoel dat hij me niet als partner en als gelijke beschouwde maar als een bezit. Diep in mijn hart wist ik dat geen enkele man, vrouw of kind het bezit van een ander hoort te zijn, beroofd van hun door God gegeven vrije wil.

De weken daarop lukte het me wat afstand te nemen van Allen. Ik had twee baantjes: ik werkte parttime als oppas voor de gehandicapte kleuter voor wie mijn moeder zorgde en als naaister. Ik was bevriend geraakt met de eigenares van de plaatselijke stoffenwinkel en zij en haar dochters hadden erin toegestemd mijn creaties in consignatie te verkopen in haar boetiek in Hildale. Ik had altijd al een talent voor naaien gehad en begon dat nu te gelde te maken door meisjesjurken te vervaardigen. Mijn winst bedroeg ongeveer twintig dollar per jurk. Al spoedig kreeg ik speciale opdrachten en ik was dankbaar dat ik op financieel gebied niet zo afhankelijk meer was van Allen.

Toen Teressa laat in het voorjaar van 2002 vanuit Canada op bezoek kwam, had ze meteen in de gaten dat het niet goed met me ging. Zonder hoop dat het met mijn huwelijk ooit nog in orde zou komen, voelde ik me somber, leeg en levenloos. Teressa realiseerde zich dat er iets zou moeten veranderen en ze drong er bij mijn moeder en mij op aan dat ik nogmaals met oom Warren zou gaan praten.

Een paar dagen later had ik weer een afspraak met oom Warren, maar toen hij de wachtkamer binnen kwam, zag hij tot zijn ongenoegen dat Allen er niet bij was. In plaats daarvan had ik mijn moeder meegebracht.

'Ik wil graag met u praten zonder dat Allen erbij is,' zei ik nerveus. Tot mijn opluchting was hij bereid me aan te horen.

'Hoe gaat het met je?' vroeg hij terwijl moeder en ik gingen zitten. We praatten wat over koetjes en kalfjes, maar al snel kwam oom Warren ter zake. 'Waarom wilde je me spreken?'

Ik vertelde hem de reden van mijn bezoek. 'Weet u, we zijn nu al een jaar getrouwd en ik heb geprobeerd gehoorzaam te zijn en me aan Allen te onderwerpen, maar ik ben nog steeds geen stap verder. Ik vertrouw Allen niet en ik hou absoluut niet van hem. Ik heb het gevoel dat ik niet langer zijn echtgenote kan zijn, laat staan dat ik zijn kinderen kan krijgen.'

Na een lange stilte vroeg oom Warren: 'Hoe is je relatie met je moeder?'

'Nou,' zei ik, terwijl ik mijn moeder glimlachend aankeek, 'ze is mijn beste vriendin en mijn vertrouwelinge. Ik hou heel erg veel van haar. En zij heeft me hierdoorheen geholpen.'

'Heb je gebeden en stappen ondernomen om gehoorzaam te blijven en je geloof in stand te houden?'

'O, jazeker,' zei ik tegen oom Warren, erop gebrand hem duidelijk te maken hoe goed ik mijn best had gedaan. 'Ik heb al het mogelijke gedaan om het huwelijk tot een succes te maken. Ik heb mezelf onvoorwaardelijk aan Allen gegeven. En ik heb mijn uiterste best gedaan om onderdanig en gehoorzaam te zijn, ook al was ik het niet altijd eens met wat hij wilde.'

In de overtuiging dat ik had aangetoond dat ik een goede echtgenote was en al het mogelijke had gedaan om van mijn huwelijk een succes te maken, had ik goede hoop dat Warren zou inzien dat ik geen schuld had aan de problemen tussen Allen en mij en het huwelijk zou ontbinden.

Hij sloeg zijn benen over elkaar en haalde diep adem voordat hij het woord tot me richtte. 'Je moet je relatie met je moeder verbreken,' begon hij. 'Je moet je losmaken van de hechte band die er tussen jullie bestaat. Je loyaliteit hoort bij je echtgenoot te liggen, niet bij je moeder.' Hij wendde zich tot moeder. 'Jij bent een bemoeizieke moeder; je moet je dochter loslaten zodat ze kan doen wat Allen haar opdraagt, ook al zijn jullie het geen van beiden eens met de gang van zaken.'

Ik was verbijsterd en verward door oom Warrens richtlijn. 'Maar oom Warren, ik zou niet weten wat ik verder nog kan doen. Ik heb alles gedaan wat ik kan.'

'Ga terug en wees gehoorzaam. En geef jezelf met geest, lichaam en ziel aan die man, want hij is je priesterschapsleider. De profeet en ik hebben er vertrouwen in dat hij zal doen wat hem opgedragen wordt. We plaatsen geen vraagtekens bij wat de priesterschap doet. We zijn ons ervan bewust dat de priesterschap weer op aarde is. En dat de profeet weer op aarde is. En zijn opdrachten dienen zonder voorbehoud te worden uitgevoerd. Als je niet oppast,' waarschuwde hij me, 'zul je je geloof verliezen en afvallig worden. Je zult je mogelijkheid verspelen

om gered te worden en een plaats in het koninkrijk der hemelen te verwerven. Allen zal je naar het hemels koninkrijk leiden, en als je niet
waardig bent, zul je daar geen plaats krijgen. Je moet meer tijd thuis bij
je echtgenoot doorbrengen.'

'Maar oom Warren,' zei ik, 'ik vind het afschuwelijk om geslachtsgemeenschap met hem te hebben.'

'Je bent heel egoïstisch. Je moet je gevoelens opzijzetten en doen wat
je gezegd wordt,' zei hij zonder enig medegevoel.

Zijn reactie verbijsterde me. 'U zult iets moeten doen, want ik weet
het echt niet meer,' zei ik. 'Ik kan onmogelijk van deze man houden.'

'Weet je, je hebt het recht niet om je zo te voelen,' zei Warren tegen
me, terwijl zijn toon vijandig werd. Ik was sprakeloos terwijl hij mijn
moeder en mij de les bleef lezen tot hij een eind aan het gesprek maakte.

Gedurende de volgende weken veranderde mijn gedrag ten opzichte
van moeder nauwelijks, maar als gevolg van oom Warrens richtlijn
werd ze steeds minder toegankelijk. Ik had zo lang mogelijk vermeden
met Allen de stacaravan te betrekken, maar moeder en Rachel kregen
opdracht al mijn spullen over te brengen, en plotseling woonde ik niet
meer in Freds huis. Mijn moeder probeerde oom Warrens instructies
op te volgen en zich niet met mijn huwelijk te bemoeien, maar dat betekende ook dat ze bij mij uit de buurt moest blijven. Ook Kassandra
kreeg de opdracht thuis te blijven en te bidden. Het ging niet goed met
oom Rulon en Warren wilde dat zijn tientallen vrouwen dicht bij hem
in de buurt zouden blijven en zich uitsluitend om de profeet zouden
bekommeren.

Zelfs nu ze min of meer onder huisarrest was geplaatst, deed Kassandra haar best om de moed erin te houden. Tijdens een gesprek dat
ik later met haar had, vertelde ze me over een zeer verontrustend incident dat zich had voorgedaan in het huis van de profeet. Op een dag zat
ze met enkele andere vrouwen en Rulons zoons Isaac en Nephi in de
eetkamer in afwachting van het gebed voor de lunch. Oom Rulon
kwam binnen en ging aan tafel zitten. Hij was heel rustig en zei enige
tijd niets. Toen boog hij zich voorover alsof hij op het punt stond iets
belangrijks te zeggen en terwijl hij een, twee, drie keer hard met zijn
vuist op tafel sloeg, zei hij met luide stem: 'Ik wil mijn functie terug!'

Iedereen aan tafel keek elkaar aan, niet wetend hoe te reageren. Rulon was geestelijk niet altijd meer helemaal bij de tijd, en niemand kon met zekerheid zeggen of zijn gedachten met hem op de loop gingen of dat er iets heel anders aan de hand was. Kassandra keek toe terwijl enkele vrouwen van de profeet hem probeerden te kalmeren. Ze verzekerden hem dat hij nog steeds in functie was, maar hij liet zich niet van de wijs brengen.

'Niet waar,' schreeuwde hij. 'Ik wil voor mijn mensen zorgen!'

Terwijl het geluid van zijn vuist op de houten tafel nog nagalmde, ging men ervan uit dat er sprake was van een moment van dementie. Maar in plaats daarvan was het juist een moment van helderheid. Hoewel het nooit helemaal duidelijk werd in hoeverre hij nog feitelijk betrokken was bij de leiding van de Kerk sinds zijn eerste beroerte in 1998, bestond er geen twijfel over dat de Kerk steeds strenger was geworden sinds Warren het woord deed namens de profeet. Nu, op dit dramatische moment, leek het of Rulon zich realiseerde wat hem ontnomen was. Maar het was te laat voor hem om dat weer terug te krijgen.

Onmiddellijk werd oom Warren ontboden. Toen hij de eetkamer binnen kwam, trof hij daar zijn vader prikkelbaar en ontroostbaar aan.

'Ik wil mijn functie terug!' zei de profeet tegen zijn zoon.

'Maar vader, ik help u alleen maar,' zei Warren, die Rulon vervolgens verzekerde dat hij nog steeds de leiding had en dat hij die positie nooit was kwijtgeraakt. Die dag leek het erop dat de profeet zijn zoon niet geloofde, en hetzelfde gold voor Kassandra.

16

De dood komt naar Short Creek

'Hij zal worden wedergeboren'
– titel van een lied, geschreven door Warren Jeffs

Toen de Olympische Winterspelen voorbijgingen zonder dat het einde der tijden zich had aangediend, gaf Warren ons allen het gevoel dat we opnieuw 'buitengewoon gezegend' waren met meer tijd om boete te doen en onszelf te louteren. De Heer wilde een volmaakt volk en kennelijk was hij van mening dat we nog niet zover waren.

Als onderdeel van zijn missie om ons volmaakter te maken, leek het erop dat Warren nu elk denkbaar excuus gebruikte om zijn greep op de Kerk te verstevigen, waarbij hij verscheidene mannelijke leden – onder wie zelfs hoge functionarissen – buiten de Kerk plaatste en hen in veel gevallen gebood het grondgebied van de FLDS te verlaten. Dat was ook het geval met Winston Blackmore, de bisschop van Bountiful. In de zomer van 2002 begon Warren hem agressief te bejegenen.

Wekenlang had oom Warren erop gezinspeeld dat er iets te gebeuren stond en gezegd dat hij 'een zeer belangrijke boodschap van vader' had. Hij zei dat we ons moesten 'voorbereiden' omdat het nieuws ons tot in het diepst van onze ziel zou schokken, maar hij trad nooit in details. Toen hij ervan overtuigd was dat hij het juiste fundament had gelegd, deed hij zijn aankondiging. We waren allemaal samengekomen in het bedehuis, toen oom Warren zijn plaats op het podium innam. Achter hem zat oom Rulon in de speciaal voor hem bestemde stoel naast oom Fred en verscheidene andere ouderlingen. Warren had maatregelen genomen om ervoor te zorgen dat de boodschap alle gelovigen zou bereiken. De bijeenkomst was via een telefoonverbinding tevens te volgen door de gelovigen in Canada, zo'n 1800 kilometer verderop. Hoewel Warren zijn toespraken altijd begon met de boodschap dat hij namens de profeet sprak, zei oom Rulon zelf slechts zelden iets, afgezien van het gebruikelijke 'broeder Warren spreekt namens mij'.

Nu bereidde oom Warren ons nogmaals voor op het nieuws dat ons te wachten stond. Met zijn trage, monotone stem deed hij een mededeling die insloeg als een bom. 'Winston Blackmore is ambitieus,' zei hij. 'Hij stelt zijn eigen woorden boven het woord van de profeet. Hij streeft naar macht en dient streng berispt worden.' Vervolgens gelastte Warren de gelovigen alle door oom Winston geproduceerde tapes en geschriften in te leveren of te vernietigen, in het bijzonder de geschriften over de geschiedenis van de priesterschap.

Er heerste een verbijsterd stilzwijgen. Winston Blackmore, in de FLDS-gemeenschap bekend onder de koosnaam oom Wink, was een gerespecteerd lid van de Kerk en beschikte over buitengewoon veel invloed. Hij was tot bisschop gewijd door de vorige profeet, Leroy Johnson, en in die hoedanigheid had hij zich laten zien als een vriendelijk en redelijk man. Veel van de gelovigen voelden meer liefde en respect voor Winston dan voor Warren, die eerder gevreesd dan geliefd was.

'Broeder Winston wordt de mogelijkheid geboden berouw te tonen, maar de profeet heeft hem streng gestraft,' verklaarde Warren.

Vervolgens kreeg oom Rulon de microfoon. De profeet kon niet meer goed staan en bleef zitten voor zijn aankondiging. In het verleden had oom Rulon de gelovigen dikwijls toegesproken, maar de laatste tijd sprong hij van de hak op de tak en verviel hij in herhalingen, tot oom Warren ingreep en de microfoon overnam. Vandaag was zijn stem zwak en af en toe onverstaanbaar. De hele gemeente, en vooral de gelovigen die in Canada bijeen waren gekomen, wachtten gespannen af wat hij zou gaan vertellen.

'Als jullie in Canada je gewoon achter Winston Blackmore scharen, is er niets aan de hand,' klonk oom Rulons zwakke stem door de luidsprekers.

Oom Warren boog zich snel voorover om zijn vader te corrigeren. Gemeenteleden op de voorste rijen hoorden hem fluisteren: 'Nee, vader, dat klopt niet.'

De profeet keek zijn zoon verward aan en zei toen op onzekere toon: 'O ja, doe wat broeder Warren jullie heeft gezegd.'

Warren viel hem in de rede en zei met luide stem in de microfoon: 'Geef jullie loyaliteit aan de profeet.'

Daarmee kwam een abrupt einde aan de bijeenkomst en onmiddellijk staken er vragen de kop op over wat er gebeurd kon zijn waardoor oom Winston het doelwit was geworden van een strenge berisping. Het bleek dat Winstons geloofsovertuiging meer in overeenstemming was geweest met die van de vroegere profeet Leroy Johnson dan met die van de familie Jeffs. Evenals oom Roy geloofde Winston kennelijk dat er binnen de Kerk ruimte moest zijn voor fouten en menselijke zwakheden, en zijn standpunt ten opzichte van zuiverheid was veel minder star dan dat van Warren en zijn vader. Hij had ook lesmateriaal geproduceerd, maar dat was bepaald niet controversieel en leek ook niet de aanleiding te zijn voor zo'n drastische verstoting.

Toen de opwinding over de aankondiging begon af te nemen, werd er gefluisterd dat Winston gestraft was omdat hij vraagtekens zette bij de extreme richting waarin Warren de Kerk had geleid. Het gerucht ging dat er tussen Warren en Winston de nodige confrontaties hadden plaatsgevonden gedurende de dagen en weken voordat Warren zijn aankondiging deed. Er werd gezegd dat Winston doorhad dat Warren zijn vader manipuleerde en zelf de beslissingen nam. Ze verschilden van mening over Warrens behandeling van kerkleden die hij als reddeloos beschouwde; die zette hij de Kerk uit, terwijl Winston dikwijls weigerde hen als verloren te beschouwen. Ik hoorde ook dat Warren Winston een lijst had gestuurd met de namen van mensen die hij definitief uit de Kerk wilde bannen, maar naar verluidt had Winston zich daartegen verzet.

Degenen die op de dag van de aankondiging op de voorste rijen zaten, was het niet ontgaan dat de oorspronkelijke woorden van de profeet niet overeenstemden met wat oom Warren had gezegd.

Achteraf is het me duidelijk dat Warren het tijdstip van de aankondiging perfect had gekozen. Rulons gezondheid ging snel achteruit en Winston Blackmore was een van de weinigen die over voldoende invloed beschikten om de gemeenschap zich tegen Warren te kunnen laten keren. Als Warren een dergelijke beschuldiging aan het adres van Winston pas na Rulons dood zou hebben geuit, zou men zijn motieven in twijfel hebben getrokken en vraagtekens hebben geplaatst bij zijn verklaring, maar met oom Rulon op het podium die Warrens beweringen 'ondersteunde', kon er geen sprake zijn van twijfel.

Warren maakte gebruik van het oprechte geloof van de gemeenschap dat de profeet nog honderden jaren zou blijven leven om zijn geboden en leerstellingen te rechtvaardigen. Gedurende een groot deel van mijn leven hadden oom Rulon en Warren gepredikt dat Rulon de laatste profeet op aarde zou zijn. Ze hielden ons voor dat hij nooit zou sterven; dat hij in plaats daarvan 'wedergeboren' zou worden; hij zou weer een man van in de twintig worden, die onze profeet zou blijven met zijn meer dan zestig vrouwen. In zijn wedergeboren staat zou Rulon ons na de verdelging naar Zion leiden en nog driehonderd jaar blijven leven. Dit denkbeeld werd regelmatig besproken en algemeen aanvaard binnen de FLDS. We omhelsden deze profetie van ganser harte en tegen het eind van die zomer schreef oom Warren een lied waarin de glorie van Rulons wedergeboorte werd bezongen. Ik zal nooit de intense emotie in het bedehuis vergeten toen de mensen eenstemmig het refrein van dit lied aanhieven:

Want hij zal dartelen door Zions gouden straten.
Geen oog heeft nog gezien, geen oor heeft nog gehoord
de glorie die hem ten deel zal vallen.
We houden van hem met heel ons hart.
Zijn lichaam zal herboren worden, hersteld als in zijn jeugd.
Het aantal zijner dienaressen zal zich uitbreiden
en zijn zaad zal vruchtbaar zijn.
Zijn mensen zullen zich over hem verheugen,
het verhaal steeds opnieuw vertellen.
De Heer heeft een wonder verricht,
onze profeet is wedergeboren.

Een paar van Rulons vrouwen hadden zelfs wiegjes op hun kamer gekregen als aansporing om kuis te blijven in afwachting van oom Rulons ophanden zijnde wedergeboorte, waarna hij weer zou beginnen nakomelingen te verwekken.

Tot het zover was, had oom Warren hem vervangen en de zorg voor oom Rulons gezin op zich genomen. Jarenlang waren oom Rulons vrouwen geconditioneerd om zich met al hun problemen tot Warren te wenden en niet tot hun echtgenoot. Of het nu over de huishouding ging, over hun persoonlijke gevoelens of hun privéleven, er werd van hen verlangd dat ze zich regelmatig bij Warren meldden en hem op de hoogte hielden van al hun doen en laten. Sommige vrouwen hadden Warren zelfs in vertrouwen genomen over vrouwenkwalen zoals endometriose. Ze moesten gedetailleerd hun ziekteverschijnselen beschrijven voordat Warren hun toestemming gaf om een arts te raadplegen.

Deze inbreuken op de privacy waren er de oorzaak van dat Kassandra nog meer van Warren vervreemdde. Ze vertelde me dat zij en Warren het nooit met elkaar eens waren en ze maakte van elke gelegenheid gebruik om hem te ontlopen en zich rechtstreeks tot oom Rulon te wenden. Als ze ergens toestemming voor wilde krijgen, probeerde ze het aan haar echtgenoot te vragen in plaats van aan Warren. Haar optreden irriteerde Warren en hij liet geen mogelijkheid onbenut om haar te berispen. Naarmate Rulons gezondheidstoestand verder verslechterde, werd Warren steeds bemoeizuchtiger en hij begon haar leven te beïnvloeden op een manier die haar frustreerde. Voorheen was hij alleen maar irritant geweest, maar nu kon ze niet meer ontkomen aan zijn bemoeizucht en zijn constante controles. Als reactie daarop werd Kassandra steeds onafhankelijker, waarbij ze regelmatig diverse richtlijnen aan haar laars lapte, waaronder de avondklok die Warren voor alle echtgenotes had ingesteld.

Nu Rulons gezondheid zo hard achteruitging, brachten de meeste jonge echtgenotes van de profeet de zomer van 2002 thuis door om te bidden voor zijn wedergeboorte. Ze droomden allemaal van de tijd dat ze weer kinderen konden krijgen van Rulon; in afwachting daarvan begonnen ze zelfs al babykleertjes te maken. Maar Kassandra wilde daar niets van weten. Ze bleef zo vaak ze kon het huis verlaten en ze was al diverse malen betrapt als ze er stiekem vandoor ging. Zonder dat oom Warren ervan op de hoogte was, had Kassandra vriendschap gesloten met een jong FLDS-lid genaamd Ryan Musser, een van Rulons kleinzoons. Ze hadden een hechte, heimelijke band en haar vertrouwen in hem bood haar een uitlaatklep voor haar opgekropte emoties. Ryan was de enige van wie ze het gevoel had dat ze hem in vertrouwen kon nemen zonder bang te hoeven zijn dat haar woorden aan Warren zouden worden overgebriefd.

Bij het naderen van de herfst ontstond er een scheuring, omdat sommige mensen – vooral die in Canada – het niet eens waren met Warrens beschuldigingen aan het adres van oom Wink. Ondertussen leek Winston niet van plan zich terug te trekken; hij bleef gewoon doen wat hij altijd had gedaan. Warren had boodschappen gestuurd aan de mensen in Canada, waarin hij hun voorhield: 'Of jullie zijn vóór de profeet of jullie zijn tegen hem.' Dat maakte het voor de mensen heel moeilijk om partij te kiezen. Er ontstond een scheiding, en nu er sprake was van een dreigend conflict over loyaliteit en macht, wist niemand hoe de priesterschap deze kwestie zou oplossen.

Op zondag 8 september ging ik samen met mijn moeder naar het bedehuis voor de kerkdienst. Bij binnenkomst viel me op dat de rijen stoelen waar Rulons vrouwen gewoonlijk zaten, leeg waren. Onmiddellijk had ik het gevoel dat er iets niet in orde was en dat vermoeden werd nog versterkt toen ik zag dat oom Warrens familie eveneens ontbrak op de stoelen vlak achter die van de familie van de profeet. Terwijl ik met mijn moeder en mijn zussen op onze gebruikelijke plaats zat, hoorde ik mensen fluisteren dat oom Rulon naar het ziekenhuis was gebracht.

De dienst begon met oom Fred als voorganger. Vanaf de kansel deelde hij de gemeente op plechtige toon mee dat de profeet ernstig ziek was en met spoed naar het ziekenhuis was overgebracht. Daarna volgde zoals gebruikelijk het openingsgebed, waarna alle aanwezigen hun geloof in de wedergeboorte van de profeet verkondigden. Toen de dienst enkele minuten aan de gang was, klonk plotseling de stem van oom Warren over de omroepinstallatie. Hij belde vanuit het ziekenhuis, waar hij waakte aan het bed van zijn vader. 'De profeet heeft een operatie ondergaan,' meldde Warren met zijn gebruikelijke monotone stemgeluid. 'Het gaat goed met hem.'

Er daalde een doodse stilte neer over de ruimte terwijl we allemaal voor oom Rulon baden. Ongeveer drie kwartier later klonk oom Warrens stem opnieuw door de luidsprekers, met een tweede, verbijsterende mededeling. 'De profeet is overleden,' deelde hij op sombere toon mee. 'Bid voor hem.'

Er viel een plechtige stilte over het bedehuis. Ik zat te wachten tot oom Warren ons zou vertellen dat God een wonder had verricht en dat oom Rulon wedergeboren was. Maar de dienst kwam tot een einde en verbijsterd volgde ik de rest van de gelovigen naar buiten.

Kort na Rulons dood deelde Warren ons mee dat de wedergeboorte van de profeet zou lijken op die van Jezus Christus, met dien verstande dat oom Rulon te midden van ons stervelingen zou blijven als onze leider. Terwijl we allemaal verwachtten dat oom Rulon spoedig weer in zijn wedergeboren gestalte zou verschijnen, begon de Kerk voorbereidingen te treffen voor zijn begrafenis, die op 12 september zou plaatsvinden. De mensen probeerden te begrijpen welke bedoeling God zou kunnen hebben met het laten sterven van de profeet. De enige manier waarop we troost konden vinden, was door te geloven dat we getuige zouden zijn van een groot wonder.

Op de dag van oom Rulons begrafenis vermeldde het programma dat de profeet toezicht hield op zijn eigen dienst en de hoogst aanwezige autoriteit van de priesterschap was. Warren troostte ons door te zeggen dat zijn vader zich 'in het aangrenzende vertrek' bevond en alles wat er gebeurde, kon horen en zien. Voor leden van de FLDS betekent de uitdrukking 'in het aangrenzende vertrek' dat iemand het geestenrijk heeft betreden. Oom Warren, als eerste raadsman van de profeet, was er alleen om de wens van zijn vader ten uitvoer te brengen. Terwijl het orgel speelde, dwaalde mijn blik naar de lijkkist in het midden van de ruimte. Daarin bevond zich de profeet en ik was bang dat er voor hem geen uitweg was.

Tijdens het afscheid nemen had ik steeds verwacht dat hij overeind zou gaan zitten en de mensen zou toespreken. Later zou ik erachter komen dat ik die dag niet de enige was met dat misplaatste geloof. Niemand durfde echter iets te zeggen; we wachtten gewoon, zoals ons was opgedragen. We keken door onze tranen heen toe terwijl de vrouwen van de profeet nog een laatste lied voor hem zongen: 'Hij is wedergeboren'. Toen ik de rest van het programma bekeek, zag ik dat oom Warren spoedig het woord zou voeren. Hij had zichzelf aangekondigd als 'ouderling Warren S. Jeffs namens president Rulon T. Jeffs'. Nu ik me dat moment herinner, is het me duidelijk dat hij geruisloos de positie van de profeet overnam door zichzelf te benoemen tot officieel woordvoerder van zijn vader.

Toen ik opkeek, zag ik dat oom Warren zich niet langer op het podium bevond. Zijn broer Isaac was begonnen met de zegening. Terwijl de dienst langzaam ten einde liep, zat iedereen vol spanning te wachten op wat er zou gebeuren. We hadden allemaal de gelegenheid gehad om afscheid te nemen van de profeet, maar nu was de kist gesloten en de dienst liep ten einde.

Onze harten werden nog bedroefder toen duidelijk werd dat oom Rulon in de aarde begraven zou worden en dat oom Warren de grafrede zou uitspreken. Niet alleen was de lijkkist gesloten, maar hij zou ook nog eens onder twee meter aarde verdwijnen. Ik stond daar verlamd van angst, terwijl ik bang was dat de profeet na begraven te zijn, niet meer uit zijn kist zou kunnen komen. En terwijl ik om me heen keek naar de vertwijfelde rouwenden, was ik er zeker van dat ik niet de enige was die zich daar zorgen over maakte. Niettemin werden we geacht te geloven dat hij spoedig weer onder ons zou zijn en dat we gewoon moesten afwachten. Nadat men de kist in het graf had laten zakken en de laatste zegening was uitgesproken, bleef de hele gemeente staan wachten, tot oom Fred ons ten slotte opdroeg naar huis te gaan.

De maandag na de begrafenis van de profeet riep Warren de gemeente bijeen en verklaarde in zijn preek: 'Ik zeg tot de gelovigen: handen af van het gezin van de profeet.' Dit maakte ons allen duidelijk dat geen van de vrouwen van zijn vader uitgehuwelijkt zou worden en dat hij toezicht op hen zou blijven houden. De dagen na de dood van de voormalige profeet Leroy S. Johnson hadden mannen in de gemeente druk op oom Rulon uitgeoefend om zijn jonge vrouwen uit te huwelijken. Ik had gehoord dat die vrouwen in feite 'geveild' waren voor enkele vooraanstaande FLDS-mannen. Ten overstaan van de hele gemeenschap verzekerde Warren ons dat dit niet met oom Rulons vrouwen zou gebeuren. Zijn verklaring bracht velen van ons in verwarring, omdat we geloofden dat de profeet zou terugkeren. Mocht dat inderdaad het geval zijn, dan was er geen enkele reden om zijn vrouwen aan anderen toe te wijzen.

Terwijl eerst de dagen en toen de weken verstreken, begonnen de besmuikte bespiegelingen over de wedergeboorte en terugkeer van de profeet af te nemen, en uiteindelijk realiseerden we ons dat we op aarde achter moesten blijven zonder onze profeet.

17
Valse profeet

Je enige echte familie zijn de leden van de priesterschap die trouw
zijn aan de profeet.
— WARREN JEFFS

De weken na het overlijden van de profeet waren een onrustige periode
voor de FLDS. De profeet werd niet verondersteld te sterven en nu dat
wel was gebeurd, deed Warren zijn best om alles onder controle te houden. Verward en in gespannen afwachting van hoe het nu verder zou
gaan, woonde iedereen alle drie onze wekelijkse kerkdiensten bij. In
het verleden was alleen de zondagsdienst verplicht, terwijl aan het zaterdagse arbeidsproject voornamelijk werd deelgenomen door de
mannen van de gemeente en de maandagochtendbijeenkomst, een
lichtere dienst met zang en gebed, minder mensen trok.

Zelfs ik woonde de zaterdagbijeenkomst op 22 september bij, in de
hoop nieuwe informatie te krijgen die zou kunnen helpen mijn gevoel
van zekerheid te herstellen. Warren stond op de kansel, zoals al verscheidene jaren het geval was, maar op deze dag begon zijn boodschap
subtiel te veranderen.

'Ik bid dat de Heer het gebed van onze profeet zal verhoren,' begon
hij. 'Dit is het woord van God, en ik smacht ernaar vaders boodschap
door te geven.'

Hij begon te verkondigen dat zijn vader in feite 'opgeheven en wedergeboren' was, maar dat dat niet in fysieke zin was gebeurd, zoals altijd was voorspeld. Het was een geestelijke wedergeboorte geweest.
Naarmate de weken verstreken, bleef Warren suggereren dat de profeet
altijd in ons midden was, ook al was zijn lichaam nergens te zien.

'Voelen jullie de liefde van de profeet?' vroeg Warren ons tijdens een
andere bijeenkomst. 'Vader is in het aangrenzende vertrek,' verzekerde

hij ons opnieuw. 'Ik kan zijn nabijheid voelen. Hij spreekt via mij. Leef alsof hij nog steeds onder ons is. Hij is onder de mensen en doet nog steeds zijn werk.' Aan deze troostrijke woorden voegde hij toe: 'Er staan ons gebeurtenissen te wachten, beproevingen die alleen de zuiveren van hart zullen kunnen doorstaan.'

Indertijd was ik veel te geïndoctrineerd om in te zien dat oom Warren ons aan het voorbereiden was op zijn formele opvolging. Hoewel hij altijd fanatiek onze geloofsovertuigingen en de profetieën over onze toekomst had uitgedragen, denk ik dat hij de waarheid moet hebben geweten: zijn vader was een sterfelijk iemand die net als ieder ander begraven zou blijven. En dus moest hij de mensen herprogrammeren om een nieuwe interpretatie van de dood van de profeet te accepteren, een interpretatie die hem de gelegenheid bood de volledige macht naar zich toe te trekken. Achteraf besef ik dat die belachelijke verklaring over de wedergeboorte van de profeet ons duidelijk had moeten maken dat hij misbruik van de situatie maakte om zijn eigen doel te bereiken. Maar niemand die geboren en getogen was in de FLDS kon zijn handelwijze objectief beoordelen. De voortdurende herhaling van Warrens extreme denkbeelden had ons door en door geconditioneerd, en angst had het ons onmogelijk gemaakt ook maar enige gevoelens van twijfel te uiten.

Tijdens de bijeenkomst van 13 oktober kregen we een voorproefje van het plan dat hij achter de schermen had uitgedokterd. Om zich te verzekeren van ons volledige vertrouwen en onze volle aandacht herinnerde hij ons er tijdens zijn toespraak voortdurend aan dat hij fungeerde als doorgeefluik van de wensen van zijn overleden vader. Zijn stem klonk monotoon en zacht, ondanks de fascinerende inhoud van zijn woorden. 'Ik ben hier om de wens van de profeet uit te voeren,' begon hij. 'Hij wil dat we vuriger en geloviger zijn. De tijd dringt.' Opnieuw liet hij doorschemeren dat ons geloof spoedig op de proef zou worden gesteld. Hij verwees naar het boek Job uit het Oude Testament, waarin God Jobs geloof op de proef stelt met een reeks zware beproevingen. 'Mogelijk begrijpen jullie het niet,' merkte Warren op, 'maar spoedig zullen we op de proef worden gesteld om te zien wie de "wijze bruidsmeisjes" zijn en wie er voorbereid zijn. Alleen de zuiveren van hart zullen de beproeving kunnen doorstaan.'

Warren verwees naar de parabel van de dwaze en de wijze bruidsmeisjes uit Matteüs 25, waarin tien meisjes in het donker hun bruidegom tegemoet gaan. Onderweg ontstaat er een scheiding tussen de wijze meisjes, die extra olie voor hun lampen hebben meegenomen, en de dwaze meisjes, die dat niet hebben gedaan. Hoewel ze alle tien gelovig zijn, is het onderscheid tussen zij hen die voorbereid zijn en zij die dat niet zijn, duidelijk. Warren wilde vaststellen waar die geloofsscheiding in onze Kerk bestond en zich van onze 'dwaze meisjes' ontdoen zolang het nog kon.

Maar voordat de dwaze meisjes van de verstandige gescheiden konden worden, moest er een nieuwe leider komen.

Tot onze verbazing nodigde Warren die dag een gerespecteerd ouderling van de gemeente uit op het podium. Dit gemeentelid had zich gedurende de afgelopen jaren tot een enthousiast aanhanger van Warren ontwikkeld. Die zaterdag zaten we in het bedehuis en luisterden in stille vervoering naar de ouderling, die vertelde over een gebeurtenis die eerder die week had plaatsgevonden, toen oom Warren een boerderij van de Kerk, het land, het water en de arbeiders had gezegend. Deze speciale zegening was verplicht voordat men een huis of bedrijf in gebruik kon nemen. De ouderling zei dat hij Warren bij het uitvoeren van dat belangrijke ritueel had gadegeslagen en dat het was alsof 'Jezus Christus door de menigte liep en het water, de vissen en het brood zegende'.

'Hij is net zo heilig, hij is net zo zuiver,' zei de ouderling. 'Hij is de dienaar van de Heer. Hij is als zijn vader. Hij leidt en gidst ons via hem. Warren Jeffs is onze leider.'

Deze toegewijde volgeling was de eerste die dat in het openbaar verklaarde. Aangezien hij een gerespecteerd ouderling was, kwam het niet als een verrassing dat Warren hem gebruikte om als eerste die verklaring af te leggen. Terwijl ik die dag in het bedehuis zat, probeerde ik het te begrijpen. Dit is een test, hield ik mezelf keer op keer voor. Ik kon niet geloven dat Warren Jeffs de volgende profeet zou zijn. Nog maar een paar weken geleden had Warren nadrukkelijk beweerd dat hij geen aspiraties in die richting had en dat oom Rulon ons zou blijven leiden.

De week daarop werden er in de kerk meer raadselachtige verklaringen afgelegd. Ditmaal stond Warrens broer Isaac op en hij sloot zich aan bij de uitspraak van de ouderling. Hij vertelde ons dat zijn vader 'vertrouwen' in Warren had en wilde dat hij hem zou opvolgen. Er heerste een gevoel van vervreemding onder de mensen, dat steeds sterker werd. Hoewel Warren publiekelijk had verklaard dat geen van oom

Rulons vrouwen uitgehuwelijkt zou worden, begon hij naar de kerk te komen in het gezelschap van verscheidene van hen. Normaal gesproken duidde dat erop dat die vrouwen met hem in de echt verbonden waren of op het punt stonden aan hem toegewezen te worden. Het vermoeden werd niet bevestigd, aangezien niemand ernaar durfde informeren.

Ik maakte me zorgen over wat dit voor Kassandra zou betekenen. Vóór Isaacs toespraak vertrouwde ze me toe dat oom Warren in het geheim met enkele vrouwen van zijn vader was getrouwd en dat ze doodsbenauwd was dat zij de volgende zou zijn. Ondanks Warrens in het openbaar gedane uitspraken dat haar niets zou gebeuren, leek het steeds minder waarschijnlijk dat hij zijn belofte zou nakomen.

Enkele dagen na Isaacs getuigenis belde Kassandra me op om te vragen of ik haar kon helpen bij het verhuizen van haar spullen uit het huis van de profeet. Ze zei dat ze zou gaan trouwen en er zeker van wilde zijn dat ze daar klaar voor was als het zover was. Het nieuws kwam als een verrassing, maar ze verzekerde me dat het niet Warren was met wie ze in het huwelijk zou treden.

'Met wie ga je dan wél trouwen?' vroeg ik, verward maar nieuwsgierig.

'Daar kan ik nu echt niet over praten,' antwoordde Kassandra met een air van geheimzinnigheid. Ze vertelde me alleen dat ze voorbereid moest zijn. 'Ik heb een paar van de andere meisjes zien trouwen, en als ze hun spullen niet bij elkaar hebben, krijgen ze niet meer de kans om die mee te nemen.'

Ik wilde haar graag helpen en dus reed ik naar oom Rulons huis, waar Kassandra buiten op me stond te wachten. Haar kamer bevond zich op de begane grond aan de voorkant van het huis. Ik begreep niet waarom ze zo'n haast had en waarom ze voortdurend schichtig om zich heen keek. 'Kom op, opschieten,' zei ze elke keer als we van haar kamer naar mijn Ford Ranger liepen. Toen we al haar spullen hadden ingeladen, reden we naar onze stacaravan. Kassandra wilde haar spullen zolang opslaan in ons schuurtje. Ik stond er verder niet bij stil en was voornamelijk blij dat haar leven deze positieve wending nam.

Toen ik enkele dagen later thuiskwam van mijn werk, zag ik een onbekende pick-up op de oprit voor de stacaravan geparkeerd staan. Plotseling zag ik Kassandra uit het schuurtje tevoorschijn komen.

'Wat doe jij hier?' vroeg ik, verbaasd haar zo laat op de dag te zien.
'Ik kom alleen mijn spulletjes ophalen.'
'Ga je al trouwen?' informeerde ik.
'Nog niet, maar dat duurt niet lang meer.'
'Van wie is die pick-up?'

Kassandra aarzelde even, zichtbaar nerveus. 'Dat weet ik niet. Ik ben hier door iemand afgezet,' zei ze. 'Hij stond er al toen ik aankwam.'

Het was natuurlijk onzinnig dat ze spulletjes zou verhuizen zonder over vervoer te beschikken. Ik besefte dat er iets niet klopte en probeerde achter Kassandra aan het schuurtje binnen te gaan, maar ze hield me bij de deur tegen. 'Wat is er aan de hand?' vroeg ik haar gefrustreerd.

Ze was erg nerveus. Terwijl ik aandrong op uitleg, kwam Ryan Musser uit het schuurtje tevoorschijn, en plotseling werd alles me duidelijk.

'We gaan ervandoor,' kondigde Kassandra aan.

Haar woorden troffen me tot in het diepst van mijn ziel. Mijn hart brak en ik begon te huilen. 'Je hebt tegen me gelogen.'

'Ik moest ervoor zorgen dat je me hielp,' zei Kassandra.

'Je hebt me gebruikt!' schreeuwde ik. 'Hoe kun je dit doen? Hoe kun je moeder en de meisjes in de steek laten? Hoe kun je ons hier achterlaten?'

Wekenlang had Kassandra mijn mobieltje en mijn pick-up geleend. Ik had haar nooit vragen gesteld. Maar nu, geconfronteerd met het nieuws dat ze de gemeenschap verliet, was ik boos over het bedrog en doodsbang dat ik haar nooit meer terug zou zien. Afgezien van moeder en mijn twee jongere zusjes was zij de enige die ik nog had. Als gezinsleden van de profeet maakten Rachel en Michelle nauwelijks meer deel uit van mijn dagelijks leven. Mijn contact met hen ging zelden verder dan het oppervlakkige 'Hallo, hoe gaat het ermee? Ik hou van je'. Zonder Kassandra zou ik volkomen verloren zijn. Ze was mijn reddingslijn geworden en mijn steun en toeverlaat bij mijn problemen met Allen.

'Ik vergeef het je nooit dat je haar hier weghaalt,' zei ik tegen Ryan.

Met mijn zestien jaar was ik te jong en te gelovig om te kunnen begrijpen waarom ze dit deed en ik was ervan overtuigd dat ze een grote fout maakte. Kassandra, die aanvoelde dat ik zou proberen haar tegen te houden, greep mijn mobieltje en mijn autosleutels.

'Wat doe je nu?' zei ik wanhopig. Ik was niet van plan haar zomaar te laten gaan en dat wist ze. Ik wilde moeder bellen, in de hoop dat die haar op andere gedachten zou kunnen brengen, maar ze weigerde mijn mobieltje en autosleutels terug te geven voordat zij en Ryan goed en wel op weg waren. Ik keek huilend toe terwijl ze de laatste spullen inlaadden en ondanks mijn aanhoudende protesten en tranen de motor startten.

'Blijf alsjeblieft,' smeekte ik. 'Je kunt ons niet in de steek laten. Geef niet alles op.'

Ik wist dat Kassandra het moeilijk had; zelf had ik het ook niet gemakkelijk. Maar ik kon me niet voorstellen dat ik mijn moeder en mijn zusjes in de steek zou laten zoals ik zelf ook in de steek was gelaten. Ik had het al zo vaak zien gebeuren. Het veroorzaakte elke keer meer verdriet.

Ik klemde me als een klein kind aan haar vast toen ze me ten afscheid omhelsde. Nadat ze was ingestapt, gooide ze me mijn mobieltje en mijn autosleutels toe. Stof waaide in mijn gezicht toen de pick-up met slippende achterbanden optrok. Diep ongelukkig zakte ik bijna in elkaar. Tegen de tijd dat ik bij mijn moeder aankwam, was ik ontroostbaar.

'Wat scheelt eraan, Lesie?' vroeg moeder zachtjes, terwijl ze mijn haar streelde en probeerde me te kalmeren. Ik was zo overstuur dat ik geen woord kon uitbrengen en ik stond daar maar met schokkende schouders terwijl de tranen me over de wangen liepen.

'Kassandra is weg,' zei ik ten slotte. Sherrie en Ally waren allebei in de kamer toen ik het nieuws eruit flapte, maar ik was te verdoofd om meer te vertellen en ik kon nauwelijks reageren toen Ally instortte. We waren geen broers of zussen meer kwijtgeraakt sinds Calebs vertrek twee jaar eerder, en het sluimerende verdriet daarover kwam weer in alle hevigheid naar boven. Opnieuw was ons gezin uiteengerukt; opnieuw was ik in de steek gelaten.

Ik vertelde Allen niet over Kassandra, maar dit soort nieuws deed snel de ronde en hij hoorde het van iemand anders. Hij zei dat het hem speet en dat hij zich zorgen maakte over de invloed die Kassandra's vertrek op mij zou kunnen hebben.

'Ze is een heel slecht voorbeeld,' zei hij tegen me. 'En ik hoop maar dat ze jou niet heeft aangestoken.'

De dagen na Kassandra's vertrek verliepen vrij hectisch. Het begon met oom Fred, die mijn moeder urenlang ondervroeg om erachter te komen waar Kassandra zich bevond, wat er was gebeurd en hoe. Moeder kreeg opdracht om een verklarende brief aan oom Warren te schrijven waarin ze alles opsomde wat ze wist over de omstandigheden rond de afvalligheid van haar dochter. Ik werd nog strenger ondervraagd. Kassandra had mijn mobieltje gebruikt, en zij en ik waren betrapt bij het weghalen van haar spullen door de videocamera's die het erf rond de woning van de profeet bewaakten. Mijn onbewuste rol in Kassandra's vlucht stond nu op de band en werd gebruikt als bewijs van mijn vermeende betrokkenheid bij haar flagrante verraad jegens de Kerk.

Door de urenlange ondervraging door oom Warren en Fred voelde ik me alsof ik zojuist een moord had gepleegd of een bank had beroofd. Ik moest Fred mijn mobieltje laten zien en het scheelde weinig of hij had het voorgoed in beslag genomen toen hij hoorde dat Kassandra er de dagen voor haar ontsnapping gesprekken mee had gevoerd.

'Ik had geen idee,' hield ik vol. 'Ik had geen enkele aanwijzing dat Kassandra met iets anders bezig was dan wat ze me vertelde. Ik vertrouwde haar. Ze vertelde me dat ze voorbereidingen trof voor haar aanstaande huwelijk en ik geloofde haar.'

Maar Fred geloofde geen woord van wat ik zei. Hij was ervan overtuigd dat ik als medeplichtige de spullen van mijn zus uit het huis van de profeet had gehaald en in mijn schuurtje had opgeslagen. Hoewel ik van mijn zus hield, was ik woedend op haar om wat ze had gedaan. Ik had het gevoel dat ze moeder, Sherrie, Ally en mij voor de wolven had gegooid, ogenschijnlijk zonder erbij stil te staan welke gevolgen haar actie voor ons zou hebben. Ik had gedacht dat ze mijn beste vriendin en mijn naaste vertrouweling was, maar ze had de waarheid voor me verborgen gehouden. Dankzij haar moesten we verantwoording afleggen tegenover de priesterschap, maar het enige antwoord dat we hun konden geven, was: 'Ik weet het niet.'

Mijn verdriet en het gevoel dat ik verraden was, werden nog verergerd door het stille onbehagen dat de hele gemeenschap in zijn greep leek te houden. De getuigenissen van de ouderling en Isaac Jeffs hadden aanleiding gegeven tot enige verwarring met betrekking tot de vraag wie onze leider zou worden. Hoewel niemand openlijk zijn twijfel durfde uit te spreken, waren er velen die zich vastklampten aan de steeds zwakker wordende hoop dat oom Rulon zou terugkeren.

Tijdens de dienst van 1 december kreeg onze gemeenschap een nieuwe schok te verwerken, toen Warren op het podium stond en zei: 'Zonder mijn medeweten had vader voor deze gelegenheid getuigen voorbereid. Laten we nu luisteren naar zuster moeder Naomi.'

Naomi Jeffs was een van de vrouwen van oom Rulon en de dochter van Merrill Jessop, de ouderling die eigenaar was van het motel in Caliente waar mijn huwelijksplechtigheid had plaatsgevonden. Ze was nauwelijks twintig toen ze in 1993 met de profeet trouwde en ze stond in hoog aanzien in de gemeenschap. Haar engelachtige schoonheid gaf aanleiding tot een wijdverbreide overtuiging dat ze over een uitzonderlijk zuiver hart beschikte. Ondanks haar onberispelijke reputatie verkeerde ik in een soort shocktoestand terwijl ik toekeek hoe Naomi in haar lange roze, met witte kant afgezette jurk naar de microfoon stapte. Het was hoogst ongebruikelijk dat een vrouw in de kerk het woord voerde. In feite gebeurde dat vrijwel nooit.

'Ik bid voor vaders geest en dat hij maar heel dicht bij me mag zijn,' begon Naomi met haar melodieuze, zachte stem. 'En dat hij via mij zal spreken en dat ik uitsluitend datgene zal zeggen wat hij wil dat ik zeg.

Allereerst vraag ik: geloven wij werkelijk in oom Rulon? Als dat het geval is, dan geloven we ook dat Warren Jeffs thans onze profeet is.'

Naomi's inleidende opmerkingen waren verontrustend, maar wat ze vervolgens zou onthullen, veroorzaakte de nodige beroering in onze gemeenschap. 'Ik ben zo dankbaar dat ik met onze profeet getrouwd ben,' zei ze tegen ons, daarmee toegevend dat ze nu Warrens echtgenote was. Het bleek dat Naomi een van de zeven vrouwen van oom Rulon was die met oom Warren in het huwelijk waren getreden tijdens een geheime plechtigheid op 8 oktober. Ik dacht terug aan het gesprek dat ik met Kassandra had gehad, kort voor haar vertrek. Dit was duidelijk waar ze op had gedoeld en ik begon te begrijpen waarom ze was gevlucht. Hoewel ik me nog steeds gekwetst en in de steek gelaten voelde, was ik dankbaar dat ze was vertrokken voordat ze aan Warren was uitgehuwelijkt.

Terwijl alle aanwezigen die opzienbarende informatie probeerden te verwerken, verhaalde Naomi over een aantal voorvallen die Warrens natuurlijke positie als onze profeet moesten aantonen. We hadden altijd geweten dat oom Rulon zou terugkeren als jongeman om zijn opdracht te volvoeren, maar we hadden ons voorgesteld dat hij wedergeboren zou worden in zijn lichaam. Nu gaf Naomi te kennen dat de transformatie subtieler in zijn werk was gegaan: oom Rulon was bij ons teruggekeerd in de gedaante van zijn zoon.

Nu ik niet langer deel uitmaak van de FLDS, kan ik begrijpen dat een buitenstaander dit alles belachelijk zou vinden. Maar na mijn hele leven naar deze krachtige retoriek te hebben geluisterd, naar de voortdurende herhaling van deze extreme overtuigingen, was ik volledig geconditioneerd om alles te geloven wat me voorgehouden werd door de mensen van wie ik geloofde dat ze Gods boodschappers waren. Hoewel de FLDS begrijpelijkerwijs aanstoot neemt aan het woord 'gehersenspoeld', is dat wel degelijk wat er met mij was gebeurd, en dus was er bij mij geen ruimte voor twijfel.

We luisterden gefascineerd en in doodse stilte naar Naomi, die verslag deed van haar persoonlijke gesprekken met oom Rulon. 'Hij heeft me zowel voor als na zijn beroerte vele malen verteld dat ik hier zou moeten getuigen en hij heeft me vele andere dingen verteld die te heilig zijn om hier te herhalen. Vlak voor zijn dood zei hij tegen Warren: "Blijf bij me in de buurt. Ik heb je nodig. Ik zal er niet veel langer zijn. Ik ga weg, maar ik blijf dicht bij je."'

Ze vertelde over een voorval waarbij zij, Warren en nog een andere vrouw van Rulon, Mary, zich in Rulons kamer bevonden. De profeet was ziek. 'Warren liep de gang in en ik keek hem na en zag vaders heilige licht op hem schijnen. Ik voelde hetzelfde bij Warren als ik bij vader had gevoeld. De waardigheid van zijn priesterschap verlichtte hem van binnenuit. De glans van Warrens aangezicht overweldigde me en op dat moment wist ik het.

'Ik getuig hierbij dat Warren Jeffs de profeet is,' verklaarde Naomi, terwijl haar zachte stem door het bedehuis weerklonk. 'Ik getuig dat dat de reden is waarom vader wilde dat Warren bij hem in de buurt bleef. Vader gidst Warren van zeer nabij en zal erop toezien dat hij uitsluitend Gods wil zal uitvoeren.' Deze zorgvuldig georkestreerde presentatie, gevoegd bij de getuigenissen van de ouderling en Isaac Jeffs, versterkte Warrens positie als onze nieuwe profeet. Het was inmiddels bijna drie maanden geleden dat oom Rulon was overleden en hoewel Warren ons had verzekerd dat hij geen ambities in die richting had, was hij doorgegaan met het leiden van alle bijeenkomsten en gebedsdiensten. In feite hadden een paar van zijn trouwe aanhangers de gewoonte opgevat zich voor de dienst buiten het bedehuis op te stellen om bij de mannelijke gemeenteleden te peilen waar hun loyaliteit lag. 'Steun je oom Warren?' vroegen ze, om vervolgens de toegang te weigeren aan diegenen die geen bevestigend antwoord gaven. Velen van ons die nu naar Naomi Jeffs' toespraak zaten te luisteren, waren op deze manier gescreend voordat ze het bedehuis betraden voor deze zeer belangrijke bijeenkomst.

Er bevonden zich onder ons geen dissidenten die Naomi's beweringen betwistten. Allemaal namen we als gebiologeerd haar woorden in ons op. Voor degenen die die dag bijeen waren, bleek uit haar getuigenis zonneklaar dat onze profeet zijn werk had willen voortzetten in de persoon van zijn zoon. Hoewel sommigen van ons heimelijk hoopten dat oom Fred het over zou nemen in plaats van Warren, zweeg Fred, de man die al tientallen jaren bisschop van de tweelinggemeente Hildale-Colorado City was, in alle talen. Vanaf die dag stond het voor de mensen van de FLDS vast dat Warren Jeffs de profeet was.

18

Een toevluchtsoord in Canada

Volmaakte gehoorzaamheid leidt tot volmaakt geloof.
– FLDS-gezegde

In de verwarring na de dood van oom Rulon kwamen veel mensen van de gemeenschap in Canada hem de laatste eer bewijzen. Dat hield in dat heel wat voertuigen ook weer de terugweg naar Canada moesten ondernemen en ik hoopte dat ik in een daarvan een lift naar Bountiful kon krijgen.

Ik had er al geen enkel vertrouwen meer in dat het met mijn huwelijk ooit nog goed zou komen na die rampzalig verlopen eerste trouwdag, maar onze verhuizing naar de stacaravan, vorige zomer rond mijn zestiende verjaardag, had de zaak er nog erger op gemaakt. Het bereiken van de zestienjarige leeftijd was op meerdere manieren een keerpunt voor me geweest. Ik kon nu officieel gaan werken en mijn rijbewijs halen. Hoewel ik de beschikking had over een auto en net als de meeste FLDS-tieners al sinds mijn veertiende in de crik rondreed, verschafte het rijbewijs me een nieuw gevoel van veiligheid. Ik hoefde me niet langer elke keer zorgen te maken als ik een politieauto van buiten de stad zag en ik kon nu legaal naar St. George rijden als de stacaravan me begon te benauwen. Allen had inmiddels een baan als installateur van verlichtingsarmaturen bij Reliance Electric en hij had een tweede auto, de bruine Ford Ranger die hij me liet gebruiken.

Nu ik officieel mocht werken, kon ik een beter inkomen verdienen. Naast mijn werk als hulp voor de gehandicapte kleuter en als japonnaaister had ik een baan geaccepteerd waarbij ik voor een andere vrouw in de FLDS optrad als colporteur voor Saladmaster. Ik verkocht huis aan huis potten en pannen en bereidde ook maaltijden bij gezinnen thuis om de producten in de praktijk te demonstreren. Ik was altijd al goed in de keuken geweest en dit was een nieuwe manier om mijn kookkunst te benutten. Het werk was heel lucratief voor een meisje van mijn leeftijd en ik verdiende heel wat meer dan ik elke week aan Allen afdroeg. In de FLDS wordt van een vrouw verwacht dat ze haar volledige loon aan haar echtgenoot afgeeft en hij wordt geacht alle financiële zaken af te handelen en in haar levensonderhoud te voorzien. Het frustreerde Allen dat ik me niet aan die regel hield en dat verergerde de spanning binnen ons huwelijk, zelfs al gaf ik hem ook nog een redelijk bedrag voor het gebruik van zijn pick-up.

Wat Allen niet wist, was dat ik hem niet meer geld afdroeg omdat ik er zeker van wilde zijn dat mijn familie niets tekortkwam. Ik voelde me verantwoordelijk voor hen. Moeder moest een beroep doen op oom Fred als ze geld nodig had voor nieuwe schoenen, stof voor kleren of andere benodigdheden voor haarzelf en mijn jongere zusjes, maar daar voelde ze zich ongemakkelijk bij, omdat ze altijd overtuigende redenen moest aanvoeren waarom ze bepaalde dingen nodig had. Ook was ze te trots om hulp te vragen, en ze had het gevoel dat ze in oom Freds huishouden een lagere status had dan de andere vrouwen, hoewel dat nooit hardop werd gezegd.

Naast de verantwoordelijkheid voor mijn moeder en mijn zusjes voelde ik me ook verplicht om Caleb te helpen, die nog steeds bij de Barlows in Hurricane woonde, maar er in feite alleen voor stond. Hij zat nu in de tweede klas van de middelbare school van Hurricane en speelde daar in het footballteam. Zo vaak ik kon, glipte ik het huis uit om naar zijn wedstrijden te kijken en hem mee uit eten te nemen. Begrijpelijkerwijs voelde Caleb zich gekwetst omdat onze ouders hem plompverloren bij de Barlows hadden achtergelaten. Ik deed mijn best om hem duidelijk te maken dat hij nog steeds familie had die om hem gaf, maar wat ik ook probeerde, ik kon zijn pijn niet verzachten. Ik begreep best dat het voor Caleb moeilijk te verteren was dat zijn biologische vader en moeder slechts een half uur verderop woonden en dat ze toch niet voor hem zorgden. Wat ik ook deed, mijn aanwezigheid in zijn leven zou nooit het gemis van zijn ouders kunnen compenseren.

En alsof dat nog niet genoeg was, hield ik ook nog een oogje op mijn oudere broer, Justin, die onlangs in zuidelijk Utah was komen wonen. Niet lang nadat vader en Audrey uit Salt Lake waren vertrokken, waren hij en zijn tweelingbroer Jacob ieder hun eigen weg gegaan. Jacob bleef in Salt Lake City, maar Justin was naar Hurricane gekomen en woonde samen met een stel jongens die uit de FLDS-gemeenschap waren verbannen. Sinds zijn verhuizing had ik mijn best gedaan om Justin te helpen en elke keer als ik in Hurricane was, ging ik zowel bij hem als bij Caleb langs. Soms had Justin dagenlang niets te eten en hij was dikwijls ziek.

Op een gegeven moment begonnen al die verantwoordelijkheden die ik op me nam en mijn eigen op instorten staande huwelijksleven, hun tol te eisen. Formeel woonde ik met Allen in onze stacaravan, maar ik bracht zo veel mogelijk tijd door met mijn moeder en mijn zusjes in het huis van oom Fred. Hoewel ik het heerlijk vond om bij mijn moeder te zijn, voelde ik me in oom Freds huis niet echt op mijn gemak. Allen deed Fred dikwijls verslag van mijn ongehoorzaamheid, dus ik moest voorzichtig zijn in mijn komen en gaan. Ook al bevond ik me nog steeds in een hopeloze situatie, ik deed mijn best om de waarheid voor mijn moeder verborgen te houden. Zij had Sherrie en Ally om zich zorgen over te maken. Ik wilde niet dat ze wist hoe Allen mij seksueel misbruikte. En ik wilde al helemaal niet dat ze wist van de miskraam die ik het afgelopen voorjaar had gehad, of van mijn tweede miskraam aan het eind van de zomer van 2002. Die tweede was lang niet zo heftig geweest als de eerste, maar toch was ik getraumatiseerd.

Het gevolg van dit alles was dat ik het op de avonden dat ik samen met Allen was, nog moeilijker vond om zijn niet-aflatende avances als een onderdanige echtgenote te verdragen. Omdat ik er behoefte aan had om een tijdje bij Allen vandaan te zijn, had ik in oktober oom Warren gebeld en gevraagd of ik hem kon spreken.

'Nee,' had hij op strenge toon gezegd. 'Als je hier naartoe wilt komen, kom je samen met Allen.'

'Mag ik u dan misschien over de telefoon iets vragen?' Blij dat hij niet ophing, vertelde ik hem dat ik zijn toestemming wilde om naar Canada te reizen om mijn zussen op te zoeken.

'Tja, dat is iets wat je met Allen zult moeten bespreken,' zei hij tegen me.

'Dat heb ik ook gedaan,' zei ik. 'Ik heb Allen gevraagd of ik mocht gaan, en hij zei nee. Ik... ik moet er gewoon even tussenuit. Ik moet een tijdje weg bij Allen, zodat ik alles eens goed op een rijtje kan zetten en weer een beetje kan bijkomen.'

'Je moet maar heel veel bidden en vooral voor ogen houden wat je opdracht in het leven is,' zei Warren voordat hij ophing. Hij had me geen toestemming gegeven om te gaan.

Tegen december 2002 was ik zo depressief dat het me 's ochtends de grootste moeite kostte om mijn bed uit te komen. Ik voelde weer een sprankje hoop toen mijn zus Teressa en haar man Roy uit Canada arriveerden om oom Rulons graf te bezoeken. Door hun aanwezigheid voelde ik me meteen weer een stuk opgewekter en vanaf het moment dat Teressa me zag, was het haar duidelijk dat ik met hen mee moest naar Bountiful. Ondanks mijn herhaalde smeekbeden weigerde Allen me te laten gaan.

'Ik ga helemaal niets bijzonders doen,' zei ik tegen hem. 'Ik wil alleen mijn familie opzoeken en er even tussenuit.'

Allen wist dat ons huwelijk op instorten stond, maar hij weigerde me te laten gaan. 'Jouw plaats is aan mijn zijde,' zei hij. 'Je hoort hier te zijn.'

Op een gegeven moment tijdens Teressa's verblijf ging ik met Roy en haar mee naar een afspraak die ze met oom Warren hadden gemaakt. Aangezien hij nu officieel onze profeet was, moesten ze hun opwachting bij hem maken zodat hij hen van de nodige goede raad kon voorzien voordat ze terugkeerden naar Canada. Warren leek het niet op prijs te stellen dat ik erbij was en ik was heel nerveus. Teressa stelde dat ze hulp nodig had met haar nieuwe baby en opperde de mogelijkheid dat ik met hen mee terug zou gaan naar Bountiful. Zij en Roy hadden drie kinderen en Teressa zei dat ze, omdat Roy een groot deel van de dag niet thuis was, een extra stel handen heel goed kon gebruiken.

Ik probeerde het zelf ook nog eens aan Warren uit te leggen: 'Ik heb het gevoel dat ik me hier niet op de juiste plek bevind. Ik moet een tijdje weg bij Allen om de zaken op een rijtje te zetten.'

Warren kon niet begrijpen waarom ik hetzelfde probleem nogmaals ter sprake bracht. 'Ik heb je al eerder gezegd dat je hier met Allen over moet praten,' bracht hij me in herinnering. 'Je moet doen wat Allen je opdraagt. Als je niet oppast,' zei hij vermanend, 'ga je je zus Kassandra achterna en zul je net als zij je geloof verliezen. Ze heeft alle kansen gehad om haar zielenheil veilig te stellen, maar daar heeft ze geen gebruik van gemaakt. Haar wacht de eeuwige verdoemenis.'

Teressa nam het voor me op. 'We zullen heel goed voor Elissa zorgen en haar goed begeleiden.'

De neerwaartse spiraal waarin ik me bevond, had haar ernstig verontrust. Daarover zei ze niets tegen mij, maar dat ik deze bijeenkomst met oom Warren van haar mocht bijwonen, toonde wel aan hoeveel zorgen ze zich over mijn toestand maakte. Oom Warren was niet bepaald dol op Teressa. Ze had geen hoge status binnen de FLDS en werd als lastig beschouwd vanwege haar sterke wil, dus aanvankelijk reageerde oom Warren afwijzend. Hij had me verteld dat ik naar huis moest gaan en moest leren Allen te gehoorzamen. Maar mijn zus en ik hielden vol en uiteindelijk ging Warren ermee akkoord Allen te bellen en hem via de luidspreker om zijn reactie te vragen.

'Het lijkt me gewoon geen goed idee dat ze gaat,' zei Allen. Zijn weigering maakte me woedend en ik had hem het liefst door de telefoon heen eens flink door elkaar willen rammelen. Maar ik probeerde me in te houden, in de hoop dat Teressa en Roy hem misschien tot andere gedachten zouden kunnen brengen.

'Als ik de tijd en de ruimte niet krijg om tot mezelf te komen, is het huwelijk wat mij betreft voorbij,' zei ik tegen oom Warren.

Na nog het nodige heen en weer gepraat gaf oom Warren ten slotte toe. Als Allen er geen bezwaar tegen had, zei hij, mocht ik gaan. Allen zuchtte. Hoewel hij duidelijk niet gelukkig was met de situatie, was hij verstandig genoeg om zijn zin niet te willen doordrijven. Met tegenzin ging hij akkoord. Voordat ik echter al te uitbundig kon reageren, herinnerde Warren me eraan dat ik mijn plichten en huwelijksgeloften niet mocht vergeten. Dat beloofde ik maar al te graag.

Ik kon mijn vreugde nauwelijks bedwingen terwijl ik mijn kleren inpakte en me gereedmaakte voor de reis. Wat ik Allen niet had verteld, was dat ik voor de derde keer zwanger was. Als hij dat had geweten, had hij me nooit laten gaan. Ik wist niet hoe of wanneer ik het nieuws uiteindelijk bekend zou maken, maar dat was nu niet belangrijk. Ik ging op weg naar Canada.

We vertrokken haastig, voordat Allen van gedachten kon veranderen, maar wat ik me op dat moment niet realiseerde, was dat onze rit naar Bountiful zou uitdraaien op een soort familiereünie. Zonder dat ik het wist, was er het nodige contact geweest tussen mijn familieleden. Zowel Kassandra als Teressa had gedurende de afgelopen maand contact gehad met onze broer Craig.

Het was allemaal begonnen toen Craig volkomen onverwacht Kassandra belde bij de profeet thuis, een paar dagen voor haar ontsnapping. Een tijd geleden was Kassandra Craigs adres te weten gekomen en had ze hem stiekem een overlevingspakket gestuurd met daarbij het telefoonnummer van haar kamer in oom Rulons huis. Er ging meer dan een jaar voorbij voordat hij haar eind oktober 2002 eindelijk belde. Hij had gehoord dat Rulon overleden was en had zich verplicht gevoeld contact met Kassandra op te nemen en te informeren hoe het met haar ging. Het was een wonder dat ze nog steeds dezelfde kamer en hetzelfde telefoonnummer had, want het was gebruikelijk dat de vrouwen van de profeet op gezette tijden van kamer wisselden en een ander telefoonnummer kregen.

Het was de eerste keer dat iemand van onze familie met Craig sprak sinds hij in 1996 was vertrokken. Hij was van streek toen hij later hoorde van alle narigheid die ons gezin te verduren had gehad. Hij had geen idee dat moeder samen met haar jongste kinderen van vader af was genomen en dat ze aan oom Fred was toegewezen. Ook het nieuws van mijn huwelijk met Allen maakte hem woedend. Craig moedigde Kassandra aan om standvastig te blijven en niet toe te geven aan de druk om te hertrouwen. Hoewel Craig zich ten doel had gesteld diegenen van ons te helpen die nog steeds tot de FLDS behoorden, beschouwde hij Justins situatie als het meest urgent.

Ik wist het niet toen we op weg gingen naar Bountiful, maar mijn oudere broers en zussen hadden een plan bedacht om Justin naar Oregon te brengen, waar Craig en Kassandra woonden, zodat Craig hem kon helpen. Ze besloten dat wij Justin zouden oppikken en hem naar een van tevoren afgesproken plek zouden brengen, waarvandaan Kassandra en Ryan hem zouden meenemen naar Craigs huis.

Maar voordat we Justin aan Kassandra overdroegen, zouden we eerst nog een ander gezinslid terugzien. Onze eerste stopplaats zou Salt Lake City zijn, om mijn broer Jacob te ontmoeten, die ik niet meer had gezien sinds we in 1999 naar Hildale waren verhuisd. Na al die tijd konden we haast niet wachten tot we hem zouden terugzien en zijn nieuwe baby konden bewonderen. Kort nadat hij uit vaders huis aan Claybourne Avenue was vertrokken, had hij een meisje ontmoet. Ze woonden nu samen en hadden een dochtertje gekregen. Hoewel het bezoeken van mijn 'afvallige' broers en zussen streng verboden was, waren Teressa en ik graag bereid dat risico te nemen.

Toen we Salt Lake Valley binnen reden, werd ik overvallen door een gevoel van heimwee. Er was verse sneeuw gevallen en de majestueuze

Wasatch Range was bedekt met een witte laag. Het winterse tafereel was een welkome opluchting na de rode aarde die het landschap van Short Creek domineerde. Hoewel ik het ruige panorama van dorre grond had leren waarderen, miste ik deze plek die ooit mijn thuis was geweest.

De terugkeer naar Salt Lake herinnerde me aan alle fijne dingen die we daar als gezin hadden beleefd, de sneeuwbalgevechten met mijn broers in onze voortuin, sleetje rijden in de bergen met vader en schaatsen op de ijsbaan die we elke winter eigenhandig in onze achtertuin aanlegden met behulp van aangestampte sneeuw en een tuinslang. Ik hoorde als het ware het geluid van schaatsen op het ijs terwijl we door de straten van de stad naar het appartement van mijn broer reden. Ik verlangde terug naar die tijd, toen alles nog was zoals het hoorde en vader er was om van me te houden en me te beschermen, en ik vroeg me af of ik op mijn zestiende getrouwd en zwanger zou zijn als de priesterschap ons niet uit elkaar had gehaald. Ik was ervan overtuigd dat vader het nooit zover had laten komen, dat ik thuis een kop warme chocolademelk zou drinken met ons eigen gezin in plaats van wanhopige pogingen in het werk te stellen om me te distantiëren van een echtgenoot van wie ik niet hield.

Terwijl we op weg waren naar Jacobs huis, vroeg ik me af hoe het zou zijn om zijn vriendin, Whitney, te ontmoeten. De moeder van zijn kind was een Afro-Amerikaanse. Hoewel ik me vandaag de dag geneer om het te zeggen, was het een enorme schok voor me toen ik dat hoorde. Ik moest denken aan Warrens woorden op de Alta Academy, dat niet-blanke mensen de meest verdorvenen van alle buitenstaanders waren. Zijn racistische opmerkingen en van haat vervulde fanatisme waren een vast onderdeel van zijn lessen op de Alta Academy, en als gevolg daarvan had ik een vooroordeel ontwikkeld tegen iedereen met een andere huidskleur dan de mijne. Ik had te horen gekregen dat mijn broer naar de hel zou gaan, alleen al vanwege zijn omgang met Whitney.

Toen ik Whitney die dag ontmoette, was dat voor het eerst dat ik ooit werd voorgesteld aan een Afro-Amerikaanse. Ik wist niet wat ik moest verwachten en of Warrens woorden waar zouden blijken te zijn, maar binnen de kortste keren verdween het onbehaaglijke gevoel omdat ik me onmiddellijk aangetrokken voelde tot Whitney en hun baby. Whitney was heel anders dan ik me had voorgesteld. Ze was duidelijk niet de verdorven persoon die oom Warren had beschreven. Ze was heel vriendelijk en gastvrij en liet ons zelfs de baby vasthouden. Jacob had zijn dochter vernoemd naar onze zus Michelle, van wie hij net zo veel hield als ik. Het was een prachtige baby en ze was – net als haar moeder – anders dan iedereen die ik ooit had gezien. Ze had een licht caramelkleurige huid en exotische lichtbruine ogen. Hoewel ze pas een paar maanden oud was, kon ik nu al zien dat ze tot een stralende schoonheid zou uitgroeien.

Terwijl ik met Whitney zat te praten, bedacht ik dat een beetje contact met de buitenwereld genoeg was om de barrières van angst die Warren had opgetrokken, te doorbreken. Het werd veel moeilijker voor me om buitenstaanders als slecht te beschouwen als ze tot mijn eigen familie behoorden. Jacob was een goed mens en hij bouwde aan een goed gezin. Het wilde er bij mij niet in dat hij, zijn vrouw of zijn dochtertje op de een of andere manier slecht was, alleen maar omdat ze niet tot onze kerk behoorden.

Het deed me plezier dat ik de tweelingbroers weer herenigd zag. Wat mezelf betreft, werd ik overmand door een mengeling van emoties toen ik weer in de auto stapte voor de volgende etappe van onze reis naar het noorden. De terugkeer naar Salt Lake City en de hereniging van dit deel van het gezin herinnerde me eraan dat er buiten Short Creek een hele wereld lag, die ik vrijwel vergeten was.

We namen een minder rechtstreekse route dan gebruikelijk, om Kassandra te ontmoeten op een plek die ook voor haar en Ryan goed bereikbaar was. Mijn zussen hadden afgesproken op het parkeerterrein van het Red Lion Hotel in het zuiden van Oregon. Ik had niets meer van Kassandra gehoord sinds ze de maand daarvoor vertrokken was en ik was nog altijd een beetje nijdig op haar omdat ze ervandoor was gegaan, om nog maar niet te spreken over alle problemen die ze me had bezorgd. Hoewel ik haar heel erg miste, gedroeg ik me afstandelijk tijdens onze ontmoeting. Ik voelde me vreselijk in de steek gelaten en ik begon langzamerhand te bezwijken onder de last die ze me naar mijn gevoel gedwongen had in mijn eentje te dragen. Ze maakte een gelukkige indruk met Ryan, en ze zag er heel anders uit dan ik me herinnerde; ze had kort haar en ze droeg wereldse kleding: een lange broek en een blouse.

Aanvankelijk hield ik me afzijdig terwijl Kassandra en Teressa bijpraatten, maar ik mengde me in het gesprek toen ze over Craig begonnen. Hij had een grote reis gemaakt nadat hij in 1996 ons huis had verlaten. Daarna had hij geruime tijd een zwervend bestaan geleid, maar nu woonde hij in de buurt van de kust in Oregon. Hoewel ik blij was te horen dat alles goed met hem ging, voelde ik me een beetje teleurgesteld dat ik hem niet zou ontmoeten. Gedurende het grootste deel van de bijeenkomst hield ik me wat op de achtergrond; ik bleef bij Justin in de buurt terwijl mijn zussen op gedempte toon spraken zodat ik het niet kon verstaan. Het irriteerde me dat ze in mijn bijzijn fluisterden, alsof ik te jong was om deel te nemen aan hun 'volwassen' gesprek. Telkens als ik in de buurt kwam, hielden ze hun mond, en tegen het eind van de middag had ik behoorlijk de pest in over hun denigrerende gedrag.

Nu we Justin veilig hadden afgezet, gingen we op weg voor de laatste etappe van onze reis en ik was opgelucht dat we er bijna waren. Voordat we uit Hildale vertrokken, had ik Teressa niet verteld dat ik zwanger was, hoewel ik al bijna vier maanden onderweg was en vreselijk last had van zwangerschapsmisselijkheid. Omdat mijn vorige twee zwangerschappen in een miskraam waren geëindigd, was ik bang dat het ook deze keer weer mis zou gaan. De gedachte aan mijn miskramen bezorgde me een enorm schuldgevoel en ik was ervan overtuigd dat God me strafte voor mijn ongehoorzaamheid. Zelfs toen mijn derde zwangerschap eerst drie en toen in vier maanden gevorderd was, kon ik het niet opbrengen me te laten controleren in de kraamkliniek in oom Freds huis. Ik was bang dat binnen enkele uren na mijn afspraak de hele gemeenschap ervan op de hoogte zou zijn dat ik zwanger was. De zwangerschap vormde het onomstotelijke bewijs dat Allen en ik geslachtsgemeenschap hadden gehad en de gedachte dat een dergelijke onreine privéaangelegenheid onderwerp zou worden van geroddel, bezorgde me een vies gevoel.

Toen we in Bountiful arriveerden, voelde ik vrijwel onmiddellijk een verandering in mezelf. Eindelijk was ik in staat me te ontspannen en kon ik mezelf ertoe brengen Teressa te vertellen over de baby die in me groeide en ook over de twee miskramen die ik had gehad. Ze was heel lief en meelevend en wist me mijn schuldgevoelens uit het hoofd te praten. Ze nam me mee naar de FLDS-vroedvrouw, Jane Blackmore. Ik had gehoord dat Jane niet alleen op het punt stond bij haar man, oom Wink, de voormalige bisschop van de gemeenschap in Canada, weg te gaan, maar ook de FLDS wilde verlaten. Ze was kort geleden verhuisd naar een woning op ongeveer twintig minuten van de gemeenschap, maar ze had haar kraamkliniek in Bountiful aangehouden. Daar bracht Teressa me heen voor mijn allereerste prenatale onderzoek. Jane stelde me onmiddellijk op mijn gemak met haar vriendelijke manier van doen en beloofde me niemand over mijn zwangerschap te vertellen. Ik wist dat als Allen het te weten kwam, hij me zou opdragen onmiddellijk terug te keren naar Hildale. Na enkele routineonderzoekjes zocht ze mijn buik af, op zoek naar een hartslag. Op dat moment namen mijn gezegende omstandigheden een concrete vorm aan. Het horen van de hartslag maakte mijn zwangerschap reëel, en overmand door emoties barstte ik in tranen uit.

Jane begreep het; ze zorgde ervoor dat ik me veilig voelde en het idee had dat alles goed zou gaan. Ik vertelde haar over mijn eerdere miskramen en ze beloofde dat ze me goed in de gaten zou houden. Ze was het niet eens met mijn huwelijk als minderjarige en ze wist wat me te wachten stond in de verloskamer en als kersverse moeder. Ik was nog maar een kind en Jane leek ontsteld dat zo'n jong meisje in zo'n moeilijke en emotioneel belastende positie was gebracht.

Ze raadde me aan om naar het ziekenhuis in het nabijgelegen Creston te gaan om een echo te laten maken, maar ik had geen ziektekostenverzekering. Om nog maar niet te spreken over het enorme risico dat ik liep als ik een beroep zou doen op de reguliere gezondheidszorg. Ik had geen geld en ik was geen inwoner van Canada. Het medisch personeel zou willen weten waar mijn ouders waren. Als ze hoorden hoe oud ik was en ze kwamen erachter dat ik getrouwd was, zou dat een enorm probleem kunnen opleveren. Hulp zoeken hield het risico in dat de FLDS in de schijnwerpers zou komen te staan en ik vreesde de gevolgen.

De controles bij Jane namen mijn bezorgdheid met betrekking tot de zwangerschap goeddeels weg. Die winter luidde ik het jaar 2003 in omringd door de warmte van mijn zussen en hun gezinnen. Teressa verzekerde me dat ik net zo lang bij haar en Roy kon blijven logeren als ik maar wilde. 'Ik zal voor je zorgen,' beloofde ze me plechtig.

Als ik af en toe aan Hildale dacht, stak mijn bezorgdheid uiteraard de kop weer op. Alles daar was onzeker: mijn huwelijk met Allen, de situatie met mijn familie en het leiderschap van onze gemeenschap. Ik was begonnen vraagtekens te zetten bij de gang van zaken daar. Ik vroeg me in stilte af of Warrens gedrag wel juist was. Hij had ons verteld dat geen van de vrouwen van de profeet uitgehuwelijkt zou worden en hij had ook gezegd dat hij niet de volgende profeet zou worden. Daar begreep ik niets van, want geen van beide uitspraken was hij nagekomen. In Canada zag ik de nasleep van Warrens verklaring over Winston Blackmore. De Canadese gemeenschap had een nieuwe bisschop toegewezen gekregen nadat oom Rulon kennelijk had besloten om Winston uit zijn functie te zetten en was nu in twee kampen verdeeld.

Begin februari was ik bijna zes maanden zwanger. Ik was twee keer voor controle bij de vroedvrouw geweest en alles leek prima te gaan. De volgende keer dat ik Jane zag, op 20 februari, maakte ik haar deelgenoot van mijn ongerustheid. Ik had de baby al een paar dagen niet meer voelen bewegen en ik voelde me heel vreemd. Ook had ik last gekregen van een brandend gevoel in mijn maag. De volgende nacht werd ik wakker met een scherpe pijn in mijn zij en wat bloedverlies. Ik probeerde mezelf voor te houden dat het waarschijnlijk niets was om me zorgen over te maken, dat ik pas nog bij de vroedvrouw was geweest. Ik probeerde weer te gaan slapen, maar ik voelde me te beroerd. De volgende ochtend zat ik met mijn zus Sabrina in haar slaapkamer te praten, toen er plotseling bloed langs mijn benen begon te stromen.

Sabrina bracht me snel naar de badkuip en riep onmiddellijk Teressa erbij, die Jane belde voor instructies.

'Breng haar meteen hiernaartoe!' zei Jane tegen mijn zus. Ik had nauwelijks tijd om na te denken terwijl mijn zussen me ondersteunden en me in de auto zetten. Tegen de tijd dat we bij Jane arriveerden, had ik een heleboel bloed verloren en ik was doodsbang. Jane legde snel een infuus aan en onderzocht me. Ik verloor nog steeds veel bloed en Jane kon geen hartslag vinden. De baby was overleden en ik kreeg weeën om de foetus uit te drijven. Ik zou de baby op natuurlijke wijze moeten baren, zonder verdoving. Ik voelde me zieker dan ooit tevoren en ik kon nauwelijks op mijn benen staan. Mijn toestand baarde Jane grote zorgen, maar ze kon niets doen omdat ik geen Canadees staatsburger was en vanwege mijn situatie kon ik geen beroep doen op de Canadese gezondheidszorg. Ze maakte zich zo veel zorgen over me, dat ze me na de aanvankelijke crisis meenam naar haar huis buiten de gemeenschap om me bij zich in de buurt te houden.

Ik had de barensweeën doorstaan om een dood kindje ter wereld te brengen. Het trauma was overweldigend. Jane probeerde me te troosten en verzekerde me dat het niet mijn schuld was. Maar het was niet gemakkelijk om het van me af te zetten. Ik had wel het gevoel dat het mijn schuld was en het duurde een hele tijd voordat ik dat trauma te boven was. Enerzijds voelde ik me opgelucht en anderzijds was ik er kapot van. Deze doodgeboren baby sterkte me in de overtuiging dat God me strafte. Ik liet de laatste twee, drie jaar van mijn leven de revue passeren en overdacht alle dingen die ik had gedaan. Ik realiseerde me maar al te goed dat ik geen onderdanige echtgenote was geweest en ik vroeg me af of dat de reden was dat God me dit aandeed. Maar anderzijds had Allen het me niet bepaald gemakkelijk gemaakt en hij was per slot van rekening degene die zo nodig kinderen wilde.

Op zestienjarige leeftijd was ik nog geen drie jaar getrouwd en had ik al twee miskramen en een doodgeboren baby gehad. Ik kon niet voorkomen wat er met me gebeurde en ik wist niet wat er aan de hand was. Was het God die me waarschuwde of op de proef stelde? Was het omdat ik onrein was? Het waren niet alleen de miskramen; ik was bang dat er op de een of andere manier iets met mijn lichaam niet in orde was. Verteerd door schuldgevoel smeekte ik iedereen om het gebeurde geheim te houden, omdat als Allen erachter kwam, hij me zeker naar huis zou laten komen.

Uiteindelijk deed het er niet toe of Allen het al dan niet wist. Ik had zijn telefoontjes een tijdlang weten te ontwijken, maar ik kon hem niet eeuwig blijven negeren. Hij wilde dat ik terugkwam naar Short Creek en niet lang na mijn miskraam belde hij me om me te laten weten dat oom Warren me opdroeg om naar huis te komen. Ook oom Fred had gezegd dat het tijd werd dat ik terugkwam. Ik was een groot deel van de winter weg geweest, bijna drie maanden.

'Ik kom niet terug,' zei ik tegen mijn echtgenoot.

'Ik ben veranderd,' drong Allen aan. 'Alles komt heus in orde.'

'Ik kan het niet,' zei ik tegen hem. 'Ik hou niet van je en ik geloof niet dat ik ooit van je zal kunnen houden.'

Allen begon kaarten en brieven te sturen in een poging me op andere gedachten te brengen, en later kwam ik erachter dat toen zijn inspanningen niet het gewenste resultaat opleverden, oom Warren de echtgenoten van mijn zussen belde en hun meedeelde dat ze me niet langer onderdak mochten verlenen. Teressa wilde dat ik bleef en ze deed wat ze kon, maar ze had geen enkele invloed. Zelfs haar echtgenoot kon oom Warren niet op andere gedachten brengen. Iedereen was bang om zich tegen zijn macht te verzetten. Niet lang na Warrens telefoontje liet Allen me weten dat hij naar Canada kwam om met me te praten.

Ik voelde me als een leeggelopen ballon toen ik hem die 1e maart uit zijn truck zag stappen met een boeket bloemen in zijn hand. Hij zei dat hij me vreselijk had gemist, maar ik kon niet hetzelfde zeggen. Er werd van alle kanten druk op me uitgeoefend om bij Allen te blijven. Oom Warren, oom Fred en zelfs mijn moeder drongen er bij me op aan terug te keren naar Hildale en mijn verantwoordelijkheden als Allens echtgenote op me te nemen. Het was alsof ik weer helemaal opnieuw tot dit huwelijk werd gedwongen en ik wilde niet voor de druk bezwijken. Ik wist dat als ik ermee instemde die dag in zijn truck te stappen, er misschien geen tweede kans zou komen om bij hem weg te gaan. Ik had hard gevochten, en nu was ik weer helemaal terug bij af.

Ik voelde die vertrouwde brok achter in mijn keel toen ik mijn gordel omdeed en naar mijn zussen zwaaide.

'Het komt allemaal best in orde,' verzekerde Allen me terwijl hij het contactsleuteltje omdraaide. 'Ik ga je geen pijn doen.'

Vanaf het begin van de rit was duidelijk dat hij heel erg zijn best deed om een nieuw begin te maken en me van hem te laten houden. Ik besloot dat ons huwelijk alleen een kans van slagen had als ik volkomen eerlijk was en dus vertelde ik hem wat ik al die maanden voor hem verborgen had gehouden.

'Ik was zwanger en ik heb een miskraam gehad,' zei ik terwijl we in zuidelijke richting over de snelweg reden. 'En dat was niet de eerste keer.'

'Waarom heb je me dat niet verteld?' vroeg hij met een zachte stem, terwijl hij vaart minderde en me aankeek.

'Ik wilde niet dat je het wist. Ik had het al zo moeilijk met mijn zwangerschap en ik wilde niet dat jij of moeder of wie dan ook het wist.'

Het was duidelijk dat Allen zich gekwetst voelde, ook al slaagde hij erin zijn kalmte te bewaren. Maar zijn droefheid gold niet wat ik had doorgemaakt; die gold hemzelf en het feit dat hij geen vader werd. Door de manier waarop hij sprak, vergrootte hij het schuldgevoel dat ik toch al had, alsof hij probeerde me te laten inzien dat ik iets slechts had gedaan. Terwijl ik zat te luisteren hoe hij de verantwoordelijkheid voor de miskramen uitsluitend bij mij legde, voelde ik me boos omdat hij niet scheen te begrijpen hoe ik me voelde. Het enige wat hij wilde, was mij er de schuld van geven. Op een gegeven moment raakte hij uitgepraat over dit pijnlijke onderwerp en zat ik zwijgend naast hem en keek naar de voorbijflitsende kilometerpaaltjes.

Allen was vastbesloten om van onze terugreis naar Hildale een soort tweede huwelijksreis te maken en hij beloofde dat hij beter zijn best zou doen om mijn gevoelens te respecteren. Ik wilde maar al te graag geloven dat hij het meende. We waren al een tijd onderweg, toen we van de snelweg af draaiden in Lava Hot Springs, een aan de oever van een rivier gelegen vakantieoord in het zuidoosten van Idaho, halverwege Salt Lake City en Bountiful. Hij had een kamer besproken in de Lava Hot Springs Inn. De kamers, sommige met een adembenemend uitzicht op de Portneuf River, hadden grote, comfortabele bedden en enorme badkuipen.

De emotionele gebeurtenissen van die dag hadden me uitgeput en zodra we die avond na het eten terugkwamen op onze kamer, trok ik mijn nachtjapon aan. Al snel viel ik in slaap, maar toen ik wakker werd, wist ik dat er iets niet in orde was. Nog half verdoofd realiseerde ik me dat ik naast Allen in bed lag en dat hij mijn nachtjapon aan het uittrekken was. We waren pas een paar uur weer samen en ondanks al zijn beloften hield hij zich nu al niet aan zijn woord. Ik werd overspoeld door een vloedgolf van oude gevoelens. Ik walgde van hem en ik haatte wat hij met me deed. Ik dacht terug aan alle keren dat dit eerder was gebeurd en dat hij ondanks mijn smeekbeden geweigerd had om op te houden. Ik had hem net verteld over de aangrijpende gebeurtenissen van de afgelopen weken; dat hij het sowieso al in zijn hoofd haalde om zich op deze manier aan me op te dringen, was voor mij een bewijs van de lage dunk die hij van me had. Voor hem was ik slechts een lustobject. Er was geen Elissa, alleen maar een lichaam.

'Het is weer precies hetzelfde liedje,' flapte ik er uit. 'Al die beloften van je stellen helemaal niets voor. Er is helemaal niets veranderd.'

'Ik doe het uit liefde,' verklaarde Allen. Alles wat hij deed was met elkaar in tegenspraak, en voor ik het wist speelde hij weer in op mijn schuldgevoel. Terwijl hij mijn hele lichaam bleef betasten, verstijfde ik.

'Je gaat je gang maar,' zei ik. 'Schiet nou maar op.'

19

Vluchten kan niet meer

Als de gelovigen samen waren gekomen en een van hen tot profeet
hadden gezalfd, dan zou hij verantwoording aan hen schuldig zijn
geweest; maar omdat hij een God wordt genoemd, is hij
uitsluitend verantwoording schuldig aan God.

— BRIGHAM YOUNG

De terugkeer naar het leven in Short Creek was niet gemakkelijk. Gedurende de maanden die ik in Canada had doorgebracht, was de sfeer onder oom Warren steeds benauwender geworden. Hoewel hij pas korte tijd officieel onze profeet was, had zijn jarenlange invloed al een enorme uitwerking gehad. Wat ooit een gemeenschap van hardwerkende mensen was geweest die leefden onder het motto 'Bemin uw naaste als uzelf', was geleidelijk aan veranderd in een samenleving van paranoïde en angstige zielen. Iedereen hield in de gaten wat zijn buurman deed en Warren moedigde de mensen aan om alle overtredingen te melden. Hij scheen zich ten doel te hebben gesteld de gemeenschap te ontdoen van diegenen die hij onwaardig achtte en die zouden kunnen verhinderen dat de rest van ons aan het einde der tijden gered zou worden.

De leer van onze nieuwe profeet werd strenger en apocalyptischer. 'Spoedig zal de Heer de gelovigen zuiveren,' waarschuwde hij. 'En het zal aan de profeet onthuld worden wie de weifelaars zijn, en zij zullen worden uitgewied.' De stemming in Short Creek werd steeds naargeestiger en ongemakkelijker. Het leven draaide alleen nog maar om 'volmaaktheid' en het in de gaten houden van je buren, die je indien nodig kon aangeven om je 'volmaakte gehoorzaamheid' te demonstreren.

Tijdens een kerkelijke bijeenkomst in februari had Warren de gemeente geschokt toen hij aankondigde dat Jethro Barlow, een FLDS-lid, verbannen was uit Short Creek. Warren bestempelde Barlow als 'ongelovig' en gelastte hem 'van verre berouw te tonen'. Het nieuws kwam totaal onverwacht, aangezien een verbanning normaal gesproken binnenskamers werd afgehandeld. Het was iets waarover je naderhand hoorde, meestal op fluistertoon. De enige keer dat eerder een dergelijke aankondiging ten overstaan van de hele gemeente was gedaan, voor zover ik me kon herinneren, was toen het Winston Blackmore overkwam, een jaar daarvoor.

Jethro Barlow was de zoon van een van de oprichters van de kerk, George, en gaf godsdienstonderricht. Dat oom Warren een zoon van George 'onwaardig' had bevonden, kwam voor velen van ons als een complete verrassing. George was een van de patriarchen van de gemeenschap en er werd regelmatig een beroep op hem gedaan om de mensen te onderrichten.

'Hij heeft sommige jonge mensen ertoe gebracht het geloof de rug toe te keren,' zei Warren over Barlow junior. 'De Heer straft hem streng.'

De kiem voor deze verbanning was enkele maanden eerder gelegd, toen Jethro te horen kreeg dat hij voorkwam op de zwarte lijst van onwaardige FLDS-leden die Warren had opgesteld. Maandenlang had Jethro geprobeerd een ontmoeting met Warren te regelen om erachter te komen wat hij had misdaan om op die lijst terecht te komen, maar Warren had geweigerd hem zelfs maar te woord te staan. Later kwam ik erachter dat Jethro zelf niet eens wist dat hij die ochtend zou worden verbannen. Hij hoorde het nieuws pas toen Warrens assistenten hem niet toelieten in het bedehuis.

Ik wilde dat ik toen had kunnen inzien dat Jethro Barlow alleen maar een testcase was voor Warren. Het bood hem de kans om te zien hoe de mensen in Short Creek zouden reageren op zo'n vertoon van absolute macht. Als er luide protesten hadden geklonken, zou hij zich in het vervolg misschien nog wel eens bedacht hebben voordat hij opnieuw iets dergelijks zou uithalen, maar niemand nam het op voor Jethro. We waren allemaal te bang. Dat schiep een gevaarlijk precedent. Tijdens diezelfde bijeenkomst sprak Warren de ban uit over Winston, wat inhield dat Winston niet langer lid was van de FLDS. Warren verklaarde dat Canada niet langer over een bisschop beschikte. De mensen moesten zich tot Warren wenden voor advies en leiderschap. We moesten oom Wink voortaan behandelen als een afvallige. De scheiding die zich de zomer daarvoor begon af te tekenen, toen Winston in het openbaar aan de schandpaal werd genageld, werd nu blijvend gemaakt, en de mensen werden gedwongen om partij te kiezen, waarbij sommige de kant van Winston kozen en andere die van Warren.

In deze verwarrende entourage probeerden Allen en ik ons huwelijk weer op de rails te krijgen. Kort na mijn terugkeer uit Canada vertelde Teressa mijn moeder over mijn miskramen. Ze vertelde haar ook over de problemen die ik vanaf het begin met Allen had gehad en hoe hij zich met geweld aan me had opgedrongen. Toen moeder me daarover aansprak, kostte het haar moeite om haar emoties in bedwang te houden. 'Waarom ben je niet naar me toe gekomen?' vroeg ze, terwijl ze in snikken uitbarstte.

'Ik probeerde u dat verdriet te besparen,' zei ik tegen haar met een brok in mijn keel toen ik haar tranen zag. Omdat we zo intiem waren geworden, griefde het haar diep dat ik haar niet in vertrouwen had genomen. 'Ik wilde niet dat u wist hoe moeilijk het voor me is omdat u al genoeg hebt om u zorgen over te maken. U hebt de twee meisjes en u moet ervoor zorgen dat hun niet hetzelfde overkomt.'

'Dat gebeurt niet,' beloofde moeder. 'Daar zorg ik voor.'

Ze klonk oprecht, maar het kostte me moeite om te geloven dat ze ook maar íéts kon doen om te voorkomen dat Sherrie en Ally hetzelfde lot te wachten stond – tenzij ze bereid was haar eeuwige zielenheil op te geven en met mijn twee zusjes de kerk en de gemeenschap te verlaten.

Niettemin deed ze haar best om me te helpen. Ze sprak met Allen en vroeg hem om voortaan mijn wensen te respecteren.

Vanaf dat moment merkte ik een verandering op in de manier waarop hij me behandelde, en ook mijn houding onderging een verandering. Ik wilde geen confrontaties met Allen. Ik wist dat ik een verantwoordelijkheid had ten opzichte van mijn priesterschapsleider en ik wilde de huwelijksgeloften nakomen die ik onder dwang had gedaan. God had me bij hem geplaatst tot in alle eeuwigheid en diep vanbinnen geloofde ik dat hij me zou belonen omdat ik deed wat hij van me verlangde.

Als onderdeel van zijn hernieuwde pogingen om iets van ons huwelijk te maken, besloot Allen onze tweede trouwdag te vieren met een uitstapje naar Lake Powell. Hij boekte een overnachting in een luxe hotel om te proberen de voorafgaande paar jaar goed te maken.

Die avond verraste ik hem door een van mijn nieuwste outfits te dragen, een strakke, enkellange denimrok en een blouse met lange mouwen. Net als een paar van mijn leeftijdsgenoten in Hildale was ik begonnen kleding te dragen die door de meer traditioneel ingestelde leden van onze gemeenschap als rebels werd beschouwd. Het was een soort trend geworden onder de FLDS-tienermeisjes en ik deed er vrolijk aan mee. Het bezorgde me een goed gevoel om een beetje uitdagend te zijn en ik voelde me minder met mijn figuur verlegen als ik me in het openbaar vertoonde. Niet alleen was mijn rok strakker dan onze gebruikelijke stijl, hij had van achteren ook een splitje, dat een glimp onthulde van de twee dikke panty's die ik droeg om mijn lange onderkleding te verbergen. Bovendien was ik mijn haar wat moderner gaan dragen dan de traditionele FLDS-stijl. Aanvankelijk scheen Allen mijn gewaagde nieuwe outfit niet eens op te merken. Terwijl ik in de kamer rondhing en me afvroeg wanneer we nu eens zouden gaan eten, besefte ik plotseling dat hij volkomen in beslag werd genomen door de televisie en de tijd helemaal was vergeten. Ten slotte zei ik tegen hem dat het al aardig laat begon te worden.

Ik zag de paniek op zijn gezicht toen hij zich realiseerde hoe laat het al was. Hij pakte me bij de hand en we haastten ons naar het restaurant. Maar de luxueuze Rainbow Room was al gesloten en Allen raakte helemaal overstuur. Dit had een speciale avond voor ons moeten worden en nu had hij het gevoel dat hij het verpest had. Ik voelde me vreselijk gegeneerd toen hij op de deur van het restaurant begon te kloppen en de gastvrouw smeekte om ons binnen te laten om nog wat te eten. Zijn beleefde verzoek werd niet ingewilligd en uiteindelijk gebruikten we het diner ter gelegenheid van onze tweede trouwdag bij een plaatselijke fastfoodgelegenheid. Ik was eerder geamuseerd dan van streek. Ik was me er maar al te goed van bewust hoe gemakkelijk het was om helemaal verdiept te raken in al het nieuwe dat de televisie bood, aangezien die in onze gemeenschap streng verboden was.

De volgende dag wist ik Allens aandacht te trekken door een lange broek te dragen, die ik had gekocht tijdens een uitje naar St. George met Kassandra voordat ze de gemeenschap ontvluchtte. Toen ik hem aantrok, vroeg hij me behoedzaam: 'Waarom doe je die aan?'

'Omdat ik hem hier op het strand wil dragen,' zei ik uitdagend. Ik was ervan overtuigd dat mijn lange broek niet het enige kledingstuk was waar Allen bezwaar tegen had. Ik droeg ook een roze T-shirt met korte mouwen die de huid van mijn armen onbedekt lieten. Lange broeken en T-shirts waren voor vrouwen streng verboden. Maar hij hield zijn commentaar over het T-shirt voor zich tot we die middag terugreden naar huis. 'Wil je dat alsjeblieft niet meer dragen?' vroeg hij terwijl we in noordelijke richting over de snelweg reden.

Na die tweede trouwdag bleef Allen proberen het advies van mijn moeder op te volgen en me minder onder druk te zetten, maar al na een paar weken stak zijn oude gedrag de kop weer op. Wat mij betrof, ik probeerde hem zo goed mogelijk te gehoorzamen. Hoewel ik me bewust was van zijn pogingen om meer rekening te houden met mijn verlangens, kon niets het feit veranderen dat ik niet van hem hield. Ik sliep nog steeds zo vaak mogelijk in het huis van oom Fred en ik probeerde nog steeds zo weinig mogelijk tijd samen met Allen door te brengen. Als ik al thuis was, was ik uitsluitend lichamelijk aanwezig. We woonden dan wel samen, maar in emotioneel opzicht leefden we langs elkaar heen. Afgezien van zijn onophoudelijke seksuele avances scheen er geen enkele relatie tussen ons te bestaan. Als ik terugging naar de stacaravan, wist ik altijd wat me te wachten stond en ik probeerde me daarop voor te bereiden. Ik probeerde conflicten te vermijden, maar hij raakte met de dag meer gefrustreerd omdat hij ondanks zijn veranderde houding mijn hart niet had kunnen winnen.

Uiteindelijk kreeg zijn frustratie de overhand, waardoor onze meningsverschillen steeds verhitter werden. Het duurde niet lang voordat zijn goede voornemens weer plaats hadden gemaakt voor zijn vertrouwde autoritaire houding als mijn priesterschapsleider. Ik deed mijn best om hem van me af te houden, maar soms had ik geen keus en kon ik me alleen maar aan hem onderwerpen. Sommige van onze ruzies liepen uit op handtastelijkheden. Dan gaf hij me een klap of duwde me tegen de muur. Ik begreep niet waarom hij zich zo gedroeg. Het ene moment bedreigde hij me, het volgende probeerde hij me te omhelzen. Eén keer smeet hij zelfs een lamp naar me toe. Gelukkig raakte ik niet gewond. Het frustreerde me dat niemand de Allen kon zien die ik achter gesloten deuren zag. Mensen berispten me vanwege mijn liefdeloze houding ten opzichte van hem, maar ze hadden geen idee hoe hij me behandelde als niemand het zag.

Om mezelf in bescherming te nemen, was ik koppiger geworden in mijn onwil om hem in alles maar zijn zin te geven. Ik wilde mijn spullen naar de andere slaapkamer verhuizen en een pauze in de relatie inlassen. Hij was woedend en verloor zijn zelfbeheersing. Hij kwam me achterna en ik holde naar de tweede slaapkamer en probeerde de deur achter me dicht te doen. Maar Allen trapte hem open en de deur vloog in mijn gezicht. Toen ik de volgende ochtend wakker werd, had ik een blauw oog.

Dat was niet de enige keer dat ik lichamelijk letsel opliep. Met mijn 1,55 meter en 65 kilo was ik geen partij voor hem. Met zijn 1,80 meter torende Allen boven me uit en hij woog tegen de 100 kilo. Er was maar weinig wat ik kon doen om hem tegen te houden als hij vastbesloten was om zijn zin te krijgen, vooral als het om seks ging. In de slaapkamer kon hij soms ruw tekeergaan en hoewel ik me zo goed mogelijk verzette, kon ik hem maar zelden tegenhouden als hij eenmaal de smaak te pakken had.

Wat het nog erger maakte, was de manier waarop hij me voortdurend manipuleerde. Het meeste van wat hij zei was bedoeld om me op de een of andere manier ergens toe te dwingen. Hij vertelde me bijvoorbeeld dat als ik niet één met hem was zoals de priesterschap ons leerde, ons leven in het hiernamaals gevaar liep. Achteraf gezien is het gemakkelijk om zijn woorden met een schouderophalen af te doen, maar indertijd geloofde ik oprecht dat hij en dit gearrangeerde huwelijk de sleutels tot mijn eeuwige zielenheil waren. Door alle druk die op me werd uitgeoefend door hem, de priesterschap en de gemeenschap, had ik geen andere keus dan hem te gehoorzamen.

Toen juni aanbrak had Allen genoeg van de manier waarop het in ons huwelijk toeging en omdat hij zich zorgen maakte over de mogelijke consequenties, nam hij het initiatief tot een ontmoeting met oom Warren. Hij had het gevoel dat hij alles had geprobeerd en dat ik me ondanks al zijn inspanningen tegen hem bleef verzetten. Hij weigerde in te zien dat zijn versie van sympathiek en respectvol gedrag kennelijk een andere was dan de mijne. In zijn ogen kwam het allemaal op één ding neer: ik weigerde de onderdanige, gehoorzame echtgenote te worden die ik zou moeten zijn. Ik was dankbaar dat Allen degene was die het initiatief nam tot deze ontmoeting met oom Warren. Misschien zou de profeet de situatie nu serieuzer nemen en me de ontbinding willen verlenen waarom ik gevraagd had. Warren was blij ons te zien. 'Hoe gaat het met jullie?' vroeg hij ons toen hij de wachtkamer binnen kwam. Hij opereerde nog steeds vanuit oom Rulons kantoor, maar nu hij de profeet was, was het officieel zijn hoofd-kwartier.

Allen en ik namen naast elkaar plaats. 'Ik heb het gevoel dat de zaken niet zo goed gaan,' zei Allen op zijn onderdanige, voorkomende manier. 'We zijn nu al twee jaar getrouwd en Elissa heeft nog steeds problemen met gehoorzaamheid. Ze vertrouwt me niet en ze accepteert niet dat ik haar leidsman ben, die bepaalt wat ze doet en welke vrienden en vriendinnen ze eropna houdt. Ik denk dat ze begeleiding nodig heeft, want ik heb het gevoel dat ze nog steeds een beetje opstandig is.'

De profeet wendde zich tot mij en vroeg: 'Elissa, hoe denk jij daarover?'

'Ik heb u al zo vaak verteld hoe ik erover denk. Echt, ik kan deze man gewoon niet vertrouwen. Ik hou niet van hem. Ik weet niet of ik ooit van hem zal kunnen houden. En ik voel me niet op mijn gemak bij hem. Er zijn tussen ons dingen gebeurd waar ik het niet mee eens ben en die ik niet prettig vind en ook helemaal niet wil.'

Warren begon ons vragen te stellen om te proberen erachter te komen waarom we nog geen kinderen hadden. 'Want als je kinderen hebt, krijg je andere verantwoordelijkheden,' legde Warren uit. 'Je bent niet zelfzuchtig. Het draait niet allemaal om jou. Het draait om kinderen en de opvoeding daarvan tot goede, gehoorzame, gelovige priesterschapskinderen. Soms wordt alles anders als je kinderen krijgt. En het maakt dat mensen van elkaar gaan houden, omdat ze samen een nieuw leven op aarde hebben gezet.'

Ik zat zwijgend naar de bloemen in de tuin te staren. Ik wilde geen kinderen met Allen. Daar was ik absoluut zeker van. Maar dat wilde ik niet hardop zeggen. We hadden over dat onderwerp al een aantal verhitte discussies gehad, en die waren allemaal op ruzie uitgelopen. Terwijl ik naar Warren luisterde, moest ik denken aan die keer dat Allen vrijwel hetzelfde had gezegd: als we maar eerst samen een baby hadden, zou ik vanzelf wel van hem gaan houden. Toen ik het daar niet mee eens was, was Allen handtastelijk geworden en had hij tegen me gezegd dat we onmiddellijk met het stichten van een gezin moesten beginnen. Dat was de keer dat hij zich met geweld aan me had opgedrongen. Oom Warren staarde me strak aan en vertelde me hoezeer ik in mijn opdracht faalde, 'omdat je niet gehoorzaam bent'. Het was altijd de schuld van de vrouw. Als het huwelijk geen succes was, kwam dat omdat zij niet gelovig genoeg was. 'Ik heb je zo veel mogelijkheden gebo-

252

den om je gedrag te veranderen en te accepteren waarvoor je gekozen hebt. Denk aan je huwelijksgelofte. Je moet jezelf met geest, lichaam en ziel aan Allen geven. Je mag niet aan hem twijfelen.'

Warrens woorden klonken me zo hypocriet in de oren. Hij zei dat ik hiervoor gekozen had, terwijl ik in werkelijkheid helemaal geen keus had gehad. Ik had dit allemaal al eerder van hem gehoord. Ik zag niet in hoe het met dit huwelijk nog goed moest komen. Maar met mijn gevouwen handen in mijn schoot bleef ik zwijgend naar oom Warren zitten luisteren.

'Jouw probleem is dat je twijfelt aan Allen en de priesterschap zelf,' zei hij. 'En als je twijfelt aan de priesterschap en je priesterschapsleider, twijfel je aan God.'

Net toen ik dacht dat het niet erger meer kon worden, vroeg Warren me nogmaals naar mijn relatie met mijn moeder. En toen ik antwoord gaf, herinnerde hij me eraan dat mijn loyaliteit uitsluitend bij mijn echtgenoot lag. 'Je moet zorgen dat je 's nachts thuis bent, onder het dak van je echtgenoot,' gelastte hij me. Hij was duidelijk van plan om contact op te nemen met oom Fred naar aanleiding van mijn nachtelijke afwezigheid. 'Je moet heel voorzichtig zijn in je doen en laten, omdat je anders je geloof zult verliezen,' waarschuwde hij. Dat was Warrens manier om me te vertellen dat mijn ongehoorzaamheid tot afvalligheid leidde. 'Jij bent, net als sommige familieleden van je, een beetje eigengereid,' zei hij vermanend, terwijl hij me strak aankeek.

Hij wendde zich tot Allen en zei hem dat hij me 'met strenge hand' moest aanpakken en dat hij niet moest vergeten dat hij een man van de priesterschap was. 'Allen, je moet je priesterschapsplichten vervullen, en je moet voorzichtig zijn met hoe je je gedraagt.'

Bij die woorden spitste ik voor het eerst tijdens de bijeenkomst mijn oren. De betekenis van Warrens waarschuwing aan Allen ontging ons geen van beiden. Mocht Allen zich in het vervolg nogmaals tegenover Warren of Fred beklagen over mijn ongehoorzaamheid, dan zou dat tevens worden beschouwd als onvermogen van zijn kant om mij in de hand te houden. Als Allen zijn gezag over mij niet kon afdwingen, zou hij mogelijk de priesterschap onwaardig zijn.

Terwijl hij overeind kwam, richtte Warren ten afscheid nog enkele bemoedigende woorden tot ons. 'Jullie moeten er allebei aan denken in de geest van God te leven. Dat is jullie opdracht en jullie roeping, en jullie moeten dat doen zodat jullie naar elkaar toe kunnen groeien en in liefde samen kunnen leven.'

Aan het begin van die zomer nam ik, in mijn pogingen om meer afstand tot Allen te creëren, een baan aan als serveerster bij Mark Twain, het FLDS-familierestaurant vlak langs de uitvalsweg van de stad. Het werk bij Mark Twain kwam boven op mijn toch al drukke bezigheden voor Saladmaster en mijn parttimezorg voor de gehandicapte kleuter, en ik begon onmiddellijk. Mijn nicht Meg kwam me daar spoedig gezelschap houden als kokkin.

Nu Kassandra er niet meer was, had ik gedurende de maand voordat ik naar Canada was vertrokken, een uitzonderlijk hechte band opgebouwd met Meg, die de dochter was van een van moeder Audreys dochters. Hoewel ik formeel gezien haar tante was, was ik maar achttien dagen ouder dan zij en we kenden elkaar al ons hele leven. Onze vriendschap was hechter geworden in de maanden voordat ik naar Bountiful vertrok en we hadden telefonisch contact gehouden tijdens mijn bezoek aan Teressa en haar gezin. Meg wist hoe ongelukkig ik was in mijn huwelijk. Ze kon zich nauwelijks voorstellen hoe het was om op onze leeftijd een echtgenoot te hebben, maar van alle tieners die ik kende, was zij een van de weinigen die me niet als een paria behandelden omdat ik getrouwd was. Hoewel ze niet kon begrijpen wat ik doormaakte, was ze er voor mij als vriendin en vertrouwelinge. Mijn vriendschap met Meg was innig, omdat we van dezelfde leeftijd waren en nieuwsgierig naar dezelfde dingen. Ik was heimelijk jaloers op haar vrijheid. Zij kon vrijuit genieten van haar tienerjaren, zonder de verantwoordelijkheid voor een echtgenoot, een huishouden en rekeningen, terwijl ik de grootste moeite had mijn weg te vinden in deze volwassen wereld.

Van het begin af aan had ik het naar mijn zin in de Mark Twain. Ik kwam in contact met veel meer jongelui van mijn eigen leeftijd en daardoor werd ik aangemoedigd deel te nemen aan normale tieneractiviteiten, die zowel Allen als de kerk verboden zou hebben als ze ervan geweten hadden. Op sommige avonden na het werk ging ik met Meg en enkele andere werkneemsters mee naar het deel van de woestijn dat bekendstond als 'the Sticks'. Daar stookten we een vuurtje, luisterden naar muziek, dronken bier en gedroegen ons in het algemeen als typische tieners. In onze cultuur was dat een groot taboe en we liepen het risico streng berispt te worden. Meestal kwamen we samen bij de enorme lichtgekleurde kalkstenen rolstenen, die door een of andere speling van de natuur op diverse plekken in het landschap boven de rode aarde uit staken. Daar zaten we urenlang te praten en te kijken hoe de zon onderging boven de woestijn. Ik had nog nooit eerder zoiets gedaan en alleen al het gezelschap van jongelui van mijn eigen leeftijd was een geweldige verademing.

Soms glipte Meg 's avonds haar ouderlijk huis uit en dan reden we samen urenlang rond over de zwarte wegen in dit deel van Arizona, dat bekendstaat als de Strip, met de verboden radio keihard aan. Gedurende die paar uur per week voelden we ons volkomen vrij, bijna alsof we gewone tieners waren. Onze favoriete bands waren Bon Jovi en de Backstreet Boys, en ik kocht zelfs een paar verboden cd's tijdens mijn winkeluitstapjes naar St. George. Soms reden we 's avonds naar Hurricane, ook al was alles dicht. Andere keren gingen we stiekem de stad in om een film te zien. Een van onze eerste was *Pirates of the Caribbean*. Ik was al sinds mijn kindertijd niet meer in een bioscoop geweest. We waren zo bang dat we niet eens onze popcorn durfden te eten, maar we genoten met volle teugen. Ik had zoiets nog nooit meegemaakt en ik vond het fantastisch.

Allen wist dat ik niet vaak thuis sliep en dat zat hem dwars, maar hij had geen idee wat ik uitvoerde. Hij ging er gewoon van uit dat ik bij mijn moeder was. Ik stelde alles in het werk om mijn escapades voor hem verborgen te houden, uit angst voor wat hij zou doen als hij erachter kwam. Het was absoluut niet mijn bedoeling hem te confronteren met mijn ongehoorzaamheid; ik was veel te bang dat hij me dan mijn vrijheid zou afnemen.

In feite was mijn omgang met Meg niet zozeer een kwestie van opstandigheid ten opzichte van Allen of de Kerk; het was een manier om mezelf te kunnen zijn. Ik wilde op mijn eigen manier leven en van het leven genieten. Als getrouwde vrouw werd ik letterlijk geacht volwassen te zijn. Ik had nog nooit eerder een tiener kunnen zijn, nooit de regels aan mijn laars kunnen lappen en het soort dingen kunnen doen die tieners doen. Wat wij beschouwden als het overtreden van de regels, was in wezen vrij onschuldig, maar het zorgde ervoor dat ik me bevrijd voelde. Terwijl de truck over de donkere wegen reed en de muziek uit de autoradio schalde, was ik niet langer Allens echtgenote, ik was mezelf.

Maar ik kon niet eeuwig blijven rondrijden. Uiteindelijk moest ik weer terug naar huis. Zodra ik de stacaravan binnen stapte, was de persoon die ik in Megs gezelschap was, plotseling verdwenen en voelde ik me weer ellendig.

20

Een stel koplampen

Zo zal het zijn volgens uw geloof.
—WARREN JEFFS

Augustus begon met opnieuw een schokkende maatregel van Warren, waardoor het moreel in Short Creek een nieuw dieptepunt bereikte. Ditmaal was het een gemeenschapsevenement dat de toorn van oom Warren opwekte.

Het was een paar maanden eerder begonnen, toen Shirley Barlow, een voormalige echtgenote van onze profeet Leroy Johnson, een diavoorstelling begon samen te stellen om de vijftigste gedenkdag van de inval in Short Creek in 1953 te herdenken. Terwijl Shirley diverse foto's en gebruiksvoorwerpen uit die tijd verzamelde, raakten veel andere leden van de gemeenschap betrokken bij het project. Er werd zo veel materiaal verzameld, dat de diavoorstelling zich ontwikkelde tot een film in drie delen. Het eerste deel zou worden vertoond tijdens onze jaarlijkse viering van oom Roys verjaardag in juni, en het laatste deel de avond voor de gedenkdag van de inval.

Toen kondigde Warren aan dat we oom Roys verjaardag dit jaar niet zouden vieren. Hoewel deze traditie door oom Roy zelf in het leven was geroepen en al jarenlang bestond, verklaarde Warren dat het evenement niet was wat oom Roy zou hebben gewild. Dat kwam als een geweldige schok voor de gemeenschap, die ernaar uitkeek als het begin van de zomerfeestelijkheden.

Gedurende een groot deel van de maand juli was Warren afwezig. Af en toe was hij dagen achtereen verdwenen zonder de mensen te laten weten waar hij was of wanneer hij weer zou terugkomen. Toch vond hij nog tijd om een eind te maken aan onze festiviteiten op 4 juli, en ook aan onze viering van Pioniersdag. De festiviteiten op 4 juli schafte hij af omdat die volgens hem bedoeld waren ter meerdere eer en glorie van de overheid, die tegen ons was, maar er werd geen echte reden gegeven waarom hij Pioniersdag afschafte. Hoewel het een traditie was die al tientallen jaren bestond, deed Warren geen poging om zichzelf te rechtvaardigen; als profeet hoefde hij geen verantwoording af te leggen.

Aanvankelijk liet Warren de diavoorstelling volgens plan doorgang vinden en hij woonde zelfs hoogstpersoonlijk de vertoning van het eerste deel van de film bij. Daarna vertrok hij met onbekende bestemming. In zijn afwezigheid ging de gemeenschap verder met de viering van de vijftigste gedenkdag van de inval. In de veronderstelling dat de profeet er geen bezwaar tegen zou hebben en er zelfs mee ingenomen zou zijn, vertoonde men het laatste deel van de film op de avond van 24 juli. Een gedeelte van de bibliotheek in Colorado City werd ontruimd voor de tentoonstelling van alle foto's, aangezien het op die plek was dat de autoriteiten op die noodlottige dag de gemeente hadden aangetroffen die zich daar had verzameld voor het gebed. Er waren ook gebruiksvoorwerpen als babydekentjes en schoentjes van de kinderen die bij hun moeders waren weggehaald.

In het centrum van de stad richtten enkele ouderlingen een monument op ter herdenking aan oom Roy en de inval, en de onthulling vond plaats op 26 juli, waarbij burgemeester Dan Barlow ons voorging in de plechtige inwijding. Enkele plaatselijke handwerkslieden hadden het monument gegraveerd met deze speciale woorden: 'De profeet Leroy S. Johnson stond op deze plek met zijn volgelingen de binnenvallende politiemacht op te wachten. Later verklaarde hij dat de bevrijding van de gelovigen in 1953 een van de grootste wonderen aller tijden was.'

Op de dag van de inwijding was Warren op een van zijn geheimzinnige uitstapjes, maar toen hij begin augustus terugkwam en hoorde wat er in zijn afwezigheid was gebeurd, ontstak hij in woede. Op zondag 10 augustus beklom hij de kansel en stak een donderpreek af tegen de mensen van Short Creek, waarbij hij ons ervan beschuldigde net te zijn als de mensen in Mozes' tijd, die het gouden kalf aanbaden terwijl hij de tien geboden in ontvangst nam van God. Hij vertelde ons dat hij een goddelijke openbaring had ontvangen en gaf opdracht het monument te vernietigen. 'Voorwaar, ik zeg u, mijn dienaar Warren, mijn volk heeft zwaar gezondigd; het heeft monumenten opgericht voor een mens in plaats van mij te verheerlijken,' waren de woorden waarmee Warren de angstaanjagende openbaring aan de gelovigen onthulde. Nooit eerder had hij een openbaring rechtstreeks aan de mensen doorgegeven, en toen we hoorden hoe vertoornd de Heer op ons was omdat we ons hadden ingelaten met afgoderij, sloeg de angst ons om het hart.

Warren beschuldigde de mensen ervan dat ze toekomstige zegeningen onwaardig waren en verklaarde dat er geen bijeenkomsten meer zouden plaatsvinden, noch van de priesterschap, noch zondagsbijeenkomsten. Hij gelastte dat er geen huwelijken, doopsels of belijdenissen meer zouden plaatsvinden. Maar hij zei ook dat de mensen hem tienden moesten blijven afdragen en hun bijdrage moesten blijven leveren aan de instandhouding van de FLDS-voorraadschuur.

Terwijl hij zijn hand opstak, vertelde de profeet ons dat het land van Short Creek nu 'vervloekt' zou zijn.

'Ik wil dat dat monument met de grond gelijk wordt gemaakt en in stukken wordt gebroken, en dat de stukken worden verspreid in de heuvels, waar niemand ze kan vinden,' gelastte hij, 'en dat alle foto's en verhalen in de archieven van de kerk worden opgeborgen en worden vergeten.'

Geschrokken sprongen verscheidene ouderlingen op; ze haastten zich naar buiten om zijn opdracht uit te voeren en diezelfde middag nog werd het monument met de grond gelijkgemaakt. Later zouden we inzien dat Warrens tirade ingegeven was door jaloezie. Het monument en de diavoorstelling waren een eerbetoon aan een andere tijd en een andere profeet. De familie Jeffs kwam in dat verhaal niet voor.

Die dag maakte oom Warren officieel een eind aan wat een manier van leven was geworden voor de mensen van de FLDS. Hij bracht ons een boodschap van God over en deelde ons mee dat er, vanwege datgene wat we misdaan hadden, geen gezellige avonden, geen school en geen Oogstfeest meer zouden zijn. Daarmee had hij in feite een eind gemaakt aan het sociale leven in Short Creek. We moesten boete doen en bidden dat de Heer ons zou vergeven.

Voor velen was het verlies van het recht om te trouwen de zwaarste straf. Het was onduidelijk hoe lang het verbod van kracht zou blijven en zelfs of het ooit weer zou worden opgeheven. De mannen met minder dan drie vrouwen waren bang dat de eeuwige zaligheid voor hen buiten bereik zou blijven, terwijl ongetrouwde vrouwen vreesden dat ze geen toegang tot de hemel zouden krijgen als ze niet bij een man werden geplaatst.

Het was de zwaarste straf die Warren ooit had opgelegd en de hele gemeenschap was in rep en roer. Ons zielenheil stond op het spel, en het leek steeds minder waarschijnlijk dat wij allen gered zouden worden. Als het klopte wat Warren zei, zouden sommigen van ons gered worden, maar de meesten niet.

Op 31 augustus besloten mijn moeder en ik stiekem Kassandra te bellen om haar te feliciteren met haar verjaardag. Toen ik belde, nam Ryan de telefoon op en op mijn vraag of ik Kassandra te spreken kon krijgen, vertelde hij me dat ze aan het bevallen was. Ik was geschokt. Ik wist niet eens dat ze zwanger was. Toen Kassandra eindelijk terugbelde, hoorden we dat zij en Ryan samenwoonden en dat ze net een zoontje hadden gekregen. Terwijl Kassandra me het opwindende nieuws vertelde, begon ik dingen te begrijpen waar ik maandenlang niet goed raad mee had geweten: het geheimzinnige gefluister met Teressa toen we Justin afzetten; Kassandra's aarzelende houding ten opzichte van mij. Dat had allemaal te maken met de baby die op komst was, en begrijpelijkerwijs had ze niet gewild dat ik daarvan op de hoogte was.

Nu de baby veilig ter wereld was gekomen, begon Kassandra openhartiger te worden over haar situatie. Ze woonde in Oregon in de buurt van mijn broer Craig, die op dat moment zowel Justin als Caleb onder zijn hoede had. Tijdens een volgend telefoontje in september zei Kassandra dat ze belangstelling had voor een baan als vertegenwoordigster van Saladmaster, omdat ze geld nodig had en wist hoe lucratief dat voor mij was geweest. Toen ik met mijn cheffin in Colorado City sprak over een eventuele indiensttreding van Kassandra, zag ze daar een voordeel voor het bedrijf in, en hoewel ze tot de FLDS behoorde, wilde ze graag dat ik naar Oregon vloog om Kassandra te contracteren. Zij zou provisie krijgen over Kassandra's verkopen, en ze leverde mij de potten en pannen die Kassandra nodig zou hebben om te beginnen.

Het enige probleem was Allen. Sinds ons gesprek met Warren was er nauwelijks iets veranderd. Ik bleef mijn nachten verdelen tussen oom Freds huis en onze stacaravan, maar sinds de avondjes uit met Meg had ik een nieuwe slaapplaats gevonden: mijn truck. Het was begonnen tijdens de warme zomernachten, toen het praktisch was om in mijn truck te slapen in plaats van naar huis en naar Allen te gaan. Maar toen de zomer overging in de herfst, voelde ik er weinig voor om mijn nieuwe toevluchtsoord op te geven en bleef ik er af en toe de nacht doorbrengen.

Ik wachtte tot het laat was en parkeerde dan op een rustige plek in de buurt van het waterreservoir boven de tweelinggemeente, waar mijn moeder en ik graag gingen wandelen. Soms schrok ik wakker van een klop op mijn portierraam, of van de lichtbundel van een zaklantaarn waarmee een agent van het korps van Colorado City in mijn gezicht scheen. Hoewel de politie er kennelijk streng op toezag dat onze religieuze wetten werden nageleefd, schenen misdrijven tegen kinderen niet onderzocht en niet bestraft te worden. Tot mijn verbazing scheen het die agenten nooit te verontrusten als ze een tienermeisje in haar eentje in haar truck zagen slapen. Hoewel ze me daar regelmatig aantroffen, werden er nooit vragen over gesteld. Er werd nooit een onderzoek ingesteld naar mogelijke problemen of eventueel misbruik. Ze zeiden gewoon tegen me dat ik naar huis moest gaan, precies de plek waaraan ik probeerde te ontsnappen.

Toen ik Allen aansprak over mijn reis naar Oregon, vroeg ik hem niet om toestemming; ik vertelde hem gewoon dat deze reis noodzakelijk was voor mijn werk. Hoewel hij er weinig voor voelde om me te laten gaan, was hij bang voor de reactie van oom Warren als hij hem zou vertellen hoe de vork in de steel zat. Sinds ons gesprek met Warren in juni had hij het niet goed aangedurfd zich over mij te beklagen. Bovendien was Warren ook in die periode nauwelijks aanwezig in Short Creek.

Als Allen er een halszaak van had gemaakt, zou ik geen andere keus hebben gehad dan thuis te blijven. Ook al was ik mijn grenzen aan het aftasten, hem daarin trotseren zou van al te veel ongehoorzaamheid hebben getuigd. Het was nog geen jaar geleden dat zijn weigering om me naar Canada te laten gaan, tot een ernstige confrontatie had geleid waaraan zelfs de profeet te pas had moeten komen. Hoewel een verblijf bij mijn afvallige zus veel onacceptabeler gedrag van mijn kant was, voelde Allen er kennelijk weinig voor opnieuw zo'n langdurige strijd aan te gaan. Uiteindelijk zei hij dat ik kon gaan.

Met 2500 dollar op de bank van maanden werk in mijn diverse baantjes, kon ik mijn eigen vliegticket betalen, maar kort voordat ik begin oktober vertrok, ontdekte ik iets wat al bijna routine begon te worden: ik was weer zwanger. Hoewel ik steeds minder vaak het bed met Allen deelde, dwong hij me de keren dat dat wél het geval was, dikwijls tot seks. Opnieuw wilde ik het Allen niet vertellen. Niet alleen zou hij me dwingen thuis te blijven, hij zou mij ook de schuld geven als er iets met het kind gebeurde. En dus hield ik het voor me.

Op de dag van mijn vlucht reed mijn cheffin me naar de luchthaven van Las Vegas, waar ik aan boord ging van een vliegtuig naar Oregon. Als klein meisje had ik al een paar keer gevlogen, maar dit was voor het eerst dat ik helemaal alleen was. Nadat we in Oregon waren geland, holde ik door het luchthavengebouw, op zoek naar Kassandra. Ik liep bijna de jonge vrouw ondersteboven die me de weg versperde, en ik begreep niet waarom ze me niet losliet toen ik mijn weg wilde vervolgen.

'Lesie,' zei de vrouw.

Het verbaasde me dat ze mijn naam wist. Toen ik de aantrekkelijke brunette nog eens goed aankeek, realiseerde ik me dat het Kassandra was. Ze leek in niets meer op het meisje dat ik in Hildale had gekend. Deze Kassandra droeg teenslippers en een capribroek. Ze droeg het haar los en tot net over haar schouders. Ze had fraaie, langwerpige oorbellen in en haar mooie blauwe ogen werden geaccentueerd door make-up. Maar het was wel degelijk Kassandra. Toen ze me omhelsde, ontspande ik me onmiddellijk. Maandenlang had iedereen in Short Creek haar slecht genoemd, maar plotseling zag ik in dat dat nergens op sloeg. Ze was dezelfde vriendelijke en zorgzame persoon die ze altijd al was geweest, en nu had ze ook nog een prachtig zoontje.

Ik was pas een dag in Kassandra's kleine appartement, toen Craig belde en me wilde spreken. Aarzelend nam ik de hoorn over en ik hoorde zijn vrolijke stem in mijn oor. 'Zorg dat je morgenochtend vroeg klaarstaat,' zei hij tegen me.

Zoals afgesproken stond mijn broer de volgende ochtend om zes uur voor de deur. Hij zag er ouder en volwassener uit dan de laatste keer dat we elkaar hadden gezien, bijna zeven jaar geleden. Hij was heel mannelijk en knap, met een sterke kaaklijn en lichtblond haar zoals dat van mij, heel kort geknipt. Zijn donkerblauwe ogen hadden een glans die ik niet eerder had gezien.

'O, mijn god, je bent een grote meid geworden,' zei hij met een glimlach.

'Ja,' zei ik, terwijl ik me wat ongemakkelijk voelde. Ik wist dat hij de lange reis weg van huis in zijn eentje had gemaakt, en ik had me zorgen gemaakt over zijn veiligheid en me gekwetst gevoeld omdat hij zo volledig uit ons leven was verdwenen.

Craig haalde een joggingpak voor me tevoorschijn en vertelde me dat we samen een wandeling bij zonsopgang over het strand zouden maken. Ik had nog nooit de oceaan gezien en was opgewonden bij het vooruitzicht mijn eerste blik op de grote golven te werpen. Het verwisselen van mijn lange jurk voor een zacht, lekker zittend joggingpak was ook al een sensatie. Mijn broer en ik liepen in de optrekkende grijze ochtendnevel de golfbrekers op. Daar zo te staan terwijl de golven op de stenen onder ons sloegen, was een totaal nieuwe ervaring voor me.

'Je hebt moeder in de steek gelaten,' zei ik tegen hem, terwijl mijn opgekropte woede plotseling loskwam.

Craig liet mijn woorden even in de lucht hangen en stelde me toen de vraag waarom ik nog steeds deel uitmaakte van de gemeenschap. Hij beschreef geduldig een gedeelte van de weg die hij tot dusverre had afgelegd.

Hij vertelde me dat hij naar Colorado was gegaan om te ontsnappen aan de beperkingen van de religie en eens rustig na te denken over allerlei aspecten van ons geloof. Hij was ervan overtuigd dat er geen goddelijke openbaring ten grondslag lag aan onze leerstellingen. Hij was er al evenzeer van overtuigd dat een groep oude mannen de levens van alle anderen had gedicteerd. Indertijd ervoer hij dat als dermate wereldschokkend dat hij er letterlijk doodziek van werd. Zoals ik het hem nu hoorde vertellen, voelde ik me ook geschokt. Maar Craig voelde aan dat ik er nog niet aan toe was datgene in me op te nemen waarvan hij overtuigd was geraakt. Hij ging omzichtig te werk en probeerde me niet van mijn geloof te brengen. In plaats daarvan stelde hij me tot nadenken stemmende vragen om achter mijn standpunten te komen. Het was duidelijk dat de priesterschap nog steeds grote invloed op me had en dat ik er nog lang niet aan toe was om alles wat me was geleerd, overboord te zetten.

Toen ik weer terug was in het appartement van Kassandra en Ryan, voelde ik me verfrist en – ook al was ik nog zo ver van huis – op de een of andere manier thuis. Die ochtend was het begin van wat een ongelooflijke ontdekkingsreis zou worden, waarbij ik mezelf vragen over mijn geloof begon te stellen die ik nooit eerder had durven stellen. Het gadeslaan van Kassandra's gezinnetje en het zien van de vrolijke gezichten van drie van mijn broers was een noodzakelijke les voor me. In de ogen van de priesterschap waren mijn broers en zus tot zonde vervallen en waren ze dus vermoedelijk voorbestemd voor de hel. Maar hun aanwezigheid bevestigde het vermoeden dat ik al die jaren geleden bij Bear Lake al had gehad: buitenstaanders zijn helemaal niet verdorven. Ze mochten dan misschien leven in een wereld van commerciële feestdagen, pretparken, capribroeken en bezoekjes aan de kapper, maar ze waren bepaald niet de demonen waar Warren het over had.

Dit was mijn eerste serieuze blik op het leven buiten de hoge muren van Short Creek, en die beïnvloedde mijn hele kijk op de wereld. In een opwelling van stoutmoedigheid knipte ik mijn haar aan de voorkant bij tot een soort pony. Ik begon ook capribroeken te dragen en andere moderne kledingstukken die Kassandra ook droeg. Op een dag ging ik met Kassandra mee naar de supermarkt terwijl ik mijn nieuwe broek, een paar teenslippers en een modieus T-shirt droeg. Niemand staarde me aan terwijl we door de gangpaden liepen. Het was voor het eerst dat ik buiten Short Creek was zonder dat ik opviel. Het gaf me een ongelooflijk gevoel van vrijheid. Niemand trok zijn wenkbrauwen op of probeerde zijn lachen in te houden als ik langsliep. Ik zag er net zo uit als iedereen.

Het uitstapje naar de supermarkt was opwindend, maar het was niets vergeleken met de pure vreugde die ik voelde toen ik samen met mijn broers en zus Halloween vierde. Caleb en Justin kwamen voor de gelegenheid allebei naar Kassandra's appartement en we vermaakten ons kostelijk met het uithollen en uitsnijden van pompoenen en het versieren van het huis. In navolging van de hoofdpersoon uit mijn favoriete film *Pirates of the Caribbean* droeg ik een wit overhemd met ruches, een piratenhoed en een kuitbroek in de vorm van een afgeknipte spijkerbroek. Elke keer als de bel ging, sprong ik op van de bank om de schattige buurtkinderen in hun uitbundige kostuums te zien. Ook het uitdelen van verpakt snoepgoed aan als heksen, prinsessen en superhelden verklede kinderen gaf me een voorproefje van hoe het leven in de rest van de wereld eruit kon zien.

Achteraf begrijp ik dat mijn broers en zus – met name Kassandra en Craig – het fundament legden voor wat zij wisten dat ik moest doen. Niet alleen lieten ze me kennismaken met de eenvoudige geneugten van de werkelijke wereld, maar ze bestookten me ook met vragen die me tot nadenken stemden en opmerkingen over mijn leven thuis. Ik at voor het eerst sushi en ging 's avonds laat bowlen. Alles wat ik deed,

deed me denken aan mijn tijd met Meg, en ik deed dingen waarvan ik in Short Creek nooit had kunnen dromen. Ik genoot met volle teugen van het leven en overal waar ik keek waren de dingen glanzend en nieuw.

Op een gegeven moment vertelde Kassandra me wat er werkelijk was gebeurd na Rulons dood en waardoor zij zich gedwongen had gevoeld de FLDS te verlaten. Op de dag dat oom Rulon stierf, gingen zijn echtgenotes in de rouw, maar ze putten moed uit Warrens verklaring dat geen van hen uitgehuwelijkt zou worden. Die verklaring herhaalde hij in het bijzijn van de hele gemeente. Maar slechts een maand later had hij alle vrouwen van zijn vader bijeengeroepen om zijn geheime huwelijk met zeven van hen aan te kondigen. Onder hen bevond zich Naomi, die later ten overstaan van de gemeente de boodschap zou verkondigen dat Warren de volgende profeet was en zou toegeven dat ze met hem in de echt was verbonden. Deze zeven vrouwen waren de eersten van Rulons vele jonge vrouwen die aan anderen zouden worden toegewezen.

Ik was geschokt toen ik hoorde wat er zich in het huis van de profeet had afgespeeld. In de dagen nadat Warren met die eerste zeven vrouwen in het huwelijk was getreden, begon hij de huwelijken van een paar van Rulons andere jonge vrouwen te arrangeren. Hij verklaarde dat het hun nieuwe opdracht in het leven was om te trouwen, en dat dit de volgende stap was die zijn vader wilde dat ze zouden zetten. Kassandra vertelde me over haar paniek toen ze zag hoe haar zusters werden weggegeven aan de mannen die door Warren waardig werden geacht, onder wie zijn broers Isaac, Nephi en Seth. Warren had haar zelfs een lijst gegeven met 'waardige' mannen met wie ze zou kunnen trouwen. Plotseling begreep ik haar vlucht een stuk beter en ik voelde me schuldig omdat ik zo lang boos op haar was gebleven vanwege haar overhaaste vertrek.

De vreugde van mijn bezoek aan Oregon werd kortstondig onderbroken toen ik een telefoontje van mijn cheffin kreeg, waarin ze me ervan beschuldigde dat ik spullen van Saladmaster had gestolen. In de weken voor mijn vertrek was er een vertegenwoordiger uit Californië naar Utah gekomen, die had aangedrongen op mijn ontslag. Het kwetste me dat mijn werkgeefster me zomaar liet vallen na de goede verkoopresultaten die ik had geboekt. Toen ze hoorde wat er aan de hand was, wilde Kassandra niet langer voor Saladmaster werken. Haar besluit leverde me nog meer problemen op toen mijn werkgeefster erop stond dat Kassandra zou betalen voor alle potten en pannen die ik had meegesleept naar Oregon. Het duurde een paar dagen voordat de zaak was opgelost, maar het eind van het liedje was dat ik mijn baan bij Saladmaster kwijt was.

Op een van mijn laatste avonden hielden we een picknick op het strand. We legden een vuur aan en roosterden een kip, terwijl we dicht tegen elkaar aan kropen in het enigszins kille avondbriesje. Terwijl we goedgehumeurd genoten van het heerlijke eten, werden de gesprekken geleidelijk serieuzer. Mijn broers en zus dreven me in het nauw door me te vragen waarom ik bij de FLDS bleef en probeerden me ervan te overtuigen dat ik moest vertrekken.

'Geloof je echt in Warren?'

Ik had geen antwoord.

'Waarom ben je daar nog steeds?' drongen ze aan.

'Ik moet voor Ally en Sherrie zorgen!' antwoordde ik, terwijl ik in mijn binnenste nog steeds de pijn van het verlaten worden voelde knagen. Indertijd dacht ik dat noch Kassandra noch Craig enig idee had hoe het voelde om in de steek te worden gelaten. Het was me zes keer overkomen, en ik moest er niet aan denken Sherrie en Ally iets dergelijks aan te doen.

Het was een moeilijk gesprek, maar uiteindelijk was het goed voor ons allemaal. Eindelijk durfde ik Kassandra te confronteren met het verdriet dat ze me had aangedaan door ervandoor te gaan. 'Ik heb het gevoel dat je me gewoon aan mijn lot hebt overgelaten.'

Ze begreep hoe ik me had gevoeld en vertelde me hoezeer het haar speet dat ze er indertijd niet voor me kon zijn. We omhelsden elkaar en het voelde als een opluchting om bevrijd te zijn van die nare negatieve gevoelens van verraad die ik al die tijd met me mee had gedragen. Toen vertelden ze me iets wat heel belangrijk voor me was.

'Je zou echt geen slecht mens zijn als je vertrok,' drukte Craig me op het hart. 'Je bent wat je besluit te zijn.'

De zon was al lang ondergegaan boven de glinsterende oceaan, en alleen de flakkerende vlammen gaven nog een beetje licht. Ik voelde me zo warm en geborgen naast hen, ondanks de nieuwe verwarrende gedachten die in mijn hoofd rondspookten. Ik was naar mijn gevoel pas kort in Oregon, maar nu al begon er iets in me te veranderen. Toch was ik er nog niet klaar voor om de grote sprong te wagen, en ik stelde het op prijs dat mijn broers en zus daar begrip voor hadden. Niettemin gingen mijn ogen open voor een nieuwe en andere wereld, een wereld waarin ik kon zijn wie ik wilde.

Na die avond werd het onmogelijk de telefoontjes van Allen, die gedurende mijn hele verblijf in Oregon bleven binnenkomen, nog langer te negeren. Het was al bijna drie weken geleden dat ik uit Short Creek was vertrokken en zijn berichten werden met de dag geagiteerder en ongeduldiger. Toen ik uiteindelijk opnam, klonk hij woedend: 'Je komt nu meteen naar huis.' Ik wist dat als ik hem bleef negeren en niet onmiddellijk terug naar huis ging, ik veel ellende over mezelf zou afroepen. Ook moeder belde me met het verzoek om terug te komen.

'Lesie, kom alsjeblieft terug,' zei ze zachtjes, bijna smekend. 'Ik wil jou niet ook nog eens verliezen. Ik heb je hier nodig, en de twee meisjes kunnen je ook niet missen.'

Mijn voorproefje van de vrijheid en het echte leven was een opwindend avontuur geweest, maar ik wist dat mijn tijd in Oregon erop zat. Mijn geloof was scheurtjes gaan vertonen en mijn verplichtingen ten opzichte van moeder en de meisjes drukten zwaar op me. In stilte vroeg ik me nog steeds af: stel dat ik de FLDS verliet, zou alles dan op zijn pootjes terechtkomen? Of zou op de dag des oordeels mijn uitgeteerde lichaam achterblijven terwijl de rechtschapenen ten hemel werden opgenomen?

Ik ging aan boord van een vliegtuig in mijn lange, saaie FLDS-kleren, heel wat anders dan de comfortabele en elegante kleding die ik in Oregon zo was gaan waarderen. Toen ik in Las Vegas arriveerde, stond Allen me op te wachten met een blik van gefrustreerde minachting op zijn gezicht. Ik zag dat hij geïrriteerd was en tijdens de rit naar huis veegde hij me behoorlijk de mantel uit. 'Ik ben je priesterschapsleider!' riep hij verbitterd uit. 'Ik ben niet van plan nog langer lijdelijk toe te zien hoe jij je misdraagt.'

Na een tijdje luisterde ik gewoon niet meer naar hem. Ik was tegelijkertijd geschokt en geamuseerd toen ik me realiseerde dat het enige wat ik kon bedenken, was: je bekijkt het maar.

Aangezien ik niet meer voor Saladmaster werkte, zette ik mezelf op het rooster voor enkele dubbele diensten in het Mark Twain-restaurant om de achteruitgang in mijn inkomen te compenseren. Ik meldde me rond elf uur 's ochtends voor mijn eerste dienst, en bleef dan tot na sluitingstijd om tien uur 's avonds. Behalve dat het extra geld in het laatje bracht, kon ik op die manier ook een groot deel van de avond buitenshuis doorbrengen. Hoewel het restaurant doordeweeks om tien uur en in het weekend om elf uur dichtging, bleef ik dikwijls tot middernacht om schoon te maken en af te sluiten. Al met al verdiende ik heel behoorlijk en ik hoefde Allen nergens om te vragen. Maar ik had nog steeds geen plek om 's nachts te slapen. Moeders kamer was meestal verboden terrein voor me en ik was het voortdurende geruzie met Allen beu.

Ik begon weer in mijn truck te slapen, alleen was dat nu in november veel lastiger. Omdat ik bang was dat ik door de politie aan oom Warren zou worden overgedragen, begon ik er een gewoonte van te maken 's avonds de FLDS-gemeenschap te verlaten en mijn auto ergens in de woestijn te parkeren. Ik rustte mijn voertuig uit met alles wat ik nodig had om de nacht door te komen: een warme deken, een kussentje, een koelbox gevuld met drinken, mueslirepen en een autokacheltje dat ik op de sigarettenaansteker kon aansluiten. Het koelt 's avonds snel af in de woestijn, en in een auto hou je geen warmte binnen. Ik had een kleine cd-speler gekocht om mezelf wat afleiding te bezorgen, want ik werd helemaal gek als het doodstil was. Ik probeerde wel een stoere meid te zijn, maar vanbinnen voelde ik me verloren in het donker. Op een keer toen ik wakker werd, was mijn wagen omsingeld door een familie prairiewolven. Er was ons altijd verteld dat het gebied rond de Creek bezocht werd door de geesten van hen die hier ooit in Bijbelse tijden hadden rondgelopen. Ooit had hier een welvarende stad gestaan, maar God had die verwoest om het land te zuiveren. Die mogelijkheid om een geest tegen het lijf te lopen, was een zoveelste angstaanjagende gedachte die door mijn hoofd spookte terwijl ik de bestuurdersstoel in de slaapstand zette en me zo goed en zo kwaad als het ging voor de nacht installeerde. Hoewel de griezelige geluiden van de prairiewolven en andere nachtdieren me bang maakten, bracht ik toch liever de nacht door in de woestijn dan thuis bij mijn echtgenoot. Het was wel een probleem dat ik steeds verder de woestijn in moest rijden, omdat de politie van Colorado City me steeds vond. Terwijl ik eerst alleen maar aan de rand van de bebouwing had gestaan, bevond ik me inmiddels al ruim drie kilometer buiten de stad.

Meestal bleef ik daar tot vijf uur 's ochtends, waarna ik langzaam terugreed naar de stacaravan, in de hoop dat Allen al naar zijn werk zou zijn. Hij had nog steeds dezelfde baan bij Reliance en moest 's ochtends vroeg van huis. In de caravan nam ik eerst een douche en daarna viel ik in slaap tot mijn volgende dienst begon. Inmiddels bracht ik nog maar een of twee nachten per week met mijn echtgenoot door, maar de problemen werden er niet minder door.

Rond half november had onze relatie een nieuw dieptepunt bereikt. Allen had er vooral de pest over in dat ik zo vaak niet thuis was, ondanks het feit dat ik net uit Oregon was teruggekeerd. Ik was al meer dan twee maanden zwanger maar hij had nog steeds niets in de gaten. Na een ruzie waarbij hij me een klap gaf, begon ik die vertrouwde kramp in mijn buik weer te voelen. Ik vreesde het ergste en holde naar de badkamer, waar ik geconfronteerd werd met het verontrustende teken van een miskraam: ik verloor bloed. Ik wilde alleen nog maar bij Allen vandaan en holde naar buiten zonder zelfs maar een paar schoenen of mijn jas te pakken. Ik stapte in mijn auto en ging op weg naar de woestijn. De krampen waren zo hevig dat ik bij een tankstation aan de rand van de stad moest stoppen om gebruik te maken van het toilet. Ik verloor bloedstolsels, maar ik kon nergens heen en moest de miskraam op het toilet afwachten. Ik schrok toen er op de deur werd geklopt en een mannenstem meedeelde dat het tankstation ging sluiten voor de nacht.

Ik maakte de boel zo goed mogelijk schoon, stapte weer in mijn truck en ging op weg naar mijn gebruikelijke plek in de woestijn. De wagen glibberde heen en weer terwijl ik het heuveltje naast de onverharde weg op reed waar ik de laatste tijd 's nachts parkeerde. Het had al bijna een week lang geregend en de dorre grond was veranderd in een modderpoel.

Ik probeerde een jeneverbesstruik te ontwijken, toen mijn wielen begonnen weg te zakken in de modder. Het begon te sneeuwen en ik kon nauwelijks nog zien waar ik reed. Ik drukte het gaspedaal in, maar er zat geen beweging meer in de truck. Ik zat niet alleen vast in de modder, maar nu had ik ook nog een lekke band.

Geïrriteerd en misselijk van de pijn stapte ik uit en pakte de krik uit de achterbak. Ik wist hoe ik een band moest verwisselen, maar ik voelde me zwak terwijl ik probeerde de voorkant van de truck op te krikken. Plotseling voelde ik de wagen wegglijden en het volgende wat ik me herinnerde was dat ik naast het voorspatbord op de grond lag.

Toen zag ik de koplampen.

Ik ging er onmiddellijk van uit dat het de politie was. Ik had het ijs-koud, was bezig een miskraam te krijgen, en ik had niet eens schoenen aan. En nu was er dan ook nog de mogelijkheid dat ik gearresteerd zou worden omdat ik de avondklok aan mijn laars lapte.

'Is alles in orde?' klonk een mannenstem in het donker.

Het enige wat ik kon zien was een silhouet. 'Ja hoor, prima,' zei ik, in de hoop dat hij, wie het ook mocht zijn, gewoon weer weg zou gaan.

'Daar ziet het anders niet naar uit,' zei de man, terwijl hij naar de plek kwam waar ik bemodderd en wel op de grond lag. Uit de manier waarop hij naar me staarde, maakte ik op dat hij me niet geloofde.

'Ik help je wel even met dat wiel,' zei hij vriendelijk. Ik keek toe ter-wijl hij de krik weer onder de voorkant van mijn Ford Ranger manoeu-vreerde en onwillekeurig huiverde ik. 'Je hebt het ijskoud,' zei hij. 'Waarom ga je niet even in mijn wagen zitten terwijl ik je wiel verwis-sel?'

'Dat kan ik zelf ook wel,' zei ik, omdat ik hem niet tot last wilde zijn.

'Ongetwijfeld,' zei de man glimlachend terwijl hij me naar zijn truck bracht.

Ik voelde me zo dwaas toen ik in zijn wagen toekeek hoe deze vreemdeling mijn wiel begon te verwisselen. De verwarming deed zijn werk en ik begon me iets behaaglijker te voelen. Ik begon me zorgen te maken toen de man de voorkant van mijn truck weer liet zakken en vervolgens naast me in zijn auto stapte.

'Wat doe je hier in de rimboe?' vroeg hij. Zijn gezicht zag er vaag be-kend uit, maar ik kon het niet plaatsen. Hij was niet veel ouder dan Al-len, misschien vijfentwintig of zo. Ik wist dat hij gewoon vriendelijk wilde zijn, maar ik kon me een heleboel problemen op de hals halen al-leen al door met een onbekende man te praten. Het enige waaraan ik kon denken, was hoe ik hier zo snel mogelijk vandaan kon komen. Ik wist dat hij een antwoord op zijn vraag verwachtte, maar dat gaf ik hem niet.

'Is alles goed met je?' vroeg hij. 'Het lijkt wel of je een blauw oog hebt.'

'Ja hoor, niets aan de hand,' antwoordde ik snel, terwijl ik naar mijn voeten keek. Ik voelde me gegeneerd dat hij de kneuzing had gezien die het gevolg was van een recente ruzie met Allen.

'Ik ben Lamont Barlow,' zei hij. Op dat moment realiseerde ik me waar ik hem van kende. Hij was een vriend van Megs zus en Meg was een tijdje verliefd op hem geweest. De afgelopen zomer had ze zelfs een paar keer zijn quad geleend.

'O,' zei ik, niet van plan hem te vertellen hoe ik heette. Na enkele minuten was het hem wel duidelijk dat hij geen verdere informatie van me hoefde te verwachten.

'Nou, hier heb je mijn telefoonnummer,' zei Lamont, en hij gaf me een blaadje papier dat hij van een blocnote had gescheurd. 'Als je ooit nog eens hulp nodig mocht hebben...'

'Dat denk ik niet,' viel ik hem in de rede, terwijl ik het portier opendeed en uitstapte. Ik voelde me heel erg zwak en ik had vreselijke krampen in mijn buik.

Maar ik hield me flink terwijl ik op weg ging naar mijn eigen truck. 'Heel erg bedankt voor de hulp,' zei ik, naar hem zwaaiend met een geforceerde glimlach.

'Zal ik je anders even naar huis brengen? Ik weet niet of het wel zo verstandig is dat je gaat rijden,' riep Lamont me achterna.

'Nee,' riep ik terug, en ik verzekerde hem nogmaals dat alles in orde was. Het laatste wat ik op dat moment wilde, was naar huis gaan. 'Weet je wat, ik rij voor alle zekerheid even een stukje achter je aan. Je hebt het nummer van mijn mobiel, als je je duizelig mocht voelen of zoiets. Als je dat belt, zet ik mijn auto langs de kant.'

Ik hield mijn achteruitkijkspiegel in de gaten toen we door de modder voortkropen in de richting van de doorgaande weg. Zodra ik op het asfalt kwam, gaf ik plankgas. Ik wilde niet dat hij iets over me te weten zou komen. Ik was ervan overtuigd dat hij me zou aangeven bij oom Warren.

Ik had er niet verder naast kunnen zitten.

21

Beloof dat je niets zult zeggen

Vertrouw op God. Zijn wegen zijn ondoorgrondelijk.
— SHARON WALL

Het werd al dag toen ik in mijn truck terug naar de stad reed. Het enige waaraan ik kon denken was dat ik naar mijn moeder wilde. Ik parkeerde bij het huis van oom Fred en belde naar mijn moeders kamer om haar het hek te laten openen. Door de glaspanelen van de achterdeur zag ik mijn moeder in haar kamerjas haastig de trap af lopen en me tegemoetkomen. Er verscheen een bezorgde blik op haar gezicht toen ze mijn met modder besmeurde kleren zag en mijn natte haar dat tegen mijn vermoeide gezicht zat geplakt.

'Lesie!' wist ze met moeite uit te brengen. 'Wat is er gebeurd?'

'Ik heb weer een miskraam, moeder,' zei ik op levenloze toon, mijn woorden nauwelijks hoorbaar terwijl ik voorovergebogen bleef staan.

Er verscheen een gepijnigde blik op moeders gezicht terwijl ze een arm om mijn schouders sloeg en me naar boven leidde, naar haar nieuwe kamer in de noordelijke vleugel van het huis.

'Wil je naar de kraamkliniek?' vroeg ze.

'Nee! Dat is wel het laatste wat ik nu wil,' zei ik tegen haar. Ze was bezorgd, maar ik voelde me te beroerd om me nog ergens wat van aan te trekken.

'Het spijt me dat je dit opnieuw moet meemaken,' zei moeder met een mengeling van boosheid en droefheid in haar stem. 'Het komt wel weer in orde.'

De geruststellende woorden van mijn moeder waren het laatste wat ik hoorde toen ik die ochtend wegdoezelde in haar comfortabele twee-persoonsbed. De volgende dagen waakte moeder over me, wat een geruststellende gedachte voor me was. Haar tederheid bezorgde me een gevoel van nostalgie; opeens was ik weer terug in mijn kinderjaren, toen geschaafde knieën en blauwe plekken als bij toverslag genezen konden worden door de aanraking van mijn moeder. Het gaf me zo'n goed gevoel haar eindelijk in vertrouwen te nemen nadat ik zo lang had geprobeerd mijn verdriet voor haar verborgen te houden. Op dit moment kon ik weer het kleine meisje zijn en mijn moeder een deel van de last laten dragen die ik tot nu toe alleen had getorst. In deze toestand had ik in elk geval niets te duchten van Allen. Ik was lichamelijk volkomen uitgeput. Deels door de nachten met Allen en deels door de nachten die ik in mijn truck had doorgebracht, had ik nauwelijks geslapen. Die uitputting en het fysieke trauma van weer een miskraam, hadden hun tol van me geëist.

Inmiddels had Allen niet veel contact meer met mijn moeder, maar toen hij belde om te informeren of ik soms bij haar was, hoorde ik moeder tegen hem zeggen dat ik echt ziek was. Uit de toon van haar stem bleek hoe boos ze was. Ze belde ook het restaurant om de bedrijfsleider te zeggen dat ik er een paar dagen niet zou zijn. Het was een opluchting om weer terug onder moeders beschermende vleugels te zijn, en ik kroop diep onder de dekens, blij dat ik voorlopig even bevrijd was van Allen. Maar op gezette tijden bleef ik me zorgen maken over de man die me had geholpen met mijn lekke band. Ik vroeg me af wie hij over onze ontmoeting zou vertellen en hoe daarop gereageerd zou worden. Met de hand over hand toenemende paranoia in onze gemeenschap wist ik gewoon zeker dat hij het iemand zou vertellen. Het was slechts een kwestie van tijd.

Pas nadat ik een paar dagen bij mijn moeder had doorgebracht, had ik eindelijk weer de kracht om uit bed te komen en ik wist dat ik weer terug moest naar mijn werk. Toen ik in de spiegel keek, zag ik dat mijn oog nog steeds verkleurd was, maar gelukkig was ik er heel goed in geworden mijn blauwe plekken te camoufleren met make-up, ook al hoorden we die helemaal niet te hebben.

Meg had zich zorgen over me gemaakt en was blij toen ze me het restaurant binnen zag komen. Ze holde meteen op me af en vroeg hoe het met me ging. Ik vertelde haar over de miskraam, de lekke band en de man die me die avond op dat onverharde weggetje in de woestijn had geholpen. Meg verzekerde me dat Lamont Barlow me niet aan Warren zou verraden. Ze kende hem al een tijdje en ze was ervan overtuigd dat hij een goeie vent was.

Toen ze eenmaal wist dat met mij alles in orde was, begon ze zelf honderduit te vertellen. Ze was al enkele maanden verliefd op een jongen uit Short Creek, een zekere Jason, en af en toe waren ze samen weggeglipt. Inmiddels had Jason de FLDS de rug toe gekeerd. Het was een riskante situatie, maar ze was bang dat hij haar zou vergeten nu hij geen deel meer uitmaakte van de FLDS. Het was duidelijk dat ze echt gek op hem was, en als we samen in de auto zaten, smeekte ze me om langs zijn huis te rijden, in de hoop een glimp van hem op te vangen. We gedroegen ons vreselijk dwaas en giechelden als we hem op het gazon of achter een raam aan de voorkant van het huis zagen. Dan doken we omlaag, hopend dat hij ons niet zou zien. Soms reed ik haar 's avonds naar geheime ontmoetingsplaatsen, waar ze een paar minuten voor zichzelf hadden terwijl ik in de auto wachtte.

Ik was wel een beetje bang dat ze in eenzelfde soort situatie zou komen te verkeren als mijn stiefzuster Lily. Ik wilde niet dat ze terecht zou komen in een liefdeloos huwelijk als het mijne, maar ik wist niet goed wat ik tegen haar kon zeggen om haar moed in te spreken. Zolang ze lid van de FLDS was, zou haar droom om met Jason samen te zijn, nooit in vervulling gaan.

Het duurde niet lang voordat de lunchdrukte begon. Ik was bezig een bestelling op te nemen, toen ik de bel bij de ingang hoorde die aangaf dat er weer klanten binnenkwamen. Toen ik naar de deur keek, zag ik het rossige haar en de brede glimlach van Lamont Barlow, de jongeman die me in de woestijn had geholpen. Hij was samen met enkele andere mannen en ze stonden te wachten tot ze een tafel kregen toegewezen. Ik nam snel de rest van de bestelling op en haastte me terug naar de keuken om te voorkomen dat hij me zou zien. Ik gluurde om een hoekje en zag hoe de gastvrouw zijn gezelschap naar een tafel in mijn afdeling bracht. Ik liep de keuken weer in om met Meg, de kokkin, te praten. Hoewel het die avond in de woestijn aardedonker was geweest en lichtjes had gesneeuwd, was ik er zeker van dat hij me onmiddellijk zou herkennen als ik aan zijn tafeltje kwam. Meg had me dan wel verzekerd dat hij me niet aan Warren zou verraden, maar daar kon ik niet zeker van zijn. Ik smeekte de andere serveerster die dienst had om die ene tafel erbij te nemen, maar ze had het al druk genoeg met haar eigen tafels.

Ik begon in paniek te raken. 'Meg,' fluisterde ik boven het gesis van de hamburgers op de grill uit. 'Help! Ik kan niet terug naar binnen. Die vent uit de woestijn is er.'

Meg wierp een blik in het restaurant en giechelde. 'Ik heb je al gezegd dat je je geen zorgen hoeft te maken. Hij zal je heus niet verraden,'
verzekerde ze me.

'Ik weet het, ik weet het,' zei ik met een zachte stem, maar ik wilde
niets liever dan dat hij op zou staan en weg zou gaan. Ik voelde me ook
schuldig omdat hij me zijn telefoonnummer had gegeven. Het was
uiterst onbehoorlijk dat ik het telefoonnummer van een andere man
dan mijn echtgenoot in mijn bezit had.

Schichtig liep ik naar het hoektafeltje waar Lamont druk zat te praten met zijn vrienden. Ik haalde mijn blocnootje tevoorschijn, begroette hen, vertelde hun over onze speciale lunchgerechten en vroeg:
'Wat zouden jullie vandaag willen eten?' Ik hield mijn blik op mijn
blocnootje gericht en probeerde niet op te kijken, uit vrees oogcontact
met hem te maken. Het leek de langste dienst van mijn leven, maar ik
doorstond de beproeving zonder ook maar eenmaal Lamont aan te kijken.

Later stond ik bij de kassa met een andere klant af te rekenen toen ik
iemands ogen op me gericht voelde. 'Ik zal niets zeggen als jij dat ook
niet doet,' hoorde ik een mannenstem fluisteren. Toen ik opkeek, zag ik
Lamont voor me staan met zijn rekening. Normaal gesproken zou dat
voor mij niet genoeg zijn om iemand te vertrouwen – zo paranoïde waren we dankzij Warren geworden. Maar er was iets in zijn glimlach wat
me op mijn gemak stelde. Ik beantwoordde zijn glimlach terwijl hij af-
rekende; toch was ik niet van plan hem iets over mezelf te vertellen.

Die week kwam Lamont nog een paar keer naar het restaurant. Ik
wist niet goed hoe ik moest reageren en ook later niet, toen hij een baan
had gekregen als kok. Ik had geen idee dat Lamont naar me had geïn-
formeerd. Na onze ontmoeting in de woestijn was hij nieuwsgierig
naar me geworden en had hij hier en daar navraag gedaan. Hij wist dat
ik Megs vriendin was en hij probeerde er via haar achter te komen hoe
ik aan dat blauwe oog was gekomen. Het idee dat iemand een vrouw
zou slaan, maakte hem woedend, maar hij raakte nog meer van streek
toen hij hoorde dat ik ongelukkig getrouwd was.

Het bleek dat hij me een paar keer had gezien gedurende de maanden voor we elkaar in de woestijn ontmoetten; hij herinnerde me zich
zelfs van een pioniersdagparade enkele jaren geleden. Ik was een van de
dansmeisjes geweest en hij marcheerde vlak voor ons uit als pelotons-
leider van de Zonen van Helaman. Later vertrouwde hij me toe dat hij

het die dag zo van mij te pakken had dat hij de verkeerde kant op was gelopen toen de ouderling het marsbevel voor zijn groep afriep.

Geleidelijk aan verdween mijn verlegenheid als Lamont in de buurt was. Hoe meer ik hem zag, hoe meer ik besefte dat het niet zijn bedoeling was om me problemen te bezorgen, en er ontstond vriendschap tussen ons. Lamont woonde indertijd bij zijn vader in Hildale, maar het ging thuis niet zo goed. Aanvankelijk was ik niet op de hoogte van het hele verhaal, maar naar ik begreep had hij de nodige problemen met Warren gehad en probeerde hij zijn gemengde gevoelens met betrekking tot het geloof in overeenstemming te brengen met zijn nog steeds aanwezige verlangen om in de hemel te komen.

Later die maand ontmoette ik Meg en Jason in het Brian Head Resort, waar we heimelijk een dag gingen snowboarden. Jason was vanuit Salt Lake komen rijden en ik was verbaasd toen ook Lamont zich bij ons voegde. Ze waren in het gezelschap van een stel vrienden en hun enthousiasme werkte aanstekelijk. Lamont was weliswaar iets ouder dan ik, maar hij was aardig en opgewekt en daar werd ik vrolijk van. Ik merkte dat ik de dagen na ons uitstapje regelmatig aan hem dacht.

'Wat weet je over hem?' vroeg ik Meg terwijl we in mijn wagen door de stad reden.

'Nou,' zei ze met een zucht, 'hij heeft geen gemakkelijk leven gehad. Zijn moeder is overleden en hij heeft een moeilijke jeugd gehad.'

Ik schudde bedroefd mijn hoofd. Ik dacht aan mijn liefde voor mijn eigen moeder, die onvoorwaardelijke liefde die ons bond. Ik kon me nauwelijks een leven zonder haar voorstellen en ik wist zeker dat Lamont heel erg onder het verlies had geleden. Daar liet Meg het bij, mogelijk om Lamonts privacy te beschermen en waarschijnlijk ook omdat ze niet het hele verhaal kende, en we gingen over op een ander onderwerp.

Meg en ik reden regelmatig urenlang rond om zo lang mogelijk van huis te zijn. Een van de favoriete uitrustingsstukken van mijn truck was een klein tv'tje met ingebouwde videorecorder dat ik stiekem had gekocht. Tijdens de zomermaanden tot aan het begin van de herfst hadden Meg en ik films gehuurd of ze geleend van Megs oudere zus, en vervolgens waren we naar de woestijn gereden om ze in de laadruimte van de truck onder de sterrenhemel te bekijken. Maar in de koude wintermaanden zetten we de tv gewoon tussen ons in op het dashboard en bekeken de films naast elkaar in de cabine.

Ondanks het plezier dat ik met Meg had, veroorzaakte mijn vierde voortijdig afgebroken zwangerschap een hernieuwd gevoel van wanhoop. Mijn toch al sporadische bezoeken aan de stacaravan werden nog minder frequent. Allen vond het maar niets dat ik zo vaak weg was, maar tegen die tijd was er niet veel meer dat hij daaraan kon doen. Sinds hij zich na een samenzijn bij het kampvuur in de uitlopers van de Vermillion Cliffs met geweld aan me had opgedrongen, had ik hem vrijwel geheel genegeerd.

Vóór de betreffende bijeenkomst was ik nauwelijks thuis geweest en ik vreesde dat ik misschien in de problemen zou komen als ik niet met hem meeging. We hadden marshmallows geroosterd en een paar plezierige uurtjes doorgebracht met familieleden en vrienden van Allen. Toen het donker begon te worden, vroeg Allen of ik zin had om een eindje te gaan rijden en wat bij te praten.

'Oké,' zei ik schoorvoetend, in het besef dat ik nog steeds een verantwoordelijkheid had als zijn echtgenote. We reden wat rond, tot Allen stopte op een veld met een fraai uitzicht op de tweelinggemeente. Op zijn onhandige manier probeerde Allen wat van de tweedracht tussen ons weg te nemen. Op een gegeven moment vroeg hij me of ik ooit kinderen wilde. Ik wist niet wat ik moest antwoorden. Ik wilde geen kinderen met hem, maar ik wist dat hij me als opstandig zou beschouwen als ik hem de waarheid vertelde.

Hij maakte de achterklep van de truck open en we zaten met bungelende benen en genoten van het uitzicht op de fonkelende lichtjes van de slapende stadjes en het geluid van de krekels. Allen vroeg me waarom ik zo afstandelijk en vijandig tegen hem deed. In het verleden had ik me gerealiseerd dat mijn gevoelens er niet toe deden, maar nu verzamelde ik al mijn moed om hem nogmaals de waarheid te vertellen die hij niet wilde horen. De afstand die ik van Allen had genomen sinds mijn laatste miskraam, had me in staat gesteld nog eens kritisch naar hem en onze relatie te kijken. Ik was tot de conclusie gekomen dat Allen en ik totaal niet bij elkaar pasten en dat ons huwelijk nooit iets anders zou worden dan wat het was: een gedwongen, onverkwikkelijke verbintenis. 'Weet je, Allen, ik vertrouw je gewoon niet,' zei ik. 'Ik hou gewoon niet van je en ik wil hier helemaal niet zijn.'

Ik wachtte op Allens reactie, maar die kwam niet. Toen flapte ik eruit wat ik al zo lang voor me had gehouden. 'Dingen die je in het verleden hebt gedaan, hebben me gekwetst, en ik kan je gewoon niet meer vertrouwen,' zei ik. 'Ik weet niet hoe lang ik hier nog mee door kan gaan.'

'Nou, als we samen een kindje krijgen, zal alles veranderen. Dan leer je vast wel van me te houden,' zei Allen op wanhopige toon.

'Nee.' Het baarde me zorgen dat Allen gefrustreerd raakte door mijn woorden. Hij herinnerde me eraan dat mijn zielenheil afhing van mijn gehoorzaamheid, niet alleen aan hem maar ook aan de profeet.

'De profeet heeft je hier geplaatst,' bracht hij me in herinnering. Terwijl ik op zoek was naar een antwoord, voelde ik Allens hand in mijn nek en zijn vochtige lippen die op weg waren naar de mijne.

'Doe dat nou niet,' zei ik tegen hem. Ik kende het patroon onderhand maar al te goed. Een kus was slechts stap één voor hem. Het leidde altijd tot meer, en daar had ik helemaal geen zin in. 'Blijf van me af. Als je werkelijk wilt proberen er iets van te maken, dan laat je me nu met rust.'

'Hoor eens, je bent mijn vrouw en ik ben je priesterschapsleider,' snauwde hij me toe.

Terwijl hij me bij mijn schouders pakte, waarschuwde ik hem nogmaals. 'Doe dit nou niet,' zei ik. We waren als twee legers die op het punt stonden slag te leveren, en ik was niet van plan me gewonnen te geven. 'Als je dit doet, zul je de consequenties onder ogen moeten zien en wordt van nu af aan alles anders.'

Ik probeerde overeind te komen, maar hij drukte me achterover onder de overkapping. 'We moeten gewoon kinderen krijgen, dan zul je er vast wel anders over denken,' waren de laatste woorden die ik van zijn lippen hoorde. Opnieuw zat ik in de val bij Allen. Ik had geen auto waarmee ik van hem weg kon rijden.

'Doe nou maar wat je van plan bent en breng me dan naar huis,' zei ik. 'Als je maar weet dat het nooit meer hetzelfde zal zijn.'

Die avond beloofde ik mezelf dat ik me nooit meer in een dergelijke situatie zou laten manoeuvreren. Het was een belofte die ik nakwam. Als ik niet van Allen af kon komen, zou ik in elk geval de nodige voorzorgsmaatregelen nemen om me tegen hem te beschermen.

Hoewel moeder me sommige avonden oom Freds huis binnen had weten te smokkelen, was het steeds moeilijker geworden om ongemerkt bij haar op bezoek te gaan. Naast het beveiligingshek, waarvoor een code nodig was, waren er op strategische plaatsen beveiligingscamera's geplaatst die het hele terrein bestreken. Op sommige avonden sloop mijn zusje Ally naar beneden om me binnen te laten nadat iedereen naar bed was gegaan, maar dat zou niet elke avond lukken.

Als ik niet bij mijn moeder kon zijn, nam ik weer mijn toevlucht tot het slapen in mijn truck in de woestijn, maar nu de winter snel naderbij kwam, was mijn elektrische autokacheltje niet meer genoeg om me warm te houden. Ik kwam erachter dat als ik het kacheltje elf minuten aanzette, het in de truck minstens een uur warm bleef. Ik moest oppassen dat ik niet in slaap viel terwijl het kacheltje aanstond, omdat de accu anders leeg zou kunnen raken.

Op een dag in december zat ik in de Twain, zoals we ons restaurant onder elkaar noemden, te kletsen met Lamont, die binnen was komen lopen om een hapje te eten. Hij vertelde me dat hij een film had die hij me wilde uitlenen en ik begon onmiddellijk te blozen. Mijn kleine tv'tje en mijn 'wilde' avonden waarop ik samen met Meg naar films keek, waren naar FLDS-maatstaven al rebels genoeg. Een film lenen van een jongen zou helemaal niet door de beugel kunnen. In een eerste reflex sloeg ik zijn aanbod af, maar nadat ik er een tijdje over had nagedacht, besloot ik er toch op in te gaan.

We spraken af elkaar in de woestijn te ontmoeten, zodat hij me de film kon overhandigen zonder dat iemand het zag. Toen ik de afgesproken plek naderde, viel zijn truck me onmiddellijk op. Het was een te gekke goudkleurige Ford F-350 op enorme wielen. In Short Creek was de truck van een jongen zijn speeltje, en die van Lamont was schitterend. En dus wist ik niet wat ik hoorde toen hij erop aandrong dat ik er een eindje in zou gaan rijden. 'Geen sprake van!' zei ik met een glimlach.

Lamonts zachte blauwe ogen lichtten op en hij liet zijn witte tanden zien in een brede grijns. 'Kom op,' zei hij. 'Hoe vaak krijg je nou de kans in zo'n truck te rijden?'

Hij had gelijk en dat wisten we allebei. Ik wipte van de ene voet op de andere terwijl ik erover nadacht. 'Nou, goed dan,' zei ik, terwijl ik mijn opwinding probeerde te onderdrukken. Ik was bloednerveus toen ik achter het stuur ging zitten en schakelde. Stel dat ik zijn truck in de prak zou rijden? Stel dat we betrapt zouden worden? Er schoot van alles door mijn hoofd.

Plagerig zei Lamont: 'Je mag wel een klein beetje meer gas geven, Elissa.' Hij lachte. Ik ook. Voorzichtig duwde ik mijn rechtervoet wat verder naar beneden en de truck schoot naar voren, waarna we als baldadige kinderen een tijdje kriskras door het woestijnlandschap scheurden.

Nadat de rit ten einde was, raakten Lamont en ik uitvoerig met elkaar in gesprek. Hij vroeg me waar ik was opgegroeid en ik vertelde hem dat ik uit Salt Lake City kwam. Hij wist dat ik Wall heette, want wettelijk was dat nog steeds mijn achternaam en die gebruikte ik ook op mijn werk.

'Ik ken niet veel Walls,' zei hij, 'maar ik ben een vriend van Travis.'

Ik glimlachte toen hij over Travis begon, en plotseling miste ik al mijn broers weer vreselijk. Lamont had enige tijd doorgebracht in Salt Lake en had daar Travis leren kennen, die ik niet meer had gezien sinds moeder in 1999 met ons naar Hildale was verhuisd. Ik luisterde gretig naar Lamonts verhalen over Travis, die hij heel cool vond. Jarenlang had ons gezin een slechte reputatie gehad. Het was verfrissend om iemand met respect en bewondering over een van mijn bloedverwanten te horen praten, vooral over een van mijn broers, van wie ik zo veel hield en die ik zo miste.

Toen Lamont me vertelde dat zijn moeder was overleden nadat ze in coma was geraakt, had ik vreselijk met hem te doen. Er blonken tranen in zijn helderblauwe ogen toen hij me het verhaal in het kort vertelde.

'Wat erg voor je,' zei ik, bijna fluisterend. Toch gaf het ook een troostrijk gevoel dat iemand me zo'n persoonlijk verhaal toevertrouwde. Ik had nog nooit eerder meegemaakt dat een man van buiten mijn familie me op een dergelijke manier in vertrouwen nam, en voor het eerst had ik het gevoel dat ik echt contact had met iemand van het andere geslacht.

De dagen verstreken en mijn vriendschap met Lamont werd steeds hechter. Op een dag belde hij Meg en vroeg haar om hulp omdat hij een aanval van lymfoedeem had. Ik vroeg Meg wat er precies met hem aan de hand was en ze legde uit dat Lamonts lymfklieren gevoelig waren voor infecties; als er één opspeelde, volgden de anderen. De infecties veroorzaakten hoge koorts en andere ongemakken die alleen met antibiotica behandeld konden worden. Ik was van streek toen ik hoorde dat Lamont ziek was en ik wilde hem troosten zonder opdringerig te zijn, dus ik stuurde hem een sms'je met de tekst: 'Ik hoop dat je je gauw weer beter voelt.'

Meg had aangeboden zijn medicijnen in Hurricane op te halen en dus stapten we in mijn truck en gingen op weg. Natuurlijk was er wel een apotheek dichter in de buurt, maar als we daar gezien werden, zou ons op een ernstige berisping komen te staan. De mensen mochten niet te weten komen dat we omgingen met een man die niet onze priesterschapsleider was. Meg belde Lamonts mobiele nummer en hij wist zijn koortsige lichaam lang genoeg uit bed te hijsen om naar the Sticks te rijden, waar we hem zijn medicijnen ongezien konden overhandigen. De volgende twee dagen maakte ik me stilletjes zorgen over hem, maar ik wilde hem niet lastigvallen. Ten slotte stuurde hij me een sms'je om me te bedanken voor wat ik had gedaan en hij voegde eraan toe dat hij hoopte dat onze vriendschap in de toekomst zou blijven bestaan. Ik was in de zevende hemel, maar ook een beetje bang. Lamonts gezelschap was me liever dan dat van welke andere man dan ook. Onze vriendschap ging al in tegen de regels van de kerk en ik had geen idee waar dit alles op zou uitdraaien.

Een paar dagen na onze rit naar Hurricane werkten Meg en ik allebei in de avonddienst in de Twain en ik voelde gewoon dat er iets aan de hand was. Haar anders zo vrolijke gezicht stond somber toen ze die avond bij me instapte voor de rit naar huis.

'Lesie,' zei ze met tranen in haar ogen, 'ik ga ervandoor.' Bijna op fluistertoon vertelde Meg me dat Jason haar de volgende dag zou komen ophalen. Ze vertrokken samen naar Salt Lake City. 'Ik heb je hulp nodig,' zei Meg op smekende toon. 'Alsjeblieft.'

Onmiddellijk ervoer ik weer het vertrouwde gevoel van in de steek gelaten te worden, maar ik liet het niet de overhand krijgen. Hoewel haar vertrek een geweldig verlies voor me zou betekenen, moest ik mijn vriendin helpen. Ze nam me in vertrouwen zoals ik had gewild dat Kassandra dat had gedaan, en ik kon het niet over mijn hart verkrijgen te proberen haar op andere gedachten te brengen. Toen Kassandra vertrok, dacht ik dat ze zichzelf tot de hel veroordeelde, maar nu wist ik dat daar geen sprake van was. Ik wilde niet dat Meg aan de een of andere oude man zou worden uitgehuwelijkt of, erger nog, aan een man van wie ze niet hield. Jason hield van haar en zij van hem. Dat was genoeg voor mij.

Ik knikte plechtig. 'Natuurlijk help ik je.' We omhelsden elkaar langdurig en ik probeerde mijn tranen te bedwingen. Toen we elkaar eindelijk loslieten, startte ik de truck om nog zo veel mogelijk te genieten van onze laatste avond samen. We reden door de invallende duisternis, terwijl Bon Jovi en de Bad Boys Blue uit de luidsprekers schalden.

We zagen elkaar de volgende dag, lunchten samen en glipten zelfs weg om nog een laatste film te kijken. Die nacht meldde ik me onder Megs raam om haar te helpen bij haar vlucht. Ik riep zachtjes haar naam en vrijwel onmiddellijk werd een van haar tassen mijn kant op geschoven. Bij het licht van de sterren holden we naar de plek waar ik mijn truck uit het zicht had geparkeerd. Bijna gooide een passerende auto roet in het eten – je wist maar nooit wie er rondreed om mensen problemen te bezorgen – maar we doken weg en konden even later onopgemerkt onze weg vervolgen. We stapten in mijn truck en reden vervolgens naar een tankstation een paar kilometer buiten de stad, waar Jason op ons wachtte.

Ik gaf Meg haar helft van een kristallen vriendschapshanger aan een kettinkje, die ik net een week geleden voor ons had besteld. De twee helften grepen niet op de traditionele manier in elkaar om een hartje te vormen, maar als ze op elkaar werden gelegd, vormde de lichtval een hartje binnenin. 'Ik wil dat je dit draagt,' zei ik, 'en dat je weet dat je altijd in mijn hart bent.'

De tranen liepen ons over de wangen toen Meg beloofde: 'Ik zal altijd bij je zijn.' We omhelsden elkaar nog een laatste keer. Meg pakte haar spullen uit de truck en ging op weg naar Jasons auto. Ze zwaaide nog één keer voordat ze instapte. Ik zat als verstijfd achter het stuur terwijl ik hen nakeek tot hun achterlichten uit het zicht verdwenen.

De dagen na Megs vertrek waren een kwelling, en Lamont stuurde me een sms'je met de boodschap dat ik hem altijd kon bellen als ik daar behoefte aan had. Ik wilde moeder en de meisjes niet lastigvallen met mijn problemen en dus ging ik op zijn aanbod in en vond troost in lange telefoongesprekken met hem. Zijn trouwe vriendschap hield me op de been. De zoete smaak van Oregon was nog niet verdwenen en ik probeerde me alles te herinneren wat ik tijdens die reis had geleerd. Ik miste Meg vreselijk, en door alle tumultueuze gebeurtenissen van de afgelopen twee jaar voelde ik me inmiddels als een lichaam zonder ziel. Maar hoewel ik het toen nog niet kon zien, begon achter de wolken de zon te schijnen, en dat was voor een groot deel te danken aan mijn vriendschap met Lamont. Ik voelde hoe er tussen ons iets groeide, maar angst weerhield me ervan ook maar iets tegen iemand te zeggen. Trouwens, ik had niemand meer die ik in vertrouwen kon nemen.

22

Een verhaal als het mijne

Streef er altijd naar een betere ouder voor je kinderen te zijn dan
jouw ouders voor jou waren.

— DALEEN BATEMAN BARLOW

Terwijl mijn vriendschap met Lamont steeds hechter werd, bleef mijn
gezinsleven onvoorspelbare wendingen nemen, alleen was het ditmaal
niet míjn huwelijk dat voor opschudding zorgde, maar dat van mijn
moeder. Op een avond tegen het eind van december verdween oom
Fred op geheimzinnige wijze. Onder dekking van de duisternis arriveerde er een ambulance bij het huis van de Jessops om de bisschop op
te halen. Later hoorde ik dat een paar van Freds dochters hadden gezien dat enkele mannen het huis binnen kwamen en Fred op een bran-
card legden. Afgezien van die ooggetuigenverslagen wist verder niemand iets; Warren sprak er in het openbaar met geen woord over.

Pas twee dagen na Freds plotselinge verdwijning hoorde ik wat meer
details van moeder. Zij en de andere leden van het Jessop-huishouden
waren geschokt toen ouderling William T. Jessop hun het noodlottige
nieuws meedeelde. William was de zoon van een van oom Freds echtgenotes, en net als mijn moeder was die van hem aan oom Fred toegewezen. Hoewel zijn achternaam volgens de gebruiken van de priesterschap Jessop was, was hij voor mij nog steeds William Timpson, net
zoals ik voor mezelf nog steeds Elissa Wall was.

'Oom Fred is er niet meer,' deelde William Timpson de Jessops die
ochtend mee. 'Ik ben aangewezen om voor jullie te zorgen.'

Hij trad verder niet in details. Hij bood nauwelijks troost aan de on-
geruste groep vrouwen en kinderen, die alleen maar zwijgend en als
verdoofd konden toekijken hoe William Timpson en leden van zijn gezin gedurende de volgende dagen Freds huis betrokken en de leiding

van het huishouden op zich namen. Zonder concrete informatie over de verblijfplaats van oom Fred begonnen er in huis geruchten de ronde te doen. Sommige vrouwen veronderstelden dat oom Fred zo waardig was dat hij opgenomen was in Zion. Het was onduidelijk hoeveel van zijn vrouwen met hem mee waren gegaan op de avond dat hij was opgehaald, wat de bezorgdheid onder de achterblijvers nog vergrootte. Langzamerhand raakte iedereen ervan overtuigd dat de vrouwen die waren achtergebleven, niet waardig genoeg waren en voorlopig in Hildale zouden blijven.

Ik voelde dat moeder doodsbang was bij het vooruitzicht nooit Zion te bereiken, en ze piekerde in stilte over haar onzekere toekomst. Opnieuw raakte ze een echtgenoot kwijt door een beslissing van de profeet. Ze had als gelovige al zo veel opgeofferd en ze wilde niet dat dat allemaal voor niets was geweest.

Het zou meer dan twee weken duren voordat de profeet ons uitsluitsel gaf over Freds verdwijning, en zijn woorden stelden moeder niet echt gerust. 'Ik heb oom Fred ontheven van zijn plichten als bisschop,' deelde Warren ons mee begin januari tijdens een bijeenkomst. 'Ik verzeker jullie allemaal dat oom Fred het volledig eens is met deze beslissing.'

Herinneringen aan Winston Blackmore kwamen weer boven en Warrens verklaring wekte bij sommigen van ons onmiddellijk argwaan. Freds vertrek was te plotseling en te geheimzinnig om met zo'n simpele verklaring af te doen. En dat zijn echtgenotes niet wisten wat er aan de hand was, droeg ook bij aan de geheimzinnigheid. Zolang oom Fred Warrens verklaring niet bevestigde, konden we onmogelijk weten wat er werkelijk met hem was gebeurd, maar niemand durfde vraagtekens te zetten bij Warrens vage verklaring. De volgende dagen werd er door sommige mensen gefluisterd dat Warren Fred naar een FLDS-vestiging in Colorado of Texas had laten overbrengen.

Tijdens dezelfde bijeenkomst kondigde Warren aan dat William Timpson Jessop de vervanger van Fred zou zijn als bisschop van Short Creek. Het was vreemd om zo'n jeugdige man in zo'n verheven positie te zien. William was halverwege de veertig en er waren heel wat mannen in onze gemeenschap die beter voor deze sleutelrol waren toegerust. Maar zijn benoeming was afkomstig van de profeet en dat was het enige wat ertoe deed.

Weer was er een nieuw jaar aangebroken zonder dat de Grote Verdelging de aarde had geteisterd. De druk op de mensen om volmaakt en zuiver te zijn, was nu nog groter, omdat ons voorgehouden werd dat het einde nu elke dag kon aanbreken. De week daarop gaf opnieuw een omwenteling te zien. Het was vroeg in de ochtend van 10 januari 2004 en we waren allemaal samengekomen in het bedehuis voor het zaterdagse arbeidsproject. Oom Warren had een eind gemaakt aan de zondagse kerkdiensten, maar niet aan de zaterdagse arbeidsprojecten. Hij wilde dat de mannen bleven werken en dat de mensen hun geld aan de priesterschap bleven afdragen.

'Ik smeek de Heer dat deze dag uitsluitend zijn wil zal worden gedaan,' begon Warren met zijn hypnotiserende monotone stem. 'De Heer heeft me opgedragen op zoek te gaan naar de zuiveren van hart. De Heer kastijdt en corrigeert hen die hij liefheeft. Ik verkondig u een boodschap van bestraffing en een uitnodiging tot boetedoening.'

Terwijl Warren bij voorgaande bijeenkomsten zijn preken op krachtige, zelfverzekerde toon had uitgesproken, klonk zijn stem vandaag onvast en hij schraapte voortdurend zijn keel. Hij leek zich niet helemaal op zijn gemak te voelen. Hij prees het 'goede werk' van ouderlingen en de profeten John Y. Barlow en zijn eigen vader, Rulon. Vervolgens deed hij een opzienbarende aankondiging. Hij las acht namen op van een lijst; vier ervan waren zoons van Barlow, vier waren zoons van Rulon, Warrens bloedeigen broers. Hij stelde ieder van deze personen aan de kaak als 'meesterbedrieger' en gelastte hun de gemeenschap te verlaten.

Net zoals hij in de maanden voor het overlijden van zijn vader zijn mogelijke concurrent Winston Blackmore had uitgeschakeld, had het er nu de schijn van dat hij oom Fred opzettelijk buitenspel had gezet in de weken voorafgaand aan deze publieke verbanning van gerespecteerde en geliefde kerkleden. Hij wist dat oom Fred de enige was die tegen een dergelijk schandelijk decreet zou hebben geprotesteerd.

'Voorwaar, voorwaar, zo zegt de Heer tegen zijn volk, al diegenen die zich aansluiten bij deze bedriegers en hypocrieten zullen verstoten moeten worden,' voegde Warren er ten overvloede aan toe.

Zonder iets te durven zeggen, hoorden de gemeenteleden deze ongelooflijke verklaringen aan, te bang om zelfs maar een blik te werpen op die acht mannen die tussen ons in zaten. Velen van hen waren oude vrienden van die mannen, en heel wat waren hun bloedverwanten en afstammelingen. Een van de namen die genoemd waren, was die van

George, de gerespecteerde patriarch en Lamonts grootvader, maar niemand durfde het voor hem of voor een van de anderen op te nemen.

Warren richtte zich rechtstreeks tot de vier Barlows, waarbij hij de volgende vage redenen aanvoerde. 'Jullie hebben het legitieme gezag bekritiseerd,' zei hij, voordat hij zich tot hun vrouwen richtte. 'Alle vrouwen die met deze mannen getrouwd zijn, worden ontheven van hun huwelijksplicht en dienen hen onmiddellijk te verlaten. Zo niet, dan zal ik jullie uit de gemeenschap moeten verstoten.'

Op dat moment wierpen moeder en ik elkaar een ongelovige blik toe, maar voordat we elkaar iets konden toefluisteren, deelde oom Warren alweer een volgende slag uit. Nog eens dertien mannen werden verbannen, onder wie negen die vrouwen en kinderen hadden en vier die zoons waren van vooraanstaande kerkleden.

Iets dergelijks was in onze kerk nog ooit eerder voorgekomen. Een verbanning op deze schaal, en op deze manier, was gewoonweg ongehoord. Wat was begonnen met de verbanning van Jethro Barlow het jaar daarvoor, kwam die dag tot volle wasdom. Het was een hellend vlak waarover Warren ons voerde, en slechts weinigen van ons bezaten de moed er iets van te zeggen.

'Het werk van God is een verlichte dictatuur. Het is geen democratie.' We zaten allemaal als verstijfd te luisteren terwijl hij het woord richtte tot degenen die nu stonden en hen dwong hun eigen lot te bekrachtigen. 'Als jullie je hierbij neerleggen, steek dan je hand op,' zei hij, en hij keek toe hoe eenentwintig handen gelijktijdig werden opgestoken.

Vervolgens wendde oom Warren zich tot de rest van de gemeente en vroeg de gelovigen hun hand op te steken om aan te geven dat ze het eens waren met de wil van God. Hij keek spiedend rond om te zien of er zich tussen de honderden opgestoken handen ook dissidenten bevonden. Ik voelde me afschuwelijk toen ik door angst gedwongen ook mijn hand opstak.

'Is iemand het er niet mee eens?' vroeg Warren. 'Ga dan staan en steek je hand op.'

Achteraf zou ik willen dat ik en de andere leden de moed hadden opgebracht om op te staan en het voor deze mannen op te nemen. Maar terwijl we angstige blikken wisselden, kromp iedereen ineen; niemand wilde het voortouw nemen.

'Ik kondig voor de komende twee dagen een vasten af,' verkondigde Warren.

Vervolgens vroeg hij de gemeente om te knielen en sprak hij een lang gebed uit. Toen we aan het eind daarvan allemaal 'Amen' zeiden, zag ik vanuit mijn ooghoek een plotselinge beweging op de kansel en toen ik die richting op keek, zag ik oom Warren letterlijk het podium af hollen. Het was niet duidelijk waarom hij zo'n haast had, maar ik heb me achteraf wel eens afgevraagd of het misschien angst voor een opstand was. Maar hoe de mensen er in hun hart ook over dachten, ze beten op hun tong en hielden hun mond.

De bijeenkomst was nog geen uur afgelopen, toen ik een sms'je kreeg. Het was Lamont, die me vroeg of ik hem wilde bellen. Toen ik hem later die dag aan de telefoon kreeg, was dat voor het eerst dat ik hem zo boos hoorde. 'Wat is er in godsnaam aan de hand?' vroeg hij me. 'Als ze aan mijn grootvader komen, komen ze aan mij.' Lamont was niet bij de bijeenkomst van die dag aanwezig geweest, maar een familielid van hem wel en die had onmiddellijk Lamont gebeld om hem te vertellen wat er was gebeurd. Lamont vertelde me hoe hij bij het huis van zijn grootvader was gearriveerd met het gevoel dat dit allemaal zijn schuld was, en hoe hij geprobeerd had zich zo veel mogelijk op de achtergrond te houden terwijl hij luisterde naar zijn grootvader, die zijn gezin toesprak.

'Hij huilde en hij was er helemaal kapot van,' vertelde Lamont me. 'Hij zei tegen zijn gezin dat ze de profeet moesten gehoorzamen. Hij zei dat hij zich onderwierp aan de wil van de profeet, en dat hij tijdens deze beproeving zijn waardigheid zou bewijzen.'

Lamont wist dat er iets niet deugde. Warrens woorden kwamen als een schok, maar hij had hier al geruime tijd naartoe gewerkt. Met deze laatste actie was hij echter te ver gegaan. Het viel moeilijk te geloven dat zo'n drastische en ongehoorde stap werkelijk de wil van God was. Die dag hoorde ik in Lamonts stem frustratie en vertwijfeling met betrekking tot Warren en de levensstijl van de FLDS.

In de maanden nadat Lamont en ik elkaar voor het eerst hadden ontmoet, was ik er geleidelijk aan achtergekomen dat hij een geschiedenis van aanvaringen met de priesterschap had die even kleurrijk en beladen was als die van mezelf. Net als ik was Lamont opgegroeid in een FLDS-gezin dat gekenmerkt werd door verwarring en afwijkende meningen. Net als ik had hij lastige vragen gesteld. Net als in mijn geval was zijn weg naar onze ontmoeting in de woestijn geplaveid geweest met tegenspoed en twijfel.

Hij was de oudste van acht kinderen en groeide op met het besef dat er problemen waren in het huwelijk van zijn ouders. Zijn moeder, Daleen, was pas zestien toen ze geplaatst werd bij Lamonts vader, Grant Barlow, een trouw aanhanger van de FLDS die van zijn vader, George, geleerd had te leven naar de leer van de priesterschap. Hun huwelijk verliep aanvankelijk probleemloos. Ze waren allebei nog erg jong en hadden het samen prima naar hun zin. Maar bepaalde aspecten van de godsdienst begonnen hun liefde op de proef te stellen. Daleen was er de vrouw niet naar om zich te schikken als ze dacht dat ze gelijk had. Ze was een forsgebouwde vrouw die niet van plan was blindelings dingen te doen waar ze het niet van harte mee eens was. Vanwege haar 'opstandige' houding werd ze dikwijls bij haar schoonvader ontboden om een berisping in ontvangst te nemen. Daleen was zich ervan bewust dat George een patriarch van hun Kerk was en over de nodige macht beschikte, maar zelfs zijn invloed kon haar er niet toe brengen haar weerspannige trekjes te 'corrigeren'. Ze nam er aanstoot aan dat een man die niet eens haar echtgenoot was, haar vertelde hoe ze haar kinderen moest opvoeden, haar huishouden moest bestieren en zich in haar huwelijk diende te gedragen.

Een complicerende factor was dat Grant dikwijls moeite had om zijn groeiende gezin te eten te geven. Hij had van zijn vader en de voormalige profeet Leroy Johnson opdracht gekregen om voor zijn oom te werken in hun plaatijzerbedrijfje, maar hij ontving slechts zelden een vergoeding voor zijn werk. Daardoor had het gezin nauwelijks genoeg te eten en moest Daleen toezien hoe haar kinderen honger leden, zonder daar iets aan te kunnen doen. Dat Grant niet goed genoeg voor zijn kinderen kon zorgen, veroorzaakte een steeds groter wordende tweedracht in hun huwelijk. Ze waren het dikwijls oneens over de mate waarin de leer van de kerk in hun gezin nageleefd diende te worden, en dat leidde tot verhitte discussies.

Ten slotte bracht Lamonts vader de moed op om tegen het advies van de ouderlingen in te gaan en een baan te zoeken waarvoor hij normaal betaald werd, maar na verloop van tijd staken er nieuwe problemen de kop op in hun huwelijk. De afsplitsing binnen de Kerk aan het eind van oom Roys leven zorgde voor een verwijdering tussen Lamonts ouders, aangezien veel van Daleens familieleden besloten de FLDS te verlaten. Lamonts moeder koos partij voor haar familie en het draaide erop uit dat Grant zijn vrouw verbood nog langer met een paar van haar zussen om te gaan, vanwege hun status als afvallige.

Daleen vond het niet terecht dat ze moest kiezen tussen haar familie en haar Kerk en ze had de moed om uiteindelijk de FLDS de rug toe te keren en haar kinderen mee te nemen.

Op 3 juli 1992 riep Daleen haar acht kinderen bijeen op het erf voor het huis. Ze had hun verteld dat ze ergens heen gingen, maar ze hadden geen idee waarheen. Lamont vertelde me dat hij en zijn broertjes en zusjes aanvankelijk opgewonden waren bij het vooruitzicht van een avontuur, maar zich een beetje zorgen begonnen te maken toen een zuster van hun moeder met een busje kwam voorrijden. De grote onafhankelijkheidsdagviering was de volgende dag en ze waren bang dat ze niet op tijd terug zouden zijn voor het feest.

'Instappen,' zei zijn moeder. Ze had de kinderen opdracht gegeven zo veel spullen in te pakken als er in een koffer gingen, en ze was het busje aan het inladen. Lamont gehoorzaamde met tegenzin, maar toen hij zich realiseerde wat zijn moeder van plan was, werd hij woedend. Hoewel hij wist dat de situatie thuis problematisch was, had hij nooit verwacht dat ze ervandoor zou gaan en hij wilde helemaal niet weg uit de gemeenschap. Toen duidelijk werd dat zijn moeder niet van plan was om terug te keren, vroeg Lamont zich af of hij zijn familie en vrienden ooit nog terug zou zien.

Als oudste van de kinderen probeerde hij zich groot te houden voor zijn jongere broers en zussen, die hartverscheurend huilden terwijl het busje over Highway 59 naar St. George reed. Zijn moeder nam hen mee naar een van haar zussen, die al vele jaren eerder uit de FLDS was gestapt. Maar haar stacaravan was bij lange na niet groot genoeg om zijn moeder en haar acht kinderen te kunnen huisvesten, wat de situatie er niet gemakkelijker op maakte. Op school verging het Lamont weinig beter, omdat het hem moeite kostte zich aan te passen aan de nieuwe levensstijl. In Short Creek was hij populair geweest bij zijn vrienden en had hij zich prima thuis gevoeld in de gemeenschap, maar de openbare school in St. George was een heel ander verhaal. Zijn klasgenoten pestten hem meedogenloos vanwege zijn lidmaatschap van de FLDS en zijn kleding. Het gezin was zo arm dat Lamont maar twee lange broeken had, een die te kort was en een die niet dicht kon.

Lamont deed zijn best om zijn klachten voor zich te houden. Het leven buiten de FLDS was zijn moeders redding geweest en hij begon een kant van haar te zien die hij nog nooit eerder had gezien. 's Avonds ging ze uit met haar zussen. Ze glimlachte en lachte en ontmoette zelfs een man op wie ze smoorverliefd werd. Daleen leefde helemaal op als hij in de buurt was, en in de daaropvolgende maanden maakten Lamont en zijn broertjes en zusjes kennis met hem en ze vonden hem ook aardig. Maar er kwam een abrupt einde aan de romance toen Daleen zwanger van hem werd.

Op een dag, eind 1992, nog geen half jaar nadat hij en zijn broertjes en zusjes de FLDS hadden verlaten, keerde Lamonts tante in tranen terug naar de stacaravan. Zijn moeder had een gescheurde baarmoeder opgelopen en was krimpend van de pijn in elkaar gezakt, waarbij ze met haar hoofd keihard op de tegelvloer was geklapt. Ze bloedde inwendig en had als gevolg van haar val hersenletsel opgelopen. Tegen de tijd dat de ambulance arriveerde, was ze in coma en het viel met geen mogelijkheid te zeggen of ze daar ooit weer uit zou komen.

Nu Daleen uitgeschakeld was, probeerde Grant zo snel mogelijk zijn kinderen terug te halen. Om hem te ontlopen, zetten Lamonts tantes hem en zijn broertjes en zusjes in een auto en reden als gekken met hen door St. George. De familie van zijn moeder hield Lamont en zijn broertjes en zusjes voortdurend voor hoe slecht hun vader was. Lamont had altijd van zijn vader gehouden en respect voor hem gehad en deze verhalen brachten hem in verwarring, zodat hij niet meer wist wat hij moest geloven. De wrok die hij ten opzichte van zijn moeder had gevoeld omdat ze hen uit Short Creek had weggehaald, begon langzaam te verdwijnen, en voor het eerst begon hij beter te begrijpen wat er zich bij hen thuis werkelijk had afgespeeld.

Lamont waakte elke vrije minuut aan het bed van zijn moeder, maar eind december werd ze overgebracht naar een verzorgingstehuis. Op 30 december om tien uur 's ochtends ontving Lamont het afschuwelijke bericht dat zijn moeder was overleden.

Alsof dat verlies nog niet erg genoeg was, kwam zijn grootvader diezelfde avond naar hem toe om hem en zijn broertjes en zusjes te verbieden de uitvaartdienst in St. George bij te wonen die haar familie wilde organiseren. 'Het zijn afvalligen,' zei George tegen zijn kleinzoon.

De leiders van de priesterschap hadden zijn moeder al het recht ontzegd op een fatsoenlijke FLDS-begrafenis. Het enige wat ze toestonden, was een korte plechtigheid aan het graf, met een gesloten kist. In hun ogen was ze een slechte vrouw, die gestorven was omdat ze de priesterschap had verlaten. Om Lamonts toch al tegenstrijdige gevoelens nog meer op de proef te stellen, werd hem verteld dat de profeet, Rulon Jeffs, een gebedsbijeenkomst had gehouden met Lamonts vader en grootvader, om te bidden om Gods tussenkomst ten behoeve van Grant. Ze hadden een foto van Lamonts moeder in het midden van hun kring gezet en haar 'in de handen van God geplaatst'. Voor zover Lamont het begreep, hadden ze God gevraagd haar leven te nemen zodat Grant zijn kinderen kon terugkrijgen.

Dat deze groep mannen haar kwaad toewenste omdat ze een keuze had gemaakt die volgens haar de juiste voor haar gezin was, wekte bij Lamont ernstige twijfels omtrent zijn vader en de kerk. Het vertrek uit Short Creek was Lamont zwaar gevallen, maar hij had nooit gewild dat zijn terugkeer op die manier zou verlopen. Lamont zei dat hij gedurende de daaropvolgende jaren steeds meer respect en bewondering voor zijn moeders vastberadenheid had gekregen. Hij prees haar vermogen om datgene te doen wat in haar ogen goed was en niet blindelings het woord van één man te volgen. Door haar dood werd ze nog meer een voorbeeld voor hem, en zelfs toen al begon Lamont de opvattingen van zijn vader en de kerk die daarvoor verantwoordelijk was, te verafschuwen.

Met die gedachten in hun achterhoofd glipten Lamont met twee broers weg uit de gemeenschap om de begrafenis van hun moeder in St. George bij te wonen. Toen zijn vader later die dag in de stad arriveerde om de jongens mee terug naar huis te nemen, weigerde Lamont in de auto te stappen. Hij wist zich verzekerd van de steun van zijn vele ooms en tantes en voelde zich verontwaardigd toen zijn vader probeerde hem met geweld in de auto te krijgen.

'Dan moet je het zelf maar weten,' zei Grant Barlow die dag tegen zijn zoon voordat hij wegreed.

Het was een keus waar Lamont spoedig spijt van kreeg. Hoewel zijn vele ooms en tantes hadden gewild dat hij en zijn broertjes en zusjes bij hun moeder bleven, was niemand van hen bereid de voogdij over een opstandige, boze en verdrietige vijftienjarige op zich te nemen. Uiteindelijk ging hij naar Salt Lake City, waar hij bij een van de zusters van zijn moeder ging wonen, die ironisch genoeg nog steeds lid van de FLDS was.

De volgende twee jaar bracht hij door in Salt Lake, waar hij de Alta Academy bezocht onder het waakzame oog van Warren. Het kostte Lamont vreselijk veel moeite zich aan te passen en geaccepteerd te worden door de familie van zijn tante. Hij voelde zich totaal onbegrepen en door al zijn verwarrende ervaringen liep hij vaak tegen strenge straffen op. Hij was een tiener die zijn moeder en zijn gemeenschap was kwijtgeraakt, en net als mijn eigen broers had hij niemand die hem begreep of die hij in vertrouwen kon nemen. Uiteindelijk ging Lamont in 1995 overstag en belde zijn vader om te vragen of hij weer thuis mocht komen.

Hij vond het heerlijk om weer terug in Short Creek te zijn, maar omdat hij niet fatsoenlijk had kunnen rouwen om het verlies van zijn moeder raakte hij al spoedig in de problemen. Hij kreeg verkeerde vrienden en werkte zich in de nesten. Er werden met enige regelmaat amfetaminen de FLDS-gemeenschap binnen gesmokkeld en Lamont begon te gebruiken. Het duurde niet lang voordat zijn roekeloze gedrag ertoe leidde dat hij het huis van zijn vader uit werd gezet en weer wat later belandde hij in het ziekenhuis. Een overdosis pillen en complicaties van zijn lymfoedeem kostten hem bijna het leven.

In die akelige omstandigheden verscheen Grant op een middag aan Lamonts ziekbed en vroeg zijn zoon weer naar huis te komen.

'Lamont, waarom kom je niet gewoon naar huis? Je bent per slot van rekening mijn zoon,' zei hij op zachte, nederige toon. De maanden voor zijn overdosis had Lamont in een oude omgebouwde schoolbus gewoond met slechts een matras. Hij werd door zijn vaders woorden tot tranen toe bewogen, en toen Lamont uit het ziekenhuis kwam, bad hij tot de Heer om hem de kracht te geven nooit meer drugs aan te raken.

Toen hij weer terug was in Short Creek, werd Lamont een toegewijd lid van de kerk. Hij woonde dikwijls diensten bij en besteedde zo veel mogelijk tijd aan de diverse arbeidsprojecten van de kerk. Hij was dolblij dat hij weer in de priesterschap was opgenomen en helemaal toen zijn grootvader persoonlijke belangstelling voor hem opvatte. George Barlow vertelde Lamont hoe trots hij was op zijn harde werk en moedigde zijn kleinzoon voortdurend aan de priesterschap te volgen. Maar met het verstrijken van de tijd begon Lamont zich af te vragen of het hem ooit zou lukken het stigma van zijn weerspannige verleden af te schudden. Er gingen verscheidene verjaardagen voorbij zonder dat er werd gesproken over een mogelijk huwelijk voor hem. Bij de FLDS ligt er op de mannen net zo veel druk om te trouwen als op de vrouwen. Van mannen wordt verwacht dat ze trouwen spoedig nadat ze zijn toegetreden tot de priesterschap, en degenen die door de profeet worden overgeslagen, worden gewoonlijk als besmet beschouwd. Mannen die de leeftijd van vijfentwintig jaar bereiken en nog niet getrouwd zijn, worden beschouwd als een bedreiging voor de gemeenschap. Hoe ouder Lamont werd, hoe kleiner de kans dat hij alsnog een bruid zou krijgen.

Net zoals Warren de meisjes nauwlettend in de gaten hield terwijl ze opgroeiden, deed hij dat ook met de jongens. Hij wist al geruime tijd dat Lamont een potentiële lastpost was, gezien de vlucht en de dood van zijn moeder. Warren liet FLDS-jongens 'bekentenisbrieven' schrijven, waarin ze een aantal van hun meest persoonlijke geheimen moesten onthullen bij wijze van boetedoening. Met behulp van deze brieven en andere informatie brandmerkte Warren lastige jongens vanaf jonge leeftijd, net zoals hij deed met lastige meisjes. Het enige verschil was de oplossing. Probleemmeisjes werden zo snel mogelijk aan de man gebracht. Probleemjongens trouwden helemaal niet.

Er waren een heleboel mogelijke redenen waarom Rulon en Warren een man oversloegen voor het huwelijk, maar in het geval van Lamont lag de reden voor de hand: hij was op te jonge leeftijd te ver afgedwaald. Door zijn openlijke conflict met het geloof en de diepe gevoelens die hij voor zijn afvallige moeder koesterde, was hij niet te vertrouwen. Het deed er niet toe dat zijn hernieuwde enthousiasme voor de kerk oprecht was. Het enige wat ertoe deed, was de vraag of de profeet hem kon vertrouwen.

Vanwege Lamonts hernieuwde geloof verlangde hij wanhopig naar een gezin, zodat hij de stimulerende kracht van de priesterschap kon doorgeven aan een volgende generatie, maar zoals voor alle leden van de FLDS gold ook voor hem dat hij zijn lot niet in eigen hand had. Lamont uitte zijn bezorgdheid tegenover zijn grootvader. Drie van zijn vier zussen waren inmiddels al getrouwd en hij was de oudste van het gezin. Zijn grootvader verzekerde hem dat zijn tijd spoedig zou komen. Toen hij op zijn drieëntwintigste verjaardag nog niets had gehoord, nam zijn bezorgdheid toe. Later dat jaar werd hij opnieuw overgeslagen. Ditmaal koos Warren zijn jongere broer Steve uit om een vrouw te ontvangen. De verbintenis werd in het geheim gesloten, maar Steve nam Lamont apart om het hem te vertellen, zich ervan bewust dat zijn broer zich gekwetst zou voelen als hij er op een andere manier achter kwam. Bij elk bezoek van hem en zijn broers aan oom Warren, had hij de jongens verschillende boodschappen meegegeven. Terwijl hij Lamonts jongere broers voorhield dat ze 'zich moesten voorbereiden op het huwelijk', zei hij tegen Lamont: 'Je moet leren van de waarheid te houden.'

Lamont stond voor een raadsel. Hij hield vol met de steun van zijn grootvader, maar daaraan kwam een einde toen eind 2002 weer een jongere broer van Lamont een vrouw kreeg toegewezen. Hoewel hij blij was voor zijn broer, realiseerde Lamont zich op dat moment dat er voor hem geen toekomst was bij de FLDS. Zijn enige overgebleven ongetrouwde broer was invalide, wat inhield dat hij door de profeet opzettelijk was overgeslagen voor het huwelijk. Zolang Warren onze profeet was, zou Lamont nooit een vrouw worden toegewezen. Zijn verwarring en frustratie werden nog groter toen het betonbedrijf dat hij met twee van zijn neven was begonnen en dat net aardig begon te lopen, eindigde in een fiasco. Na de verbanning van Lamonts oom Jethro had hij toegezegd hem te helpen met het verhuizen van zijn spullen. Maar het verhaal deed de ronde dat Lamont vriendschappelijk omging met afvalligen en zijn compagnons keerden zich tegen hem, werkten hem eruit en hieven het bedrijf op, waardoor Lamont berooid achterbleef. Het leek erop alsof de priesterschap opnieuw hem alles had afgenomen. Hij was zijn bedrijf kwijt en hij was opnieuw niet in aanmerking gekomen voor een vrouw. Hoewel hij gevoelsmatig het geloof nog steeds trouw was, had hij alle hoop verloren.

De volgende ochtend bracht hij een bezoek aan zijn grootvader en legde hem in tranen uit waarom hij zich gedwongen voelde de kerk te verlaten. George Barlow deed zijn best hem op andere gedachten te brengen en volgde Lamont zelfs naar Salt Lake City om hem over te halen terug naar huis te komen. In Salt Lake woonde Lamont samen met een paar vrienden die ook net uit de kerk waren gestapt, maar binnen twee maanden had hij geen geld meer en sliep hij in zijn truck. Hij kon geen werk vinden, aangezien potentiële werkgevers in Salt Lake Valley die ooit iets met de FLDS te maken hadden gehad, te horen hadden gekregen dat het Lamonts schuld was dat zijn bedrijf naar de knoppen was gegaan en hem dus niet wilden aannemen. Hij had van alles geprobeerd om er weer bovenop te komen, maar overal waar hij kwam, werd hij afgewezen. Hij had al dagenlang niet meer gegeten en zijn mobiele telefoon stond op het punt afgesloten te worden. Op dat moment kwam zijn grootvader met een verlossend aanbod. Grootvader Barlow vertelde hem dat er nog steeds een kans voor hem was om terug te komen naar Colorado City en daar een leven op te bouwen. Hij hoefde slechts de wil van de profeet uit te voeren, en de wil van de profeet was dat hij een document tekende om zijn trouw aan de kerk te bewijzen.

Blijkbaar was de echtgenote van een prominent FLDS-lid met haar kinderen de gemeenschap ontvlucht en had haar toevlucht gezocht bij Lamonts tante in Salt Lake City. Gedurende zijn verblijf in Salt Lake had hij die vrouw bij zijn tante thuis gezien, en nu wilde zijn grootvader dat hij een beëdigde verklaring tekende waarin een aantal beschuldigingen stond vermeld om de echtgenoot van de vrouw, een vooraanstaand ouderling, te helpen de voogdij over hun kinderen te krijgen. In ruil daarvoor zou Lamont de mogelijkheid krijgen van een leven binnen de FLDS en herenigd worden met zijn familie. Aangezien het de profeet was die dit verzoek deed, was de kans groot dat als Lamont aan het verzoek voldeed, hij bij Warren in een goed blaadje zou komen te staan en terug zou mogen komen naar Colorado City, en misschien een kans maakte op de toekomst waar hij zo hard voor had gewerkt.

Berooid en verteerd door verlangen naar zijn familie en vrienden stemde Lamont toe. Short Creek was de enige plek waar hij zich ooit nuttig had gevoeld en het vooruitzicht naar huis terug te keren vervulde hem met vreugde. Plotseling kreeg hij vijfhonderd dollar in contanten in handen gedrukt.

'Warren zei dat je dit nodig zult hebben,' zei zijn grootvader tegen hem.

Het was de wens van de profeet dat Lamont zijn intrek nam in een hotel in St. George, waar hij een week zou blijven. Het geld was bestemd voor zijn verblijf en de maaltijden. Hij moest op zijn kamer blijven, met niemand contact hebben behalve met zijn grootvader, en een bekentenisbrief aan de profeet schrijven. Vastbesloten om zijn waardigheid te bewijzen, zette Lamont die hele week niet eens de televisie aan. Maar aan het eind van die zeven dagen had hij nog steeds niets van Warren gehoord.

Zijn grootvader kwam hem elke dag opzoeken en bood hem steun.

Lamont putte kracht uit de bemoedigende woorden van zijn grootvader, maar hij maakte zich zorgen. Zijn geld was op en het hotel verzocht hem te vertrekken. Grootvader Barlow gelastte hem terug te gaan naar het huis van zijn vader en zo spoedig mogelijk contact op te nemen met Warren.

Na verscheidene pogingen kreeg Lamont eindelijk de profeet aan de telefoon.

'Hoe gaat het ermee, Lamont?' vroeg Warren. 'Ik heb je bekentenisbrief ontvangen.' Lamont hield zijn adem in, hopend dat de profeet tevreden was over wat hij had opgeschreven. 'Heb je het document getekend?' vroeg Warren, doelend op de beëdigde verklaring.

'Jazeker,' antwoordde Lamont.

Even bleef het stil aan de andere kant van de lijn.

'Nou, dan kun je terugkeren naar het huis van je vader,' zei Warren.

'O, maar daar ben ik al,' zei Lamont.

'O ja?' zei Warren op verbaasde toon.

'Ja, grootvader zei dat ik daarheen moest gaan.'

'Juist,' zei Warren, waarop hij weer even zweeg voor hij de beslissing bekendmaakte die Lamonts lot zou bezegelen. 'Wel, je bent je priesterschap kwijtgeraakt. Je zult opnieuw gedoopt moeten worden. Hou de geest van de Heer vast.'

De moed zakte Lamont in de schoenen toen hij de klik aan de andere kant van de lijn hoorde. Het gesprek had nog geen halve minuut geduurd. Hij had alles gedaan wat de profeet van hem had gevraagd. Hij had in het hotel gelogeerd. Hij had de bekentenisbrief geschreven. Hij had zelfs dat vreselijke document getekend om Warren te helpen de vrouw terug te halen die met haar kinderen was gevlucht. Daar had hij een overweldigend schuldgevoel aan overgehouden, en toch werd hij gestraft.

Toen Lamont voor het eerst het gerechtelijke document bekeek, had hij in tweestrijd gestaan. Enerzijds was hij verslagen en was hij zijn bedrijf en zijn familie kwijtgeraakt en wilde hij alleen maar naar huis, naar een plek die hem vertrouwd was. Anderzijds wist hij dat hij door het document te tekenen, vijanden zou maken bij de enige familie die hij buiten de FLDS had, om nog maar te zwijgen van het verraad tegenover deze jonge vrouw die haar kinderen probeerde te beschermen.

Ik voelde dat er allerlei zaken speelden tussen Lamont en zijn familie in Salt Lake, en hoewel hij mij daar niet mee wilde belasten, was het me duidelijk dat hij diep gekwetst was.

Het ondertekenen van dat document was in allerlei opzichten een ernstige vergissing geweest en uit Lamonts woorden bleek duidelijk dat hij er vreselijk veel spijt van had. In dat laatste telefoongesprek met Warren werd al zijn hoop om een gezin te stichten en volgens zijn geloof te leven de bodem ingeslagen. Zijn opofferingen werden van geen belang geacht en hij was weer terug bij af. De profeet had hem geen enkele aanwijzing gegeven over de termijn waarbinnen hij kon verwachten opnieuw gedoopt te worden, en bovendien had Warren die praktijk opgeschort als onderdeel van de straf die hij de gemeenschap had opgelegd vanwege het oprichten van het monument voor oom Roy. Lamont was bang dat hij nooit meer deel zou uitmaken van de priesterschap, laat staan de kans zou krijgen om te trouwen, maar hij wilde niet opnieuw dakloos worden. Aangezien hij niet welkom was in Salt Lake City, had hij geen andere keus dan voorlopig bij zijn vader te blijven wonen.

Toen hij na zijn gesprek met Warren de hoorn ophing, besefte hij dat hij mogelijk de grootste vergissing van zijn leven had begaan. Maandenlang vegeteerde hij maar zo'n beetje in de gemeenschap, terwijl hij zich afvroeg hoe hij zich ooit tegenover de profeet zou kunnen bewijzen. Dat najaar ontving hij nog meer schokkend nieuws. Warren had Lamont een boodschap gestuurd waarin hij hem meedeelde dat hij niet meer op een toekomst in de priesterschap hoefde te rekenen. Lamont had niets gedaan om deze laatste vergeldingsmaatregel uit te lokken. Hij had zich gedeisd gehouden, maar Warren kon hem niet langer gebruiken en het was meer dan ooit duidelijk dat er misbruik was gemaakt van zijn wanhopige wens om een trouw lid van de gemeenschap te zijn. Hij was niet meer dan een pion geweest en Warren had gewacht tot de rechtszaak waaraan ze Lamonts naam hadden verbonden, achter de rug was voordat hij deze laatste klap uitdeelde. Lamont stapte in zijn truck en reed een eind de woestijn in. De woestijn was de enige plek waar hij rust vond en kon nadenken. Het was eind november en het begon al aardig koud te worden, maar Lamont merkte het nauwelijks. Hij voerde een zware innerlijke strijd en had de neiging er gewoon een eind aan te maken. Hij had in het verleden al eerder overwogen een eind aan zijn leven te maken, maar die avond voelde hij zich bijzonder zwaarmoedig. Hij kon zich niet voorstellen dat hij nogmaals zou verhuizen en dat zijn familie hem opnieuw zou verstoten, maar de gedachte in zijn eentje oud te worden in een gemeenschap waar het huwelijk alles is, was te pijnlijk. Terwijl hij het gaspedaal intrapte, begon het lichtjes te sneeuwen in de woestijn. Hij zette de radio harder en reed over het modderige pad in de richting van de radiotoren, ongeveer drie kilometer van de weg af. Plotseling zag hij koplampen en hij reed erheen om te zien of hij misschien kon helpen. Het leek alsof er iemand in de modder vast was komen te zitten en probeerde de auto los te krijgen.

Toen hij uit de cabine van zijn truck sprong, zag hij een jong meisje op de grond liggen onder de voorkant van haar voertuig. Ze leek pijn te hebben en hij vroeg haar of hij kon helpen.

Het leek wel voorbestemd dat Lamont me op dat moment vond. Op een vreemde manier had Warren werkelijk ons lot bepaald: als hij Lamont het priesterschap niet had ontnomen, zou Lamont nooit een eind zijn gaan rijden en zou hij me nooit in mijn benarde toestand hebben aangetroffen. En anderzijds, als ik niet op de loop was gegaan voor Allen, zou ik me nooit in de woestijn hebben bevonden. Onze toevallige ontmoeting was voortgekomen uit onze individuele problemen, toevallige omstandigheden die alles zouden veranderen.

Gedurende de eerste maanden van onze vriendschap deed Lamont zijn best om zijn problematische verleden voor me verborgen te houden, maar het was er met stukjes en beetjes toch uit gekomen. Nu, na de verbanning van zijn grootvader, werd zijn angst tastbaar. Hij vreesde dat het allemaal zijn schuld was en hij was bang dat het niet lang zou duren voordat Warren ook hem zou wegsturen. Als Warren zelfs de meest zuiveren van hart, zoals Lamonts grootvader, uit de FLDS verbande, dan zou een paria als Lamont, die uit de priesterschap verstoten was, ongetwijfeld hetzelfde lot beschoren zijn.

Toen ik hem over de telefoon sprak na de verbanning van zijn grootvader, hoorde ik de onzekerheid in zijn stem, maar ik voelde ook iets anders: een zekere opwinding en het besef dat het geluid van mijn stem hem troostte. Tegen de tijd dat we een eind aan ons gesprek maakten, was hij niet langer panisch. Hoewel hij nog altijd bezorgd was, had ons gesprek hem enigszins tot rust gebracht. Ik had hem de steun geboden waaraan hij behoefte had.

Die nacht, uren nadat we opgehangen hadden, begon het belang van dat gesprek pas goed tot me door te dringen. De wederzijdse afhankelijkheid die tussen ons begon te ontstaan, was gevaarlijk geworden. Onze hechte vriendschap was veranderd in iets anders terwijl we steun bij elkaar zochten in onze moeilijke omstandigheden. Ik wist niet precies wat er gebeurde. Maar ik wilde niet dat het ophield.

23

Eindelijk liefde

Geluk is het doel en de zin van ons bestaan.
—JOSEPH SMITH

Ondanks mijn steeds hechter wordende vriendschap met Lamont, ervoer ik Megs afwezigheid uit Short Creek als pijnlijk. In de weken nadat zij en Jason naar Salt Lake City waren gevlucht, had ze contact met me opgenomen om me te laten weten dat het goed met hen ging en dat ze me miste, maar verder hadden we elkaar nauwelijks meer gesproken.

Op een dag belde Meg en ze vertelde me dat zij en Jason van plan waren een uitstapje naar Las Vegas te maken ter gelegenheid van Valentijnsdag. Wereldse feestdagen zoals deze waren streng verboden in de FLDS, en hun avontuur, compleet met overnachting, klonk romantisch. Ik kon me niet voorstellen dat ik ooit iets dergelijks met Allen zou doen. Ik was verbaasd toen Meg me vroeg om ook naar Vegas te komen.

'Kom op, Leslie, het wordt vast hartstikke leuk,' drong ze aan.

Het idee een heel weekend door te brengen met mijn beste vriendin was aanlokkelijk, maar na oom Warrens recente bestraffingen maakte ik me zorgen over het overtreden van de regels en de mogelijke repercussies als ik zou worden betrapt. Ik pijnigde mijn hersens met het bedenken van manieren om naar Vegas te ontsnappen, en dat viel nog niet mee. Ik kon geen geldig excuus bedenken dat ik zou kunnen gebruiken als iemand me vroeg waar ik naartoe ging. Ten slotte besloot ik om het gewoon te doen.

'Ik ga dit weekend met Meg en Jason naar Vegas,' vertrouwde ik Lamont op een avond begin februari toe.

Hij wierp zijn hoofd achterover en lachte. 'Wauw, wat dapper van je,' zei hij.

Toen hij dat zo zei, geloofde ik dat hij daar wel eens gelijk in zou kunnen hebben. Als iemand erachter kwam dat ik alleen al overwoog om iets dergelijks zonder mijn echtgenoot te doen, zou me dat duur komen te staan. Maar ik wilde Meg zien en Las Vegas was maar twee uur rijden vanaf St. George.

Ik dacht niet eens aan Allen, toen ik een uur voordat ik op weg ging mijn weekendtas inpakte. Ik maakte me zorgen over wat ik tegen moeder zou zeggen als ze belde. Ik wist dat ze contact met me zou opnemen om te weten te komen wat ik van plan was en waar ik de nacht zou doorbrengen, en ik wist niet of ik mezelf ertoe zou kunnen brengen tegen haar te liegen. Plotseling ging mijn telefoon. Het was Lamont. 'Zeg, ik denk dat ik ook maar naar Vegas ga,' kondigde hij aan.

In eerste instantie wist ik niet wat ik moest zeggen. 'Krijg je daar geen problemen mee?' vroeg ik, bezorgd maar tegelijkertijd opgewonden bij het vooruitzicht dat hij er ook bij zou zijn.

'Nee hoor, dat zit wel goed,' verzekerde Lamont me. 'Ik wil Meg en Jason heel graag weer eens zien.'

Ik wist hoe graag Lamont Jason mocht. Ze waren al jarenlang bevriend en hij had het er moeilijk mee dat Jason en Meg uit Short Creek waren vertrokken. In opgewonden stemming reed ik in zuidelijke richting over de I-15, op weg naar Nevada. Het was dezelfde weg die ik had afgelegd naar mijn huwelijksplechtigheid, alleen voelde ik me ditmaal opgetogen in plaats van doodsbenauwd. Terwijl ik het landschap aan me voorbij zag schieten, giechelde ik hardop en ik bedacht hoezeer ik sinds die tijd was veranderd. Indertijd zou ik een dergelijk risico nooit hebben genomen. Niet alleen had ik een spontaan besluit genomen, maar dat besluit was ook nog eens buitengewoon taboe.

Mijn hotelkamer was naast die van Meg en Jason en die van Lamont bevond zich even verderop in de gang. Zodra ik in Vegas was gearriveerd, had ik mijn enkellange rok en saaie blouse verruild voor een bruine lange broek en een leuk roze T-shirt. Sinds mijn reis naar Oregon voelde ik me meer op mijn gemak te midden van 'normale' mensen als ik niet die door de FLDS goedgekeurde kledingstukken droeg, en met mijn lange haar in een eenvoudige paardenstaart was ik er klaar voor om van het weekend te genieten.

Overdag wandelden we de Strip op en neer, liepen winkels in en uit en aten af en toe een hapje in gezellige restaurantjes. We maakten zelfs een rit in de te gekke achtbaan van het New York-New York Hotel and

Casino. In eerste instantie durfde ik niet, maar nadat ik Lamonts uitgestoken hand had gegrepen, besloot ik het erop te wagen. We reden langzaam omhoog terwijl we het ongelooflijke uitzicht in ons opnamen voordat we met duizelingwekkende vaart meer dan veertig meter steil naar beneden doken. Lamont lachte en de warme zon van Vegas weerspiegelde zich in zijn blauwe ogen. De rit bezorgde me een gevoel van roekeloosheid en gevaar, maar ook van vrijheid.

Toen we weer vaste grond onder de voeten hadden, keek ik Lamont aan, verteerd door mijn eerste echte ervaring met romantische liefde. Ik voelde vlinders in mijn buik en plotseling werd ik helemaal draaierig. Een groot deel van het weekend was ik getuige geweest van het geflikflooi van Meg en Jason. Als ik hen zo samen zag, werd me het verschil duidelijk tussen echte liefde en het gevoel dat Allen voor me beweerde te hebben, maar het deed me ook de ware aard van mijn gevoelens voor Lamont begrijpen. Ik had altijd al geweten wat het was om van mijn familie te houden, maar datgene wat ik voor Lamont voelde, was iets heel anders. Dat was opwindend maar gevaarlijk, en het duurde niet lang voordat schuldgevoel en een gevoel van verdorvenheid bezit van me namen.

Die avond aten we in het Stratosphere Hotel in een restaurant 240 meter boven de grond. Terwijl we uitkeken over Las Vegas, realiseerde ik me hoe ver ik in elk opzicht van Hildale verwijderd was. Ergens in de verte zaten mijn moeder, Sherrie en Ally ook aan tafel. Allen kwam rond deze tijd waarschijnlijk thuis en zou de stacaravan opnieuw leeg aantreffen. Ondertussen bevond ik me tussen hemel en aarde, boven de heldere lichten van Vegas, en overdacht ik mijn toekomst.

Terwijl we zaten te eten, kwam er een fotograaf van het restaurant naar onze tafel en hij bood aan om een foto van ons te maken op het dak van het Stratosphere. We stonden dicht bij elkaar met onze armen over elkaars schouders in een vriendschappelijke omhelzing. Lamont stond naast me met zijn arm om me heen. Het was een onschuldig gebaar voor een onschuldig moment, en de foto was een perfecte samenvatting van ons gezamenlijke weekend.

Nadat we weer thuis waren, vertrouwde Lamont me toe dat hij officieel de FLDS had verlaten en dat hij nu een kamer huurde in het huis van zijn vriend T.R. De profeet van de Centennial Group had hem een baan aangeboden en verwelkomde hem met open armen. Lamont had ertegen opgezien me te vertellen dat hij nu officieel een afvallige was, en hij was opgelucht dat ik hem niet liet vallen. Aangemoedigd door mijn reactie nodigde hij me zelfs uit om bij hem langs te komen en kennis te maken met zijn vrienden Lacey en T.R. Ook al wist ik dat het tegen elke FLDS-regel in ging, ik ging toch.

Op een avond in maart besloten Lamont en ik om stiekem naar de bioscoop te gaan, en na afloop van de film reed hij me terug naar mijn eigen auto. We bleven nog even in zijn auto zitten praten.

'Ik kan het niet langer meer voor me houden,' zei Lamont terwijl hij me recht in de ogen keek. 'Ik hou van je.'

Mijn adem stokte. Ik kon mijn oren niet geloven. Natuurlijk had Allen diezelfde woorden al eerder tegen me gebruikt, ze op kaartjes geschreven of ze hardop uitgesproken omdat hij dacht dat het zo hoorde, maar uit Allens mond klonken ze heel anders dan uit die van Lamont. Lamont was zo lief en zijn gevoelens waren zo zuiver. Ik hield ook van hem, maar dat durfde ik hem niet te zeggen. Ik kon geen woord uitbrengen en bleef geruime tijd als verlamd op de passagiersstoel zitten.

Mijn stilzwijgen maakte hem bang. 'Elissa, is alles goed met je? Wat scheelt eraan? Waarom zeg je niets? Zeg alsjeblieft iets tegen me.'

Ik hoorde Lamont tegen me praten, maar ik was niet in staat iets terug te zeggen. Al mijn hele leven verlangde ik ernaar van iemand te houden, en elke keer als ik iemand mijn hart had geschonken, werd het weer gebroken. Ik had van vader gehouden en die was me afgenomen. Ik had van mijn broers gehouden, en ook zij waren nu onbereikbaar voor me. Mijn liefde voor Kassandra en later voor Meg was ook oprecht geweest, maar opnieuw was het eropuit gedraaid dat ik me gebruikt en in de steek gelaten voelde. Nu het moment eindelijk voor me was aangebroken, was ik te overweldigd om er ten volle van te kunnen genieten. Als ik Lamont vertelde dat ik van hem hield, zou ik hem mijn hart schenken en me aan hem binden. Dat wilde ik ook, maar ik kon Allens aanwezigheid in mijn leven niet ontkennen.

Ik voelde de aandrang om te vluchten. Ik deed het portier open, sprong zonder Lamont een verklaring te geven uit de truck, stapte in mijn eigen wagen en reed weg. De volgende dag belde ik hem op mijn mobieltje. Aanvankelijk zeiden we niet zoveel en voelden we ons wat ongemakkelijk, tot ik eruitflapte: 'Wat je gisteravond zei...' Daarna wist ik niet meer hoe ik verder moest gaan.

'Dat had ik niet moeten zeggen,' zei Lamont zachtjes. 'Het spijt me. Ik...'

'Ho even!' viel ik hem in de rede. 'Weet je, ik hou ook van jou.' Maar toen haperde mijn stem en ik klapte mijn toestel dicht.

Ik zat daar maar te kijken naar de telefoon die op mijn bed lag te trillen terwijl Lamont me tien of meer keer terugbelde. Ik wilde dolgraag opnemen, maar ik bleef als verstijfd zitten. Ten slotte belde ik mijn voicemail en luisterde naar zijn bericht: 'Ik ben zo gelukkig, Elissa. Ik wil hier verder met je over praten. Bel me alsjeblieft terug.'

De wetenschap dat Lamont van me hield, was fantastisch maar ook beangstigend. Ik voelde me goedkoop en bezoedeld door mijn relatie met Allen. Ik geloofde niet echt dat ik het verdiende dat er van me werd gehouden, en al helemaal niet door iemand die zo innemend en lief was als Lamont. Ik wist zeker dat ik van hem hield en ik wilde niets liever dan bij hem zijn. Toch maakte dat de hele toestand er alleen maar verwarrender op.

De dag nadat hij mij zijn liefde had verklaard, reageerde ik eindelijk op Lamonts berichten en stemde erin toe hem later die dag te ontmoeten bij de grote witte rotsen in de woestijn waar Meg en ik samen naar films hadden gekeken. Het was een veilige en beschutte plek, voor mij vol herinneringen. Ik arriveerde aan de vroege kant en stapte uit mijn auto om wat rond te wandelen en na te denken.

De zon begon net onder te gaan boven de woestijn van Utah toen Lamonts truck aan kwam rijden. Hij stopte, stapte uit en holde op me af om me te omhelzen. Toen ik hem die dag aankeek, was dat anders dan het ooit eerder was geweest. Het erkennen van onze ware gevoelens voor elkaar en de ander daarvan deelgenoot maken, had op de een of andere manier alles veranderd. We gingen in zijn truck zitten om te praten. Aanvankelijk verliep het gesprek wat ongemakkelijk, maar toen keek ik hem recht in de ogen en terwijl de tranen me over de wangen liepen, zei ik: 'Ik hou ook van jou.'

'Wat is er dan mis?' vroeg hij.

'Dit is allemaal zo nieuw voor me.' De woorden kwamen er als vanzelf uit. Ik flapte er gewoon alles uit wat ik vanbinnen voelde. 'Dat ik een man vertel dat ik van hem hou en het meen, is gewoon...'

Lamont knikte begrijpend. 'Ik snap het,' zei hij zachtjes.

We staarden een paar minuten zwijgend naar de snel ondergaande zon. Ten slotte vroeg ik: 'Wat moet ik nu doen?'

'Dat is iets wat je zelf zult moeten beslissen,' zei hij. 'Ik hou van je en ik zou de gelukkigste man ter wereld zijn als ik je de mijne zou mogen noemen.' Zijn stem haperde toen hij verderging. 'De man met wie je getrouwd bent, heeft er geen recht op met jou samen te zijn,' zei hij. 'Het kan me niet schelen wie je gezegd heeft dat je met hem moest trouwen. Of het nou God was, de profeet, je ouders of wie dan ook. Niemand hoort een ander te behandelen zoals hij jou behandelt. Ik ga je niet dwingen om bij mij te zijn; alleen jij kunt die beslissing nemen. Maar ik ben er en ik ga nergens heen.'

Ik was geroerd door zijn eerlijkheid. We praatten erover hoe het nu verder moest. Ik maakte me zorgen over mijn toekomst als ik de FLDS zou verlaten. 'Zal de duivel me opwachten?' vroeg ik.

'Ik heb dezelfde strijd gevoerd. Ik ben vertrokken, weer teruggekomen, en opnieuw vertrokken,' zei Lamont. 'Het is moeilijk, want zodra je aan één ding gaat twijfelen, begin je aan alles te twijfelen. En het leven dat je tot nog toe hebt geleid en al dat lijden, is niet allemaal voor niets geweest. Je moet altijd één ding in gedachten houden,' legde hij uit, met een verwijzing naar Joseph Smith, de stichter van de religie waartoe wij behoorden. 'Joseph Smith heeft gezegd dat "geluk het doel en de zin is van ons bestaan". God zou echt niet willen dat je nu je leven vergooit voor een of andere onzekere toekomst.'

'Als ik bij Allen wegga, kan ik dan nog steeds in de hemel komen?' vroeg ik, terwijl ik vermoedelijk een beetje als een bang klein kind klonk.

'Het enige wat ik weet,' zei hij, 'is dat je in je hart een keuze zult moeten maken, en ik geloof dat je hart je het juiste zal ingeven, wat dat ook moge zijn.'

De volgende paar weken waren een verwarrende maar gelukkige periode. Het was een fantastisch gevoel om te weten dat er iemand was die van me hield. Niettemin werd ik overvallen door twijfels terwijl ik met hernieuwde intensiteit de FLDS kritisch onder de loep nam. Ik wist dat er zich binnen onze Kerk zaken afspeelden die niet deugden – van Warren tot mijn huwelijk tot polygamie – maar dat besef ging steevast gepaard met de gedachte dat ik voor eeuwig verdoemd zou zijn.

Ik wist niet hoe ik deze reusachtige sprong in het onbekende moest maken. Telkens als ik me mijn toekomst buiten de Kerk voorstelde, werd mijn geest overspoeld door beelden van mijn moeder en mijn zusjes. Ik kende maar al te goed de gevoelens van verlatenheid waarmee Sherrie en Ally geconfronteerd zouden worden, en dat wilde ik hun niet aandoen. Als ik er niet was, wie zou dan moeten voorkomen dat ze werden uitgehuwelijkt als ze nog maar kinderen waren? Ik had al gezien dat moeder niet in staat was voor hen op te komen. Er was niets waarvoor ik banger was dan dat de meisjes hetzelfde lot als ik zouden moeten ondergaan.

Maar daarnaast begon ook een nieuw gevoel de kop op te steken. Ik begon in te zien dat ik ook voor mezelf moest zorgen. Ik voelde me eigenlijk alleen maar veilig als ik in het gezelschap van Lamont was, en als ik mezelf dat gevoel zou ontzeggen, kwam het misschien nooit meer terug. Het ging niet alleen om mijn moeder en mijn zusjes; het ging ook om mij.

Zo vaak ik kon reed ik naar T.R.'s huis om Lamont op te zoeken. Op een avond bleef ik tot laat gezellig kletsen met T.R. en zijn vrouw terwijl Lamont voor zaken in Durango was. Ik was moe na een lange dag en omdat ik ertegen opzag in mijn auto in de woestijn te slapen of de nacht met Allen in de stacaravan door te brengen, besloot ik in Lamonts kamer te overnachten. Gedurende de volgende maanden bleef ik regelmatig slapen in de logeerkamer die Lamont huurde in T.R.'s huis, maar uitsluitend op doordeweekse dagen als Lamont ergens anders aan het werk was.

Ik was er nog niet aan toe een kamer met Lamont te delen, en ik vreesde dat hij zijn geduld met me zou verliezen als ik niet met hem sliep. Maar dat gebeurde niet. Integendeel, Lamont verzekerde me dat eventuele romantische toenaderingen van mijn kant zouden moeten komen. Hij zou alleen maar intiem contact met me willen als ik daartoe het initiatief nam. Voor het eerst sinds ik met Allen getrouwd was, had ik niet het gevoel dat iemand iets van me wilde. Dat Lamont mij het heft in handen gaf, was een krachtig gebaar. Het besef dat hij niet van plan was seksuele toenadering te zoeken, maakte het me gemakkelijker om wat relaxter te zijn en hem te laten zien wie ik werkelijk was.

Ik zal nooit onze eerste kus vergeten. We zaten in de truck bij de witte rotsen, en ik vertelde hem dat ik eindelijk een besluit had genomen. 'Ik wil bij jou zijn,' zei ik. 'Ik wil samen met jou gelukkig zijn. Ik wil... leven.' Er flitsten beelden door mijn geest van hoe het leven met Lamont zou kunnen zijn – baby's en verjaardagen en grenzeloze liefde. Mijn hart en geest waren gereed voor deze sprong voorwaarts, en op die avond was ik eraan toe hem voor het eerst te kussen. Ik had het niet gepland; het gebeurde gewoon toen ik naar het gezicht keek waarvan ik zo veel was gaan houden. Ik boog me naar hem over en hij deed hetzelfde. De kus was kort maar magisch – zacht, hartstochtelijk, heel anders dan met Allen.

'Het zal een tijdje duren voordat ik kan vertrekken,' zei ik. 'Ik ben bang om mijn moeder en de meisjes achter te laten.' Lamont wist dat de weinige familieleden die ik nog overhad in Hildale, grotendeels van mij afhankelijk waren voor wat betreft schone kleren, sokken en wat al niet meer. Moeder had zojuist een voetoperatie ondergaan en moest het bed houden om te herstellen. Hoewel Ally en Sherrie een oogje op elkaar hielden, waren ze allebei nog te jong om moeder voldoende te kunnen helpen of in hun eigen dagelijkse behoeften te voorzien. Sherrie was inmiddels dertien en Ally was tien. Ik zou hen volledig op moeten geven als ik de FLDS verliet, en daar moest ik gewoon niet aan denken.

'Dat begrijp ik,' zei Lamont. 'Echt waar.'

Gedurende de volgende maanden begonnen Lamont en ik met de dag meer van elkaar te houden, terwijl mijn relatie met Allen feitelijk ophield te bestaan, ware het niet dat we formeel gesproken een 'huis' deelden. De mensen in de gemeenschap beschouwden ons als getrouwd en niemand wist van mijn frequente afwezigheid. Uit angst voor Warren had Allen zijn klachten tot een minimum beperkt en dus hoefde ik eigenlijk alleen maar bij Allen uit de buurt te blijven. Ik vergat nooit de belofte die ik mezelf maanden daarvoor had gedaan om me nooit meer door Allen tot slachtoffer te laten maken. De enige manier om er zeker van te zijn dat ik die belofte kon houden, was door bij hem uit de buurt te blijven, en dat deed ik dus. Het liefst had ik het willen uitschreeuwen dat er helemaal niets meer tussen ons was, maar daarmee zou ik alles in de waagschaal hebben gesteld. Het deed me pijn de mensen om wie ik het meeste gaf te misleiden, maar ik verkeerde in een onmogelijke positie. Ik moest kiezen tussen mijn familie en mijn hart.

Lamonts liefde had me ingekapseld en rond april was mijn terughoudendheid om het bed met hem te delen, verdwenen. Het samenzijn met hem voelde volkomen natuurlijk aan en ik wilde niet dat iets ons nog zou scheiden. Dat nam niet weg dat ik me toch de nodige zorgen maakte over het lichamelijke aspect van onze relatie, en dat zei ik ook tegen Lamont.

'Ik ben nog maagd,' vertrouwde hij me toe. Glimlachend stelde hij me opnieuw gerust. 'Ik wacht al vijfentwintig jaar. Wat doen een paar jaar meer er nou toe? Het is me niet alleen om je lichaam te doen. Ik hou echt van je.' Toen ik die woorden hoorde, voelde ik me nog meer tot hem aangetrokken.

Kort daarna begonnen we plannen te maken voor onze toekomst samen. Maar ondanks al ons optimisme was ik er nog niet aan toe het geloof en de FLDS de rug toe te keren.

Op een dag in mei was ik alleen in Lamonts kamer toen ik opschrok van een klop op de deur. Ik wist dat hij op weg naar huis was, maar zo vroeg had ik hem nog niet verwacht. Toen ik de deur opendeed, stond er een bezorger met een enorm boeket bloemen. Ik las het kaartje en genoot van Lamonts woorden. Toen Lamont enkele uren later thuiskwam, had hij een tweede, nog groter boeket bij zich. Het plastic dat om de bloemen zat, knisperde terwijl we elkaar in de armen vielen, en later die avond bereidde ik een speciale maaltijd met steaks die ik had meegenomen van mijn werk.

'Lamont, ik hou zielsveel van je,' zei ik, terwijl we nipten van de cider die hij had meegebracht. Voor het eerst van mijn leven verlangde ik ernaar intiem te zijn met een man. Ik kroop tegen hem aan en fluisterde dat ik er klaar voor was mezelf aan hem te geven. Gemeenschap met hem was totaal anders dan met Allen. De tederheid van Lamonts aanraking, de warmte van zijn lichaam naast het mijne en de ongelooflijke verbondenheid die ik met hem voelde, waren meer dan ik ooit had durven hopen. Ik had altijd al geweten dat Allen en ik nooit voor elkaar bestemd waren geweest. Nu weet ik dat God Lamont had gestuurd om me te redden.

Het voorjaar maakte plaats voor de zomer en de veranderingen in mijn leven bleven zich in hoog tempo voltrekken. Ik werkte nog steeds bij de Twain en legde zo veel mogelijk geld opzij voor een rooskleurige toekomst. Ik was opgewonden en tegelijkertijd bezorgd toen mijn achttiende verjaardag zich aandiende op 7 juli. Ik had al een tijdje geleden ongesteld moeten worden en ik ging naar de drogist om een zwangerschapstest te kopen. De procedure was me inmiddels bekend, maar ik had dit moment altijd met een gevoel van angst en paniek tegemoetgezien. Toen ik ditmaal de twee lijntjes zag verschijnen, wist ik niet precies hoe ik moest reageren. Tot mijn verbazing voelde ik me niet schuldig, alleen maar opgewonden.

Omdat ik het nieuws niet helemaal voor me kon houden, belde ik Meg om het haar te vertellen. Ik had haar in vertrouwen genomen over mijn relatie met Lamont en nu gilde ik in mijn mobieltje dat ik zwanger was. Meg reageerde geestdriftig op het nieuws en vertelde me toen dat zij ook zwanger was.

'Ga toch gewoon weg, Leslie,' moedigde Meg me aan. 'Ga weg en wees gelukkig met hem. Hij zal voor je zorgen.'

Ik wist dat Meg gelijk had. Sinds ik besloten had dat ik met Lamont samen wilde zijn, was het alsof ik had gewacht tot het juiste moment, de juiste reden zich zou aandienen. Nu was ik in verwachting van zijn kind; als dit het juiste moment niet was, dan zou dat waarschijnlijk ook nooit meer komen.

Lamont belde me die dag op mijn mobieltje en zei dat hij een verjaardagscadeautje voor me had. Ik wilde hem dolgraag zien, maar ik was ook een beetje nerveus. Ik wist dat ik hem zou moeten vertellen dat ik zwanger was, maar ik wilde hem niet afschrikken. Zelf voelde ik me ook niet helemaal gerust. Dit was een grote stap en ondanks mijn opwinding maakte ik me zorgen over hoe die verandering ons leven zou beïnvloeden. Dit zou de eerste werkelijke test zijn voor onze verbintenis. Toen mijn dienst erop zat, ging ik haastig op weg naar T.R.'s huis, waar Lamont op me wachtte.

Toen ik zijn kamer binnen kwam, begroette Lamont me met één enkele rode roos, een omhelzing en een kus. Ik was nerveus en vroeg me af of hij op de een of andere manier iets vermoedde van mijn zwangerschap. Alsof die ene roos nog niet romantisch genoeg was, liep hij de kamer door om zachte muziek op te zetten. Daarna kwam hij bij me terug en knielde op één knie voor me neer.

In eerste instantie begreep ik niet wat er gebeurde. 'Waarom doe je dat?' vroeg ik, terwijl ik moest lachen om zijn grappige houding. In de FLDS bestaat er niet zoiets als een verloving of een aanzoek. Deze romantische traditie kende ik alleen maar van de paar films en tv-shows die ik had gezien. Ik voelde hoe mijn hart sneller begon te kloppen toen Lamont voorzichtig een ring uit zijn zak tevoorschijn haalde.

'Je hoeft nu niet meteen antwoord te geven,' zei hij behoedzaam. 'Maar ik wil dat je weet dat ik van je hou, zelfs al worden we door de hele wereld verjaagd, en niets kan dat veranderen.'

Ik legde mijn hand in de zijne en liet hem de prachtige ring aan mijn vinger schuiven. Hij was van zijn moeder geweest, wat hem des te specialer maakte.

'Ik heb nieuws voor je,' zei ik, glimlachend tussen de kussen door.

'O?' zei hij, met een gelukzalige glimlach op zijn gezicht.

'Eh... ik ben zwanger,' zei ik, hopend dat hij net zo opgetogen zou zijn als ik. Ik was al zo vaak verraden door de mannen in mijn leven. En hoewel ik geloofde dat Lamont anders was, was ik nog steeds bang dat hij zich misschien zou laten afschrikken door de ernst van de situatie. 'We krijgen een baby.'

Lamont hield op met lachen. 'Zeg dat nog eens.'

'Ik ben zwanger,' herhaalde ik.

De verwarring op zijn gezicht maakte plaats voor een brede grijns. Lamont droomde er al jaren van vader te worden. Alles aan het moment voelde goed, en in mijn geest was ik volkomen bereid de Kerk, Warren en Allen de rug toe te keren. Ondanks zijn geluk kon ik zien dat Lamont zich ook zorgen over me maakte. Hij wist hoe mijn vorige zwangerschappen waren verlopen, en we wisten allebei wat het zou betekenen om de FLDS daadwerkelijk te verlaten. Het zou altijd al een moeilijk proces zijn geweest, maar nu kon ik niet meer anders. De tijd was aangebroken om op te houden met praten over vertrekken en het ook werkelijk te doen.

24

Mijn toekomst kiezen

Een afvallige van het geloof is de meest verachtelijke persoon
op aarde.
—WARREN JEFFS

Gedurende de daarop volgende maanden worstelde ik met mijn onvermijdelijke besluit om te vertrekken. Ik wist dat ik de knoop zou moeten
doorhakken. Uiteindelijk zou ik de sprong moeten wagen, maar tot dat
moment kon ik mezelf er nog niet toe brengen definitief afscheid te nemen. Hoewel ik het niet langer eens was met bepaalde aspecten van
onze religie, was de gedachte dat moeder, Sherrie en Ally me als verdorven zouden beschouwen, te pijnlijk.

Hoe langer ik bleef, hoe meer conflicten en confrontaties met Allen
ik riskeerde. Hoewel ik hem al het grootste deel van het jaar ontliep, begon hij zich er steeds drukker om te maken dat ik nooit belde en
's avonds nooit terugkwam naar de stacaravan. Het was al heel wat
maanden geleden dat ik daar voor het laatst de nacht had doorgebracht
en het leek erop dat het enige wat ons nog bond, het door de priesterschap gearrangeerde huwelijk was, waaraan ik me niet gebonden voelde. In mijn hart voelde ik dat er nooit sprake was geweest van een huwelijk; het was een schijnvertoning geweest.

Naarmate de zomerweken verstreken, nam Allens vijandigheid toe.
Hij liet tientallen berichten voor me achter met teksten als 'Of je kiest
voor mij, of er zwaait wat'. Ik reageerde op geen ervan. Hij kon me niet
meer intimideren, zoals hij in het verleden had gedaan, en door mijn
onwil om de strijd aan te gaan raakte hij nog gefrustreerder.

Op een keer, nadat hij me samen met moeder, Sherrie en Ally bij
het huis van oom Fred had gezien, confronteerde hij me met zijn ver-
moedens dat ik omging met mensen van buiten de FLDS. 'Waarom

ga je vriendschappelijk om met afvalligen?' vroeg hij me.

'Ach, het zijn alleen maar afvalligen in de ogen van sommige mensen,' antwoordde ik.

'Nou, ik wil dat je daarmee ophoudt!' gebood Allen.

Ik staarde hem slechts uitdrukkingsloos aan. Hij had geen macht meer over me en mijn onverschilligheid maakte hem nog kwader.

Bij een andere gelegenheid aan het eind van de zomer kwam Allen terug naar de stacaravan terwijl ik wat kleren bij elkaar aan het zoeken was. 'Waarom kom je niet gewoon naar huis, zoals het een echtgenote betaamt?' vroeg hij.

'Omdat je je kans hebt verspeeld,' zei ik. 'Je hebt me gebruikt en misbruikt en dat pik ik niet langer.'

Het gesprek werd hoe langer hoe verhitter en toen ik er op een gegeven moment een bijdehante opmerking uit flapte, gaf Allen me een klap in het gezicht. Ik werd razend. 'Heb het lef niet om me ooit nog aan te raken!' schreeuwde ik.

'Wat probeer je eigenlijk te zeggen?' snauwde Allen. 'Dat het over is?'

'Inderdaad,' antwoordde ik terwijl ik hem een venijnige blik toewierp. 'Je kunt naar Warren gaan, je kunt naar William gaan, het zal me verder allemaal een zorg zijn.'

Het verbaasde me niet dat moeder een paar dagen later belde om me te laten weten dat William Timpson, de bisschop, haar verteld had dat ik niet meer welkom was in het huis van oom Fred. Hoewel hij nu het hoofd was van Freds gezin, was het voor mij nog steeds het huis van oom Fred en William Timpson was slechts de verzorger van het gezin.

'Best, moeder,' zei ik, de hele toestand meer dan beu.

Ze vertelde me dat ik moest 'kalmeren' en zei dingen als 'Je zou veel gelukkiger zijn als je gewoon de profeet volgde'. Maar dat stadium was ik inmiddels allang voorbij en ik denk dat ze dat in haar hart ook wel wist.

Ondanks het verbod om in Freds huis te komen probeerde niemand me ooit tegen te houden als ik moeder en de meisjes opzocht. Ik denk dat ze diep in hun hart allemaal wisten dat wat er met mij was gebeurd, verkeerd was, en met alle veranderingen die er plaatsvonden in Short Creek, was mijn aanwezigheid in het huis wel het laatste waar ze zich druk over maakten.

'Je ziet er anders uit,' zei moeder tegen me tijdens een van mijn bezoekjes. 'Gelukkiger.'

Ik wilde haar dolgraag vertellen over Lamont en mijn zwangerschap en zelfs nu nog zijn er dagen dat ik wilde dat ik dat had gedaan, maar toen ik die middag voor haar stond, zei ik niets. In plaats daarvan glimlachte ik alleen maar, blij dat ze de verandering in me had opgemerkt.

De maand september gaf weinig veranderingen te zien, en ten slotte begon Lamont gefrustreerd te raken door mijn onvermogen om mijn banden door te snijden. Sinds ik zijn huwelijksaanzoek had aanvaard en hem had verteld dat ik zwanger was, wilde hij niets liever dan samen een nieuw leven beginnen. Hij was het beu om rond te sluipen en onze relatie verborgen te houden. Hij dacht dat het geheimhouden van onze liefde de indruk zou kunnen wekken dat we erkenden dat wat we deden, verkeerd was. Maar dat ik niet in staat was mijn moeder en mijn zusjes los te laten, begon wrijving te veroorzaken in onze relatie en er kwam een moment waarop Lamont en ik er bijna een punt achter hadden gezet.

Omdat hij zelf zijn moeder had verloren, begreep hij waarmee ik worstelde en hoe moeilijk het was om me los te maken. Maar hij geloofde ook dat ik er recht op had gelukkig te zijn en een leven te leiden zonder de beperkingen die de Kerk me oplegde. Ik wist dat hij gelijk had, maar mijn liefde voor mijn moeder en mijn levenslange religieuze conditionering bleven me tegenhouden. Het viel me moeilijk om uit te leggen hoe ik me voelde en ik was nog steeds aan het leren hoe ik met een man moest communiceren. Het deed me verdriet dat ik zo veel mensen zou moeten kwetsen voor de kans om zelf gelukkig te worden. Dat ik mijn 'plichten' als echtgenote van Allen niet vervulde en lak had aan William Timpsons opdracht om weg te blijven uit Freds huis, zou me vroeg of laat ongetwijfeld in de problemen brengen.

Het begon allemaal op de avond van 12 oktober 2004, Lamonts zesentwintigste verjaardag. Ik wilde iets speciaals voor hem doen en hij was de stad uit voor een klus, zodat ik tijd genoeg had om het grote verjaardagsfeest te organiseren dat ik had gepland. Ik had een stel van zijn vrienden uitgenodigd en we waren van plan hem te verrassen als hij die avond thuiskwam. T.R. had zijn enorme huiskamer ter beschikking gesteld en een gedeelte vrijgemaakt om als dansvloer te dienen. We dekten de meubels en de vloer af met plastic en ik versierde de ruimte met ballonnen, linten en lichtjes. Ik was helemaal opgewonden toen Lamont eindelijk arriveerde en we allemaal riepen: 'Surprise!'

Maar toen het feest een tijdje aan de gang was, kwam een van de gasten naar me toe terwijl ik met een paar meisjes stond te praten.

'Er staat iemand aan de deur die je wil spreken,' zei ze tegen me.

Verontrust vroeg ik: 'O, wie is het?'

'Hij zegt dat hij Allen heet.'

Ik voelde het bloed uit mijn gezicht wegtrekken en ik moet er vreselijk hebben uitgezien, want binnen enkele seconden stond Lamont naast me.

'Wat is er aan de hand?' vroeg hij.

'Allen is er,' stamelde ik.

Op dat moment nam Lamont het heft in handen. 'Laat dit maar aan mij over.'

Gedurende de weken daarvoor waren Lamont en ik ons ervan bewust geworden dat Allen voor detective aan het spelen was. Hij volgde me en had ook zijn broers in ploegen ingedeeld om me te schaduwen. In dit stadium vond ik het niet langer nodig om mijn relatie geheim te houden. Ik schaamde me absoluut niet voor de keuze die ik had gemaakt. Enerzijds wilde ik Allen duidelijk maken dat hij niets meer over me te zeggen had, anderzijds wilde ik ook weer niet aan de grote klok hangen dat ik hem als echtgenote had getrotseerd, waardoor ik het risico liep het contact met mijn moeder en mijn zusjes te verliezen.

Lamont verzamelde een stel vrienden om mee naar buiten te gaan voor de confrontatie met Allen. Maandenlang had Lamont zich op mijn verzoek ingehouden tegenover Allen, maar nu was Allen toch echt te ver gegaan.

'Met z'n hoevelen zijn ze?' hoorde ik Lamont vragen aan een van de mensen die Allen buiten hadden zien staan.

'Vier man,' kreeg hij te horen.

Ik bleef binnen terwijl Lamont en zijn vrienden naar buiten liepen. Allen zat achter het stuur van zijn auto met het portierraam een heel klein stukje opengedraaid, toen Lamont en zijn elf vrienden naar het voertuig toe liepen.

'Wat kan ik voor je doen?' vroeg Lamont.

'Ik kom mijn vrouw halen,' antwoordde Allen gedwee.

'Je vrouw,' herhaalde Lamont koeltjes, terwijl hij hoe langer hoe kwader werd toen hij oog in oog stond met de man die me sinds mijn veertiende had misbruikt. 'Bedoel je de vrouw in wier bijzijn je gemasturbeerd hebt? De vrouw die je verkracht en in elkaar geslagen hebt? Bedoel je die vrouw?'

Allen kromp ineen. Niemand, ook Allens vrienden in de auto niet, had geweten wat hij me al die tijd had aangedaan. Maar zelfs ondanks deze publieke vernedering haalde Allen geen bakzeil. Hij en Lamont staarden elkaar aan zonder een woord te zeggen. 'Nou, ik wil in elk geval mijn wagen terug,' zei Allen ten slotte.

'Die brengt ze later wel terug,' zei Lamont gedecideerd. 'Nu start je je wagen en verdwijn je hier.'

Ik hoorde het knarsen van grint toen Allen achteruit T.R.'s oprit af reed. Ik voelde me opgelucht toen ik Lamont weer in de deuropening zag verschijnen, maar ik wist dat het probleem nog lang niet was opgelost.

Toen mijn moeder in november contact met me opnam, voelde ik dat er iets mis was op het moment dat ik de telefoon opnam.

'Lesie, ze hebben een foto van jou en een andere man gevonden,' zei ze ademloos. 'William wil daar met je over praten.'

Er viel een langdurige stilte. Later bleek dat Allen die avond na de confrontatie met Lamont naar de stacaravan was teruggekeerd en al mijn spullen had doorzocht. Die bevonden zich achter slot en grendel in de tweede slaapkamer, maar hij had de deur ingetrapt en alles overhoopgehaald. Maandenlang had ik ervoor gezorgd niets te laten rondslingeren, maar het bleek dat hij toch één ding had gevonden, een foto die nu voor de nodige opschudding zorgde.

'Lesie?' Moeders zachte stem verbrak de stilte. 'Is het waar?'

'Is wát waar?' Mijn hart ging tekeer.

'Is het waar wat ze zeggen over die foto?'

'Moeder, ik weet dat u de keus die ik heb gemaakt niet zult begrijpen. Maar wat ze u ook vertellen, ik ben geen slecht mens en ik hou heel veel van u.'

Ik was razend toen ik de telefoon ophing. Allen had de foto van mij met Lamont in Las Vegas gevonden. Die foto was een manier om van me af te komen, een bewijsstuk dat ze konden gebruiken om de mensen, en mijn moeder en zussen, te laten zien dat ik het ergste soort afvallige was.

Ik kreeg opdracht me bij William Timpson te melden in een kantoor in het centrum van de stad. Maar eerst moest ik met moeder gaan praten. Ze had me gesmeekt haar bij de stacaravan te ontmoeten. Achteraf realiseerde ik me dat moeder wist dat dit wel eens ons laatste moment samen kon zijn en dat ze me enkele belangrijke dingen wilde geven. Ze snikte toen ze uit de auto stapte en toen ik haar zo overstuur zag, begon ik ook te huilen.

'Vertrouw op God,' zei ze tegen me. 'Zijn wegen zijn ondoorgrondelijk.'

Die middag gaf ze me een envelop. Daarin zaten brieven van haar en allebei mijn jongere zusjes, waarin ze me lieten weten hoeveel ze van me hielden. Moeder gaf me ook een bandopname van een compositie voor piano die Sherrie speciaal voor mij had geschreven. 'Geef de moed niet op,' zei moeder bij het afscheid. Dat afscheid van moeder die middag maakte het nog moeilijker om de daarop volgende strijd aan te gaan.

Toen ik bij het kantoor van William Timpson arriveerde, was Allen er al. Hij zat in een hoek van het vertrek en had een zelfvoldane uitdrukking op zijn gezicht.

'Wat is nou precies de bedoeling hiervan?' vroeg ik hem.

'Nou, dat is aan de profeet om te bepalen,' antwoordde hij op zelfgenoegzame toon.

Terwijl ik ging zitten, draaide de bisschop een telefoonnummer en zette de luidspreker aan. Ik kromp ineen toen ik Warrens afgemeten stem vanaf het bureau hoorde. 'Is iedereen aanwezig?' vroeg hij. Dat hij niet persoonlijk aanwezig was, verbaasde me niet. Zijn afwezigheid in de gemeenschap werd al maandenlang als vanzelfsprekend beschouwd, en wat het ook was wat hij buiten Short Creek uitvoerde, het was veel belangrijker dan zich persoonlijk met mij bezighouden. Gedurende de maanden nadat Lamonts grootvader en de twintig andere mannen door Warren waren verbannen, was het mysterie van Warrens gedrag alleen maar groter geworden. Die zomer was het vaker voorgekomen dat individuen en gezinnen vrijwel van de ene dag op de andere verdwenen. De ene dag was een man er nog, de volgende waren hij en zijn gezin verdwenen. We begonnen hen 'hoppers' te noemen, omdat ze net als bij een goocheltruc, 'hop', ineens verdwenen waren. Het was alsof Short Creek met al zijn bewoners voor onze ogen uit elkaar aan het vallen was. Niemand wist precies wat er gebeurde, maar het gerucht deed de ronde dat de waardigste families naar Zion werden overgebracht en dat de rest van ons achterbleef. Maar dat sloeg nergens op. Hoe konden de profeet en die waardige mensen naar Zion zijn gegaan als de verdelging nog niet had plaatsgevonden?

Aan het begin van de bijeenkomst confronteerde William Timpson me met de foto van mij met Lamont, Meg en Jason in het Stratosphere Hotel, waarop we tegen de achtergrond van een panoramisch uitzicht over Vegas onze armen om elkaars schouders hadden geslagen. Er was niets suggestiefs of romantisch aan de foto, maar alleen al het feit dat ik in Vegas was met afvalligen en een lange broek en een T-shirt droeg, maakte hem behoorlijk gewaagd. 'Ben jij dat?' vroeg de bisschop, terwijl hij mij op de foto aanwees.

'Ja, dat ben ik,' antwoordde ik opstandig, ervan overtuigd dat hij verwachtte dat ik zou toegeven dat ik verkeerd had gehandeld en om vergeving zou vragen.

'Elissa, je moet ons vertellen wat er aan de hand is en waarom Allen deze zorgen en beschuldigingen uit,' zei William.

Tot mijn verbazing nam Allen het woord. 'Ze heeft een relatie met iemand anders,' begon hij. 'En ze gaat om met afvalligen en is geen oprechte, trouwe echtgenote meer.'

'Wat is je relatie met die man?' mengde Warrens stem zich in het gesprek. Ook al was hij fysiek niet aanwezig, zijn berispende toon klonk door in elk woord dat hij over de telefoon sprak.

'Ja,' zei ik tegen hem. 'Ik heb een relatie met deze man. Ik heb hem een tijdje geleden ontmoet.'

'Heb je ooit je huwelijksgeloften gebroken met deze man?' Warrens lichaamloze stem vulde de kleine ruimte.

Ik voelde dat ik begon te blozen terwijl ik daar zat en niet van plan was om antwoord te geven. Ik wist waarom hij dat wilde weten. Hij wilde me vernederen door me obscene details te laten vertellen. Het bleef geruime tijd stil voordat Warren weer sprak. 'Heb je ooit seksuele betrekkingen met deze man gehad?'

Ik vond zijn vraag weerzinwekkend en ik weigerde er antwoord op te geven.

'Is enig lichaamsdeel van hem ooit bij jou naar binnen geweest?'

Nu was ik echt woedend. Hij had het recht niet me zoiets persoonlijks te vragen. Maar Warren bleef nog een paar minuten op dezelfde manier doorgaan. 'Nou, ik zal je onwil om de vragen te beantwoorden als een bekentenis beschouwen,' zei hij. 'William, ik wil dat je het huwelijk ontbindt.'

In één enkel moment was datgene waarom ik al vanaf het allereerste begin had gevraagd, ingewilligd. Niet vanwege al mijn verzoeken en smeekbeden. Niet omdat ik me had beklaagd over de afschuwelijke dingen die Allen me had aangedaan. Niet omdat ik het drieënhalf jaar had moeten uithouden met een man van wie ik niet hield en Warren medelijden met me had gekregen. Ik was gedwongen geweest al die ellende te doorstaan zonder hoop dat er ooit een einde aan zou komen. En nu ik dan eindelijk een stap op weg naar mijn eigen geluk had gezet, werd ik gestraft en als zondares bestempeld.

'Realiseer je je dat overspel een doodzonde is?' vroeg Warren me. 'En dat er maar één manier is om te boeten voor een doodzonde, namelijk om in den vleze vernietigd te worden?'

Ik zat daar als versteend. Oom Warren vertelde me dat ik letterlijk vernietigd moest worden, gedood, opdat God me kon vergeven. In mijn korte leven had ik al eerder gehoord over de doctrine waar Warren naar verwees. Ik was altijd doodsbenauwd geweest als ik mensen hoorde fluisteren over het ritueel dat bloedoffer werd genoemd. Als dat noodzakelijk werd geacht, moest een FLDS-gelovige die van de priesterschap en van God vergiffenis voor een zonde wilde, zich vrijwillig overleveren en zijn bloed 'over de aarde laten vloeien'. Hoewel ik niet wist of het ook in mijn tijd had plaatsgevonden, deden er verhalen de ronde over mensen die in vroeger tijden het slachtoffer waren geworden van dit bloedstollende ritueel. Naar men veronderstelde werd het uitgevoerd tijdens een geheime ceremonie in een speciaal door de priesterschap gewijd vertrek, waar de 'zondaar' op een altaar ging liggen en ermee instemde vastgebonden te worden, waarna een speciaal daartoe gewijde ouderling hem doodde. En degene die de zondaar doodde, zou schuldeloos zijn voor God.

Ik wist gewoon niet wat me overkwam. Ik had me vele malen tot Warren gewend en hem gesmeekt om hulp bij zaken die volgens mij niet deugden, en nu veroordeelde hij me plotsklaps en vertelde me dat ik mogelijk zo zwaar had gezondigd dat ik in aanmerking kwam voor vernietiging. Hij bleef proberen informatie uit me los te krijgen, maar ik was zo woedend dat ik in tranen uitbarstte.

'Ik wil dat je een bekentenis schrijft over alle dingen die er zijn voorgevallen tussen jou en die man,' zei Warren, die genoegen leek te scheppen in mijn gesnik. 'En ik wil dat je weet dat je niet langer je moeder mag zien of je in Freds huis mag bevinden. Je moet je moeder en je zussen behandelen alsof ze niet meer voor je bestaan.'

Nu werd ik hysterisch. Waar ik al maandenlang bang voor was geweest, was nu eindelijk werkelijkheid geworden. Warren beschikte over voldoende macht om me alles af te nemen wat me dierbaar was in de gemeenschap. Ik zou mijn moeder en mijn zusjes nooit meer mogen zien. Al die jaren van verdriet en lijden waren helemaal voor niets geweest. De enige reden dat ik het zo lang bij Allen had uitgehouden, was dat ik dan dicht bij mijn moeder en mijn zusjes kon zijn. Nu zou ik het zonder hen moeten stellen. Het was het wreedste vonnis dat hij had kunnen uitspreken, maar toen draaide hij het mes nog even om in de wond.

'Allen,' klonk Warrens stem luid. 'Mijn complimenten.' Warren prees hem voor zijn rol als echtgenoot in het door hem gearrangeerde huwelijk.

Ik moest me beheersen om niet op te springen en het telefoontoestel van de muur te rukken. Terwijl hij Allen prees omdat hij me drieënhalf jaar lang had geïntimideerd en misbruikt, kwam de woede die al zo lang in me had gesluimerd, plotseling tot een uitbarsting. Ik wilde het uitschreeuwen zodat heel Hildale het zou horen. 'Ik heb gedaan wat ik kon, en ik heb geprobeerd te doen wat u me hebt opgedragen!' schreeuwde ik naar de telefoon. 'En ik heb u al een hele tijd geleden gevraagd om een ontbinding van dit huwelijk.'

Zoals gewoonlijk negeerde Warren me en hij bleef me veroordelen wegens mijn verdorvenheid. Maar wat hij niet langer kon doen, was me veroordelen tot een leven met Allen. 'Jij bent je verplichtingen nagekomen,' zei hij tegen de man die mijn zielenheil had gebruikt om me in zijn macht te houden. 'Je bent ontslagen van je huwelijkse verplichtingen jegens haar.'

Vervolgens richtte Warren het woord tot de bisschop en hij gaf William Timpson opdracht me naar het huis van mijn vader in Colorado City te brengen, tot hij besloten had wat hij met me aan moest. Vader had eindelijk een leegstaand huis toegewezen gekregen en hij en Audrey hadden het opgeknapt. Er school een zekere ironie in zijn uitspraak, dat ik nu, na al die jaren, terug zou gaan naar mijn echte vader. Gedurende de afgelopen acht jaar was het enige wat ik gewild had, mijn vaders dochter zijn en mijn familie weer terugkrijgen. Toen we hem op die dag in 1999 hadden verlaten, was er een reeks gebeurtenissen in gang gezet die vandaag in het kantoor van William Timpson pas ten einde kwam. Eindelijk was ik weer terug bij het begin. Voordat hij me terugstuurde naar mijn vader, herinnerde Warren me eraan dat ik gefaald had in de opdracht die God me had gegeven, maar ik luisterde niet meer naar hem. Ik wilde de God van Warren Jeffs helemaal niet kennen. Ik wilde geen God kennen die willens en wetens gezinnen uit elkaar rukte. Ik wilde geen God kennen die meisjes tot een huwelijk dwong. De God die ik kende, in wie ik geloofde en in wie ik tot op de dag van vandaag nog steeds geloof, was echt, maar had niets te maken met Warren Jeffs.

Warren maakte een eind aan de bijeenkomst met de woorden: 'De wil van de Heer geschiede.'

De tranen stroomden me over de wangen toen ik het vertrek verliet. De mannen zaten binnen nog te praten, dus wachtte ik geduldig in de hal. Na een tijdje kwam Allen naar buiten en hij liep langs me heen naar zijn auto alsof ik lucht was.

Even later verscheen William Timpson, die in zijn auto achter me aan naar het huis van mijn vader zou rijden. Hij wierp een blik op mijn betraande gezicht en bloeddoorlopen ogen en zei: 'Vertrouw op God, Elissa.'

'Op welke god moet ik vertrouwen?' vroeg ik met haperende stem. 'De god die me hier heeft gebracht en me vertelt dat ik een verdorven persoon ben?'

William reageerde niet op mijn vraag en we liepen zwijgend naar buiten. Ik voelde een zekere ambivalentie zijnerzijds ten opzichte van zijn gewichtige nieuwe positie als bisschop. In tegenstelling tot de oudere mannen in de kerk had hij nog geen onbuigzame en overheersende manier van optreden ontwikkeld. Hij zou het nooit toegeven, maar ik wist bijna zeker dat hij met me te doen had.

Op weg naar het huis van mijn vader voelde ik me zowel verraden als opgelucht. Ik was hoe dan ook voorgoed bevrijd van Allen. Ik had me talloze malen afgevraagd of dit alles ook gebeurd zou zijn als we niet bij vader waren weggehaald, maar ik besefte ook dat er nu niets meer was wat hij kon doen. Ik was geen klein meisje meer en er was heel veel gebeurd dat ik moest verwerken. Vier jaar geleden had hij me misschien kunnen helpen, maar nu was de teerling al geworpen.

We arriveerden bij het huis van vader en Audrey en William liep met me mee naar de voordeur. Toen mijn vader opendeed, verscheen er een vriendelijke maar vragende uitdrukking op zijn gezicht.

'Hier is je dochter en je moet voor haar zorgen,' zei William.

'Er is voor haar altijd plaats in mijn huis,' zei vader terwijl hij me aankeek en knikte. Ik stapte over de drempel en viel in mijn vaders armen. Ook moeder Audrey verwelkomde me hartelijk. Ze stelden me geen vragen terwijl ze een slaapkamer voor me in orde maakten. Vader keek me aan en zei: 'Ik ben zo blij dat je weg bent bij Allen.' Er welden tranen op in zijn ogen, maar zijn stem bleef vast en zacht. 'Ik wil dat je weet dat ik van je hou, en wat er ook gebeurt, het komt allemaal in orde.'

'Weet u, vader?' zei ik, terwijl ik mijn best deed om net zo sterk te zijn als hij. 'Het komt inderdáád allemaal in orde.' En terwijl ik die woorden sprak, begon ik er daadwerkelijk in te geloven.

Warren mocht dan wel de profeet zijn, maar ik was degene die mijn toekomst voor me kon zien. Hij kon me niet langer voorschrijven hoe ik mijn leven moest leiden. Ik zou zelf mijn beslissingen nemen, en ik koos voor het geluk aan de zijde van Lamont Barlow.

Vader en Audrey lieten me de slaapkamer zien die ze voor me in orde hadden gemaakt en na hun een nachtzoen te hebben gegeven, deed ik de deur dicht.

Toen ik eenmaal alleen was, ging ik in de kamer op zoek naar een stuk papier om een brief aan mijn vader op te stellen. Ik vond een blocnote in een hoek van de kast en ging zitten schrijven. Hoe verleidelijk het ook was om te blijven, vader en Audrey stelden nog steeds alles in het werk om in de Kerk te blijven. Ze waren te nauw verbonden met de wereld die ik achter me moest laten. In de brief vertelde ik vader dat moeder, Ally en Sherrie de enige redenen waren waarom ik al die tijd was gebleven. Als ik niet bij hen kon zijn, wilde ik ook niet meer blijven, hoewel een deel van me graag bij hem zou willen wonen. In een poging hem gerust te stellen, vroeg ik hem zich geen zorgen te maken; ik zou veilig zijn. Ik zou zo vaak mogelijk bellen; hij hoefde alleen maar de telefoon op te nemen. Ik legde de brief op het bed, liep op mijn tenen de kamer uit en de gang door, glipte de voordeur uit en stapte in mijn auto.

Ik reed met gedoofde koplampen tot ik aan het eind van de straat kwam en toen ik wist dat ik veilig was, belde ik Lamont. 'Kom me alsjeblieft halen. Ik ben in de stad,' zei ik tegen hem.

'Ik kom eraan,' beloofde hij.

Een paar minuten later reed hij het parkeerterrein van het postkantoor op. Ik was niet van plan om Allens auto mee te nemen, dus liet ik die staan en stapte in bij Lamont. Ik kuste hem en legde een van zijn handen op mijn buik. Daarbinnen groeide een kind, een baby die mijn moeder nooit zou kennen. Het vooruitzicht een kind groot te brengen zonder mijn moeders prachtige zangstem en haar liefhebbende blik werd me even te veel en ik begon weer te huilen. Ik maakte deze keus om te vertrekken niet alleen voor mezelf en voor Lamont, maar ook voor ons kind. Ik maakte deze keus zodat ons kind, ongeacht of het nu een jongen of een meisje was, kon opgroeien in een wereld zonder de beperkingen van de priesterschap, een wereld waar God en het geloof instrumenten van hoop zijn, niet van manipulatie. Ik maakte de keus die mijn moeder niet voor mij en mijn broers en zussen had kunnen maken. Ik koos ervoor mijn kind zijn eigen keuzes te laten maken.

Deel 3

25

Een nieuw begin

Neem de eerste trede op weg naar het geloof. Je hoeft de hele trap
niet te zien, alleen de eerste trede.
– dominee Martin Luther King, jr.

Toen ik die eerste avond naast Lamont in bed lag, voelde ik me alsof ik
over de Grand Canyon was gesprongen. Ik denk dat we allebei naïef gehoopt hadden dat deze enorme stap de laatste horde zou zijn en dat we
vanaf dat moment een sprookjesleven zouden leiden. Ik had altijd al
geweten dat vertrekken moeilijk zou zijn. Het was onmogelijk achttien
jaar in een besloten gemeenschap te leven en dan plotseling klaar te
zijn voor een leven in de wereld daarbuiten. Maar niets had me kunnen
voorbereiden op de startmoeilijkheden van het leven buiten de gemeenschap.

Toen ik die eerste ochtend na mijn vertrek uit het huis van mijn vader wakker werd, was ik verlamd van angst en spijt. 'Stel nou eens dat ze
gelijk hebben?' piekerde ik. 'Stel dat ik een vergissing heb begaan en
werkelijk naar de hel ga?'

Gedurende die eerste dagen was ik helemaal kapot, en hoewel Lamont zijn best deed om me te troosten, was het alsof ik niet meer kon
ophouden met huilen. Het duurde drie dagen voordat ik genoeg gekalmeerd was om hem te vertellen wat er tijdens mijn laatste bijeenkomst
met Warren, Allen en William Timpson was voorgevallen, en zelfs toen
kwam de informatie er bij stukjes en beetjes uit. Het verlaten van de
FLDS had me al mijn kracht gekost en me emotioneel uitgeput. Het
was alsof alle verdriet, verlies en onzekerheid die ik gedurende de afgelopen acht jaar had geprobeerd van me af te zetten, plotseling boven op
me vielen.

Ten slotte verzamelde ik de kracht om me buiten de deur van ons huis te wagen, maar het was verwarrend om totaal geen voeling te hebben met mijn omgeving. Bij mijn overwegingen om de FLDS te verlaten, had ik me vrijwel uitsluitend op mijn moeder en mijn zusjes gericht en nauwelijks stilgestaan bij alle andere dingen die de overgang zouden bemoeilijken. Alles aan ons nieuwe leven was vreemd en onbekend. Vanaf het moment dat we wakker werden tot aan het moment dat we in slaap vielen, werden we allebei geplaagd door een geheel nieuwe reeks onzekerheden die ons nieuwe leven met zich meebracht. Het kleine huisje dat Lamont voor ons huurde in Hurricane bevond zich in een rustige straat, waar 'normale' gezinnen woonden die ons verbaasde blikken toewierpen vanwege onze kleding.

Ik probeerde een eind aan deze ongemakkelijke situatie te maken door wat anders aan te trekken, maar zo eenvoudig lag het niet. Elke dag bracht nieuwe onzekerheid, omdat het ons maar niet lukte om onopvallend door het leven te gaan. Door mijn pogingen me aan te passen aan mijn omgeving viel ik juist nog meer op, doordat ik ongebruikelijke combinaties droeg, zoals T-shirts bij mijn lange rokken en dikke FLDS-maillots, in de veronderstelling dat ik er daarmee normaal uitzag. Ik had altijd al normale kleren willen dragen en had dat af en toe ook gedaan als onderdeel van mijn poging om mijn individualiteit te testen, maar nu ik me zo ontheemd voelde, nam ik mijn toevlucht tot mijn oude FLDS-garderobe.

Ook mijn haar was een voortdurende bron van zorg voor me. Omdat FLDS-vrouwen hun haar lang horen te dragen, was ik nog nooit bij een kapper geweest, en mijn dikke, blonde lokken vielen tot over mijn middel. Als lid van de FLDS had ik precies geweten hoe ik mijn haar in stevige vlechten moest opsteken, zoals dat in onze gemeenschap in de mode was. Maar nu lukte het me niet om me de stijl eigen te maken van deze nieuwe wereld waarin ik me bevond, zodat ik mijn haar maar in een Franse vlecht droeg, die er belachelijk misplaatst uitzag in de straten van Hurricane en St. George. Mijn haar was te lang en ik voelde me bijzonder ongemakkelijk als het loshing. Als ik onbekenden zag met recht afgeknipt, schouderlang haar of losse krullen, wilde ik er graag hetzelfde uitzien als zij, maar ik wist gewoon niet hoe ik dat voor elkaar moest krijgen.

Een van de redenen dat onze overgang zo moeilijk verliep, was dat we nauwelijks geld genoeg hadden om onze rekeningen te betalen, laat staan om nieuwe kleren te kopen. In Colorado City bestaat er niet zoiets als hypotheek of huur. Een door de Kerk beheerd fonds, genaamd het United Effort Plan of UEP, heeft het land in bezit waarop de mensen wonen, en wijst bouwpercelen toe aan waardige leden van de priesterschap, waarbij van hen een maandelijkse bijdrage wordt verwacht van tien procent van hun inkomen. Uiteraard worden de leden aangemoedigd zo veel mogelijk bij te dragen en velen van hen dragen aanzienlijk méér bij. Een gedeelte van die maandelijkse betalingen wordt gebruikt om de gemeenschappelijke voorraadschuur te financieren, waar we een deel van ons voedsel en huishoudelijke artikelen kochten tegen zeer lage prijzen. We hadden altijd in grote gezinnen gewoond en de boodschappen werden voor ons gedaan, meestal bij de groothandel.

Daardoor hadden we ons nooit bezig hoeven houden met alledaagse geldzaken. Lamont en ik werden nu geconfronteerd met de verbijsterende prijzen bij de plaatselijke levensmiddelenwinkels. Tot overmaat van ramp had Lamont die eerste week onbetaald verlof opgenomen van zijn baan als opzichter bij een plaatselijk bouwbedrijf, zodat hij me tot steun kon zijn bij het overwinnen van mijn aanpassingsproblemen. Maar mijn onbedwingbare huilbuien brachten hem van zijn stuk. Hij was bang dat ik spijt had van mijn keus om bij hem te zijn. Hoewel zijn steun gedurende die dagen van onschatbare waarde was, waren we door de inkomensderving niet in staat die maand de huur te betalen, waardoor er een achterstand ontstond die we vervolgens weer moesten zien in te lopen.

De financiële perikelen zouden voor iedereen een groot probleem zijn geweest, maar wij hadden geen flauw idee hoe we met geld moesten omgaan. Dat was ons nooit bijgebracht, en omdat we grootgebracht waren in de overtuiging dat het einde der tijden nabij was, hadden we altijd geleerd dat het bezit van geld of een bankrekening volkomen onbelangrijk was. Daardoor kregen we allebei de nodige problemen met werkgevers en banken, die financiële achtergrondinformatie nodig hadden.

Gedurende deze tijd onderging ik ook de hormonale veranderingen die de meeste zwangere vrouwen ondergaan, wat me onvoorspelbaar emotioneel en bijzonder huilerig maakte. Vóór mijn vertrek uit Short Creek had ik heimelijk een vroedvrouw bezocht, en vanwege mijn gecompliceerde geschiedenis op het gebied van zwangerschappen adviseerde ze me om een gynaecoloog te raadplegen. Ik was al vierentwintig weken zwanger, en vanwege mijn resusnegatieve bloedgroep raadde de arts me injecties met Rh immunoglobuline (RhIg) aan, om een eventuele reactie van mijn lichaam op resuspositieve rode bloedlichaampjes te onderdrukken. Hoewel hij het niet met zekerheid kon zeggen, geloofde hij dat dit een deel van het probleem kon zijn geweest bij mijn eerdere zwangerschappen.

Het was geruststellend om te weten dat er een voorzorgsmaatregel kon worden genomen om te voorkomen dat ik opnieuw een baby zou verliezen. De gedachte dat er een verklaring was voor mijn miskramen en dat het dus geen straf van God was, gaf me troost. Ik zorgde goed voor mezelf, maar Lamont en ik maakten ons nog steeds heel veel zorgen. Hoewel hij op de hoogte was van mijn miskramen, had ik hem nooit verteld over de doodgeboren baby. Aanvankelijk was het emotioneel te pijnlijk geweest om te beschrijven of zelfs maar ter sprake te brengen, en nu wilde ik hem niet bezorgder maken dan hij al was. Ook al praatte ik er niet met hem over, het speelde natuurlijk wel voortdurend door mijn hoofd, en ik was erg bang dat ik opnieuw in een zwangerschapsnachtmerrie zou belanden.

Hoewel deze aanpassings-, geld- en zwangerschapsproblemen mijn stress de eerste weken tot ongekende hoogten opstuwden, was het vooruitzicht dat ik mijn moeder en mijn zusjes misschien nooit meer zou terugzien, nog het moeilijkst. Ik verlangde naar Ally's aanstekelijke lach en het geluid van Sherries pianospel. Moeder had me die eerste dagen stiekem gebeld om zich ervan te verzekeren dat alles goed met me was. Het hielp me om haar te vertellen hoe teleurgesteld ik was geweest vanwege haar houding met betrekking tot mijn huwelijk met Allen. In tranen vertelde ze me hoezeer het haar speet en dat ze wilde dat ze alles kon terugdraaien. Toch bleef ze de hoop koesteren dat ik zou terugkomen en berouw zou tonen, zodat we weer een gezin konden zijn.

Zoals zo vaak het geval was bij de FLDS, waren haar woorden één grote tegenstrijdigheid. Hoewel het haar oprecht speet wat er met mij was gebeurd, leek ze niet te kunnen inzien dat er andere wegen waren dan die van de Kerk. Ze had haar hele leven binnen de FLDS doorgebracht en ze beschikte niet over het geestelijke vermogen om verder te kijken dan de muren rond die gemeenschap. Dit gesprek was een van de weinige keren dat ik haar ooit twijfels had horen uiten. Haar bereidheid om zowaar vragen te stellen, gaf een klein beetje hoop dat ze op deze weg zou voortgaan, maar alleen de tijd zou leren of ze ook werkelijk in staat zou zijn afstand te doen van haar geloofsovertuiging. Op haar vierenvijftigste zou het een geweldige prestatie zijn om een levenslange conditionering terug te draaien. Ik wist dat moeder van me hield en dat ze me dat duidelijk probeerde te maken op de enige manier die ze kende. In die wetenschap kon ik beginnen met het loslatingsproces.

Hoewel Lamont en ik verliefd op elkaar bleven en goede hoop hielden dat we ons zouden kunnen aanpassen, boden die eerste weken een frustrerend totaalbeeld van onze nieuwe werkelijkheid. Verdwenen was ons visioen van ontsnappen en gewoon opnieuw beginnen. Het zou een moeilijke weg zijn, maar een die we moesten afleggen. Het leek wel of iedereen met wie we in die tijd in contact kwamen, de FLDS had verlaten met de droom een nieuw leven te beginnen, om ten slotte zonder geld en verslaafd aan drugs of alcohol op een punt te belanden waar ze geen kant meer op konden. Ik dacht terug aan alle keren dat ik mijn oudere broers dezelfde strijd had zien voeren die ik nu voerde. Ik wilde dat ik geweten had welke geestelijke strijd er geleverd moest worden.

Het verlaten van de FLDS was niet alleen een kwestie van een ander soort leven gaan leiden, het was een kwestie van een totaal nieuwe manier van denken aanleren. Als je de FLDS verlaat, brokkelt de hele basis van je bestaan af. Je moet helemaal opnieuw beginnen en nadenken over grote, vérstrekkende vragen als: waar geloof ik in? Hoe staat het met de hemel? Wat is zedelijk gedrag? Waar vecht ik voor? We hadden onze vrijheid en elkaar gekregen, maar we waren de grond onder onze voeten kwijtgeraakt. Het werd nog moeilijker als we dachten aan de familie die we allebei waren kwijtgeraakt. Ik moest het nu stellen zonder mijn moeder en mijn zusjes, maar ook Lamont was zijn familie kwijtgeraakt.

Ondanks alles wat me was overkomen, bleef ik met God in gesprek alsof hij mijn vriend was en ik smeekte hem me de kracht te geven om mezelf te vinden. Ik wilde geloven dat God van me hield, ook al had ik zulke drastische veranderingen ondergaan en de FLDS verlaten. Toch was ik er niet zeker van of hij naar me zou luisteren. Jaren en jaren van intensieve religieuze conditionering waren er verantwoordelijk voor dat ik aan alles in mijn nieuwe leven twijfelde. Het was werkelijk een geschenk uit de hemel toen de oudere zus van mijn vriendin Natalie, Sarah, op een middag in Hurricane bij me voor de deur stond met een doos vol babykleertjes en de nieuwe 'bijbel' voor moeders: *What to Expect When You're Expecting*. Ik was Sarah tegen het lijf gelopen tijdens een feestje vlak voordat ik uit Short Creek vertrokken was, en tot mijn verbazing vertelde ze me dat ze de FLDS had verlaten nadat ze een plaatselijke jongeman had ontmoet en verliefd op hem was geworden. Tijdens ons gesprek werd het duidelijk dat ze verschrikkelijk eenzaam was terwijl ze probeerde haar weg te vinden in haar vreemde nieuwe omgeving zonder dat ze iemand van haar familie in de buurt had met wie ze de vreugde en de zorgen van een eerste zwangerschap kon delen. Omdat ze wist dat ik in hetzelfde schuitje zat, was ze naar me toe gekomen om me haar vriendschap aan te bieden en haar kennis met me te delen. Ik was haar bijzonder dankbaar en al snel werd Sarah mijn reddingslijn. Ik had me nooit kunnen voorstellen hoe moeilijk mijn overgang zou zijn en zelfs nu nog kijk ik met verbazing terug op hoe ik het heb gered.

Ongeveer drie weken na ons vertrek belde vader met de mededeling dat hij in Hurricane moest zijn en dat hij met ons wilde gaan eten. Nadat hij die avond mijn brief op het bed had gevonden, had hij een paar keer het nummer van mijn mobieltje gebeld om te informeren of alles goed met me was. Ik had hem wel verteld waar Lamont en ik woonden, maar niet dat ik zwanger was. Het was me gelukt mijn zwangerschap tot op mijn laatste dag in de FLDS verborgen te houden, maar begin december begon ik opeens uit te dijen en nu maakte ik me zorgen over zijn reactie. Toch keek ik verlangend uit naar onze ontmoeting.

Hij zat aan een tafeltje achter in J.B.'s restaurant toen Lamont en ik binnenkwamen. Terwijl we op hem af liepen, begon Lamont in paniek te raken toen hij de strenge blik zag waarmee mijn vader ons van hoofd tot voeten opnam. Hij had Lamont nog nooit ontmoet en Lamont vroeg zich bezorgd af hoe mijn vader zou reageren op de man die zijn dochter uit de FLDS had weggehaald en van wie ze een kind verwachtte.

Toen we bij zijn tafeltje kwamen, stond vader op, wees met zijn lange, gebruinde vinger naar Lamont en zei: 'Ik heb jou maar één ding te zeggen.'

Lamont deinsde angstig achteruit, wachtend op een uitbrander.

Terwijl ik mijn adem inhield, zag ik vaders strenge blik zachter worden en hij zei: 'Ik betaal vanavond de rekening.' Even wisten we geen van beiden of we het goed hadden gehoord, maar toen verscheen er een brede glimlach op vaders gezicht en sloot hij me stevig in zijn armen. Zijn woorden stelden ons gerust en we hadden een gezellige avond met elkaar. Toen het tijd werd om afscheid te nemen, stonden we op en vader omhelsde ons allebei.

'Het maakt me niet uit wat je hebt besloten, Elissa. Ik ben allang blij dat je niet meer bij Allen bent.' Ik voelde me gesterkt door deze uiting van liefde en goedkeuring van een ouder, zonder dat er vragen werden gesteld of oordelen werden uitgesproken. Het was de eerste keer in mijn leven dat ik zelf een belangrijke beslissing had genomen en daar bijval voor ontving. Het enige wat er voor hem toe deed, was mijn geluk. Ik wist dat zijn loyaliteit nog steeds bij de priesterschap lag, maar het was een troost voor me dat hij me niet in de steek zou laten omdat ik uiteindelijk voor mezelf had gekozen.

Tijdens die eerste weken probeerde Lamont ook contact op te nemen met zijn familie. Uiteindelijk wist hij zijn grootvader te pakken te krijgen en hem ertoe te bewegen met hem te gaan eten. Ze gingen naar een eenvoudig restaurant in St. George om te praten over alles wat er was voorgevallen. Lamont maakte zich zorgen omdat George nog maar een schim van zichzelf leek. Nadat hij een groot deel van zijn volwassen leven een gerespecteerd patriarch was geweest, was hij nu gedwongen een kamer te huren in een huis dat hij deelde met verscheidene andere mannen. Afgezonderd van iedereen die hij kende en liefhad, had hij schijnbaar het nodige zelfonderzoek gedaan in een poging om vast te stellen wat hij misdaan had en waarom hij uit de Kerk was gezet.

'Lamont,' zei George, zijn gezicht verwrongen van verdriet, 'Leroy S. Johnson heeft me ooit verteld dat er maar twee dingen zijn waardoor een man zijn priesterschap kwijtraakt. Een daarvan is overspel; het andere het verloochenen van God. Ik heb me aan geen van beide schuldig gemaakt, dus ik begrijp gewoon niet wat het zou kunnen zijn.' Zijn stem brak en hij vocht tegen de tranen.

Het was moeilijk voor Lamont om te zien dat er van deze ooit sterke en invloedrijke persoonlijkheid niet meer was overgebleven dan een eenzame oude man, maar het maakte ons eens te meer duidelijk dat Warrens bewind slachtoffers had gemaakt, ongeacht leeftijd en geslacht. Zijn grootvader was een zoveelste voorbeeld van het verdriet dat mensen was aangedaan in naam van God.

In december vierde ik voor de eerste keer Kerstmis in Oregon met Kassandra. Craig, Justin en Caleb waren kort daarvoor naar Hawaii verhuisd, en hoewel zij en Ryan voorbereidingen troffen voor een verhuizing naar Idaho, woonde Kassandra nog steeds aan de Westkust. Ik arriveerde in mijn eentje in Portland in de tweede week van december. Omdat we het ons niet konden veroorloven dat Lamont ook maar een uur werk zou missen, was het plan dat hij zich daar de avond vóór Kerstmis bij ons zou voegen.

Vanaf het moment dat ik arriveerde, was Kassandra een grote steun voor me. We praatten over onze ervaringen bij het verlaten van de FLDS en ze verzekerde me dat alles in orde zou komen. We praatten ook over moeder en de weinige telefoongesprekken die we allebei met haar hadden gevoerd sinds mijn vertrek. Moeder was wat vrijer geworden wat betreft het praten met haar kinderen die zich buiten de gemeenschap bevonden. Ze had zelfs meerdere malen Craig aan de telefoon gehad, en mijn broer was een dialoog met haar aangegaan waarbij ook religieuze onderwerpen aan de orde kwamen. Het stemde ons allemaal hoopvol dat moeder bepaalde kwesties ter sprake bracht zonder onmiddellijk Craigs tot nadenken stemmende opmerkingen af te wijzen. Ze had zich zelfs hardop verbaasd over bepaalde dingen die in Short Creek waren gebeurd en over het feit dat alles zo geheimzinnig was geworden. 'Het voelt gewoon niet goed,' had moeder tijdens een van onze telefoongesprekken tegen me gezegd, maar het gesprek was te kort geweest om daar dieper op in te gaan.

Vooral het contact met Ally en Sherrie was bijzonder pijnlijk geweest. Mijn hart brak toen Ally me vroeg haar te komen halen. Sherrie, de oudste van de twee, was meegaander, meer als onze zus Michelle. Ally leek meer op mij; ze was koppig en brutaal, en hoewel ze pas elf was, was ze niet bang om in het bijzijn van moeder duidelijk te maken dat ze dolgraag uit Short Creek weg wilde. 'Kom me alsjeblieft halen,' had ze gesmeekt, en ik was het liefst meteen in de auto gestapt om haar op te pikken.

Haar verlangen om gered te worden drukte als een zware last op mijn schouders. Later vroeg moeder of Kassandra en ik Ally wilden aanmoedigen om te blijven. Nadat we een paar weken daarvoor die sporen van twijfel in moeders stem hadden gehoord, vonden we het moeilijk te accepteren dat ze zich nog steeds niet kon losmaken van de FLDS-ideologie. Ik zou met liefde en plezier Ally's verzoek hebben ingewilligd om haar daar weg te halen, maar ik wist dat het op dit moment te riskant was. Ik was zes maanden zwanger en we konden maar nauwelijks genoeg geld bij elkaar schrapen om de maand door te komen. Hoeveel verdriet het me ook deed om het toe te geven, Lamont en ik konden onmogelijk een elfjarig meisje onderhouden. Ik was vast van plan om hen daar zo spoedig mogelijk weg te halen, zonder me te realiseren dat die gelegenheid zich nooit zou voordoen.

Kassandra en ik voelden ons gefrustreerd doordat we niet meer konden doen. Zij was al bijna twee jaar weg uit de gemeenschap en al veel verder in het proces waaraan ik nog maar net was begonnen. Ze overwoog de politie in te schakelen, een idee dat mij schrik aanjoeg. Ik was pas zes weken weg en koesterde nog steeds een diepgewortelde angst voor de politie en alle overheidsfunctionarissen.

Hoewel ik in Oregon voortdurend dacht aan moeder en de meisjes, vond ik het spannend om samen met familieleden mijn eerste kerstfeest te vieren. En nu ik eenmaal uit de FLDS was gestapt, was Kassandra graag bereid me te helpen bij mijn transformatie. Allereerst gingen we naar het winkelcentrum om mijn haar te laten knippen. Ik had erin toegestemd er ruim tien centimeter af te laten halen, maar Kassandra moest de kapster stiekem ingefluisterd hebben dat ze het tot boven mijn taille moest afknippen. Tot mijn ontzetting knipte ze ruim veertig centimeter van mijn vlasblonde lokken af.

'Wil je het doneren of bewaren?' vroeg ze me.

Ik was te geschokt om iets te zeggen. Het moest eraf, maar het viel niet mee er afstand van te doen. In Short Creek was mijn haar mijn enige schoonheidspunt geweest, en mijn hele leven had ik te horen gekregen dat ik er trots op moest zijn. Maar ik realiseerde me dat die knipbeurt nodig was om me meer 'normaal' te voelen.

Terwijl Kerstmis naderbij kwam, begonnen Kassandra en ik te praten over de kerstboom die we zouden nemen. Toen het zover was, bleven we eindeloos over de kwekerij rondlopen, op zoek naar de perfecte boom. Hij moest de juiste lengte en een mooie takkenstructuur hebben en lekker ruiken. De arme man die ons hielp, raakte uitgeput van het losknippen van de gazen omhulsels zodat we de diverse bomen goed konden bekijken. 'Dit is mijn allereerste kerstfeest,' zei ik met een verontschuldigende glimlach, en mocht hij al geïrriteerd zijn geweest, dan verdween die ergernis als sneeuw voor de zon.

Nadat we onze boom naar huis hadden gesleept, bleven we tot drie uur 's nachts op om hem op te tuigen, onderwijl druk pratend, lachend en warme chocolademelk drinkend. Toen we klaar waren, deed ik een paar passen achteruit om onze creatie te bewonderen. Tijdens onze jeugd in Salt Lake reden we langs huizen van buitenstaanders en zagen we hun versierde bomen achter de ramen van hun woonkamers. Nu zag ik het niet langer van een afstand. Kerstmis was mijn leven binnen gekomen en voor het eerst had ik het gevoel dat ik van mijn nieuwe wereld begon te genieten.

Zoals afgesproken, arriveerde Lamont de avond voor Kerstmis, en ik was dolblij hem te zien. Die avond kon ik moeilijk in slaap komen en 's ochtends kon ik mijn nieuwsgierigheid niet langer bedwingen. Ik was waarschijnlijk het eerste 'kind' in Amerika dat die dag wakker was. Om vijf uur was ik mijn bed uit en ik hoopte dat iemand anders me spoedig gezelschap zou komen houden. Toen dat niet het geval was, begon ik een uitgebreid ontbijt klaar te maken, snakkend naar het begin van de feestelijkheden. Als ze dat ruiken, worden ze wel wakker, dacht ik bij mezelf, maar tegen zevenen zat ik nog steeds te wachten. Ten slotte maakte ik Lamont wakker. 'Het is kerstochtend!' zei ik. 'Tijd om de cadeautjes open te maken.'

Lamont vond de rood-witte sprei die ik voor hem gemaakt had, prachtig. En hij barstte in lachen uit toen ik gilletjes slaakte terwijl ik het pakpapier van de digitale camera af trok die hij voor me onder de boom had gelegd.

We hadden een fantastisch kerstfeest en we bleven in Oregon om samen met Kassandra en Ryan het nieuwe jaar in te luiden. Voor het eerst sinds ik me kon herinneren, vierde ik de komst van het nieuwe jaar zonder angst dat de wereld zou vergaan. In plaats daarvan zag ik op Kassandra's breedbeeldtelevisie de bal zakken op Times Square en keek ik vooruit naar het jaar 2005, in de hoop dat het ons niets dan goeds zou brengen.

Bij onze terugkeer naar Hurricane, begin januari, werd er een domper gezet op onze goede stemming door de ontdekking dat een brief die ik aan Ally had geschreven, retour afzender was gestuurd. Ik probeerde moeder te bellen, maar ik kreeg geen gehoor op haar eigen vaste toestel. Er gingen dagen voorbij en steeds maar kreeg ik geen gehoor. Met tegenzin belde ik het nummer van Freds huis. Ik kreeg te horen dat moeder en de meisjes er niet waren, maar dat was het enige wat ze wilden loslaten. Uiteindelijk kreeg ik te horen dat moeder Sharon vertrokken was en dat ze niet meer zou terugkomen. Het nieuws bracht paniek bij me teweeg en ik nam onmiddellijk contact op met de familie.

Kassandra en Craig besloten dat het tijd werd om de politie in te schakelen. We hadden allemaal gevreesd dat moeders telefoon in oom Freds huis mogelijk werd afgeluisterd. Nu waren we bang dat moeder naar een andere plaats was overgebracht om haar bij ons vandaan te houden en Sherrie en Ally als toekomstige bruiden te behouden. Omdat ze wist dat het politiekorps van Colorado City geen hulp zou bieden, belde Kassandra de politie van het aangrenzende Washington County. Ze raadden haar aan aangifte te doen van de vermissing van moeder en mijn beide zusjes. Ondertussen belde Craig vooraanstaande ouderlingen van de Kerk, in een poging achter de verblijfplaats van moeder te komen. Zijn naspeuringen veroorzaakten de nodige beroering in Short Creek en volgelingen begonnen te klagen dat de Walls weer eens voor problemen zorgden.

Terwijl wij ons allemaal zorgen maakten over moeder, ging het leven gewoon door, en op 18 februari 2005 stond ik op het punt te bevallen. Op die dag kwam Kassandra met haar zoontje naar St. George om te helpen bij de bevalling en de rol op zich te nemen die mijn moeder eigenlijk had moeten vervullen. Zoals ieder jong meisje had ik me altijd voorgesteld dat mijn moeder me bij de geboorte van mijn eerste kind terzijde zou staan, maar Kassandra kweet zich geweldig van haar taak en zij was erbij om mijn zoon, Tyler, in de wereld te verwelkomen.

Op het moment dat ik mijn zoon in mijn armen hield, veranderde alles voor me. Terwijl ik naar Tylers gezichtje keek, voelde ik een enorme verbondenheid. Hij behoorde niet toe aan de profeet of de priesterschap. Hij was van mij, en niemand kon hem me afnemen of me dwingen hem in de steek te laten. Tot op het moment dat ik hem zag, had ik me er zelfs geen voorstelling van kunnen maken hoeveel ik van deze baby zou houden, en het was duidelijk dat Lamont dezelfde gevoelens koesterde. Ik wist hoezeer hij naar het vaderschap had verlangd, en het moment waarop hij ons kind voor het eerst in zijn armen hield, was een van de gelukkigste van mijn leven. Verrukt staarde hij in de blauwe ogen van ons zoontje. Op dat moment drong het tot me door dat ik eindelijk vrij was. Vrij om mijn eigen keuzes te maken, vrij om mijn kind naar school te laten gaan en naar de universiteit en hem alles te laten ervaren wat de wereld ons ook maar te bieden had. Het deed er niet meer toe dat een enkele man me tot de hel had veroordeeld, of dat de mensen die ik had gekend en van wie ik had gehouden in zijn woorden geloofden. Ik sprak af met God en mezelf dat ik dat oordeel aan hem zou overlaten. Ik wist dat hij me nooit deze prachtige baby geschonken zou hebben als hij me een zondares vond.

Tyler was nog geen maand oud toen ik hoorde dat oom Fred op 15 maart overleden was en dat hij later die week in Hildale zou worden begraven. Er was nog steeds weinig bekend over Freds verdwijning en niemand scheen precies te weten waar hij was geweest. Ik hoorde dat hij in Colorado was toen hij overleed en ik begon me af te vragen of moeder daar misschien ook was.

Diezelfde dag ging mijn telefoon. Het was Kassandra, die zei dat ik zo snel mogelijk naar het politiebureau in Colorado City moest gaan. 'De aangifte van vermissing van moeder wordt ingetrokken,' zei ze gejaagd. 'Moeder komt naar het bureau en jij moet er ook heen om met haar te praten.'

Ik legde de baby in de reiswieg, pakte wat spulletjes bij elkaar, stapte in mijn auto en reed over Highway 59 naar Short Creek. Ik was daar niet meer geweest sinds mijn vertrek in november, en ik was doodsbenauwd voor de ontvangst die me daar te wachten zou staan. Maar ik wilde moeder dolgraag zien, om me ervan te overtuigen dat het goed met haar ging. Toen ik bij het bureau arriveerde, bleek ze alweer vertrokken te zijn. Zwaar teleurgesteld liep ik terug naar de auto, toen mijn mobieltje ging. Het was moeder.

'Ik ben nu in de stad,' zei ze. 'William Timpson zei dat als je dat wilt, we wel ergens kunnen afspreken om elkaar een paar minuten te zien.' De tranen sprongen me in de ogen bij het horen van haar warme stem. In december had ik haar verteld dat ik zwanger was en nu kon ik haar vertellen dat haar jongste kleinzoon was geboren. Ze wilde hem dolgraag zien en we spraken af dat we elkaar de volgende ochtend zouden ontmoeten. Direct na ons gesprek belde ik Kassandra. Ze was al van plan om over te komen voor de begrafenis van oom Fred en toen ik haar over de afspraak met moeder vertelde, besloot ze nog diezelfde dag af te reizen.

Het stortregende de volgende dag toen Kassandra en ik in haar blauwe Ford Focus naar de ontmoetingsplek reden. Moeder stond al op ons te wachten en we gingen met zijn drieën achter in Kassandra's auto zitten. De eerste paar minuten verliepen heel plezierig, moeder zei hoeveel ze van ons hield en dweepte met de baby, maar aan alle vreugde kwam al snel een eind toen het gesprek op de aangifte van vermissing kwam die Kassandra had ingediend. Moeder voelde zich gekwetst omdat haar kinderen tegen de priesterschap in waren gegaan en vroeg ons zoiets nooit meer te doen. Ik maakte me zorgen over de buitengewoon geagiteerde indruk die moeder maakte en nog meer over de grote witte truck die even verderop in de straat stond geparkeerd toen we aankwamen. We wisten allemaal dat er leden van de FLDS in zaten, die gestuurd waren om een oogje in het zeil te houden.

Het werd wat ongemakkelijk toen Kassandra druk op moeder begon uit te oefenen, en ik wilde maar dat ze daarmee op zou houden. Ik kon me nog maar al te goed herinneren hoe het was om een oprecht gelovige te zijn. Moeder wilde gewoon volgens haar geloofsovertuiging leven, zonder dat wij ons daartegen verzetten, en ik beschikte nog niet over voldoende inzicht om te kunnen begrijpen wat mijn zus probeerde te bereiken. We wilden weten waarom moeder die dag Ally en Sherrie niet had meegenomen.

'We wilden geen problemen,' legde moeder uit, en uit haar toon bleek duidelijk dat 'we' sloeg op de ouderlingen van de priesterschap, die vreesden dat Kassandra en ik misschien zouden proberen de meisjes mee te nemen. Ze wilde ons niet vertellen waar zij en de meisjes nu woonden en ze smeekte ons verder geen problemen meer te veroorzaken. Ik was ervan overtuigd dat het achterlaten van de meisjes een bewuste actie van de ouderlingen was geweest om er zeker van te zijn dat moeder naar hen terug zou keren. Anders zou het risico te groot zijn geweest dat Kassandra en ik haar zouden overreden om te vertrekken en onze zusjes mee te nemen.

'Wat bent u van plan te doen als Sherrie hetzelfde lot als Elissa te wachten staat?' vroeg Kassandra aan moeder. Sherrie was nu dertien en naderde snel de leeftijd waarop ik met Allen had moeten trouwen.

Moeder reageerde verontwaardigd. 'Dan bedenk ik wel iets,' antwoordde ze.

Mijn zus staarde moeder aan. 'Ik geloof niet dat u over de kracht beschikt om te voorkomen dat de meisjes iets overkomt. Ik geloof niet dat u over de kracht beschikt om ze te beschermen.'

'Jawel,' hield moeder vol. Het was triest om te horen hoe ze zichzelf daarvan probeerde te overtuigen. Ik wist hoeveel ze van de meisjes hield en dat ze absoluut niet wilde dat hun iets naars overkwam. Maar de onheilspellende aanblik van de witte truck met de getinte ramen herinnerde ons er maar al te zeer aan dat deze mensen tot het uiterste zouden gaan om hun volgelingen in hun macht te houden.

'Niet waar,' repliceerde Kassandra. 'Het is u niet gelukt toen het Lesie overkwam en het zal u ook niet lukken als het de meisjes overkomt.'

'Nou, dat zien we dan wel weer,' zei moeder. Het leek alsof geen enkel lastig gesprek met moeder ooit compleet was geweest zonder deze uitdrukking.

'Ik zou nog liever zien dat jullie doodgingen dan dat jullie de priesterschap bestrijden,' zei moeder. Haar woorden kwamen aan als een klap in ons gezicht. Bij alles wat moeder ooit had gedaan, had ze zich bovenal laten leiden door haar trouw aan de Kerk, maar wat ze nu zei, schokte ons tot in het diepst van ons hart.

'Ik probeer niemand te bestrijden,' verzekerde Kassandra haar. 'Ik heb een voorstel. Als we morgen de begrafenis kunnen bijwonen en ik hoor daar iets waardoor we gerustgesteld worden, dan praten we hier niet meer over.' Moeder ging akkoord, en voordat ze vertrok zei ze tegen ons dat we moesten bidden om een antwoord van de Heer. Later die dag arrangeerde ze een telefoongesprek tussen William Timpson en mij, waarin hij Kassandra en mij liet weten dat we welkom waren bij Freds begrafenis. 'Ik geef jullie mijn persoonlijke toestemming,' zei hij tegen me.

De volgende ochtend gingen Kassandra en ik op weg naar Hildale. Het had ons ongeveer een uur gekost om ons haar in FLDS-stijl te kappen en jurken te kiezen waarmee we niet uit de toon zouden vallen. Er kwamen meer dan drieduizend mensen opdagen voor de rouwdienst, die gehouden werd in de grote kerk in het centrum. Verscheidene mannen hielden de wacht bij de deur en enkelen begroetten ons. Voordat ze ons binnenlieten, werd ons gevraagd of we mobieltjes bij ons hadden. Kassandra bood aan dat van haar af te geven, maar kreeg te horen dat ze het in haar auto moest achterlaten. Op dat moment werden we aangesproken door ouderling Willy Jessop. Hij had de reputatie nors en onvriendelijk te zijn, en hoewel hij waarschijnlijk het antwoord wel wist, vroeg hij ons wie we waren. De ouderlingen die met ons hadden staan praten, deden allemaal een stapje achteruit toen Willy zich tot Kassandra en mij richtte. Toen we zeiden wie we waren, deelde hij ons mee dat we niet welkom waren.

'We zijn hier op persoonlijke uitnodiging van William Timpson,' zei ik tegen hem terwijl ik me ongerust begon te maken. Het was bijzonder koud en het was zachtjes gaan sneeuwen, een zeldzame gebeurtenis in het zonnige Hildale. Ik had de pas zes weken oude Tyler in mijn armen, maar daar liet Willy zich niets aan gelegen liggen.

Kassandra en ik mochten gedurende de drie uur durende dienst niet naar binnen en het grootste deel van die tijd zaten we in Kassandra's auto. We wachtten tot de begrafenisstoet naar buiten kwam en stelden ons zodanig op dat we vooraan zouden staan. Op die manier zouden we als we bij Freds graf kwamen, dicht bij de plek zijn waar moeder zou staan als een van Freds echtgenotes.

Ik wilde haar dolgraag weer zien, omdat ik wist dat dit misschien onze laatste kans zou zijn. Ik wiegde de baby in mijn armen en probeerde zijn kleine lijfje zo goed mogelijk te beschutten tegen de ijzige kou. Toen de dienst eindelijk afgelopen was, stroomden de gemeente-leden door de grote dubbele deuren naar buiten. Terwijl ik bij Freds graf stond met mijn baby tegen mijn borst gedrukt, was ik me ervan bewust dat ik in deze gemeenschap het onderwerp was van roddel en achterklap, zeker nu ik me in het gezelschap van mijn afvallige zus be-vond. Overal om ons heen werd een muur van stilte opgetrokken, en mensen die we al jaren kenden, negeerden ons na een vluchtige blik. Voor hen deed ik er gewoon niet meer toe. Ik was een verloren ziel die niet het recht had zich op hun gewijde grond te bevinden.

Na afloop van de begrafenis kwam moeder naar ons toe.

'Zien jullie nou wel? Was dat geen prachtige dienst?' zei ze met een tevreden glimlach.

'We mochten niet naar binnen,' zei Kassandra tegen haar. Ik wist wat er nu zou volgen en ik wilde maar dat ze ons gewoon hadden binnen-gelaten, zodat de nu volgende onvermijdelijke confrontatie niet had hoeven plaatsvinden.

'O, Kassandra, dat moet een vergissing zijn geweest,' zei moeder ner-veus.

'Nee, het was geen vergissing,' zei mijn zus tegen haar. 'Dit was Gods antwoord.'

Opnieuw was ik getuige van een botsing tussen mijn moeder en mijn zus. Aan ons gesprek kwam abrupt een einde toen moeder haastig werd afgevoerd, samen met de overige echtgenotes van Fred.

Ik was opgelucht toen ze me die avond belde. Ze was naar William Timpson gegaan en had hem gevraagd waarom we niet bij de dienst waren toegelaten. Willy Jessop had de bisschop verteld dat we ruzie hadden gezocht. Het misverstand leidde ertoe dat William besloot ons toestemming te verlenen moeder de volgende dag opnieuw te ontmoeten, in het Cottonwood Park. Toen we daar arriveerden, stond moeder ons al op te wachten, evenals de grote witte truck met FLDS-mensen erin, die ons gedurende de hele ontmoeting in de gaten hielden vanachter de getinte ramen.

We brachten drie uur samen door en maakten een heleboel foto's, waarvan er vele nu nog ingelijst in ons huis staan. Ik had Lamont meegenomen, zodat hij kon kennismaken met mijn moeder. Moeder zette Kassandra's zoontje op de schommel en wiegde Tyler in haar armen. Terwijl ik toekeek hoe moeder met haar kleinkinderen speelde, werd ik overmand door een verdriet, omdat ze zouden moeten opgroeien zonder haar. Met betraande ogen vroeg ik: 'Moeder, zullen we u ooit nog terugzien?'

'Ik weet het niet,' antwoordde ze, terwijl ze zachtjes haar hoofd schudde. Er viel een lange stilte. 'Ik wilde dat ik een grootmoeder voor mijn kleinkinderen kon zijn,' zei ze ten slotte op weemoedige toon.

'Moeder, dat kan nog steeds,' zei ik met klem. 'We zouden dolgraag willen dat u deel uitmaakt van ons leven.' Er flitsten beelden door mijn hoofd – mogelijkheden die nooit werkelijkheid zouden worden – van Ally, Sherrie en moeder die de gemeenschap verlieten en samen met ons een nieuw leven begonnen. Moeder drong er meerdere malen bij me op aan niet opnieuw de autoriteiten in te schakelen. Haar woorden kwamen onverwacht en maakten op de een of andere manier een geforceerde indruk, alsof deze ontmoeting misschien nog een andere bedoeling had dan het zien van haar kleinkinderen.

Uiteindelijk moesten we afscheid nemen. Met een afwezige blik in haar ogen liep moeder naar de truck van waaruit we in de gaten waren gehouden en stapte in.

Kassandra en ik keken elkaar verslagen aan. Hoewel we het niet echt wilden geloven, wisten we allebei diep in ons hart dat dit de laatste keer was dat we onze moeder zagen.

26

Opening van zaken

Het kwaad tiert welig als goede mensen niets doen.
– Sharon Wall, Edmund Burke citerend

Na die laatste ontmoeting met moeder verloren we voor de tweede keer alle contact met haar, en Kassandra en Craig begonnen druk op me uit te oefenen om daar iets aan te doen. In haar pogingen om erachter te komen waar moeder en de meisjes zich bevonden, begon Kassandra met politie en justitie samen te werken, en gedurende die gesprekken deed ze de autoriteiten beknopt verslag van wat mij was overkomen. Hoewel ik haar uitdrukkelijk had gevraagd niet te veel los te laten, begreep ze uit die aftastende gesprekken dat ik, mocht ik ooit een aanklacht willen indienen, de autoriteiten opening van zaken zou moeten geven vóór wat komende april mijn vierde trouwdag met Allen zou zijn geweest, omdat dat anders ingevolge de verjaringswet niet meer mogelijk zou zijn.

Kassandra en Craig bleven er bij me op aandringen om mijn verhaal aan de autoriteiten te vertellen, in de hoop dat dat zou kunnen helpen Sherrie en Ally vrij te krijgen. Hoewel ik niets liever wilde dan mijn jongere zusjes helpen, voelde ik er niets voor om met de politie te praten. Ik was mijn angst voor de autoriteiten nog altijd niet kwijtgeraakt en ook maakte ik me zorgen over wat de priesterschap met me zou doen als ik met de politie over mijn leven praatte. Bovendien wilde ik moeder niet in een lastig parket brengen.

Niettemin nam de druk op me toe naarmate april dichterbij kwam. Naast Kassandra en Craig nam nu ook Lamonts oom Jethro Barlow, de man die publiekelijk uit de FLDS was verstoten, contact op met Lamont met informatie over een justitieel onderzoek dat was ingesteld naar mijn relatie met Allen. Hij bracht de mogelijkheid ter sprake dat ik gedagvaard zou worden en joeg me daarmee de stuipen op het lijf. Gedurende zijn korte bewind als profeet had Warren een heleboel mensen verbannen en sommigen van hen hadden zich in de buitenwereld verenigd. Ze stelden alles in het werk om Warren van zijn troon te stoten en ik werd beschouwd als iemand die hen daarbij kon helpen.

Er stonden al enkele rechtszaken op stapel, die bedoeld waren om gevallen van misbruik door Warren aan de kaak te stellen. Shem Fisher, een verbannen FLDS-lid, was een van de eersten geweest die de moed had om een proces aan te spannen tegen Warren Jeffs en de FLDS. Zijn acties maakten de weg vrij voor anderen en uiteindelijk werd hij een waardevol werktuig voor justitie in hun pogingen het misbruik van minderjarigen in de FLDS aan te pakken. De groep FLDS-ballingen die bekendstond als de Lost Boys begon later ook een civiele procedure tegen Warren en de FLDS, waarin ze schadevergoeding eisten op grond van 'onrechtmatige verbanning uit hun huis en uit hun gezin'.

Ook zijn neef Brent Jeffs had Warren en anderen beschuldigd van herhaald seksueel misbruik toen hij als jongen van nog maar vijf of zes jaar leerling van de Alta Academy was. De procureur-generaal van Utah weigerde namens Brent een strafvervolging in te stellen, maar dat weerhield hem er niet van een civiele procedure te beginnen. Brent Jeffs vertelde de pers dat hij besloten had openheid van zaken te geven nadat zijn broer Clayne zelfmoord had gepleegd. Medische dossiers toonden aan dat ook Clayne het slachtoffer was geweest van seksueel misbruik.

Een advocaat van Warren Jeffs ontkende de beschuldigingen en bestempelde de actie als 'onderdeel van aanhoudende pogingen van vijanden van de Kerk om de Kerk en zijn instellingen in een kwaad daglicht te stellen'.

Lamont en ik waren geschokt door deze informatie over Warrens gedrag. Warren had zich altijd voorgedaan als de meest rechtschapene van ons allemaal en had van ons allen niets minder dan volmaaktheid geëist. Zelfs masturbatie werd als een zonde beschouwd en jongens die bekenden dat ze zich schuldig hadden gemaakt aan zo'n 'verdorven' activiteit, werden door Warren bestraft en dikwijls verbannen. Lamont vertelde me dat Warren jongens opdroeg gedetailleerde bekentenissen af te leggen, waarbij ze beschreven wat ze precies hadden gedaan en wat ze daarbij hadden gevoeld. Als ik terugdacht aan al die keren dat Allen dat in mijn bijzijn had gedaan, werd ik nog woedender over wat ik gedwongen was geweest te ondergaan.

Terwijl deze donkere wolken zich boven het hoofd van Warren samenpakten, begonnen Lamont en ik iets meer te begrijpen van Warrens mysterieuze perioden van afwezigheid sinds de zomer van 2004. Rond die tijd werd de eerste rechtszaak tegen hem aangespannen. Buiten Short Creek werd er druk over gespeculeerd dat hij de gemeenschap in zuidelijk Utah opgaf om de rechtszaken die zich opstapelden tegen hem en de Kerk te ontlopen. De media begonnen onderzoek te doen naar een nieuwe FLDS-vestiging in Texas, waar Warren al een jaar of twee mee bezig was. De YFZ (Yearning for Zion) Ranch was een ommuurde gemeenschap die opgetrokken werd op een afgelegen locatie buiten Eldorado, Texas, op een terrein van zo'n zevenhonderd hectare met als bestemming 'jachtgrond'.

Eind maart 2005 rees er een enorme, bijna dertig meter hoge tempel op uit het landschap. Er waren berichten dat Warren het gebouw klaar wilde hebben vóór 6 april, de datum van de jaarlijkse priesterschapsconferentie. Niet alleen zou de FLDS-tempel een plek zijn waar je dichter bij de hemel zou zijn, maar het zou ook een plek kunnen zijn waar rituelen zoals bloedoffers konden worden uitgevoerd. Ik had altijd geleerd dat dit ritueel uitsluitend in een tempel mocht plaatsvinden. De autoriteiten troffen in het geheim voorbereidingen, voor het geval Warren iets onheilspellends van plan was voor de dag dat de tempel was voltooid.

Naarmate 23 april, de deadline voor het indienen van een aanklacht, dichterbij kwam, begonnen Kassandra en Craig er steeds sterker op aan te dringen dat ik me bij justitie zou melden. Hoewel ik me zorgen maakte over de mogelijkheid dat ik er op een dag spijt van zou krijgen als ik mijn mond niet zou opendoen, was ik er nog niet aan toe een dergelijke stap te zetten. Het enige wat ik wilde, was dat hoofdstuk van mijn leven afsluiten, het verleden achter me laten en me wijden aan mijn nieuwe rol als moeder. Ik genoot ervan me bezig te houden met kleine dingetjes, zoals welke kleertjes ik mijn baby zou aantrekken en hoe ik zijn dikke bos donkerbruin haar zou borstelen. Het zou nog weken duren voordat zijn haar blond werd en maanden voordat hij zijn eerste geluidjes zou brabbelen, maar ik zoog gretig alles in me op wat het moederschap me te bieden had. Lamont en ik hadden inmiddels enkele vrienden gemaakt in Hurricane. We hadden een mooier huis betrokken, met een zwembad in de achtertuin, en ik verheugde me op het vooruitzicht 's zomers met vrienden te barbecuen zoals 'normale' mensen doen.

Uiteindelijk vertelde ik Kassandra en Craig dat ik het gewoon niet kon doen. De datum 23 april 2005 ging voorbij als elke andere dag en ik slaakte een zucht van opluchting, in de overtuiging dat ik nu verder kon met de volgende fase van mijn leven. Maar mijn optimisme bleek misplaatst.

Toen Lamont op een dag thuiskwam, vertelde hij me dat een rechercheur van het bureau van de sheriff van Mohave County in Arizona onverwacht was aangeschoven toen hij en zijn vriend zaten te ontbijten. Blijkbaar bestond er grote belangstelling voor mijn verhaal en deze rechercheur wilde graag met me praten over mijn huwelijk met Allen. Uit wat Lamont me vertelde, waren Kassandra en Craig verkeerd voorgelicht met betrekking tot de verjaringswet. Er was nog steeds meer dan genoeg tijd om een aanklacht tegen Warren in te dienen op basis van wat mij was overkomen, en zelfs zonder mijn medewerking kon deze rechercheur me dagvaarden en me dwingen tegen mijn wil te getuigen.

Hoe meer ik hoorde, hoe meer me duidelijk werd dat ik op de een of andere manier opnieuw in deze kwestie verzeild zou raken, en die mogelijkheid joeg me behoorlijk angst aan. Lamont was ook bang, en geen van beiden waren we bereid het op te nemen tegen de priesterschap. We hadden daar nog steeds familieleden en vrienden, en de strijd aangaan met de priesterschap zou zijn alsof we de strijd met hen aangingen.

Mijn vastberadenheid om buiten het licht van de schijnwerpers te blijven nam nog toe toen dat voorjaar een andere jonge FLDS-vrouw voor de wolven werd gegooid. Net als ik was ze per auto over de staatsgrens naar Caliente gebracht, waar ze op zestienjarige leeftijd door Warren werd uitgehuwelijkt aan een man die twaalf jaar ouder was dan zij en al een vrouw en vier kinderen had. Net als ik had zij het in haar huwelijk niet kunnen uithouden, maar nadat ze de gemeenschap was ontvlucht, meldde ze zich uiteindelijk bij de politie. De autoriteiten in Mohave County overtuigden haar ervan een aanklacht wegens verkrachting in te dienen tegen haar FLDS-echtgenoot en tegen Warren, en ze legde getuigenis af ten overstaan van een grand jury. Maar voordat ze Warren voor het gerecht konden brengen, werd haar naam gelekt naar de pers. Haar familieleden die nog steeds deel uitmaakten van de FLDS, spoorden haar op en praatten net zo lang op haar in tot ze besloot niet te getuigen. Spoedig daarna dook ze voor lange tijd onder.

Omdat ze hun enig andere getuige kwijt waren, verdubbelde de rechercheur van Mohave County zijn inspanningen om Lamont ervan te overtuigen dat ik opening van zaken moest geven. Ze waren hun kroongetuige kwijt en ze wilden maar al te graag dat ik haar plaats innam. Maar ik voelde er niets voor die rol op me te nemen en Lamont maakte hun duidelijk dat ze me met rust moesten laten.

Mijn paniek nam toe toen een advocaat uit Salt Lake City begin mei Lamont begon te bellen. Roger Hoole vertegenwoordigde de Lost Boys en Brent Jeffs in hun civiele procedure tegen Warren Jeffs en de Kerk en zijn financiële branche, de UEP Trust. Ze hadden een overwinning behaald in Utah, waar het hof had besloten Warren en zijn vertrouwelingen de zeggenschap over de UEP Trust te ontnemen en die over te dragen aan een door het hof benoemde bewindvoerder. Maar iedereen wist dat dat niet genoeg was om de FLDS-profeet ervan te weerhouden de levens en huishoudens van de mensen te controleren. Ze hadden een getuige nodig om een strafklacht tegen Warren te kunnen indienen en ze hoopten dat ze daarvoor een beroep op mij konden doen.

Hoewel ook Roger Warren graag voor het gerecht wilde slepen, waren zijn methoden meer relaxed dan die van de rechercheurs van Mohave County. Hij wilde me helpen opening van zaken te geven op mijn eigen voorwaarden, zonder de druk van de staten Utah en Arizona op mijn schouders. In een serie telefoongesprekken vertelde hij Lamont dat hij geloofde dat hij het voor elkaar kon krijgen dat ik niet tegen mijn wil zou worden opgeroepen om te getuigen. Hij vertegenwoordigde al een aantal voormalige FLDS-leden en had hun vertrouwen weten te winnen. Ik wilde hem nog steeds niet te woord staan, maar naarmate de dagen verstreken, begon ik me steeds meer zorgen te maken over de mogelijkheid dat het Openbaar Ministerie in Arizona me zou dagvaarden.

Ten slotte werd ik het beu om alles uit de tweede en derde hand te horen, dus halverwege juni pakte ik de telefoon en draaide het nummer van Roger Hoole. 'Roger,' begon ik zodra ik een mannenstem aan de andere kant van de lijn hoorde. 'Je spreekt met Elissa Wall. Als jullie iets van me willen weten, dan moeten jullie maar rechtstreeks met mij praten.' Ik voelde dat ik hem volkomen overrompeld had en het bleef even stil voordat hij reageerde.

'Hé, hallo,' zei hij op vriendelijke toon. Het klonk alsof hij glimlachte toen hij zei: 'Nou, goed dan.'

Dat gesprek was het eerste van vele. Roger bleek heel ontwapenend en hij luisterde aandachtig naar mijn zorgen. Hoewel er van de kant van politie en Justitie grote belangstelling voor me bestond, was niemand echt op de hoogte van mijn volledige verhaal, en hij was bereid me in mijn eigen tempo te laten praten. Als hij wel eens over zijn andere cliënten praatte, putte ik er moed uit dat met de mensen die een proces tegen de Kerk hadden aangespannen, alles in orde was en dat God hen niet met de bliksem had getroffen. Ondanks zijn geruststellende woorden bleef ik me buitengewoon veel zorgen maken over wat er met me zou kunnen gebeuren als ik zou besluiten met de politie te praten. Na diverse ontmoetingen met Roger opperde hij het idee dat ik zou gaan praten met een advocate in Baltimore, genaamd Joanne Suder. Suder had naam gemaakt als vertegenwoordigster van mensen die beweerden seksueel misbruikt te zijn door katholieke geestelijken van het aartsbisdom Baltimore en had het initiatief genomen tot de rechtszaken die de Lost Boys en Brent Jeffs hadden aangespannen.

Op een weekend begin juli stemde ik erin toe naar de Oostkust te vliegen om haar te ontmoeten, op voorwaarde dat Kassandra en Lamont me zouden vergezellen. Ik had nog nooit met iemand gesproken over de dingen die er tijdens mijn huwelijk waren gebeurd, en ik zag er erg tegen op daar met een volkomen vreemde over te moeten praten, maar direct bij het begin van onze eerste ontmoeting stelde ze me op mijn gemak. Hoewel ik niet al te veel onthulde, verschaften mijn antwoorden op haar vragen haar genoeg informatie om te kunnen vaststellen dat er misdrijven waren gepleegd.

Later zou ik ervan beschuldigd worden Joanne Suder in de arm te hebben genomen om een civiele procedure te beginnen met het oog op financiële genoegdoening, maar het idee om de Kerk geld afhandig te maken, was nooit bij me opgekomen. Het enige wat ik over Joanne wist, was dat ze advocaat was. Ik had geen idee wat voor soort advocaat, en indertijd was ik niet goed genoeg op de hoogte van het juridisch systeem om te begrijpen dat er verschillende soorten advocaten waren voor verschillende soorten zaken. Ik was opgelucht toen onze ontmoeting ten einde was en gedurende de volgende dagen overlegden Lamont en ik of ik de zaak zou doorzetten. De ongedwongenheid van het weekend verdween vrijwel meteen nadat we naar Utah waren teruggekeerd en hoorden dat de rechercheur van Mohave County naar me op zoek was om me een dagvaarding te overhandigen.

In paniek belde ik Roger.

Roger realiseerde zich heel goed dat hij me niet onder druk moest zetten. Hij wist dat hij me de ruimte moest geven en hij had gezien wat er was gebeurd met de andere vrouwelijke FLDS-getuige die zich bij de autoriteiten had gemeld.

We wilden geen van tweeën dat mij hetzelfde zou overkomen, maar tegelijkertijd fluisterde een inwendig stemmetje me in dat meewerken met Justitie toch wel de juiste weg was.

Ten slotte vroeg ik Roger tijdens een van onze ontmoetingen op de man af: 'Denk je dat ik voor de rechtbank zal moeten verschijnen?'

'Wil je dat ik eerlijk tegen je ben?'

'Ja,' zei ik terwijl ik hem recht in de ogen keek. Ik was Roger gaan vertrouwen en ik was ervan overtuigd dat hij niet tegen me zou liegen.

'Ja, Elissa, vroeg of laat zul je voor een rechtbank moeten getuigen.'

Op dat moment legde ik mijn lot in Rogers handen. Hij streed tegen het stelselmatig misbruik van kinderen binnen de FLDS. Hij had een plan uitgestippeld om de mensen van de Kerk te helpen, en op die dag werd ik daar onderdeel van. Ik vertrouwde erop dat Roger me kon helpen het juiste te doen. Hij had al geholpen de UEP Trust aan de zeggenschap van Warren Jeffs te onttrekken, zodat die niet langer gebruikt kon worden als middel om ouders te dwingen hun jongens het huis uit te zetten en hun dochters uit te huwelijken.

Ik begon me te realiseren welke belangrijke rol ik zou kunnen spelen, maar dat zou op mijn voorwaarden moeten gebeuren. Met het oog daarop arrangeerde Roger een etentje met de officier van Justitie van Washington County, Utah. Ik was bloednerveus bij het vooruitzicht met zo iemand aan tafel te zitten. Ik had me al een mening gevormd over het soort man dat hij vermoedelijk zou zijn en ik wist niet zeker of ik er wel naartoe wilde.

Lamont en ik zaten bijna twintig minuten in zijn truck buiten het restaurant in St. George, terwijl ik twijfelde of ik al dan niet naar binnen zou gaan. Roger zou alles in het werk stellen om te voorkomen dat ik een dagvaarding onder mijn neus kreeg geschoven. Ik trilde helemaal toen ik achter Lamont aan het restaurant binnen ging, met Tyler in mijn armen. Toen we naar de tafel toe liepen, zag ik dat er een slanke man met een metalen bril op naast Roger zat. Hij stond op en glimlachte naar me. Hij had vriendelijke ogen. Tijdens de maaltijd nam ik hem aandachtig op. Hij sprak op zachte toon en behandelde me met respect. Ik had een opdringerig, luidruchtig type verwacht, maar hij was heel anders dan ik me had voorgesteld. Brock Belnap nam al mijn vooroordelen weg over openbaar aanklagers, overheidsfunctionarissen, advocaten en wat dies meer zij, en tegen het eind van de maaltijd begon ik me te ontspannen in zijn gezelschap.

Brock vertelde me dat wat er met mij was gebeurd, misdadig was en dat mocht ik besluiten een aanklacht in te dienen, zijn bureau bereid was er een zaak van te maken. Hij was een toonbeeld van geduld en het verbaasde me hoe serieus hij mijn bezorgdheid nam. Ik wilde de verzekering dat mijn naam niet zou uitlekken. Ik zou het mezelf nooit kunnen vergeven als er iets met mijn zoontje gebeurde, en ik wilde er zeker van zijn dat zowel hij als mijn familie bescherming zou genieten.

Hoewel de openbaar aanklagers van Mohave County me nog steeds graag als getuige wilden, waren er goede redenen om met Brock in zee te gaan en eerst een proces in Utah te beginnen. De straffen voor hetgeen Warren had gedaan, waren strenger in Utah, en ik had de indruk dat Brock eerder bereid was mijn naam zo lang mogelijk buiten de publiciteit te houden. Hoewel het nog enkele maanden zou duren voordat ik officieel met rechercheurs om de tafel ging zitten, begon die avond het raderwerk van justitie zich tegen Warren Jeffs te keren. Het bureau van de officier van Justitie van Washington County ging ermee akkoord een speciale overeenkomst met me af te sluiten, die mijn identiteit zou beschermen en me de mogelijkheid bood me op elk moment terug te trekken als het me te veel werd. Om mijn identiteit te beschermen ging Brock Belnap er eveneens mee akkoord te wachten met het aanklagen van Allen totdat Warren, die zich op dat moment schuilhield, was gearresteerd. Hij stemde er ook in toe geen aanklacht wegens incest in te dienen, omdat daardoor mijn identiteit gemakkelijker te achterhalen zou zijn. Deze overeenkomst werd begin november getekend.

'We zullen je nooit ergens toe dwingen,' verzekerde de officier van Justitie me. Het was een belofte waaraan hij zich zou houden. Op die dag raadpleegden we onze agenda's om een datum vast te stellen waarop ik met rechercheurs om de tafel kon gaan zitten. Omdat Kerstmis eraan kwam en we mijn familie hadden uitgenodigd in ons huis in St.George, stelden we het uit tot begin volgend jaar.

Terwijl ik steeds meer inzicht kreeg in mijn situatie, besefte ik dat een strafproces tegen Warren slechts een van de mogelijkheden was die me ter beschikking stonden. Ik kon ook een civiele procedure tegen hem beginnen om de druk op hem op te voeren. Hoewel ik er niet op zat te wachten meer tijd dan strikt noodzakelijk in de rechtszaal door te brengen, wilde ik geen middel ongebruikt laten in mijn strijd tegen Warren. Ik overwoog zorgvuldig mijn opties en besloot dat als ik dit dan toch ging doen, ik het ook goed wilde doen. Ik hoopte dat het strafproces een afdoende middel zou zijn om gerechtigheid te krijgen, maar een civiele procedure zou extra druk op de ketel zetten.

Op 13 december 2005 spande ik een civiele procedure aan tegen Warren Jeffs en de FLDS in het naburige Iron County, waarbij ik financiële genoegdoening eiste in de vorm van 'een door de jury vast te stellen bedrag'. Het volgend voorjaar zou ik ook de UEP Trust voor het gerecht dagen. Het aanklagen van dat fonds, dat door de priesterschap was gebruikt om me eronder te houden, bood me nog meer mogelijkheden om echt iets te kunnen betekenen. Ik wilde een manier vinden om financiële middelen beschikbaar te stellen aan jonge meisjes en vrouwen die de FLDS wilden verlaten, en ik geloofde dat de civiele procedure daarbij kon helpen. In de procedure voerde ik aan dat Warren me als minderjarige had gedwongen tot een huwelijk met een oudere man en dat ik daarvan schade had ondervonden. Omdat ik bang was voor repercussies, besloot ik de procedure aan te spannen onder pseudoniem, de initialen M.J. Door deze zaak aanhangig te maken in Iron County en door gebruik te maken van die initialen zou de aandacht hopelijk van mij worden afgeleid.

Nu de civiele procedure eenmaal liep, concentreerde ik mijn aandacht weer op het strafrechtelijk onderzoek. Op nieuwjaarsdag liep ik over het brede wandelpad naar het Children's Justice Center in St. George. Gekleed in een donkere pantalon en een blouse stapte ik achter Roger en zijn broer Greg, die tevens zijn collega was, de verbouwde villa binnen waarin zijn kindvriendelijke kantoor was gevestigd. Brock Belnap van het bureau van de officier van Justitie in Washington County en twee van zijn collega's zaten al op me te wachten en namen me mee naar een vergaderruimte. Ik werd nerveus, toen de realiteit van wat ik op het punt stond te gaan doen, ten volle tot me doordrong. Ik zou met iemand praten. Ik zou die persoon zo veel mogelijk vertellen over wat er met me was gebeurd.

Het bleken twee personen te zijn: rechercheur Shauna Jones van het bureau van de county sheriff en Ryan Shaum, een substituut-officier van Justitie van Washington County, en die bijeenkomst was de zwaarste van mijn leven. Gedurende de vier uur durende bijeenkomst stortte ik regelmatig in terwijl ik mijn uiterste best deed me zo goed mogelijk te herinneren wat ik had geprobeerd te vergeten: mijn huwelijk met Allen en het afschuwelijke misbruik waarvan ik het slachtoffer was geweest gedurende de drieënhalf jaar dat ik zijn echtgenote was geweest. Af en toe had ik het gevoel dat ik geen lucht meer kreeg, en dan moesten we het vraaggesprek onderbreken tot ik weer wat gekalmeerd was. Ik was zo nerveus dat ik er allerlei details in willekeurige volgorde uit bleef flappen. Het was alsof ik mijn eigen doos van Pandora had geopend. Op het moment dat het deksel werd opgelicht, kwam alles eruit en er was geen houden meer aan. Het was pijnlijk, maar uiteindelijk bleek het een keerpunt voor me, omdat ik een begin moest maken met het onder ogen zien van de dingen die ik in het verleden zo hard geprobeerd had weg te stoppen. Shauna Jones was een professional en wist me met zachte aandrang uit mijn schulp te krijgen. Hoewel ik ouder was dan de meeste slachtoffers die ze gewoonlijk ondervroeg, was ik nog steeds erg kinderlijk. Wat ik aan die bijeenkomst overhield, was het besef dat wat mij overkomen was, in de ogen van de wereld verkeerd was.

Na afloop van de bijeenkomst voelde ik een zekere opluchting omdat ik een deel van mijn verdriet had kunnen uiten, maar ik had mijn emoties nog niet helemaal onder controle. Gedurende de volgende dagen en nachten had ik last van afschuwelijke angstaanvallen en nachtmerries. Soms raakte ik zo buiten adem dat ik dacht dat ik dood zou gaan. Maar met het verstrijken van de maanden begon mijn angst af te nemen.

In maart ging ik terug voor een tweede onderhoud, en later nog een derde.

Op 5 april 2006 hield het bureau van de officier van Justitie van Washington County een persconferentie om aan te kondigen dat ze Warren Jeffs in staat van beschuldiging stelden wegens twee zaken van medeplichtigheid aan verkrachting, een misdaad uit de zwaarste categorie, omdat hij een tienermeisje had gedwongen te trouwen met een oudere man. Dat tienermeisje werd uitsluitend aangeduid als Jane Doe IV, om de priesterschap op het verkeerde been te zetten en ze te laten geloven dat Jane Doe IV een van een aantal slachtoffers was dat zich had aangemeld. Slechts enkele mensen wisten dat M.J. en Jane Doe IV een en dezelfde persoon waren, namelijk ik, en dat geheim werd goed bewaard.

Terwijl ik die avond in mijn woonkamer in St. George naar het avondnieuws zat te kijken, besefte ik dat ik mijn angsten moest overwinnen en door moest gaan. Nu de aanklachten openbaar waren gemaakt, was er geen weg terug meer. Op dat moment werd het me pijnlijk duidelijk dat ik opnieuw de confrontatie met Warren Jeffs zou moeten aangaan.

27

Opgepakt

Het werk van de gerechtigheid kan niet ongedaan worden
gemaakt; in dat geval zou God niet langer God zijn.
– Het Boek van Mormon

Op dezelfde dag dat de aanklacht tegen Warren Jeffs werd bekendgemaakt, vaardigde het bureau van de officier van Justitie van Washington
County een arrestatiebevel tegen hem uit. Eerdere pogingen om de profeet van de FLDS op te sporen in verband met andere lopende juridische zaken waren mislukt en ik betwijfelde of hij ooit opgepakt zou
worden. Binnen die besloten gemeenschap waren duizenden mensen
bereid hem te helpen en hij had massa's geld tot zijn beschikking. Het
was heel goed mogelijk dat hij voorgoed ondergedoken bleef.

Toen er een maand was verstreken en de pogingen om Warren voor
het gerecht te brengen nog geen resultaat hadden gehad, werd Warren
officieel als voortvluchtig geregistreerd. In mei van dat jaar verscheen
zijn naam op de FBI-lijst van meest gezochte personen in de Verenigde
Staten en werd er een beloning van tienduizend dollar uitgeloofd voor
informatie die tot zijn arrestatie zou leiden. Toen zijn gezicht op aan-
plakbiljetten verscheen die overal in de staat werden opgehangen, begonnen mensen in de gemeenschap te vermoeden wie er tegen hem
had getuigd, en Lamont en ik begonnen last te krijgen van wat ik had
gedaan.

Lamont werkte indertijd als bouwopzichter, en veel van zijn onder-
aannemers waren actieve FLDS-leden. Ook Allen werkte op sommige
van zijn bouwplaatsen.

'Iemand die zich tegen Warren Jeffs keert, is geen vriend van mij,' zei
iemand binnen gehoorsafstand van Lamont. De boodschap was duidelijk. Rond juni lieten mannen het werk in de steek als Lamont erbij

betrokken was. Ik vond het afschuwelijk hoe hij behandeld werd, maar ik was niet van plan me aan mijn verplichting te onttrekken. Dergelijke voorvallen waren voor mijn advocaten, Roger en zijn broer Greg, alsmede voor de openbaar aanklagers in Washington County, reden tot bezorgdheid over onze veiligheid, en begin juni namen ze contact met me op. Agenten van het FBI-kantoor in Utah boden ons bescherming aan. Brock en anderen vonden dat een goed idee. Er werd een bijeenkomst belegd om de mogelijkheid te bespreken dat Lamont en ik opgenomen werden in het federale getuigenbeschermingsprogramma, hetgeen zou inhouden dat we letterlijk ons oude leven achter ons zouden laten, een nieuwe identiteit zouden krijgen en ergens anders zouden gaan wonen.

'Ik heb net mijn familie weer terug,' zei ik geëmotioneerd. 'Ik ga ze nu niet opnieuw in de steek laten.'

Er volgde een langdurige discussie en er werden alternatieve plannen bedacht. Er werd besloten dat we opgenomen zouden worden in een minder rigoureus getuigenbeschermingsprogramma, wat onder meer inhield dat we zouden verhuizen en ons zouden schuilhouden. Geen van beiden waren we echt te spreken over die regeling. Maar ik was zes maanden zwanger van ons tweede kind en Lamont en ik maakten ons zorgen over de veiligheid van ons kleine, groeiende gezin. Er leek weinig keus te zijn. Ik was radeloos toen we in juli ons boeltje pakten voor onze verhuizing naar het noorden. We hadden in een huurhuis aan een rustige doodlopende straat in Hurricane gewoond, waar mijn vriendin Sarah en haar echtgenoot Terril onze buren waren. In een paar maanden waren we goede vrienden geworden en we gingen ook vriendschappelijk om met andere gezinnen in onze straat. Het was prettig om ons als 'normale' mensen te gedragen en dingen te doen als het uitnodigen van buurtgenoten voor een barbecue in onze achtertuin. Die zomer had nog een mijlpaal voor me gebracht. Tien van mijn familieleden waren bijeengekomen voor een familie Wall-kampeertocht. Het was me uiteindelijk gelukt het contact met mijn familie te herstellen. Justin, Jacob, Travis, Kassandra, Teressa, Caleb, Brad, vader en Audrey en een van hun zoons brachten drie dagen in de bergen door om te leren weer een familie te zijn. Allemaal hadden we in het verleden zo veel ellende meegemaakt. Maar hoeveel moeite het ons ook had gekost om te overleven, we realiseerden ons dat er één ding was dat niemand ons kon afnemen: onze band als gezin.

Toen we in Salt Lake City arriveerden, sloegen Lamont en ik onze weinige aardse bezittingen op en gingen naar het hotel waar we zouden verblijven tot er passende huisvesting voor ons was gevonden. Terwijl het najaar met rasse schreden naderde, begon ik me eenzaam te voelen en ik miste mijn leventje in het zuiden van Utah vreselijk. Lamont en ik moesten proberen niet te veel op te vallen en we konden geen van beiden werk zoeken, omdat we bezig waren een nieuwe identiteit aan te nemen. We brachten onze dagen door op onze kleine hotelkamer en probeerden er het beste van te maken, maar met een kindje van anderhalf dat net leerde lopen en een baby onderweg viel dat niet mee.

Eind augustus was Warren al meer dan vier maanden op de vlucht, en de autoriteiten waren al langer dan een jaar naar hem op zoek in verband met andere juridische aangelegenheden. Verscheidene van zijn medestanders waren al gearresteerd en een van hen, zijn broer Seth, belandde zelfs in de gevangenis omdat hij weigerde Warrens verblijfplaats te onthullen. Seth was in oktober aangehouden tijdens een verkeerscontrole in Colorado en de politie dacht in eerste instantie dat hij Warren was. Toen ze eenmaal doorhadden wie hij was, wilden ze van hem weten waar zijn broer zich ophield. Toen Seth niet wilde meewerken, werd hij gearresteerd. Volgens nieuwsberichten uit die tijd vond de politie bij het doorzoeken van zijn auto 140.000 dollar in contanten, prepaid telefoonkaarten en een zak met aan de profeet gerichte brieven. De autoriteiten meldden ons later dat een van die brieven afkomstig was van het hoofd van de politie van Colorado City, die aan Warren vroeg wat hij aan moest met de aangifte van vermissing van moeder en de meisjes die Kassandra in februari 2005 had ingediend.

Op 29 augustus 2006 om drie uur 's nachts schrok ik wakker van de telefoon in onze hotelkamer. Het was Brock Belnap van het bureau van de officier van Justitie in Washington County. 'Ze hebben Warren opgepakt,' zei hij. 'In Nevada.'

Er trok een huivering door me heen. 'Ze hebben Warren opgepakt,' fluisterde ik tegen Lamont, hopend dat ik mijn slapende zoontje niet wakker zou maken.

Lamont en ik brachten het grootste deel van de dag aan de televisie gekluisterd door. Ik voelde een mengeling van fascinatie en angstige opwinding terwijl ik luisterde naar de agent van de staatspolitie van Nevada die Warren had gearresteerd en die nu voor de camera's werd geïnterviewd. Hij zei dat hij de glanzende rode Cadillac Escalade naar de kant van de weg had gedirigeerd omdat de tijdelijke Colorado-kentekenplaten van het voertuig gedeeltelijk onleesbaar waren, en dat hij onmiddellijk argwaan had gekregen toen hij zag hoe vreemd de inzittenden zich gedroegen. Warrens broer Isaac zat achter het stuur en Warren zat op de achterbank een salade te eten, gekleed in een T-shirt en korte broek. Hij gedroeg zich bijzonder nerveus en keek de agent niet aan. Zijn halsslagader klopte duidelijk zichtbaar, wat de agent onmiddellijk opviel. Helemaal achterin zat Naomi Jeffs, de voormalige echtgenote van Rulon en huidige echtgenote van Warren, wier overtuigende getuigenis ten overstaan van ons allen geholpen had Warren tot onze profeet te maken. De agent verklaarde dat de mannen door de mand waren gevallen door hun tegenstrijdige verhalen toen ze afzonderlijk werden ondervraagd. Warren vertelde de agent dat ze op weg waren naar Denver, terwijl Isaac zei dat ze naar Utah gingen. De agent vroeg via de radio assistentie van collega's, en later die van de FBI. Hij had zijn twijfels toen Warren hem de gefingeerde naam John Findlay opgaf en hem bij wijze van identiteitsbewijs een kwitantie liet zien voor een paar in Florida aangeschafte contactlenzen. Toen er andere agenten ter plekke arriveerden, herkende een van hen Warren. Uiteindelijk, toen de mensen van de FBI hun opwachting maakten, besefte Warren dat het spel uit was en gaf hij toe wie hij was.

In de rode Cadillac legde de politie beslag op 54.000 dollar in coupures van honderd, vijftien mobieltjes, walkietalkies, twee GPS-apparaten, een politiescanner, een radardetector, laptops, verscheidene messen, enkele cd's, een blonde en een bruine vrouwenpruik, vrouwenkleren, zonnebrillen, drie iPods, drie horloges, een stapeltje creditcards, zeven sleutelbossen, een foto van Warren en Rulon, een Bijbel en een Boek van Mormon. Ook werd er een plunjezak vol ongeopende brieven aangetroffen, waarvan men vermoedde dat ze nog meer contant geld bevatten.

De enveloppen bleken brieven met giften van de FLDS-leden te bevatten. Ze waren net ver genoeg opengemaakt om het geld eruit te kunnen halen maar niet ver genoeg om de brieven te kunnen lezen. Het was Warren uitsluitend om hun geld te doen; hij nam niet eens de moeite hun brieven te lezen. We hoorden over een brief van een vijfjarig jongetje, dat Warren schreef dat hij en zijn moeder niet meer bezaten dan de vijf dollar die hij had ingesloten, maar dat hij bad dat het genoeg zou zijn om zijn vader terug te sturen, die kennelijk uit de priesterschap was gezet en wiens gezin hem was afgenomen. Het brak mijn hart als ik bedacht hoe hardvochtig Warren de smeekbede van zo'n jong kind negeerde, maar het verbaasde me niet.

Pogingen om Warren te verhoren bleken vergeefse moeite. FBI-agenten rapporteerden dat hij 'vriendelijk' maar 'niet coöperatief' was en volhield dat hij het slachtoffer was van 'religieuze vervolging'. Terwijl ik die dag op de rand van het bed zat op onze kleine hotelkamer, afgezonderd van mijn familie en mijn vrienden, bedacht ik hoe ironisch het was dat Warren was gearresteerd en in hechtenis genomen in Nevada, uitgerekend de staat waarin hij zich aan zijn eerste misdrijf jegens mij schuldig had gemaakt.

De gedachte aan Warren in de gevangenis van Clark County in Las Vegas deed me goed. Drieënhalf jaar lang was ik gevangen gehouden in een huwelijk dat ik niet wilde met een man van wie ik niet hield. Net zoals hij over mijn lot had beschikt, zouden anderen nu over het zijne beschikken.

Een paar dagen later werd hij van Nevada overgebracht naar Utah en werd hem medegedeeld dat ik degene was die een aanklacht tegen hem had ingediend. Het was zijn grondwettelijke recht om dat te weten. Om mijn veiligheid te waarborgen voerde het bureau van de officier van Justitie in Washington County de veiligheidsmaatregelen op. Er werden camera's geïnstalleerd buiten onze verblijfplaats en bij het advocatenkantoor van Roger en Greg Hoole, waar ik een aanzienlijk deel van mijn tijd doorbracht. Plotseling drong het tot me door dat de mensen met wie ik was opgegroeid, me zouden gaan haten. Ik nam het op tegen hun profeet en sloeg de wens van mijn moeder in de wind.

Het was al meer dan een jaar geleden dat ik voor het laatst iets van mijn moeder had gehoord en ik wist dat ze de komende dagen zou kunnen proberen contact met me op te nemen. Nu Warren op de hoogte was van mijn identiteit, was men bang dat ouderlingen haar onder druk zouden zetten om mij zover te krijgen dat ik ervan zou afzien tegen Warren te getuigen. Dat vermoeden werd zeven dagen na Warrens arrestatie bewaarheid. Mijn zus Kassandra belde om me te waarschuwen dat moeder zojuist contact met haar had opgenomen; Kassandra was ervan overtuigd dat ik de volgende zou zijn. 'Ze weten wie je bent en ze gaan naar je op zoek,' waarschuwde ze me.

Ik zag de bezorgdheid op Rogers gezicht, maar ik was vastbesloten om moeders telefoontjes niet aan te nemen. Ik zat midden in een bijeenkomst op zijn kantoor, toen mijn mobieltje ging. Er viel een stilte in het vertrek toen ik het toestel uit mijn tasje haalde en het op de conferentietafel legde. We wisten allemaal wie het was; moeders telefoontjes gaven altijd de melding 'onbekend nummer'. Terwijl ik mijn mobieltje op tafel zag liggen trillen, kwam ik in de verleiding het gesprek aan te nemen. Maar ik verzette me tegen die aandrang en liet de voicemail zijn werk doen.

Alvorens het bericht af te luisteren, zette ik de luidspreker aan en legde het toestel op tafel.

'Hallo, Elissa,' klonk moeders stem. 'Dit is je moeder. Ik wilde je alleen maar even gedag zeggen.' Naar haar luisteren was buitengewoon pijnlijk en mijn maag kromp samen, maar ondanks mijn bezorgdheid was ik ook boos op moeder omdat ze anderhalf jaar lang geen contact met me had opgenomen. Alle ogen waren op mij gericht terwijl ik probeerde niet te huilen, maar toen de stem van mijn kleine zusje klonk, kon ik mijn tranen niet langer bedwingen.

'Elissa, ik hou van je en ik mis je,' zei Ally. Op dat moment besefte ik dat ik onmogelijk met hen kon praten. Ik wist wat moeder zou gaan zeggen als ik haar terugbelde. Ze zou mijn liefde voor mijn zusjes tegen me gebruiken, en ik wist niet zeker of ik dan wel zo sterk kon blijven.

De volgende zeven dagen bleef moeder mijn wilskracht op de proef stellen. Het viel me zwaar om haar herhaalde telefoontjes te negeren en aan het eind van de week liet ik Roger mijn telefoonnummer veranderen. Het tijdstip van de telefoontjes was bijzonder ongelukkig gekozen. Die week was ik druk bezig met de voorbereidingen voor mijn huwelijk met Lamont. Een bisschop van de reguliere mormoonse Kerk had erin toegestemd ons te trouwen, en hoewel het bizar klinkt, waren de enige mensen die de plechtigheid konden bijwonen, vertegenwoordigers van politie en Justitie en advocaten.

Ik was in die tijd hoogzwanger en deed mijn best om eruit te zien als een blozend bruidje in een witte blouse en rok die Gregs vrouw me had helpen maken. Brock en zijn collega Jerry Jaeger van het bureau van de officier van Justitie van Washington County kwamen over voor de plechtigheid. Later hoorde ik dat Brock en Jerry samen met Lamont en Roger de ochtend hadden doorgebracht met het bezoeken van juweliers, op zoek naar een trouwring voor mij. Uiteindelijk hielpen de drie advocaten Lamont een ring uit te kiezen waar ik helemaal weg van was.

Zo veel mensen hadden zich uitgesloofd om dit tot een speciale dag voor ons te maken, maar het was moeilijk en eenzaam om er geen familie bij te hebben. Anderzijds was het ook wel weer bijzonder om al die advocaten, die inmiddels mijn vertrouwde vrienden waren, bij mijn bruiloft te hebben. Ik had mijn hele leven te horen gekregen dat ik mensen als hen moest vrezen, maar in zeer korte tijd was dat allemaal veranderd.

28

De confrontatie met Warren

Ik ben niet de profeet.
— WARREN JEFFS

Bij het aanbreken van november doemde het vooruitzicht te moeten getuigen op de hoorzitting van de 21^e onheilspellend op aan de horizon. De afgelopen weken hadden minstens vijf advocaten me uitgelegd hoe het juridisch systeem werkte en wat ik van de advocaten van de tegenpartij zou kunnen verwachten. Ik was nerveus, temeer omdat ik over twee weken uitgerekend was, en ik was bang dat de weeën midden in mijn getuigenis zouden beginnen. Het was niet alleen de typische bezorgdheid en het wennen aan een nieuwe situatie waar de meeste pasgetrouwde stellen mee te kampen hebben. Lamont en ik hadden het moeilijk met de eenzaamheid van onze zoon nadat hij gedwongen afscheid had moeten nemen van zijn vriendjes thuis. We hadden ook onze twijfels over hoe het nu verder moest en we vroegen ons af of we de juiste keus maakten voor ons gezin en onze toekomst.

Ik had nog steeds momenten waarop ik eraan twijfelde of ik er wel mee kon doorgaan. Begin oktober had ik te horen gekregen dat Allen niet de eerste man was die me seksueel had misbruikt. Omdat ze bang was dat er door de pogingen van Warrens advocaten om mijn verleden op te rakelen een onverkwikkelijk familiegeheim boven water zou komen, had Kassandra onthuld dat ik op mijn tweede aangerand was door een jonge man die een vriend van de familie en lid van de FLDS was.

Kassandra zei dat niemand vermoedde dat er een bijbedoeling school achter zijn wens om me vast te houden, totdat mijn zus Michelle onverwacht binnenkwam en hij me op de grond liet vallen. Toen ze me haastig oppakte, zag ze dat ik geen onderbroekje aanhad en vroeg ze me waar dat was. Ook al was ik pas twee, ik kon al goed genoeg praten om haar vraag te beantwoorden, en ik vertelde haar dat de jongeman het had. De afschuwelijke waarheid drong tot mijn zus door toen ze het broekje op de oprit vond waar de auto van de man geparkeerd had gestaan.

Mijn ouders waren woedend en vader belde onmiddellijk de profeet om hem te vertellen wat de man gedaan had en dat hij van plan was een aanklacht in te dienen. Hij kreeg te horen dat de priesterschap maatregelen zou nemen en dat hij niet naar de politie moest gaan omdat dat de Kerk in een kwaad daglicht zou stellen. We hoorden dat de ouders van de jonge man van het gebeurde op de hoogte waren gesteld, maar voor zover we wisten werd er verder geen enkele actie ondernomen.

Ik werd woest toen Kassandra beschreef hoe vader en moeder al degenen die van het gebeurde op de hoogte waren, bijeen hadden geroepen en hun op het hart hadden gedrukt nooit over het voorval te praten, tenzij ik er zelf over begon. Kassandra herinnerde zich dat moeder vond dat het beter was om er verder niet over te praten, in de hoop dat ik te jong was om het me later te kunnen herinneren. Ik belde mijn vader en was diep verontwaardigd toen hij Kassandra's verhaal bevestigde. Ik kon gewoon niet geloven dat mijn familie de waarheid voor me verborgen had gehouden, maar dat was een typische reactie van FLDS-families als er zich onaangename zaken voordeden. Ik werd nog razender toen ik hoorde dat er later nog meer beschuldigingen wegens kindermisbruik en huiselijk geweld tegen dezelfde man waren ingebracht. Als iemand indertijd actie had ondernomen om hem een halt toe te roepen, zou die andere slachtoffers mogelijk een hoop ellende bespaard zijn gebleven.

Deze nieuwe informatie, hoe moeilijk die ook te verwerken was, wierp een nieuw licht op een groot deel van mijn emotionele verleden. Plotseling begonnen dingen die me nooit duidelijk waren geweest, in mijn geest uit te kristalliseren, zoals waarom de naam van mijn aanrander altijd uitgesproken werd alsof het een vloek was en waarom ik altijd een ongemakkelijk gevoel had gehad als ik hem in de buurt zag. Ik wist niet precies hoe deze wetenschap mijn leven zou hebben veranderd, maar ik vroeg me af of mijn heftige reactie op Allens aanrakingen misschien het onbewuste gevolg was van wat er vroeger met me was gebeurd. Ik vroeg me af wat er misschien anders zou zijn gelopen als moeder me hierover had verteld toen ik haar voor het eerst had ge-vraagd naar man-vrouwbetrekkingen tijdens de eerste dagen van mijn huwelijk.

Hoewel dit geheim een psychische belasting vormde, maakte het me uiteindelijk nog vastberadener om de stilte te verbreken die de seksuele praktijken van de FLDS omgaf. Voor leden van deze besloten gemeen-schap was het geen geheim dat kindermisbruik aan de orde van de dag was en dikwijls onbestraft bleef. Er moest een einde komen aan de ma-nier waarop deze misdrijven onder het tapijt werden geveegd. Ik wilde ervoor zorgen dat de kinderen die nog in die gemeenschap leefden, vei-lig zouden zijn. Vanaf het begin speelden Sherrie en Ally een belangrij-ke rol in dit hogere doel achter mijn instemming om te getuigen, en nu werden ze nog belangrijker.

Elke avond prikte ik een oude foto van mijn zusjes naast het bed waarin ik die nacht sliep, om mezelf eraan te herinneren dat er een goe-de reden was waarom ik dit deed. Op die foto dragen ze eenvoudige bloemetjesjurken en hun haar is keurig gekapt in FLDS-stijl, zoals het goede priesterschapskinderen betaamt, en met een stralende glimlach kijken ze de wereld in. Elke ochtend als ik wakker werd, keek ik naar die foto en zag dan weer waarvoor ik streed. Mensen, meisjes, werden nog steeds in dezelfde positie als ik gebracht, en ik moest me daartegen ver-zetten. Ik moest vechten voor hen die hun stem nog niet konden laten horen. Ik nam die foto overal mee naartoe, zodat ik wist dat ik altijd een klein stukje van Ally en Sherrie binnen handbereik had als ik daar even behoefte aan mocht hebben. Voor die meisjes deed ik het alle-maal. Ik wist dat ik over de kracht beschikte; alleen moest ik mezelf daar steeds aan blijven herinneren.

De aanblik van verslaggevers en satellietwagens voor het Fifth Judicial Courthouse in St. George op de ochtend van de hoorzitting bracht me van mijn stuk en ik was blij dat Brock Belnap en Jerry Jaeger hadden geregeld dat we het gebouw via een achterdeur binnen konden gaan. De zaak tegen Warren veroorzaakte de nodige ophef in Utah en de me-dia berichtten er uitgebreid over. In tv-verslagen werd dit de grootste strafzaak in de juridische geschiedenis van Utah genoemd, en op de een of andere manier bevond ik me in het middelpunt daarvan. Ik was doodsbang dat er foto's van me zouden worden gemaakt en dat die in de kranten gepubliceerd zouden worden, maar de aanklagers verzekerden me dat mijn identiteit als slachtoffer van seksueel misbruik, beschermd zou worden.

Het was een hele opluchting voor me dat ik de steun had van Teressa en Kassandra, die deze dag ook tegen Warren zouden getuigen. In de zomerweken voordat Warren gearresteerd werd, had ik mijn zussen gevraagd of ze het goed vonden dat rechercheurs van het bureau van de officier van Justitie van Washington County contact met hen opnamen. Ik was dankbaar dat ze allebei bereid waren om hun mond open te doen.

Teressa had de FLDS een paar maanden daarvoor verlaten en woonde met haar kinderen in het huis van Kassandra en Ryan in het noorden van Idaho. Zoals zo veel vrouwen was ze Warrens voortdurende bemoeienis met haar huwelijk beu geworden. Haar problemen begonnen toen ze na een bezoek aan Kassandra naar Canada was teruggekeerd en daar te horen kreeg dat Warren ontstemd was omdat ze drie kerkdiensten op rij had gemist. Hij liet haar weten dat 'haar getuigenis geen waarde meer had' en dat ze niet 'waardig genoeg was om een echtgenote te zijn'. Hij verbood haar zelfs seksuele gemeenschap met haar man te hebben totdat ze erin toestemde een brief te schrijven waarin ze hem plechtig haar trouw beloofde. Toen ze dat weigerde, werd ze door leden van de gemeenschap gemeden. Hoe ver dat ging, werd duidelijk toen op een middag Teressa's dochtertje zich ernstig gesneden had en mijn zus geen telefoon had om hulp in te roepen. Ze pakte haar bloedende kind op en holde naar de buren, maar die weigerden haar binnen te laten.

Haar man smeekte haar om die brief nou maar gewoon te schrijven, zodat ze weer als man en vrouw konden leven, en ten slotte gaf Teressa toe. Maar Warren vond de brief niet bevredigend; hij wilde dat ze nóg een brief schreef waarin ze hem haar eeuwige trouw beloofde. Dat was kennelijk Warrens manier om haar de eerdere ongehoorzaamheid nog eens goed in te wrijven en haar duidelijk te maken hoeveel macht hij had. Hij scheen er genoegen in te scheppen haar het leven moeilijk te maken. Maar Teressa kon zichzelf er niet toe brengen Warren trouw te beloven en koos ervoor haar kinderen mee te nemen en haar man en de FLDS te verlaten. Sinds die tijd woonde ze bij Kassandra in Idaho.

Gespannen ging ik door de achterdeur het gerechtsgebouw binnen en volgde ik de aanklagers naar de rechtszaal, waar de hoorzitting spoedig zou beginnen. Lamont, mijn zussen en ik moesten in de jurybankjes plaatsnemen. Men verwachtte een grote publieke belangstelling, en aangezien er maar drie rijen stoelen voor toeschouwers beschikbaar waren, zou de toelating geschieden op basis van wie het eerst komt, wie het eerst maalt. Het zag er allemaal nogal gewoontjes uit, met rijen klapstoelen voor de toeschouwers en flikkerende tl-verlichting aan het plafond. Het zag er totaal niet uit als tv-rechtszalen met glanzend mahoniehout en grote ramen die de zon binnenlieten. Terwijl het vertrek vol begon te lopen, werd ik nerveus bij de aanblik van alle verslaggevers die op de eerste twee rijen op blocnotes zaten te krabbelen, maar ik troostte me met de gedachte dat ik Lamont en mijn zussen aan mijn zijde had.

Iedereen stond op toen rechter James L. Shumate de rechtszaal binnenkwam en plaatsnam achter het houten bureau op het podium voor in de zaal. Hij tuurde naar me door zijn randloze bril en knikte me toe. Zijn vriendelijke, ronde gezicht werd gedeeltelijk bedekt door een lichte, overwegend grijze baard. Men had me verteld dat hij de reputatie had een eerlijk en redelijk man te zijn.

Plotseling kwamen twee bewakers via een zijdeur de zaal binnen, en het hart klopte me in de keel. De sleutels aan hun riem rinkelden ritmisch terwijl ze Warren de zaal binnen leidden. Hij zag er afgetobd uit. Zijn zwarte kostuum hing losjes om zijn lichaam en benadrukte zijn bleke gelaatskleur.

Ik zag hoe de man die ik ooit had beschouwd als Gods spreekbuis op aarde, naar de tafel van de verdediging liep, waar drie advocaten, twee mannelijke en een vrouwelijke, op hem zaten te wachten. Alles kwam nu tegelijk op me af, en ik begon in paniek te raken. Ik voelde me duizelig, maar ik kon mijn blik niet afwenden. Warren staarde ons strak aan en ik was vastbesloten zijn blik te beantwoorden. Ik moet dit doen, hield ik mezelf voor terwijl ik achteroverleunde in mijn stoel.

Ik was blij dat Kassandra en Teressa vóór mij zouden getuigen. Ik had geen idee wat me te wachten stond en ik hoopte dat ik door te kijken hoe mijn oudere zussen op de vragen van de advocaten reageerden, beter voorbereid zou zijn op wat er komen ging.

Het hof had bepaald dat mijn zussen uitsluitend in de rechtszaal aanwezig mochten zijn tijdens hun getuigenverhoor. Kassandra was de eerste getuige die opgeroepen werd en zelfverzekerd liep ze naar de getuigenbank, gekleed in een getailleerd zwart broekpak met een rode blouse onder haar jasje. Met het oog op het verbod van Rulon en Warren op de kleur rood had ze opzettelijk een rood kledingstuk gekozen als daad van verzet. Hoewel zijn gezicht niets verried toen ze in de houten armstoel plaatsnam, was ik ervan overtuigd dat haar opstandige gebaar Warren niet was ontgaan.

Brock Belnap glimlachte naar me vanaf de tafel van de aanklager. Hij werd die dag vergezeld door zijn substituut-officier van Justitie Ryan Shaum die, zoals Brock had uitgelegd, meer ervaring had in strafzaken.

'Wat voor soort relaties mochten de meisjes volgens meneer Jeffs met een jongeman hebben als ze de tienerleeftijd bereikten?' vroeg Shaum mijn zus.

Kassandra zweeg even terwijl er een engelachtig glimlachje om haar dunne rode lippen speelde. 'Hij gebruikte daar een bepaalde uitdrukking voor,' zei ze. 'De jongens moesten de meisjes als slangen behandelen en hetzelfde gold voor de meisjes... Je haalde je een hoop problemen op de hals als een jongen op school met een meisje praatte, omdat ze dat als, nou ja, ongepast beschouwden.'

'Vertelde Warren aan de meisjes of besprak hij met hen of en wanneer ze afspraakjes met een jongen konden maken?'

'Hij besprak het. En het was ten strengste verboden,' zei Kassandra.

'Wat zei hij erover?'

'Dat ze geen afspraakjes mochten maken omdat God met de profeet zou spreken en hem zou vertellen aan wie dat meisje toebehoorde... Hij zei dat als een meisje zich met een jongen inliet, ze die openbaring aan de profeet zou vertroebelen, en dat God, omdat ze gezondigd had, niet aan de profeet zou openbaren aan wie ze toebehoorde.'

'Heb je ooit de gelegenheid gehad om met meneer Jeffs te praten over wat Allen deed en over de manier waarop hij Elissa in seksueel opzicht behandelde?' vroeg Ryan Shaum aan Kassandra. Ik boog me voorover om haar antwoord goed te kunnen verstaan. Ik had nooit de details gehoord van dat gesprek dat mijn zus met Warren had gevoerd.

'Op een keer ontbood hij me op zijn kantoor...'

'Onderbouwing, alstublieft,' riep de advocaat Wally Bugden van de tafel van de verdediging. Warren zat onbewogen naast hem en staarde mijn zus aan.

'Wanneer was die bijeenkomst?' vroeg Shaum om voor het hof een tijdschema vast te stellen. Kassandra vertelde het hof dat het gesprek met Warren had plaatsgevonden in de zomer van 2002.

'Oké, en kun je je herinneren wat je ertoe bracht om op dat moment naar Warren te gaan?'

'Ik was in de problemen gekomen omdat wij, Rulons echtgenotes, opdracht hadden gekregen alle banden en elk contact met iedereen buiten zijn familie te verbreken, ook met onze ouders, onze moeder. Maar ik bracht heel veel tijd door met moeder en mijn zussen. En toen vertelde hij me, daar liet hij me speciaal voor naar zijn kantoor komen, dat ik opstandig was en niet onderdanig aan mijn echtgenoot.

'Hij gaf me een strenge berisping en vertelde me vervolgens dat ik mijn zus het slechte voorbeeld gaf en dat ik me beter moest gaan gedragen, zodat zij zou zien wat een goede echtgenote doet en dat die onderdanig is. En hij zei dat je het een man niet kwalijk kunt nemen als hij een beetje experimenteert. En dat ze het samen moesten oplossen. En dat ze met mij niet over intieme aangelegenheden moest praten. Dat het iets was tussen haar en haar echtgenoot. En als ze er ooit weer tegen mij over begon, dat ik dan moest zeggen: nee, je moet dit met Allen bespreken.'

Dat was toch duidelijke taal. Volgens mij wist Warren maar al te goed wat zich in de slaapkamer tussen Allen en mij afspeelde. Toen het de beurt aan de verdediging was om haar te ondervragen, verbaasde het me hoe goed mijn zus zich staande wist te houden. Ze beet flink van zich af tegenover de advocaat van de verdediging, die op een gegeven moment zichtbaar geïrriteerd raakte door zijn onvermogen om haar in het nauw te drijven en haar ervan beschuldigde dat ze een 'vijandige getuige' was.

'Ik ben helemaal geen vijandige getuige,' beet Kassandra hem toe.

Vervolgens probeerde hij haar af te schilderen als nalatig, omdat ze zich niet direct tot de autoriteiten had gewend toen bekend werd dat ik uitgehuwelijkt zou worden aan Allen.

'U hebt geen contact opgenomen met het bureau van de sheriff van Washington County toen Elissa in een huwelijk belandde waar ze volgens u niets voor voelde?'

'Nee.'

'Maar u hebt wel contact opgenomen met de politie in de zomer van 2005; is dat juist?'

'Dat is juist,' antwoordde mijn zus.

'En bij die gelegenheid hebt u de politie verteld dat u geloofde dat er mogelijk sprake was van een geval van seksueel misbruik waarbij uw zus Elissa was betrokken. Is dat correct?'

'Mag ik u erop wijzen dat de omstandigheden toen heel anders waren? Toen mijn zus trouwde, was ik nog getrouwd met Rulon.'

Daar had Bugden niet van terug en hij gromde machteloos.

Toen het Teressa's beurt was, glimlachte ze naar me terwijl ze naar de getuigenbank liep. Haar lange blonde krullen vielen tot net over haar schouders. Ik bleef alert en lette goed op hoe zij de vragen beantwoordde. Nadat Shaum de persoonsgegevens van mijn zus had vastgesteld, vroeg hij haar wat Warren ons leerde over onze rol als FLDS-vrouwen.

'Wat was volgens hem jouw rol als vrouw, in het bijzonder met betrekking tot je echtgenoot of je toekomstige echtgenoot?'

Teressa aarzelde even. 'Dat hij in feite God voor ons was en dat je echtgenoot voor jou de weg naar de hemel is. Je hebt te doen wat hij je opdraagt. Hij is je priesterschapsleider.'

Toen hij haar vroeg naar mijn gemoedstoestand tijdens mijn huwelijk met Allen, vertelde ze hem de waarheid. 'Ze heeft zich nooit gelukkig gevoeld in dat huwelijk, nooit.'

Evenals Kassandra bleef Teressa kalm tijdens het kruisverhoor door de advocaat van de verdediging. Maar Wally Bugden stelde haar slechts zes vragen.

'De staat roept Elissa Wall op als getuige, edelachtbare.' Bij het horen van de zachte stem van Brock Belnap die me vroeg naar voren te komen, sloeg de angst me om het hart, wat nog erger werd toen ik bijna struikelde terwijl ik van de jurybankjes naar de getuigenbank liep. Ik was niet alleen buitengewoon nerveus, maar ik stond ook wankel op mijn benen door het extra gewicht dat ik meedroeg door mijn zwangerschap. Gedurende de afgelopen maanden was ik Brock gaan vertrouwen, en bij het naderen van de hoorzitting had ik hem toevertrouwd dat ik er de voorkeur aan zou geven dat hij me zelf het getuigenverhoor afnam. Hoewel ik Ryan had leren kennen als een bedachtzaam en beschaafd advocaat, voelde ik me bij Brock meer op mijn gemak.

'Hoe voel je je, Elissa?' vroeg hij, terwijl hij naar me glimlachte vanaf het podium rechts naast het bureau van de rechter.

'Wel goed,' zei ik, terwijl ik me uitsluitend op Brocks geruststellende gezicht concentreerde. 'Een beetje nerveus,' flapte ik er plotseling uit.

'Het lijkt erop dat je zwanger bent,' zei hij.

'Hoogzwanger,' zei ik, terwijl ik probeerde me op mijn gemak te voelen in aanwezigheid van al die mensen die gekomen waren om mijn verhaal te horen.

'Vertel eens, ken je de gedaagde in deze zaak?'

'Jazeker,' zei ik, terwijl ik naar de tafel van de verdediging keek.

'Die meneer daar?' vroeg Brock. 'Wie is hij?'

'Dat is Warren Jeffs.' Ik schraapte mijn keel en probeerde mijn hoogzwangere lijf in een wat comfortabeler positie te manoeuvreren in de harde houten stoel.

Op dat moment ontmoetten onze blikken elkaar. Terwijl ik hem strak in de ogen keek, kwam er een merkwaardig gevoel van rust over me, alsof ik plotseling begreep dat deze man geen enkele macht meer over me had. We bleven elkaar ongeveer een minuut lang aanstaren, waarbij Warren probeerde me te intimideren met zijn 'dodelijke blik', die moest doorgaan voor de vlammende blik van God. Het werd doodstil in de rechtszaal terwijl we geen van beiden bereid waren de ogen neer te slaan. Even later schudde Warren lichtjes zijn hoofd en wendde zijn blik af. Ik was niet langer zijn slachtoffer en bij dat besef voelde ik me bevrijd.

Ik probeerde me te herinneren wat de advocaten me hadden voorgehouden: goed naar de vraag luisteren en proberen die zo duidelijk mogelijk te beantwoorden. Na enkele minuten merkte ik dat ik me begon te ontspannen, en met Brocks vriendelijke stem als leidraad beantwoordde ik de vragen die me werden gesteld zo goed mogelijk. Toen het getuigenverhoor van de officier van Justitie was afgelopen, probeerde ik me geestelijk voor te bereiden op Bugdens aanval, maar het kruisverhoor bleek te worden afgenomen door de vrouwelijke advocaat, Tara Isaacson, die overeind kwam en op me af liep. Ze was slank en bijna 1,80 meter lang op haar hoge hakken en ze torende boven haar twee mannelijke collega's uit.

'Mevrouw Wall, ik geloof dat u hebt gezegd dat uw trouwdag de ergste dag van uw leven was, klopt dat?'

'Inderdaad,' antwoordde ik behoedzaam.

'U wilde niet trouwen.'

'Dat klopt.'

'U voelde zich ellendig, mag ik het zo stellen? U wilde zelfs niet bij Allen in de buurt komen. Is dat juist? U voelde zich die hele dag en nacht ellendig?'

'Ja,' antwoordde ik.

'Op uw trouwdag?'

'Ja.'

Ze begon me vragen te stellen over een foto waarop Allen en ik op de grond lagen, die de dag na de bruiloft was genomen. We glimlachten allebei, een feit dat ze tegenover het hof benadrukte. Ik begreep niet helemaal waar ze naartoe wilde, en mijn verwarring nam toe, toen ze hetzelfde deed met verscheidene andere foto's die op de avond van de bruiloft en de volgende ochtend waren genomen.

'Dus na uw ellendige nacht samen met Allen in bed, waar u allebei, zoals u zei, lag te woelen... Dat is toch juist?'

'Ik lag te woelen, ja.'

'Oké, en u had een boeketje bloemen in uw hand... en hij heeft zijn arm om u heen.'

'Inderdaad.'

'En zo te zien hebt u een arm om hem heen geslagen?'

'Niet echt.'

'U hield uw hand alleen maar achter zijn rug?'

'Inderdaad.'

'Maar u glimlacht allebei, nietwaar?'

'Ja, maar dat was niet uit vrije wil.'

'Dus op deze foto wordt u gedwongen te glimlachen?'

De richting waarin het kruisverhoor ging beviel me niet, maar daar viel weinig aan te doen, en het volgende uur dwong ze me antwoord te geven op talloze vragen die bedoeld waren om aan te tonen dat ik niet de waarheid had gesproken in mijn verklaringen over Allen en Warren. Ik had het er erg moeilijk mee dat uitgerekend een vrouw er hardop aan twijfelde of mijn verdriet wel echt was, en na een poosje begon ik te huilen. Ik voelde me vreselijk gegeneerd dat ik me zo kwetsbaar toonde en huilde waar al die onbekenden bij waren. Maar haar meedogenloze pogingen om mij en mijn beweringen in diskrediet te brengen begonnen me af te matten.

'Oké, laten we eens zien of u het met me eens bent. Allen heeft zijn armen om uw middel geslagen. En u houdt zich vast aan een boom. En het ziet ernaar uit dat hij u in een beekje of zoiets probeert te trekken?' vroeg Isaacson over weer een andere foto die ze als bewijsmateriaal aanvoerde.

'Ja,' antwoordde ik zachtjes.

'En u lacht, of glimlacht?'

'Uit weerzin, ja,' zei ik, in een poging me te verweren tegen deze aanval.

Ik voelde me vreselijk opgelucht toen de rechter na bijna twee uur kruisverhoor de zitting schorste, maar toen we terugkeerden in de rechtszaal was het van hetzelfde laken een pak. Isaacson was meedogenloos, en de manier waarop ze de feiten manipuleerde, irriteerde me mateloos. Ik deed mijn best om me te weer te stellen tegen haar pogingen mij als leugenaar af te schilderen en Allen en Warren als mensen die niets misdaan hadden. Ik kon het niet over mijn kant laten gaan dat ze de waarheid verdraaide.

Nadat ik bijna vier uur in de getuigenbank had gezeten, gelastte rechter Shumate haar een eind aan het kruisverhoor te maken. Hij herinnerde de verdediging eraan dat ik hoogzwanger was en sprak zijn bezorgdheid uit over de lange tijd die ik in de getuigenbank had moeten doorbrengen. Ik was dit soort medeleven en respect niet gewend van een autoriteit. Halverwege de dag zag ik de rechtbank niet langer als slechts een bot instrument van de staat, een hardvochtig apparaat, maar als een gecompliceerd werktuig dat zorgvuldig ontworpen was om gerechtigheid te laten geschieden. Hier zat ik, twee weken voor de bevalling, gierend van de hormonen en uitgeput, en men deed er alles aan om me op mijn gemak te stellen en ervoor te zorgen dat mijn stem werd gehoord.

Toch viel het niet te ontkennen dat de slopende dag een zware tol van me had geëist. Isaacsons vragen waren indringend geweest, en in de komende maanden zou ik die als model gebruiken om mezelf voor te bereiden op datgene wat me tijdens de echte rechtszaak te wachten zou staan. Die eerste dag tijdens de hoorzitting was ik nog te onervaren om te begrijpen wat ze met haar vragen probeerde te bereiken en om haar poging te weerleggen om aan te tonen dat een glimlach op een foto een bewijs van geluk vormde. Dat punt had ik gemakkelijk kunnen weerleggen als ik beter had gesnapt wat ze probeerde te bewijzen. Het was een slimme strategie, en ik was er niet op voorbereid geweest. Dat zou me geen tweede keer overkomen.

Nog geen maand later, in december 2006, werd mijn dochter Emily geboren. Ik was inmiddels iets langer dan een jaar weg bij de FLDS, en ook al had ik de meeste mentale ketenen van me af geschud, ik vond het nog steeds pijnlijk om te horen dat volgelingen van de priester-schap was opgedragen ervoor te bidden dat ik zou sterven in het kraambed. Ik putte troost uit mijn geloof dat God over me waakte en me opnieuw had gezegend met een prachtige baby.

Terwijl ik in dit inspannende juridische proces was verwikkeld, deed ik mijn best om te genieten van de eerste dagen van het leven van mijn dochtertje. De verdediging diende een verzoek in om de aanklachten te laten vallen met het tamelijk overtuigende argument dat Warren Jeffs alleen maar een religieus leider was die zijn werk deed. Maar eind januari kwam het bericht binnen dat rechter Shumate van mening was dat er voldoende bewijsmateriaal was aangedragen om Warren terecht te laten staan voor twee aanklachten wegens medeplichtigheid aan ver-krachting, en had bepaald dat Warren in afwachting van zijn proces in de cel moest blijven, zonder mogelijkheid tot vrijlating op borgtocht.

Als ik nog enige twijfel mocht koesteren of ik het proces wel moest doorzetten, dan verdween die als sneeuw voor de zon toen Lamont en ik werden uitgenodigd om een opzienbarende bekentenis te bekijken die Warren op 25 januari 2007 in de gevangenis had afgelegd en die op video was opgenomen. We kregen een split screen te zien, met Warren in zijn groen-wit gestreepte gevangenisoverall rechts in beeld en zijn broer Nephi links, allebei aan de telefoon aan weerszijden van de plexi-glazen afscheiding. De mannen vertoonden een griezelige gelijkenis, met dezelfde dikke brillenglazen en het dofbruine haar met de schei-ding opzij.

Bij het begin van het bezoek gaf Warren zijn broer opdracht iemand zijn zegen te laten overbrengen aan een ziek meisje in de gemeenschap en sprak hij een boodschap uit waarin hij zijn volgelingen van zijn steun en liefde verzekerde. Sinds zijn opsluiting had hij mogen opbel-len vanuit de gevangenis en waren hem de nodige privileges verleend. De dag daarvoor had de gevangenis zelfs enkele telefoongesprekken opgenomen, waarin Warren toegaf dat hem eenendertig jaar eerder het priesterschap was ontnomen omdat hij zich onzedelijk had gedra-gen met een zus en een dochter.

Ondanks deze akelige onthulling leek hij in een goed humeur bij aanvang van de bijeenkomst met Nephi. De video-opname was korre-lig, en het was vreemd om Warren gade te slaan tijdens zo'n privéont-moeting. Na een half uur leek het gesprek afgelopen en Warren maakte aanstalten om de telefoon op te hangen, maar toen bedacht hij zich.

Beide mannen pakten de hoorn weer op, en bijna zes minuten lang bleef Warren zwijgen, terwijl zijn broer geduldig wachtte. Warren staarde voor zich uit terwijl hij ingespannen scheen te luisteren, bijna alsof hij een openbaring van God ontving.

Ten slotte verbrak Warren de stilte en gaf zijn broer opdracht zijn woorden op te schrijven, waarop Nephi een blocnote tevoorschijn haalde.

'Ik ben niet de profeet,' begon Warren.

Ik wist niet wat ik hoorde en keek Lamont aan. We zaten beiden als versteend, toen de man van wie iedereen altijd zei dat hij God op aarde was, een boodschap uitsprak die we geen van beiden ooit hadden kunnen voorspellen.

'Ik ben nooit de profeet geweest; ik ben misleid door de krachten van het kwaad. Sinds het overlijden van mijn vader is broeder William T. Jessop de profeet.'

Hij vervolgde: 'In de ogen van God ben ik de meest verdorven mens in deze gemeenschap. Ik heb me opgeworpen als hoofd van het gezin van mijn vader terwijl de Here God me dat verbood omdat hij me niet kon horen, mijn stem niet kon horen omdat ik geen deel uitmaakte van de priesterschap. Ik draag mijn voormalige familie op haar vertrouwen te stellen in broeder William T. Jessop, en ik zal me verder nooit meer tot u richten.

En schrijf dit ook maar op,' zei Warren tegen Nephi. 'Uit de grond van mijn hart zeg ik dat het me spijt.'

Nephi deed er uiterlijk onbewogen het zwijgen toe terwijl hij Warrens aanwijzingen opvolgde. 'En schrijf ook dit op,' vervolgde Warren. 'De Here God is twee dagen geleden naar mijn cel gekomen om me op de proef te stellen en me aan de kaak te stellen. En hij zag dat ik hem eerder zou tarten dan gehoorzamen, vanwege de zwakte van mijn vlees. Ik aarzel terwijl ik deze boodschap doorgeef, aangezien de Heer deze woorden aan mijn geest en hart dicteert. De Heer fluistert me in dat jij, Nephi, deze boodschap overal onder de volgelingen van de priesterschap moet verspreiden en een kopie van deze video moet laten zien aan iedereen die dat wil. De mensen zullen zien dat ik deze woorden zelf uitspreek.

Schrijf dit op: de Heer heeft me opgedragen, en ik wil zelf ook niets liever, ieders vergiffenis te vragen voor mijn eerzuchtige en egoïstische levenswijze, voor het misleiden van de uitverkorenen, het verbreken van het nieuwe en eeuwigdurende verbond, en omdat ik de meest verdorven man ben die er op aarde rondloopt.'

Warrens stem brak van emotie terwijl hij zijn boodschap beëindigde. 'Ik vraag eenieder om vergeving en neem voor altijd afscheid van hen die waardig zijn om Zion te betreden, want ik zal daar niet zijn.'

Ik had eigenlijk wel met Nephi te doen, die nu moeite had om zijn tranen te bedwingen en Warren verzekerde dat hij wel degelijk Zion zou bereiken. Door emotie overmand omklemde Nephi de telefoonhoorn, niet in staat zich te bewegen terwijl Warren ophing en zich omdraaide om het vertrek te verlaten. Het had Warren bijna een uur gekost om deze boodschap uit te spreken. Aan heel zijn doen en laten was te zien hoezeer hij het te kwaad had; nadat hij de telefoon al had opgehangen, pakte hij hem enkele keren weer op, zelfs nog helemaal op het laatst, toen Nephi hem probeerde te troosten.

'Dit is een test. Jij bent de profeet,' zei Nephi met trillende stem.

Warren nam de hoorn weer op. 'Dit is geen test; dit is een openbaring van de Here God, bij monde van zijn voormalige dienaar die nooit zijn dienaar is geweest. De Heer dicteert deze woorden opdat jullie zullen weten dat dit geen test is.'

Uiteindelijk, nadat hij enige tijd als verlamd was blijven zitten door de realiteit van zijn eigen bekentenis, klopte Warren op de deur van de bezoekruimte om de cipiers te laten weten dat hij klaar was om terug te gaan naar zijn cel. Hij verliet het vertrek en Nephi bleef achter, zichtbaar ontredderd door de mogelijkheid dat alles wat hij in zijn leven had geloofd, een leugen was. Ik herkende de blik op zijn gezicht, want ooit had ik me precies zo gevoeld. Zijn ogen vulden zich met tranen en hij bleef bijna vijf minuten lang onbeweeglijk met zijn rug tegen de muur zitten. Misschien hoopte hij dat Warren zou terugkomen om hem te vertellen dat het alleen maar een test was geweest. Maar dat gebeurde niet.

Lamont en ik wisten niet wat ons overkwam. We waren al geruime tijd op de hoogte van Warrens achterbakse karakter, maar nadat we hem openlijk zijn misleiding en bedrog hadden horen toegeven, waren we sprakeloos. Hoewel we al meer dan een jaar geleden opgehouden waren in zijn macht te geloven, droegen we allebei nog steeds de psychische littekens van de manier waarop hij ons had behandeld. Dat hij nu erkende dat het allemaal een leugen was geweest, was tegelijkertijd bevrijdend en weerzinwekkend. Ik voelde me vies, toen ik dacht aan al die keren dat hij misbruik had gemaakt van mijn gevoelens, en aan alle gelovigen in Short Creek die voor hem baden, de mensen van wie hij misbruik had gemaakt en die misschien nooit de waarheid te weten zouden komen.

We wilden de opname aan de FLDS-mensen laten zien, zodat ze zelf konden bepalen of hun profeet oprecht was, maar helaas zouden de videobeelden niet toegelaten worden als bewijsmateriaal. Ondanks Warrens wens dat de hele gemeenschap er kennis van zou nemen, voerde de verdediging aan dat het vrijgeven van de opname de publieke opinie negatief zou beïnvloeden, waardoor het vrijwel onmogelijk zou worden een onbevooroordeelde jury samen te stellen. En dus werd de opname niet vrijgegeven.

Enkele dagen na Warrens onverwachte bekentenis hoorden we dat hij had geprobeerd zich in zijn cel op te hangen. Hij werd tijdig ontdekt door cipiers en naar een plaatselijk ziekenhuis overgebracht. Warren had al lang geleden voorspeld dat hij als martelaar zou sterven in een poging zich te scharen aan de zijde van Joseph Smith, de stichter van de mormoonse Kerk, die in de gevangenis was vermoord. De autoriteiten waren vastbesloten dit niet te laten gebeuren, en alle mogelijke voorzorgsmaatregelen werden genomen om zijn veiligheid en welzijn te waarborgen. Gedurende zijn langdurige opsluiting had hij dagen aaneen gevast en uren achter elkaar op zijn knieën zitten bidden, waardoor die helemaal openlagen en onder het bloed zaten.

Al deze onthullingen bezorgden Lamont en mij de onwrikbare overtuiging dat we de juiste weg hadden gekozen. God zond ons deze signalen om ons het nodige zelfvertrouwen te geven om op de ingeslagen weg verder te gaan.

29

Het proces begint

Een mening is een ding van het moment,
de waarheid overleeft de zon.
— EMILY DICKINSON

Op 13 september 2007 verscheen ik voor de rechtbank om te getuigen tegen Warren Jeffs. De hoorzitting was al bijna een jaar geleden; nu was het tijd voor het echte werk. De man die ik gedurende mijn hele jeugd had gekend als oom Warren stond eindelijk terecht als medeplichtige aan mijn verkrachting.

Nog voordat het proces begon, ervoer ik een gevoel van opluchting. Mijn stem zou nu eindelijk worden gehoord. Ik was niet langer een kwetsbaar veertienjarig meisje dat andermans overtuigingen door de strot kreeg geduwd; ik was een sterke vrouw van twintig, gereed om de confrontatie aan te gaan met de persoon die me mijn jeugd had afgenomen.

In de dagen na de hoorzitting was langzaam maar zeker duidelijk geworden dat ik de kroongetuige in het proces was. Volgens de wet moest mijn identiteit vóór het proces aan Warren worden bekendgemaakt. Daarom veranderde ik sneller dan ik had gedacht van Jane Doe IV in Elissa Wall. Ik ontving erg veel aanmoedigingen en steunbetuigingen en ik realiseerde me dat er leden van de FLDS moesten zijn die in het geheim voor me baden; ik voelde hun stilzwijgende steun. Ik had zelfs bericht ontvangen van vrienden van ons die in Oregon een internationale gebedsketen hadden georganiseerd. Het besef dat er zo veel mensen baden voor een goede afloop, deed me goed. Ik had niet langer het gevoel dat Lamont en ik er helemaal alleen voor stonden; integendeel, al deze mensen stonden ons terzijde.

Maar we hadden een lange en zware weg afgelegd voordat we uiteindelijk op dit punt waren beland. Vorig jaar waren Lamont en ik samen met onze twee kleine kinderen verscheidene malen verhuisd om te voorkomen dat onze identiteit en woonplaats bekend zouden worden. Om alles nog moeilijker te maken, hadden leden van onze wederzijdse families ons gemeden in de maanden nadat de aanklachten tegen Warren officieel waren ingediend. Lamonts familieleden die nog steeds tot de FLDS behoorden, waren bijzonder nijdig, en af en toe hadden we het gevoel dat we zouden bezwijken onder de niet-aflatende druk en stress. Anderzijds ontvingen we heel veel steun en aanmoediging van mijn naaste familie en van Lamonts familieleden die niet langer tot de FLDS behoorden.

Evenals bij de hoorzitting was er geregeld dat we het gerechtsgebouw via een speciale ingang konden betreden, om ons te beschermen tegen de media die zich in drommen buiten het gebouw hadden verzameld. In de voorafgaande maanden had ik al een voorproefje van deze chaos gehad, maar nu was het mediacircus uitgegroeid tot iets wat ik me nauwelijks had kunnen voorstellen. Het parkeerterrein achter het gerechtsgebouw stond vol satellietwagens van lokale tv-zenders en grote landelijke en buitenlandse netwerken. Ik was bang dat ik blootgesteld zou worden aan massa's mensen die 'Elissa!' riepen en antwoorden op hun vragen wilden.

Toen ik eenmaal binnen was, vermande ik me. Toen ik mijn outfit bekeek, voelde ik me professioneel en representatief. Ik had een paar chique mantelpakjes aangeschaft en voelde me opgelucht dat ik me niet langer hoefde te verbergen achter mijn positiejurken als tenten. Vandaag voelde ik me sterk en vrij in een tot op de knie vallende rok, een krijtstreepjasje en een purperrode blouse. Ik droeg mijn haar los, met een dunne, zwarte haarband om het uit mijn gezicht te houden. Ik moet die ochtend minstens vijf keer met mijn haarstyler in de weer zijn geweest om ervoor te zorgen dat elke lok er perfect uitzag. Nu, in deze kleding en met mijn haar uitdagend los, was ik gereed het op te nemen tegen Warren Jeffs. Ik zag eruit als de persoon die ik me vanbinnen voelde, en dat is een magische ervaring als je dat gedurende een zo groot deel van je leven is ontzegd.

Terwijl ik tijdens de hoorzitting in de jurybankjes had mogen zitten, moest ik nu plaatsnemen te midden van de toeschouwers in de rechtszaal. Het had de advocaten drieënhalve dag gekost om de vijf mannen en zeven vrouwen van de jury te selecteren. Acht van die twaalf zouden over Warren Jeffs' lot beslissen. Spoedig zouden ze de rechtszaal binnen komen en verwachten dat ik zou getuigen voor de aanklager in deze met veel publiciteit omgeven zaak. Onder de juryleden bevonden zich minstens twee leden van de reguliere mormoonse Kerk.

Ik voelde me niet op mijn gemak op de tweede rij, ingeklemd tussen Lamont en Roger. In de stoelen achter ons en rechts van ons zaten verslaggevers en tv-reporters me op te nemen. Achter me voelde ik de blikken van minstens tien FLDS-getrouwen die gekomen waren om hun steun aan de profeet te betuigen. Terwijl ik wachtte tot het proces zou beginnen, voelde ik hun nijdige blikken in mijn achterhoofd boren. Ik realiseerde me heel goed het belang van een veroordeling in deze zaak; als Warren zou worden vrijgesproken, zou dat ernstige implicaties hebben voor de positie van de meisjes binnen de FLDS-gemeenschap. Anderzijds, als hij veroordeeld werd, zou dat een boodschap aan de priesterschap zijn en hopelijk op den duur een eind maken aan de praktijk van het minderjarige huwelijk.

Ik opende mijn handtas en wierp een blik op de foto van Ally en Sherrie die ik erin had gestopt. Ik ontleende kracht aan hun vrolijke gezichten terwijl ik nerveus afwachtte tot de rechter en de jury de rechtszaal zouden betreden. Zodra Warren werd binnengeleid, hoorden we alle stoelzittingen op de derde rij omhoogklappen toen zijn volgelingen uit respect gingen staan. Dat hadden ze ook gedaan tijdens de hoorzitting, maar na dat demonstratieve vertoon hadden Warrens advocaten hem aangeraden een eind aan die praktijk te maken. Kennelijk wilden ze niet dat de jury zou zien hoeveel gezag Warren over zijn mensen had.

Brock Belnap las de inleidende verklaring van het openbaar ministerie voor. Hij hield het kort, onthield zich van suggestief taalgebruik jegens Warren Jeffs en stelde geen pogingen in het werk om de jury te beïnvloeden voordat ze de getuigen hadden gehoord. In plaats daarvan stelde hij eenvoudigweg dat we hier waren omdat er solide bewijsmateriaal bestond voor het feit dat ik verkracht was. Ook hield hij de jury voor dat het de aanklagers er niet om was begonnen de religie of zelfs het verschijnsel polygamie aan de kaak te stellen. Het ging uitsluitend om medeplichtigheid aan de verkrachting van een minderjarige.

Het verbaasde me niet echt dat Tara Isaacson in haar inleidende verklaring verscheidene opmerkingen maakte die me frustreerden. Op een gegeven moment hield ze de jury voor dat het in dit proces tot hun taak behoorde hun persoonlijke gevoelens opzij te zetten met betrekking tot de vraag of veertien te jong was om geslachtsgemeenschap te hebben. Hun taak was het, in haar woorden, om vast te stellen of ik überhaupt wel verkracht was. Toen zei ze: 'Voor mij zou het te jong zijn geweest.' Alsof ze wilde suggereren dat veertien voor haar te jong was, maar niet voor mij. Ze zei ook dat een kind van dertien dat seks heeft in de staat Utah hoe dan ook geacht wordt verkracht te zijn. Maar een veertienjarige is geen slachtoffer van verkrachting, tenzij hij of zij 'niet instemt met het seksuele contact'.

Volgens mij is het verschil tussen dertien en veertien minimaal. Beelden van onverkwikkelijke worstelpartijen met Allen schoten door mijn geest: hij boven op me in bed, me mijn ondergoed van het lijf rukkend en walgelijke kussen op mijn mond drukkend die ik stijf dicht probeerde te houden. Als 'Nee!' schreeuwen, wegvluchten uit de slaapkamer om troost te zoeken in de armen van mijn moeder, huilen onder het gewicht van zijn lichaam en hem smeken om op te houden niet als protest golden, wat dan wel? Wat ik wist, en wat ik iedereen in die rechtszaal duidelijk wilde maken, was dat ik verkracht was; ook al was ik me er indertijd niet van bewust dat er een woord bestond voor datgene wat Allen met me deed. Pas nadat ik het afgelopen jaar met vertegenwoordigers van politie en Justitie had samengewerkt, had ik geaccepteerd wat er werkelijk was gebeurd. Maar diep in mijn hart wist ik dat Allen, ook al was hem verteld dat hij die dingen met me moest doen en ook al was hem dat door Warren Jeffs verteld, nog altijd zelf ervoor koos me te kwetsen. En toen ik hulp bij Warren had gezocht, deed hij alsof er niets aan de hand was en stuurde me naar huis om berouw te tonen en me aan mijn echtgenoot te onderwerpen.

Bij haar inleidende verklaring maakte Isaacson gebruik van een powerpointpresentatie, compleet met een 'tijdslijn' van mijn huwelijk met Allen. Een van de opschriften luidde: 'Zwanger van Lamonts kind en vertrokken.' Het was duidelijk dat de verdediging probeerde vast te stellen dat ik een overspelige echtgenote was, maar ik was niet van plan te accepteren dat er een duidelijk misleidende voorstelling van zaken werd geprojecteerd. Ik tikte Brock op de schouder en fluisterde dat ze hiermee buiten haar boekje ging. De rechter had bepaald dat de getuigenissen in deze zaak beperkt moesten blijven tot een specifieke tijdsspanne, en nu al lapte ze de regels aan haar laars. Nadat haar vriendelijk was verzocht zich te houden aan de rechterlijke beslissing, rolde Tara met haar ogen en legde met tegenzin een stuk papier over de projector om de woorden af te dekken.

Haar houding was kil en haar uiterlijk onberispelijk. Er was geen haar die niet op zijn plaats zat en haar ogen deden me denken aan de vrouwelijke schurk in een oude *Superman*-film die met haar blik dodelijke laserstralen op haar vijanden kon afvuren.

Na de inleidende verklaringen werd ik als eerste getuige opgeroepen. Ik was nerveus, maar ik dwong mezelf rustig naar de getuigenbank te lopen om beëdigd te worden. Ik deed mijn best om mijn stem niet te laten haperen toen ik beloofde de waarheid en niets dan de waarheid te zullen vertellen, zo helpe me God. Het was ironisch dat ik die eed tegenover God moest afleggen. Ik had God jarenlang de waarheid verteld; nu was het tijd om anderen daar deelgenoot van te maken.

Ik keek naar de volgepakte rechtszaal en zocht oogcontact met mijn echtgenoot. Lamont was mijn anker, de enige echte getuige van mijn tumultueuze afscheid van de FLDS. Terwijl ik mijn verklaring aflegde, luisterde hij verbijsterd toe. Voor het eerst werd hij geconfronteerd met de intiemste en schokkendste details van mijn vorige huwelijk. Hoewel hij allang wist dat ik was misbruikt, had ik altijd geprobeerd bepaalde gedeelten van mijn verhaal onbesproken te laten. Ik wilde niet dat mijn relatie met Lamont bezoedeld zou worden door de schokkende details van dat huwelijk.

De herinneringen kwamen bij me boven toen de openbaar aanklager, Craig Barlow, zijn eerste vragen afvuurde. Hoewel ik me bij hem niet zo op mijn gemak voelde als bij Brock, wist ik dat Craig een zorgzame en vriendelijke man was, met het uiterlijk van een teddybeer en een kalme, prettige stem. Hij had zich op Brocks verzoek enige maanden eerder aangesloten bij het juridisch team. Craig was eigenlijk afkomstig van het bureau van de procureur-generaal van Utah in Salt Lake City, maar zijn succesvolle optreden als aanklager in een eerdere zaak die wel wat van deze weg had, maakte hem tot een waardevolle aanvulling van het team van het Openbaar Ministerie. Ironisch genoeg is deze Craig Barlow verre familie van Lamont, maar zijn kant van de familie had nooit tot de FLDS behoord. Ik vond het wel grappig dat Warren geconfronteerd werd met twee mensen die de achternamen droegen die hij al lange tijd verfoeide: Wall en Barlow.

Craig kleedde zijn vragen zodanig in dat ik me veilig en op mijn gemak voelde. De gemoedelijke toon waarop hij sprak, stelde me in staat iets van mijn verdriet en woede naar de achtergrond te dringen en duidelijke antwoorden te geven. Hij vroeg naar de hoedanigheid waarin ik Warren Jeffs kende. Ik legde uit dat hij mijn schoolhoofd en leraar was geweest op de Alta Academy, later de eerste raadsman en spreekbuis van onze profeet, en uiteindelijk de profeet zelf. Ik wist dat veel van wat ik zei de jury vreemd in de oren klonk en in feite is het dat ook wel. Maar op de een of andere manier vond ik bemoediging in de gezichten van deze onbekenden. Zij waren daar om te luisteren en ik was daar om de waarheid te vertellen.

Toen mijn blik op Warren Jeffs bleef rusten, voelde ik me ongemakkelijk. Hoewel ik hem ook al tijdens de hoorzitting had gezien, bezorgde het me nog steeds een onbehaaglijk gevoel als ik me na al die tijd samen met hem in dezelfde ruimte bevond. Zijn gezicht stond al lange tijd in mijn geest geëtst, een van de vele mentale symbolen van het verdriet dat ik achter me had gelaten. Ik had me op zoek naar troost zo dikwijls tot oom Warren gewend, maar van hem niets dan afwijzing, verachting, straf en verlating ondervonden. Nu was zijn gezichtsuitdrukking precies zoals ik had verwacht: stoïcijns en onbewogen. Deze persoon die voor mij ooit God op aarde had vertegenwoordigd, had zich getransformeerd tot iets totaal anders. Terwijl ik aan het woord was, zag ik dat hij verwoed aantekeningen zat te maken. Ik vroeg me af waarom hij dat deed, maar realiseerde me toen dat hij niet sterk genoeg was om te verbergen hoe ongemakkelijk hij zich voelde bij het aanhoren van de details van wat hij op zijn geweten had. Kennelijk deed hij daarom maar alsof hij druk bezig was.

Craig vroeg me waarin Warren Jeffs me in de loop der jaren had onderwezen. Het viel niet mee om duidelijk onder woorden te brengen hoe een bepaalde geloofsovertuiging je hele geest in beslag kan nemen. Hoe konden zijn woorden en die van zijn voorgangers mijn bestaan zo volkomen hebben beheerst? Ik vertelde over de dagopening, de lessen huishoudkunde en al die uren die ik had doorgebracht met luisteren naar de tapes met preken van oom Warren. Mijn hartslag vloog omhoog terwijl ik vertelde hoe ik door het huis liep met een walkman op waaruit de vlakke, angstaanjagende stem van Warren Jeffs klonk die me vertelde hoe ik mijn leven moest leiden. Ik legde uit dat die tapes ook werden afgespeeld via de geluidsinstallatie in het huis van de Jessops als wij aan het schoonmaken waren. Tijdens mijn verhaal zag ik mezelf weer terug op mijn twaalfde en dertiende terwijl ik aan het vegen of schrobben was of een luier verschoonde, waarbij al die tijd het geluid van die hypnotiserende stem in mijn oren klonk. Als kind had ik niet beter geweten. Nu leek het zo vreemd, zo verwarrend.

Het was vreemd om mezelf over deze gebruiken te horen praten voor een zaal vol mensen die in 'normale' gezinnen, buiten de FLDS, waren opgegroeid. Ik voelde me ambivalent over sommige dingen waarover werd gesproken. Ook al had het opgroeien binnen de FLDS me nog zo beschadigd, ik had nog steeds het gevoel dat er veel goeds school in vele volgelingen van de Kerk. Ik vond het moeilijk en ook wel een beetje gênant om uit te leggen hoe we hadden geleefd, hoe we hadden geleerd, en hoe we elkaar hadden liefgehad, terwijl ik wist dat dit alles voor vrijwel iedereen in de zaal buitengewoon vreemd was. Hoewel ik me realiseerde dat het deel uitmaakte van de zakelijke sfeer in de rechtszaal, bezorgden de onbewogen gezichten van de juryleden me een wat ongemakkelijk gevoel. Ik kon hun gedachten niet lezen en ik probeerde me op Craig Barlow te blijven concentreren zodat ik niet nerveus zou worden.

Er werd me gevraagd uit te leggen hoe kinderen van de FLDS werd geleerd mensen van het andere geslacht te behandelen, en ik antwoordde: 'Als slangen.' Ik vertelde dat als iemand werd gedwongen de gemeenschap te verlaten, men veronderstelde dat dat was omdat hij of zij zich op een 'onzedelijke' manier had gedragen: dat leden van de FLDS, ondanks hun gereserveerde gedrag, zich net als mensen in elke andere samenleving schuldig maken aan roddelpraat en achterklap. Ik probeerde de leden van de jury duidelijk te maken hoe het was om in die wereld op te groeien en ik illustreerde dat door te vertellen dat het een zwaar vergrijp was om op een 'onzedelijke' manier naar een jongen te kijken of hem aan te raken.

Ook moest ik uitleg geven over de drastische verandering in man-vrouwrelaties zodra er werd getrouwd. Ongeacht de leeftijd van beide huwelijkspartners zouden man en vrouw het hun gehele voorechtelijke leven moeten stellen zonder enige romantische of seksuele contacten. Na de huwelijkssluiting kwam daar drastisch verandering in, zoals ik had ervaren. Plotseling, binnen slechts enkele uren, werd er tegen een kind dat helemaal niets van seks wist, gezegd dat het tijd was om met een man naar bed te gaan en een baby te maken. Dat punt werd geïllustreerd door Warrens leerstelling 'barrières omhoog, barrières omlaag'. Vóór het huwelijk hoort een vrouw de 'barrière' in stand te houden, en zodra ze getrouwd is, moet ze de 'barrière' abrupt laten zakken en zich volledig aan haar echtgenoot geven.

Ik begon een beetje te blozen toen me werd gevraagd wat me was geleerd over de vrouwelijke en mannelijke anatomie en over seks. Natuurlijk moest ik vertellen dat we over geen van beide onderwerpen ook maar iets hadden gehoord. Als vrouwen en meisjes eenmaal getrouwd waren, legde ik uit, moesten ze zich volledig aan hun echtgenoot geven en hem in elk opzicht gehoorzamen. Als je dat weigerde, raakte je uiteindelijk je huis, je familie, je gemeenschap en al het andere kwijt.

Terwijl ik in de getuigenbank zat, werden de eerste bewijsstukken overgelegd. Er werden tapes ten gehore gebracht van preken die oom Warren tijdens de lessen op school had gebruikt en ook tapes waar we thuis naar luisterden. Het eerste fragment was van een opname die op 23 november 1997 was gemaakt tijdens een les huishoudkunde, waarin Warren het huwelijksconvenant uit *In Light and Truth* uitlegt. De toon van zijn stem klonk sereen in de rechtszaal, maar de woorden waren net zo verbijsterend als altijd. Toen hij bij het gedeelte kwam waar de bruid haar bruidegom tot 'wettige' echtgenoot neemt, legde hij uit: 'Geef je jezelf volledig aan hem? Dat wil zeggen onvoorwaardelijk en zonder enig voorbehoud. Je moet hem gehoorzamen zoals je de wet gehoorzaamt. Jouw overeenkomst is met God en de profeet. Trouw aan hen druk je uit door gehoorzaamheid aan je echtgenoot te betonen.' De volgende woorden deden me nog steeds pijn, al die jaren nadat ik gedwongen was geweest om met Allen te trouwen. 'Je bent letterlijk zijn eigendom.' En zo was het ook werkelijk geweest.

Opnieuw de keren te beleven dat we bij mijn vader waren weggehaald viel me heel zwaar, maar ik wist dat dit belangrijk was en dus beschreef ik de middag toen we op de Alta Academy uit onze klaslokalen waren gehaald en naar de boerderij van de familie Steed waren gebracht. Ik vertelde ook dat moeder en haar jongste kinderen naar het huis van Fred Jessop waren gestuurd en dat moeder in september met hem was getrouwd, zonder dat haar werd verteld wat haar vervolgens te wachten zou staan. De details van mijn gebroken jeugd kwamen tot leven in aanwezigheid van een zaal vol vreemden. Iedereen luisterde, en de meeste aanwezigen schenen met me mee te leven. Het gaf me een goed gevoel om deze dingen hardop te zeggen en mijn eigen stem te horen terwijl ik de geheimen onthulde die mijn leven zo lang hadden beheerst.

Dag twee van het proces was heftiger. Toen we toekwamen aan het verhaal over mijn bruiloft, kwamen de herinneringen aan al die bittere, moeizame gesprekken weer boven en maakten oude emoties in me los. Er werd me gevraagd uit mijn dagboek voor te lezen en dat deed ik, waarbij ik probeerde mijn stem niet te laten haperen. Nadat ik de twee notities van de avond van 15 april 2001 had voorgelezen – de oorspronkelijke notitie, gevolgd door de aangepaste versie ten behoeve van toekomstige generaties lezers – werd me gevraagd of er nog meer in het dagboek stond.

Ik bladerde even afwezig door de met plaatjes van vlinders versierde pagina's van het dagboek uit mijn veertiende levensjaar. Ik dacht na over wat daar geschreven had moeten staan. Een tienermeisje zou de vertrouwelijke pagina's van haar dagboek moeten volkrabbelen over verliefdheden, problemen met vriendinnen, verwachtingen over de middelbare school. Mijn dagboek was op die twee notities na helemaal leeg. Het was alsof ik nadat ik mijn moeder had horen zeggen dat ik alleen maar positieve dingen in mijn dagboek moest zetten, niets meer te schrijven had. Vanaf die week was mijn gemoedsleven onderdrukt. Hoe kon ik schrijven over mijn diepste gevoelens als ik me moest gedragen als een gehoorzaam priesterschapsmeisje? Zelfs al zou niemand anders hier op aarde de woorden ooit onder ogen krijgen, God zou weten wat ik had geschreven. Mijn gebeden hadden niet geholpen mijn situatie te verlichten. Wat zou het voor zin hebben om er in een dagboek over te schrijven?

Toen ik de middag ter sprake bracht waarop ik Rulon Jeffs thuis had opgezocht, ontstond er een heftig debat over de toelaatbaarheid van bewijs van horen zeggen. De discussie over de vraag of ik wel of niet mocht herhalen wat Rulon tegen me had gezegd, nam zo veel tijd in beslag dat de rechter zo vriendelijk was me te vragen of ik misschien de getuigenbank even wilde verlaten. Als getuige vond ik die hele discussie over bewijs van horen zeggen maar moeilijk te begrijpen. Uiteindelijk besliste de rechter dat mijn weergave van Rulons verstrekkende woorden niet werd beschouwd als van horen zeggen, omdat die diende om vast te stellen hoe indertijd mijn geestesgesteldheid was en niet 'als bewijs ter zake'.

Toen die kwestie de wereld uit was, herhaalde ik tegenover de jury: 'Hij klopte me op mijn hand en zei: "Volg je hart, liefje."' In mijn geest reisde ik terug naar die middag en herinnerde me mijn allesoverheersende gevoel van opluchting, dat helaas maar heel kort duurde. Het was doodstil in de rechtszaal toen mijn stem brak terwijl ik de woorden herhaalde die al mijn hoop de bodem in sloegen, toen Warren Jeffs me vertelde dat ik het hart op de verkeerde plaats had.

Er werd me gevraagd naar mijn reactie toen ik naar huis ging en van oom Fred, mijn nieuwe vader, hoorde dat ik zou gaan trouwen. Craig vroeg: 'Heb je nog andere opties in overweging genomen?'

'Ik had geen andere opties.'

'Was er in Hildale een bushalte?'

'Nee.'

'Had je geen vriendin met een auto die je...'

'Nee.'

'Had je geld van jezelf?'

'Nee.'

'Creditcards?'

'Nee.'

Het waren simpele vragen, voor de hand liggend zelfs. Maar ze waren nodig om vast te stellen dat al deze alledaagse opties die mensen buiten de FLDS als vanzelfsprekend beschouwen, gewoon niet beschikbaar zijn in Short Creek.

'Wat waren je gevoelens toen de jurk werd gemaakt?'

Ik haalde me mezelf voor de geest in de lange, met kant versierde jurk. Ik was als een klein meisje dat zich verkleedde, alleen was het wel verschrikkelijk echt. Ik herinnerde me mijn zus, die bij mijn enkels in de weer was om de zware, smetteloos witte stof te zomen. Ik zag het door zorgen afgetobde gezicht van mijn moeder, de donkere kringen onder haar ogen. 'Dat is een goede vraag,' zei ik, terwijl ik mijn hoofd schudde. Ik probeerde het nog eens. 'Wanhoop. Verraad. Ik werd verraden door de mensen die ik het meest vertrouwde.'

'Waarom voelde je je verraden door Warren Jeffs?'

'Hij ging volkomen voorbij aan wat ik wilde, aan wat ik wist dat belangrijk was.' Dit was in feite de kern van de zaak. Mijn stem was gesmoord, mijn wensen waren genegeerd. Ik was altijd al iemands bezit geweest; nu werd ik gewoon aan een ander doorgegeven.

Tranen welden op in mijn ogen en mijn stem trilde toen ik de foto's bekeek die op het scherm in de rechtszaal werden geprojecteerd. Op de foto's die Kassandra en mijn moeder die avond hadden genomen, was mijn gezicht rood en vlekkerig van het huilen. Ik herinnerde me hun zachte, droevige stemmen terwijl ze me bijna smeekten om te glimla-chen voor het fotoalbum. Nu waren die foto's voor de hele rechtszaal te zien, en ik kreeg weer datzelfde misselijke gevoel dat ik in de kleine uurtjes van die vermoeiende dag in april 2001 ook had gehad.

'Hoe voelde je je toen deze foto werd genomen?'

'Ik dacht steeds... ik voelde me alsof ik me voorbereidde op de dood.' Het mocht voor de aanwezigen misschien dramatisch hebben geklon-ken, maar het was de meest accurate omschrijving die ik kon beden-ken.

'Hoe lang duurde de rit naar Caliente?'

'Veel te lang.' Ik hoorde hier en daar onderdrukt gegiechel op de tri-bune over deze wat kinderlijke reactie. Ik vertelde de jury hoe ik die hele rit naar Caliente panisch was geweest, overweldigd door de simpe-le waarheid: ik kan dit niet. 'Ik kon gewoon niet geloven dat ik me in deze situatie bevond. Ik had het gevoel dat ik volkomen machteloos was.'

Ik voelde een onberedeneerde paniek de kop opsteken en ik moest mijn best doen om mijn zelfbeheersing te bewaren in de getuigenbank. Craig Barlow ging door met vragen stellen, waarbij hij zich nu concen-treerde op de ceremonie zelf. Ik zag mezelf weer in de met kant afgezet-te jurk met mijn opgestoken haar en mijn vlekkerige, betraande ge-zicht en zei: 'Ik kon gewoon niet ophouden met huilen.'

'Wat voor soort tranen?'

'Wanhoop... angst. Ik kon mezelf er niet toe brengen dit te doen.' Ik schoot vol en kon niet verder praten. Ik moest daar weg, even tijd voor mezelf hebben. 'Kunnen we misschien even pauzeren?' wist ik met moeite uit te brengen. Gelukkig werd mijn verzoek ingewilligd.

Na de korte onderbreking nam ik weer plaats in de getuigenbank. Ik vertelde het verhaal van mijn met tegenzin gegeven en nauwelijks hoorbare jawoord en het vluchtige kusje dat ik mijn echtgenoot met moeite had weten te geven na Warrens opdracht dat ik hem moest kus-sen tot besluit van de huwelijksceremonie.

'Waarom deed je dat?'

'Hij was mijn toegangsbewijs tot de hemel. Hij was mijn leider. Mijn toekomst lag bij hem.'

'En had je enig idee wanneer jullie kinderen zouden krijgen?'

'Andere vrouwen trouwden, raakten dan zwanger en kregen negen maanden later een baby.' Het was me indertijd, net als nu, volkomen duidelijk wat er van me werd verwacht. Ik moest trouwen en onmiddellijk beginnen voor nageslacht te zorgen. Kindbruidjes in de FLDS werden niet beschermd tegen de veeleisende en geheimzinnige wereld van de seks, wat er verder ook in de getuigenbank beweerd zou worden.

Er werd een tweede diavoorstelling vertoond in de rechtszaal, en ik zag een opname van het jonge bruidje met de handen voor haar gezicht geslagen. De volgende foto toonde mij en Allen en ons huwelijksnestje bij daglicht. 'Dit was de volgende ochtend,' zei ik, nu weer met een heldere stem. 'Mijn moeder was gekomen om foto's te maken van de versieringen... en van ons.' Ik droeg een roze jurk met een patroon van aardbeitjes. Vervolgens kwam er een foto die mijn moeder had gemaakt, waarop Allen en ik het toonbeeld van jong huwelijksgeluk waren, naast elkaar zittend met zijn arm dapper bezitterig om me heen geslagen.

'Hoe voelde je je op dat moment?' vroeg Craig.

'Als verdoofd. Die foto was geposeerd.'

'Was je ooit eerder fysiek zo dicht bij een jongen geweest?'

'Nee.'

'Hoe voelde je je daarbij?'

'Buitengewoon ongemakkelijk. Ik had dat nog nooit eerder meegemaakt... in zekere zin voelde ik me verdorven. Ik wist dat we elkaar mochten aanraken, maar ik wilde dat nog steeds niet.'

Het volgende bewijsstuk was de papieren zak die ik gedurende mijn huwelijksreis met Allen en de twee andere bruidsparen voortdurend bij me had gehouden. Ik had er een tijdslijn op getekend, om mezelf bezig te houden en mijn handen iets te doen te geven. Voor een buitenstaander zou het erop kunnen lijken dat ik een soort reisjournaal had bijgehouden bij wijze van herinnering, voor bij de foto's. Maar niets was minder waar.

'Waarom heb je dat gedaan?'

'Ik wilde Allens hand niet vasthouden. Het was een manier om bezig te blijven en ook, denk ik... om een soort verslag van de reis te maken.'

Terwijl ik naar de verkreukelde, met data en aantekeningen volgekrabbelde papieren zak keek, werd me plotsklaps iets duidelijk. Nog maar een paar uur daarvoor was me verzocht om voor de jury hardop voor te lezen uit mijn dagboek. Ondanks de paniek en onzekerheid van de avond waarop ik die twee notities had opgeschreven, was ik tot dat moment een over het algemeen redelijk stabiel pubermeisje geweest.

Het ronde handschrift op die met vlinderstickers opgesierde pagina's was typisch voor een tienermeisje – weliswaar enigszins grillig, maar nog steeds beheerst en netjes. Het handschrift op dit zakje leek nauwelijks nog op het mijne. Het was slordig, onbeheerst, paniekerig. De progressie van mijn emotionele instorting was duidelijk af te lezen aan dit simpele contrast tussen beide handschriften.

Ik vertelde de jury hoe Allen me elke avond na terugkeer in het hotel op een seksuele manier bleef aanraken en weigerde daarmee op te houden. Vervolgens beschreef ik de eerste keer dat hij zijn geslachtsdeel aan me liet zien, die afschuwelijke avond in het park. 'Hij zei tegen me dat dat was wat getrouwde mensen deden. "Wil je dan geen kinderen krijgen?" vroeg hij, en ik antwoordde: "Niet met jou."'

De lunchpauze kwam als een welkome opluchting en bood me de gelegenheid weer enigszins tot mezelf te komen. Terwijl ik zonder veel trek iets zat te eten, vlogen mijn gedachten terug naar die eerste afschuwelijke dagen van mijn huwelijk met Allen.

Het kruisverhoor begon direct na de lunchpauze en maakte me nog meer van streek. Waar het Openbaar Ministerie tenminste aan mijn kant had gestaan, probeerde Tara Isaacson me af te schilderen als leugenaarster en aanstelster. Ze liep recht op me af, haar gezicht onbewogen. De andere getuigen werden ondervraagd door Wally Bugden, maar Tara Isaacson ondervroeg mij. Ze wilden niet de indruk wekken dat een man me het leven zuur maakte, en dus gebruikten ze haar om het voor mij gemakkelijker te laten lijken. Maar ik wist wel beter. Met haar vinnige manier van doen en haar ijzige toon was ze intimiderender dan welke mannelijke advocaat dan ook. Het feit dat we allebei vrouw waren en dat zij de man verdedigde die medeverantwoordelijk was geweest voor mijn verkrachting, maakte het soms moeilijk voor haar om me recht in de ogen te kijken. Ze was het schoolvoorbeeld van een bullebak en het kostte me de grootste moeite om mijn boosheid in toom te houden.

Ik wist dat ze zou proberen me een reactie te ontlokken waar ik later spijt van zou krijgen. Daar had het juridisch team me op voorbereid. Ik moest goed nadenken voordat ik een vraag beantwoordde, zodat ik niet in een of andere valkuil zou trappen. Verder moest ik ervoor zorgen dat ik elke vraag helemaal begreep voordat ik antwoord gaf. Terwijl zij nader inging op elk aspect van mijn verhaal, hield ik mijn antwoorden zo kort en bondig mogelijk. Ik wilde dat mijn getuigenis zo duidelijk en efficiënt mogelijk zou zijn.

'Hebt u ooit Warren Jeffs met zoveel woorden verteld over uw seksuele relatie met Allen Steed?' wilde Isaacson weten.

Er heerste een diepe stilte in de rechtszaal terwijl ik nadacht over mijn antwoord. In de visie van deze vrouw had ik dat natuurlijk niet gedaan, omdat ik nooit de woorden 'ik word verkracht' had gebruikt. Maar in mijn hart wist ik dat ik het feit dat Allen me seksueel misbruikte, heel duidelijk aan Warren had overgebracht. 'Ja,' zei ik.

'Heeft Warren Jeffs u ooit met zoveel woorden gezegd dat u zich in seksueel opzicht aan Allen Steed moest onderwerpen?'

Ik probeerde het uit te leggen, maar ze viel me in de rede.

'Ja of nee, mevrouw Wall.'

'Nee.'

'Hebt u een ontmoeting met Warren Jeffs gehad nadat u uit Canada was teruggekeerd?'

Ik wist dat ze dacht dat ze me met haar onberispelijke uiterlijk en zelfverzekerde stem zodanig kon intimideren dat ik mezelf zou gaan tegenspreken. Maar daar trapte ik niet in en ik was niet van plan me in de getuigenbank voor gek te laten zetten. 'Ik heb de jury slechts over één ontmoeting met Warren Jeffs verteld.'

'Maar herinneringen vervagen in de loop van de tijd, nietwaar, mevrouw Wall?' zei ze pesterig. 'Bent u het met me eens dat u zich niet elk woord meer kunt herinneren van elke ontmoeting die u met Warren Jeffs hebt gehad?'

'Mevrouw Isaacson,' antwoordde ik, ervoor zorgend dat mijn stem duidelijk, gelijkmatig en kalm klonk, 'dat was een bijzonder moeilijke tijd voor me. Ik was een doodsbang meisje van veertien.'

'Ik zou graag even terug willen naar wat Warren die dag tegen u zei, dat u het hart op de verkeerde plaats had.'

'Ja.'

'U hebt ons verteld dat Warren Jeffs dat tegen u zei.'

'Dat klopt.'

Ze haalde een document tevoorschijn en legde dat voor me neer. 'Wilt u de regels zes tot en met acht van uw verklaring tegenover de politie even voorlezen.'

Behoedzaam deed ik wat me werd gevraagd. Het liefst was ik opgesprongen om deze vrouw door elkaar te rammelen, haar duidelijk te maken hoe moeilijk het voor me was om deze herinneringen op te halen. Het was alsof ik een doos van Pandora openmaakte en alles naar buiten kwam fladderen. Niet alleen werd ik gedwongen deze pijnlijke details opnieuw onder ogen te zien, er werd ook van me verlangd dat ik uitgebreid verslag deed van al mijn ervaringen. Hoe verward ze er soms ook uit waren gekomen, toen ik ze indertijd voor het eerst vertelde, had ik mijn best gedaan om de waarheid te vertellen. Eventuele tegenstrijdigheden waren uitsluitend te wijten aan zenuwen. Diep in mijn hart wist ik dat ik lang niet het enige slachtoffer van een seksueel misdrijf was dat zich in details vergiste in een voorlopig politierapport.

De verdediging drong verder aan. 'Klopt het dat Warren u en Allen heeft gevraagd of jullie probeerden kinderen te krijgen?'

'Ja.' Ik voelde dat ze me probeerde te breken, probeerde me mijn geloofwaardigheid te laten verliezen. Ik vervolgde: 'Het is alweer een hele tijd geleden... en het was een afschuwelijke tijd voor me.'

'Ik ga u een kopie laten zien van het verslag van dat verhoor. Pagina 204, regels zeventien tot en met twintig. Hij heeft u nooit opgedragen geslachtsgemeenschap met Allen te hebben.'

'In onze gemeenschap werd het woord "geslachtsgemeenschap" niet gebruikt. Hij kon me niet opdragen iets te doen waar we geen woord voor hadden.'

'Hij heeft u gezegd dat u moest bidden, tijd met elkaar moest doorbrengen en dat u van uw echtgenoot moest houden.'

Ik knikte.

Ze verlegde haar aandacht nu naar de relatie met mijn zussen en vroeg me naar mijn gesprekken met Teressa gedurende de dagen voorafgaand aan mijn huwelijk.

'U hebt langdurig met uw zus Teressa gesproken over uw aanstaande huwelijk?'

'Ja.'

'Ze heeft onder meer tegen u gezegd dat u er niet mee door hoefde te gaan.'

'Vrouwen hadden dat soort macht niet,' zei ik.

Daarop nam ze weer plaats aan de tafel van de verdediging en kon ik de getuigenbank verlaten. Toen ik terugliep naar mijn zitplaats en om me heen keek, begon ik me wat ongemakkelijk te voelen. Ik had mijn verhaal gedaan en mijn gevoelens blootgelegd voor de advocaten, de rechter, de jury, Warren... Iedereen wist wat ik had doorgemaakt. Het werkte bevrijdend, maar ik voelde me ook gegeneerd. Ik had enkele van mijn diepste geheimen gedeeld met volkomen vreemden, en toch wist geen van hen wie ik werkelijk was. Er waren vertegenwoordigers van de pers aanwezig, en tot dat moment had ik nog niet met hen gesproken. Ik vroeg me af hoe zij over me dachten. Ik besloot echter te zwijgen.

De volgende ochtend nam ik opnieuw plaats in de getuigenbank om verder ondervraagd te worden door de verdediging.

'Klopt het dat u uw moeder nooit hebt verteld dat u verkracht werd?' vroeg Tara Isaacson op haar scherpe toon.

'Ja,' zei ik, terwijl ik mijn best deed om haar recht in de ogen te blijven kijken.

'Een van de personen in uw leven in die periode was de moeder van Allen Steed.'

'Ik zag haar af en toe.'

'U zei dat ze een engel was.'

Mijn hart ging tekeer. Probeerde ze te insinueren dat ik met mevrouw Steed had kunnen praten over de situatie met Allen? 'Ze was inderdaad een engel,' zei ik, 'maar dat betekende nog niet dat ik haar om hulp had kunnen vragen.'

'Hebt u haar verteld wat er aan de hand was tussen u en Allen?'

'Dat was haar wel duidelijk.'

'U hebt het ook niet aan uw vriendinnen verteld.'

'Dat is toch niet iets waar je met anderen over praat.'

'U had het aan uw vader, Douglas Wall, kunnen vertellen.'

'Nou, om te beginnen,' diende ik haar van repliek, 'wist ik zijn telefoonnummer niet.'

'U had ook broers die vóór uw huwelijk de kerk hadden verlaten.'

'Dat klopt,' zei ik, 'maar ik geloofde in de profeet.'

'Hebt u vóór de plechtigheid met het huwelijk ingestemd?'

Ik schraapte zachtjes mijn keel, gefrustreerd door haar voortdurende insinuaties dat ik in het huwelijk had toegestemd. Na mijn eerdere confrontatie met haar had ik mezelf beloofd dat ik me niet door haar in de hoek zou laten drijven, hoe hard ze dat ook probeerde. Ik keek haar recht in de ogen terwijl ik vastberaden zei: 'Met de grootst mogelijke tegenzin.'

'Warren Jeffs was leraar, hoofd van de school, niet de profeet?'

'Niet in die tijd.'

'U hebt de FLDS eind 2004 verlaten, klopt dat?'

'Ja.'

'Hebt u die boeken en preken meegenomen toen u vertrok?'

'Ja.'

'Wie heeft sinds uw vertrek die banden voor u afgespeeld?'

'Na die tijd heb ik er niet meer naar geluisterd,' antwoordde ik.

Vervolgens veranderde de verdediging plotseling van koers en rekende het me aan dat ik me gedurende de voorafgaande bijeenkomsten met vertegenwoordigers van het Openbaar Ministerie had laten bijstaan door mijn eigen advocatenteam. Ik maakte hun duidelijk dat mijn advocaten Roger en Greg Hoole vandaag in de rechtszaal aanwezig waren en me gedurende het hele juridische traject hadden bijgestaan om me te steunen en ervoor te zorgen dat mijn rechten niet werden geschonden.

Daarna werd ik aan de tand gevoeld over de vele liefdesbriefjes die Allen me tijdens het huwelijk geschreven had. Ik voelde razernij in me opwellen terwijl ze probeerde een rookgordijn op te trekken door me die briefjes te laten voorlezen. Ik wilde haar toeschreeuwen dat geen enkel briefje van Allen, hoe romantisch of attent het er ook mocht uitzien, de verkrachtingen ongedaan kon maken. Op dat moment besefte ik dat de feiten in deze zaak niets aan duidelijkheid te wensen overlieten: ik was veertien, ik was gedwongen tot een huwelijk, en ik was gedwongen seks te hebben tegen mijn wil. En zij gebruikten elk flintertje bewijsmateriaal dat ze maar konden bedenken om dat te verhullen en de zaak te vertroebelen.

30

Het eind is in zicht

Oom Warren heeft niets verkeerds gedaan.
—ALLEN STEED

Nadat ik mijn getuigenis had afgelegd, riep de staat Utah mijn zus Teressa Wall Blackmore op. Ze zag er prachtig uit met haar zachte, blonde haar in een modieuze bob op schouderlengte geknipt. Door haar uiterlijk was het de jury onmiddellijk duidelijk dat zij, net als ik, niet langer onderworpen was aan de strenge beperkingen van de levensstijl waarin we waren opgegroeid.

'Hoe ken je de FLDS?' begon de officier van Justitie zijn verhoor.

'Ik heb er deel van uitgemaakt,' antwoordde mijn zus zakelijk. Net als tijdens de hoorzitting bleven haar antwoorden kort en bondig.

'Wanneer heb je de kerkgemeenschap verlaten?'

'Anderhalf jaar geleden.'

'Ken je Warren Jeffs?'

Teressa's ogen vernauwden zich even terwijl ze antwoordde dat ze hem inderdaad kende, als schoolhoofd van de Alta Academy, als raadsman, spreker op kerkelijke bijeenkomsten, en uiteindelijk als onze profeet. Vervolgens legde ze uit dat een van de centrale begrippen van de FLDS gehoorzaamheid was. 'We zijn opgevoed om onder alle omstandigheden gehoorzaam te zijn. Er werd van ons verwacht dat we "volgzaam bleven" en geen vragen stelden.'

Nadat ze haar periode op de Alta Academy, die duurde van de eerste klas lagere school tot en met de vierde klas van de middelbare school, had beschreven, vertelde ze hoe zij, net als zo veel andere FLDS-meisjes, onder wie ikzelf, van school af moest om te trouwen. Ze beschreef Warren Jeffs' rol op de Alta Academy, niet alleen als hoofd van de school maar ook als leraar, vooral van de bovenbouw. 'Warren gaf alle kinderen les in godsdienst en de geschiedenis van de priesterschap,' vervolgde ze. 'Hij leerde ons dat we volgzaam moesten blijven.'

'Wat vond u van die lessen?'

'Het was frustrerend, want eigenlijk had ik allerlei vragen en die kon ik niet stellen. Diep vanbinnen geloofde ik niet echt, maar ik moest net doen alsof dat wel het geval was.'

Omdat ze al naar Canada was gestuurd, was Teressa niet aanwezig geweest bij de tweede helft van mijn jeugd of onze drastische en plotselinge verhuizing naar het huis van Fred Jessop. Maar ze maakte de jury wel deelgenoot van haar eigen pijnlijke verhaal en vertelde hoe ze weggestuurd was naar Canada en onder druk was gezet om op jonge leeftijd te trouwen.

Vervolgens beschreef Teressa de eerste keer dat ze me in Canada huilend aan de telefoon kreeg, in het voorjaar van 2001.

'En toen hoorde je van het aanstaande huwelijk van Elissa Wall?'

'Ja. Ze was in tranen. Ik maakte me vreselijk zorgen. Maar ik zat in Canada en er was niets wat ik kon doen. Maar zelfs al was ik wel ter plekke geweest, dan had ik nog niets kunnen doen.'

'Wat heb je tegen haar gezegd?'

'Ik heb haar verteld dat ze het niet hoefde te doen.'

'Dus ze had opties?' vroeg de officier van Justitie.

'Zoals ik het zag, had ze de optie om te vertrekken.'

'Had je bepaalde ideeën over hoe ze kon vertrekken?'

'Niet echt.'

Vervolgens vertelde Teressa over de talloze telefoontjes die we tijdens die tumultueuze weken hadden gevoerd. Ook toen al wist ik dat ze niets kon doen om datgene wat me te wachten stond te verhinderen, maar haar telefonische troost was in die beginperiode van mijn tot mislukken gedoemde huwelijk een ware reddingslijn voor me geweest. 'Ik heb de dag na haar huwelijk met haar gepraat,' zei mijn zus.

'Hoe was haar emotionele toestand?'

'Ze huilde... bedroefd, wanhopig, gedeprimeerd.' Teressa schudde even haar hoofd toen ze zich de wanhoop in mijn stem herinnerde. Vervolgens beschreef ze mijn bezoek met Allen aan Canada.

'Heb je die week gesproken over Elissa's relatie met Allen?'

'Ja. Hij betastte haar, deed dingen met haar die ze niet wilde. In de FLDS wisten we niets van seks voordat we trouwden. Dergelijke woorden gebruikten we niet.'

'Hoe gedroeg Elissa zich in de nabijheid van Allen Steed?'

'Ze vond het vreselijk om bij hem in de buurt te zijn. Ze hebben vier of vijf dagen bij ons gelogeerd, misschien een week. Ze was doodsbang voor hem, en afstandelijk.'

'Ben je in de winter van 2002 naar Hildale gegaan?'

'Ja.'

'Was er sprake van een verandering in Elissa's houding?'

'Het was nog erger dan daarvoor. Ze was gedeprimeerd en moe. Ze wilde alleen nog maar de hele tijd in bed liggen. Ze kon niet meer functioneren. Ze was niet meer dan een doodsbang klein meisje. Ik wilde dat ze mee terugging naar Canada om me te helpen met de baby die ik pas had gekregen.' Teressa verhaalde omstandig hoeveel voeten dat in de aarde had gehad, vanaf het vragen van toestemming aan Allen tot aan de frustrerende bijeenkomst met Warren. 'En toen zei Allen eindelijk dat als Warren het goedvond, nou, vooruit dan maar. En toen hebben we binnen tien minuten onze spullen gepakt en zijn vertrokken.'

'Waarom hebben jullie het zo aangepakt in plaats van gewoon te vertrekken?'

'Dan zou Roys familie hem afgenomen worden,' legde ze uit. 'Je moest toestemming hebben voor een reis en voor alles wat je wilde doen. Alles liep via Warren.'

Het kwam niet als een verrassing dat de verdediging geen vragen voor Teressa had. Haar plaats in de getuigenbank werd overgenomen door Kassandra.

'Zou je de leden van het gezin kunnen beschrijven?'

Kassandra onderdrukte een glimlach. 'Allemaal?' vroeg ze ongelovig. 'Mijn vader is Douglas Wall en mijn moeder is Sharon Steed Wall. Ik heb veertien broers en zussen van moederskant. Mijn zus Elissa Wall is tien jaar jonger dan ik.'

Terwijl Kassandra over onze vader sprak, putte ik troost uit de wetenschap dat zowel mijn zussen als ik vaders steun genoten. Hoewel hij niet persoonlijk naar de rechtbank was gekomen om ons met zijn aanwezigheid bij te staan, had hij me opgebeld om me een hart onder de riem te steken. Hij en moeder Audrey hadden mijn zussen en mij te eten gevraagd op de avond vóór het proces en zouden ook de dagen daarop samen met ons en twee van mijn broers, Brad en Caleb, de avondmaaltijd gebruiken. Ik voelde me gesterkt toen ik mijn broers op de publieke tribune zag om me te steunen. Ik was ook moeder Audrey dankbaar. De laatste tijd was ik steeds meer waardering voor haar gaan opbrengen en was ik ook veel meer over ons gezinsleven gaan begrijpen. Het betekende heel veel voor me dat tenminste een van mijn moeders nog deel uitmaakte van mijn leven.

'Heb je je hele leven in Salt Lake City gewoond?' vroeg de officier van Justitie aan Kassandra.

'Ik ben toen ik op mijn negentiende trouwde naar Colorado City verhuisd. Tegenwoordig woon ik in Idaho.'

'Ben je opgegroeid binnen de FLDS?

'Ja,' zei Kassandra met haar zachte, opgewekte stem. Er werden haar vragen gesteld over de Alta Academy en in welke hoedanigheid ze Warren Jeffs kende. Haar verhaal week iets af van dat van mij en Teressa, aangezien zij de middelbare school op de Alta Academy had kunnen afmaken. Vervolgens werd ze in het najaar van 1994 onderwijzeres van de vijfde klas van de lagere school. Terwijl mijn zus sprak over haar tijd als onderwijzeres op Alta, was ik in gedachten weer terug in het klaslokaal daar.

'Het werd beschouwd als een eerzame bezigheid,' zei Kassandra over het lesgeven. 'Warren Jeffs was het hoofd van de school. Alle belangrijke beslissingen werden genomen in overleg met Rulon.'

'Hoe lang heb je daar als onderwijzeres gewerkt?'

'Tot en met september 1995. Toen werd ik uitgehuwelijkt aan Warrens vader, Rulon Jeffs.'

Kassandra's getuigenis ging dieper in op de structuur van de Alta Academy en beschreef enkele aspecten waarover ik alleen maar had gehoord en die ik nooit aan den lijve had ondervonden, aangezien ik veel korter op school had gezeten dan zij.

'Kregen de leerlingen van de Alta Academy les van Warren Jeffs?' vroeg de officier van Justitie.

'Ja. Hij was de belangrijkste leraar. Hij leidde de dagopening. Hij gaf ons wiskunde, scheikunde, aardrijkskunde, geschiedenis, en de geschiedenis van de priesterschap. Elke dag was er godsdienstles. Elk vak was gebaseerd op de geschiedenis van de priesterschap: verhalen over Christus en Joseph Smith.'

'Wat voor lesmateriaal werd er gebruikt?'

'Alles moest worden goedgekeurd door Warren Jeffs. We gebruikten het Boek van Mormon, de Bijbel en andere verhandelingen van profeten uit het verleden. Het vak geschiedenis van de priesterschap stond elke dag op het programma. In de loop der jaren verdween de wereld-geschiedenis en alleen de geschiedenis van de leer bleef over. Warren herschreef het complete leerplan en baseerde het op priesterschapsver-halen. Bij een leesles in de tweede klas werd er bijvoorbeeld gebruikge-maakt van een Bijbelverhaal.'

'Hoeveel van het onderwijs draaide in feite om Warren Jeffs?'

'Aanvankelijk niet zo veel. Maar later steeds meer.'

Kassandra bevestigde wat Teressa en ik hadden gezegd over het be-schouwen van jongens als slangen en legde uit waarom de school uit-eindelijk gesloten werd bij het naderen van de dag des oordeels.

'Wie had de bevoegdheid om te straffen?'

'Warren Jeffs.'

'Wat werd de meisjes bijgebracht over seks?'

'Niets. Zaken als intimiteit tussen man en vrouw moest een meisje leren van haar echtgenoot of van haar ouders. Op mijn negentiende had ik geen idee wat dat inhield.'

'Wanneer kwam je daarachter?'

'Rulon Jeffs vertelde het me nadat ik was getrouwd.'

'Werd het woord "seks" ooit gebruikt?'

'Nee.'

'Wat voor termen werden er dan wél gebruikt?'

'Een... "huwelijksrelatie". Er bestond geen echte term voor.'

Het was prettig om haar woorden te horen, die een bevestiging vormden van wat ik had gezegd. Hoewel ik altijd had geweten dat Kas-sandra's ervaringen overeenkwamen met de mijne, gaf haar steun om de zaak tegen Warren rond te krijgen, me een heleboel vertrouwen. Ik kon de feiten bijna op hun plaats voelen glijden.

'Ben je bekend met het begrip "gearrangeerd huwelijk"?' vervolgde de officier van Justitie.

'Ja. Wij meisjes moesten ons hele leven een barrière ophouden. We mochten ons nooit door een man laten aanraken of een afspraakje ma-ken. Als je kuis en rein was, zou God dat aan de profeet laten weten. We legden onze levens in zijn handen. Er was geen andere manier om een relatie te hebben; wij konden die keuzes niet maken.'

Ze gaf haar antwoorden zonder enige aarzeling. Ik luisterde geboeid terwijl ze beschreef hoe mensen trouwden en wat het huwelijk in de FLDS voorstelde.

'Wat was de rol van de vrouw in het huwelijk?'

'Het hoogst bereikbare voor een vrouw was het moederschap in Zion, het grootbrengen van goede kinderen die trouw waren aan de profeet en nooit zouden twijfelen aan hun priesterschapsleider. Nadat een vrouw was getrouwd, moest ze zichzelf volledig, met lichaam en ziel, aan haar echtgenoot geven. Als er sprake was van een conflict, bad je tot God om de profeet de wijsheid te schenken het op te lossen, maar je mocht nooit de confrontatie met je echtgenoot aangaan.'

Toen de officier van Justitie Kassandra vroeg naar een omschrijving van het begrip 'volgzaam blijven', antwoordde ze: 'Je moet onder alle omstandigheden laten zien dat je gelukkig bent, ook als je je niet op je gemak voelt, ook als het pijn doet. Op die manier overwin je het kwaad in jezelf.'

'Wat was je reactie toen je hoorde over het aanstaande huwelijk van je zus Elissa Wall met Allen Steed?'

'Ongeloof,' zei Kassandra langzaam. 'Ik vond het verschrikkelijk.' Ze beschreef hoe zij en Rachel zich tot Rulon hadden gewend in de hoop dat hij zou ingrijpen, en hoe ze mij had aangeraden oom Fred om twee jaar uitstel te vragen.

'Waarom ben je naar Rulon Jeffs gegaan?'

'Iedereen tot wie we ons gewend hadden met onze zorgen, had negatief gereageerd, en dus ging ik samen met Rachel naar Rulon om hem de situatie uit te leggen en hem duidelijk te maken dat onze zus helemaal overstuur was. Hij begreep de situatie niet goed. Hij wendde zich tot Warren Jeffs en zei: "Ze is pas veertien. Waar is Fred in vredesnaam mee bezig?" En Warren zei: "Nou ja, vanwege zijn staat van dienst zouden we zijn verzoek graag inwilligen." Rulon antwoordde: "Laten we daar nou maar geen haast mee maken."' Dit was een heel nieuwe kant van de zaak, waarvan ik helemaal niet op de hoogte was geweest. Als dit waar was, en het was oom Fred die dit alles had bekokstoofd, waarom had Warren dan niet naar me geluisterd? Hij was de enige die er iets aan had kunnen doen, ondanks Freds vermoedelijke aandringen.

'Hoe voelde je je na die bijeenkomst met betrekking tot de situatie van je zus?'

'Ik had goede hoop.'

Vervolgens concentreerden de vragen zich op het huwelijk zelf.

'Hoe was Elissa's gemoedstoestand de avond voor de bruiloft?'

'Ze huilde. De jurk interesseerde haar totaal niet. Ze was heel emotioneel en bleef maar snikken. We maakten foto's en probeerden haar op te vrolijken.'

Kassandra legde uit dat mijn droefheid nog geruime tijd na die eerste dagen en nachten aanhield. 'De eerste paar maanden was ze heel gedeprimeerd. Ik zag haar in Rulons huis, twee of drie maanden na de bruiloft. Ze vertelde me dat ze daar was voor een afspraak met Warren.'

'En je hebt haar nog gesproken voordat ze weer wegging, nietwaar?'

'Ja. Ze zei: "Kassandra, ik mag niet met mijn zussen praten. Ik word geacht naar huis te gaan en mijn echtgenoot te gehoorzamen." Even daarna zei Warren Jeffs tegen me dat ik haar moest aanmoedigen om gelukkig te zijn met de situatie zoals die was.'

De laatste getuige van de officier van Justitie was Jane Blackmore, de vroedvrouw die zich in Canada over me had ontfermd na de geboorte van mijn dode baby. Het was een slimme zet van de aanklager om Jane te laten getuigen over mijn zwangerschap en de geboorte van de dode baby, zodat de Walls niet overkwamen als de een of andere egocentrische troep zussen die eropuit waren om de profeet om onduidelijke redenen een hak te zetten. Ik was Jane dankbaar voor haar getuigenis; er stond voor haar heel veel op het spel. Haar leven was nauw verbonden met de FLDS, en veel van haar kinderen bleven de sekte trouw. Door zich in het openbaar uit te spreken tegen de Kerk liep ze het risico deze kinderen voor altijd kwijt te raken, maar ze deed het omdat ze vond dat ze dat moest doen.

Na Janes getuigenis werd er een korte pauze ingelast. Het aanklagersteam kwam bijeen in Brocks kantoor in het gebouw naast de rechtszaal. Ze nodigden mij ook uit en we bespraken hoe we nu zouden verdergaan. We besloten dat het Openbaar Ministerie zijn pleidooi zou beëindigen. Er was nog veel meer bewijsmateriaal en er waren ook nog de nodige getuigen die de jury konden vertellen over de FLDS-cultuur, Warren Jeffs en huwelijken van minderjarigen. Maar we kozen ervoor het kort en simpel te houden, en ik had vertrouwen in het Openbaar Ministerie. Ze hadden hun werk prima gedaan. We hadden de waarheid gepresenteerd, en hoewel we ons afvroegen of het genoeg was, gingen we die middag terug naar het gerechtsgebouw en deelden de rechter tot grote verbazing van de verdediging mee dat het openbaar ministerie zijn pleidooi beëindigde.

Hoewel we de verdediging voorzien hadden van een waslijst van namen tegenover de lijst van zevenenzeventig potentiële getuigen die zij hadden overgelegd, vertrouwden de aanklagers erop dat de simpele feiten die ze de jury hadden voorgelegd, genoeg zouden zijn om tot een veroordeling te komen. Ik was teleurgesteld door de aanwezigheid van sommige mensen op de lijst van de verdediging. Ze hadden families tegen elkaar opgezet. Tegenover elke getuige op onze lijst stond een familielid van diezelfde getuige, die tegen hem of haar zou getuigen. De meest verontrustende naam was die van mijn moeder, hoewel ik er vrij zeker van was dat die meer ter intimidatie op de lijst was gezet. Toch stemde het me droevig om te bedenken dat moeder daar misschien wachtte, gekwetst door mijn optreden, een optreden waarvan ik wist dat ze het niet begreep, omdat de priesterschap en zelfs Warren Jeffs haar geest nog altijd stevig in hun greep hadden. Ik was ervan overtuigd dat anderen op haar neerkeken vanwege de slechte dingen die haar kinderen volgens sommigen tegen de Kerk ondernamen, en ik stelde me voor dat zij en mijn zusjes daaronder leden.

Het team van de verdediging had niet verwacht dat we ons pleidooi zo snel zouden beëindigen, en Wally Bugden verzocht om een korte schorsing om zijn getuigen voor te bereiden. Toen we die middag terugkwamen in de rechtszaal, riep hij Jennie Pipkin op, mijn FLDS-vriendin die, samen met haar man, Allen en mij had vergezeld tijdens onze kampeertocht in een poging om Lily op te monteren. Jennie was duidelijk nerveus en haar knie wipte onbedwingbaar op en neer. We keken elkaar even aan en ik zei geluidloos hallo tegen mijn oude vriendin, maar ze wendde onmiddellijk haar blik af. Ik keek meelevend toe hoe Jennie beëdigd werd. Ze droeg een kobaltblauwe pioniersjurk, had haar haar zorgvuldig in een klassieke FLDS-stijl gekapt en had geen spoortje make-up op die de vermoeidheid op haar gezicht zou kunnen camoufleren. Jennie voelde zich duidelijk niet op haar gemak in de getuigenbank.

Het contrast tussen haar verschijning en die van de gezusters Wall moet de jury een schok hebben bezorgd. Zij was de wandelende belichaming van de beperkingen waaraan mijn zussen en ik onderworpen waren tijdens ons leven als FLDS-lid. Maar zodra Jennie begon te getuigen, realiseerde ik me dat zij, evenals haar vrouwelijke medegetuigen, duidelijk instructies had gekregen om zich op die manier te kleden om een indruk van onschuld en wereldvreemdheid te wekken – of, zoals buitenstaanders het zouden noemen, onontwikkeldheid. Maar ik kon me haar niet in andere kleding voorstellen.

Nog doorzichtiger dan Jennies uiterlijke verschijning was de voorbereiding die ze moest hebben ondergaan voordat ze in de getuigen-bank plaatsnam. Dat bleek duidelijk uit de overdreven manier waarop ze de FLDS-leer ophemelde en een verkeerde voorstelling van zaken gaf met betrekking tot het protocol, met name op het gebied van huwelijk en seksuele betrekkingen.

'Hoe oud bent u?' vroeg Wally Bugden haar.

'Zesentwintig.'

'Bent u getrouwd?'

'Ja.'

'Wanneer?'

'Op mijn zeventiende.' Wat volgde was een schokkend en pijnlijk onwaarachtig klinkend verslag van hoe het huwelijk van Jennie Pipkin tot stand was gekomen. 'Ik zette de eerste stap,' verklaarde ze eenvoudig. 'Ik wilde een gearrangeerd huwelijk en ik heb mezelf aangemeld.'

'Kunt u dat alstublieft nader uitleggen?'

'De vrouw geeft aan dat ze wil trouwen,' zei ze, 'en ik wilde mijn vader vragen om voor me te bidden.'

'Had u daar zelf een keuze in?'

'O ja, natúúrlijk,' zei ze met een uitgestreken gezicht.

'En wanneer hebt u zich "aangemeld" voor het huwelijk?'

'Vier dagen nadat ik mijn middelbareschooldiploma in ontvangst had genomen.'

'Wat vond uw vader van uw wens om te trouwen?'

'Hij zei dat hij erover zou nadenken. Hij vroeg me om even iets voor hem te gaan halen, en toen ik weer terugkwam in de kamer, overhandig-de ik hem de telefoon. Ik wilde echt graag dat hij Rulon Jeffs zou bellen.'

'En toen bent u getrouwd?'

'Eh, ja,' zei ze met een glimlachje. 'Warren zei tegen Rulon: "Ik heb hier een jongedame die graag wil trouwen." En Rulon vroeg: "Met wie wil ze trouwen?" Daarop nam de profeet contact op met mijn vader, en mijn vader en ik waren het erover eens dat we dit allebei wilden. Het huwelijk werd de volgende dag gesloten.'

Aanvankelijk voelde ik me een beetje verward terwijl ik naar Jennie luisterde. Ik had gehoord over meisjes die zich bij de profeet aanmeld-den om te trouwen. Het leek me een tegenstrijdigheid dat ze een gear-rangeerd huwelijk had gewild en dat de profeet haar vervolgens had gevraagd met wie ze wilde trouwen. Dat leek me nou niet echt gearrangeerd. Ik was verontrust door Jennies verslag van deze gebeurtenissen en maakte druk aantekeningen op de blocnote die ik op mijn schoot had: 'Jezelf aanmelden, "eerste stap". IK HEB MEZELF NOOIT AANGEMELD!! Mij is nooit gevraagd of ik iemand in gedachten had... Ik heb nooit die "eerste stap" gezet en gevraagd of ik mocht trouwen.'

'Is tijdens uw huwelijksplechtigheid de uitdrukking "Ga nu heen en vermenigvuldig je" gebruikt?'

'Nou ja, dat is een tekst uit de Bijbel,' zei ze. 'Het betekende dat ik kinderen mocht krijgen.'

Onder het spreken vulde Jennie haar waterglas bij, en ik vroeg me af of er misschien sprake was van een onbewuste afleidingsmanoeuvre.

'Was er sprake van een bepaalde verwachting over het moment waarop u kinderen zou krijgen?' vroeg Wally Bugden.

'Nee, dat is de persoonlijke keus van het meisje.'

'En hoeveel kinderen hebt u?'

'Vijf.'

Haar onjuiste bewering dat het de keuze van een meisje was of ze al dan niet seksueel actief wilde zijn, maakte me boos, en dat werd er niet beter op toen ze vervolgens verklaarde dat enige vorm van dwang – ook seksuele dwang – binnen de FLDS niet toegepast of aangemoedigd werd, laat staan binnen een huwelijk.

Toen haar gevraagd werd naar het begrip 'gehoorzaamheid' als plicht van FLDS-vrouwen, antwoordde Jennie: 'Ik zou het niet per se als een plicht willen omschrijven. Een man heeft geleerd en onderwijst zijn vrouw.'

'Is een vrouw verplicht het met haar echtgenoot eens te zijn?'

'Absoluut niet,' zei Jennie op uitdagende toon. 'Dat zou hypocriet zijn.' Ze nam weer een slokje water. 'Stel dat hij gek werd of zo?' Mij hield ze niet voor de gek met haar retorische verklaring, en ik bestudeerde de gezichten van de juryleden om vast te stellen of zij er hetzelfde over dachten. Een paar glimlachten, maar Jennies nerveuze lichaamstaal scheen haar woorden te weerspreken.

'Was het gebruikelijk dat een man zijn echtgenote elke dag opdroeg wat er gedaan moest worden?'

Jennie lachte nerveus en antwoordde toen: 'Nee, natuurlijk niet.'

'Wordt het als een slechte zaak beschouwd als een vrouw de baas is in huis?'

'Nee,' antwoordde ze vastberaden. 'Ik doe wat ik wil, of we het nu met elkaar eens zijn of niet.'

Ik was geschokt door haar verklaring. In haar wanhopige poging een punt te scoren voor de verdediging, verloochende ze diverse grondbeginselen van de FLDS.

'Kunt u ons iets vertellen over het gezag van de echtgenoot en het recht van de vrouw om nee te zeggen?'

'Als zij het gevoel heeft dat iets verkeerd is, hoeft ze het niet te doen,' zei Jennie op afgemeten toon, en weer nam ze een slokje water.

'Hebt u dat van Warren Jeffs geleerd?'

'Ja, dat heb ik van Warren Jeffs geleerd en van andere kerkvaders vóór hem.'

Hoe meer ik hoorde, hoe geagiteerder ik werd, maar ik werd pas goed nijdig toen Jennie een volkomen verkeerde voorstelling gaf van mijn relatie met Allen.

'Hebt u Allen en Elissa wel eens samen gezien nadat ze getrouwd waren?'

'Jazeker.'

'Hoe gedroeg Elissa zich ten opzichte van Allen?'

'Ze deed lelijk tegen hem. Tijdens een uitstapje naar St. George kocht hij een keer een grote bos rode rozen voor haar en nog steeds behandelde ze hem als oud vuil.'

Ik kon me dat uitstapje naar St. George eerlijk gezegd niet herinneren en ook de rozen niet. Maar ik dacht: nou ja, nogal logisch, hij kwetste me. Iemand die gekwetst wordt, bijt van zich af.

'Was er geen sprake van een kampeertocht?' vroeg Wally Bugden, verwijzend naar de tocht waarbij ik de opdracht had gekregen Lily op te vrolijken.

'Ja, en ze waren allebei voortdurend aan het glimlachen.'

'Ze maakten een erg gelukkige indruk?'

'Ja, er was iets veranderd.'

'Was Elissa afstandelijk?'

'Nee, ze liet me een negligé zien dat ze gekocht had. Ze was helemaal opgewonden; het was beeldig. Ze leken een goed contact met elkaar te hebben.' Terwijl ik terugdacht aan die tocht, kookte ik van woede over de manier waarop Jennie die beschreef. Ik herinnerde me hoe gefrustreerd en ongemakkelijk ik me de hele tijd had gevoeld, en ik kon gewoon niet geloven dat ze dat zou willen ontkennen. We wisten allebei dat ik in een positie was gemanoeuvreerd waarin ik alle aanwezigen dat negligé moest laten zien, omdat Allen het me in het bijzijn van iedereen had gegeven. Maar ik probeerde mijn boosheid ten opzichte van haar in bedwang te houden in het besef dat ze onder druk stond.

Jennie vertelde over het stuklopen van haar huwelijk, waarbij ze benadrukte dat Warren Jeffs had toegestemd in een ontbinding toen het duidelijk was dat het niet meer ging tussen Jonathan en haar. Ik was woedend dat zij wél een ontbinding had gekregen, vooral toen ze haar ontmoeting met Warren beschreef; ze had dezelfde termen gebruikt als ik toen ik mijn problemen met Allen aan hem voorlegde. Ik schreef Brock een briefje met de woorden: 'Heb ik niet precies hetzelfde tegen hem gezegd? Mij heeft hij geen ontbinding gegeven!'

Haar kruisverhoor irriteerde me eveneens. Ze beschreef hoe ze in een oude preek een passage tegenkwam waarin gesteld werd dat het de taak van de vrouw was om haar man uit te nodigen tot het hebben van echtelijke betrekkingen. Op dat moment veranderde haar kijk op haar eigen rol.

'En zou het consequenties hebben als u hem op seksueel gebied niet ter wille was?'

'Nee.'

'Is het voorgekomen dat u niet wilde en dat het vervolgens toch gebeurde?'

'Jawel. Maar alleen als ik er eerst mee instemde.'

'Was u zich ervan bewust dat er in de FLDS echtgenoten waren die geweld gebruikten?'

'Nee. Geweld gaat in tegen ons geloof.'

Toen de aanklager naar onze gezamenlijke kampeertocht informeerde, probeerde hij aan te tonen dat ik me die week ondanks mijn verdriet volgzaam had opgesteld, zoals me altijd was voorgehouden.

'Hebt u ooit wel eens gehoord van de uitdrukking "volgzaam zijn"?' werd haar gevraagd.

'Ik heb ervan gehoord, jawel, maar het is geen centraal thema.'

Van al haar verklaringen vond ik deze het schokkendst. Het was Rulons favoriete uitdrukking en die had hij bij alle mogelijke gelegenheden gebruikt. Hij stond zelfs afgedrukt in het programmaboekje bij zijn begrafenis. 'Blijf volgzaam, wat er ook gebeurt. Dat is een zaak van leven of dood.'

'Een van de principes is dat je ook als je innerlijk lijdt, volgzaam blijft, glimlacht en doet alsof je gelukkig bent, toch?' vroeg de aanklager.

'Dat kan het zijn als je ervoor kiest te glimlachen,' antwoordde ze.

'Warren Jeffs is de profeet?'

'Ik verkies het hem als zodanig te beschouwen, ja.'

'Hebt u ooit gehoord van het lied "We Love You, Uncle Warren"?'

'Nee, dat lied heb ik nog nooit gehoord.'

Nadat ze haar getuigenis had beëindigd, liep Jennie Pipkin terug naar haar plaats. Ik vond het vreselijk dat mijn oprechte vriendschap met haar was misbruikt om mij in diskrediet te brengen.

Er volgden nog enkele FLDS-vrouwen en hun echtgenoten met verhalen over gelukkige huwelijken, Warrens rol als liefhebbende raadgever, en onjuiste beschrijvingen van de leer en de verwachtingen van de Kerk. De voor mij pijnlijkste getuigenverklaring was die van mijn goede vriendin Joanna.

Ze was een oudere zus van mijn vriendin Natalie, en na mijn huwelijk werd er ook voor haar een huwelijk gearrangeerd. We hadden een band met elkaar gekregen dankzij onze overeenkomstige ervaringen. Het verbaasde me dat de verdediging haar als getuige opriep, omdat ik geloofde dat haar huwelijk in veel opzichten op het mijne had geleken. Interessant genoeg ging haar getuigenverhoor niet over haar problemen; het ging er uitsluitend over hoe Warren haar had begeleid om geluk in haar huwelijk te vinden. Toen haar gevraagd werd naar haar relatie met mij, zei ze dat we elkaar vaak hadden opgezocht om te klagen over onze problemen met onze gearrangeerde echtgenoten. Maar direct daarna vertelde ze hoe gelukkig zij en haar echtgenoot nu waren dankzij oom Warren. Haar verslagen van haar ontmoetingen met Warren naar aanleiding van haar ongelukkige huwelijk verschilden aanzienlijk van de verhalen die ik me herinnerde van de keren dat we troost bij elkaar hadden gezocht.

Zelfs na haar getuigenis wilde ik haar nog omhelzen tijdens een van de pauzes en ik voelde me gesterkt toen ze me toefluisterde: 'Het spijt me. Ik weet dat jij wel beter weet.'

Op 19 september nam mijn ex-echtgenoot, Allen Steed, plaats in de getuigenbank. Tijdens zijn getuigenis werd ik overmand door een dubbel gevoel, van walging en medelijden. Evenals Jennie was hij duidelijk geïnstrueerd om een ongekunstelde indruk op de jury te maken, en hij verscheen in een ongestreken denimoverhemd en vrijetijdsbroek. Ik wist dat Allen heel wat pakken had; ik had ze in zijn kast in de stacaravan zien hangen. En hij wist dat het gepast was om zich in de rechtszaal wat formeler te kleden. Het handjevol FLDS-sympathisanten dat elke dag naar de rechtszaal kwam om hun steun aan Warren te betuigen, was gekleed in zwart pak en stropdas.

Allen zag er zeer timide uit, alsof hij op het punt stond in te storten. Zijn gedweeë, onderdanige houding stond me tegen. Ik was er niet zeker van of hij komedie speelde of dat hij in de jaren sinds ik bij hem weg was gegaan zo deerniswekkend was geworden. De glazige blik in zijn ogen deed me denken aan de blik op het gezicht van mijn moeder toen de FLDS-indoctrinatie elke andere gedachte uit haar geest had verdreven. Net als veel andere aanwezigen was ik geschokt toen Allen, voordat zijn verhoor in aanwezigheid van zijn advocaat begon, op zijn rechten werd gewezen. Hij was formeel nog niet in staat van beschuldiging gesteld wegens enig misdrijf, maar door plaats te nemen in de getuigenbank zag hij af van het recht om te zwijgen over zijn rol in de gebeurtenissen.

Tijdens zijn verhoor sprak Allen zo zacht dat hij bijna niet te verstaan was, en de rechter moest hem herhaaldelijk verzoeken om harder te praten. Aanvankelijk leek het alsof zijn zenuwen hem de baas waren geworden toen hij een reeks pro-FLDS-verklaringen afraffelde en de jury voorhield dat we in feite een goed huwelijk hadden. Terwijl ik naar hem zat te luisteren, flitste er een beeld door mijn geest: Allen en ik in de stacaravan tijdens een van de pijnlijke avonden waarop hij me dwong seks met hem te hebben. Het was min of meer een schok voor me om hem hier te zien, maar toen drong het tot me door wat hij aan het doen was. Hij moest een goede indruk maken op de profeet, net als alle anderen. Anders kon hij nergens meer heen. Ik voelde een scheut van medeleven voor Allen; dit was waarschijnlijk een ultieme poging om een nieuwe echtgenote toegewezen te krijgen en opnieuw de weg naar de hemel in te slaan. Hij was bereid zich voor Warren in het zwaard te storten. Tijdens dit proces was ik er al diverse malen getuige van geweest dat Warren anderen tot zondebok probeerde te maken, zoals hij nu ook met Allen deed. In een poging zijn onschuld te bewijzen had hij de schuld bij mijn moeder, oom Fred, mijn zussen, mijn vader en zelfs bij mij gelegd. Daarmee toonde hij aan dat hij bereid was een ander de gevangenis in te laten draaien om zijn eigen vrijheid te herwinnen.

'Elissa Wall was uw echtgenote, is dat juist?'
'Ja.'

'Bent u familie van haar?'

'We hebben dezelfde grootvader. Niet dezelfde grootmoeder,' zei hij, alsof dat detail onze situatie rechtsgeldiger of gerechtvaardigder maakte.

De verdediging stelde vast dat Allen en ik elkaar hadden gekend en elkaar van tijd tot tijd hadden gezien in het huis van oom Fred in Hildale.

'Hoe kon u het met elkaar vinden vóór het huwelijk?'

Om de een of andere reden verwachtte ik min of meer dat Allen zou toegeven dat hij me gemeen had behandeld en een nare plaaggeest was geweest. In plaats daarvan antwoordde hij: 'Ik had niet zoveel contact met haar, dus...' De jury moest daar maar uit opmaken dat we elkaar nauwelijks hadden gekend.

'Hebt u als jongeman wel eens afspraakjes gemaakt?'

'Absoluut niet.'

'Ging u wel eens dansen?'

'Af en toe, meestal met mijn zussen.'

'Hebt u wel eens gezoend?'

'Nee, meneer.'

Vervolgens werd Allen gevraagd zijn interpretatie van een gearrangeerd huwelijk te geven.

'Ik geloof dat er een God in de hemel is die op de aarde neerkijkt. Hij ziet zijn kinderen en besluit wie er met elkaar moeten trouwen. Dat laat hij de profeet weten, en die brengt vervolgens de huwelijkspartners bij elkaar.' Ik voelde een rilling langs mijn ruggengraat trekken.

'Begreep u dat er iets onwettigs of verkeerds was aan uw huwelijk, omdat jullie dezelfde grootvader hadden?'

'Nee,' antwoordde Allen op fluistertoon. Inmiddels werd zijn getuigenis keer op keer onderbroken. Hij was zo nerveus dat zijn stem voortdurend wegzakte en er werd hem voortdurend gevraagd om te herhalen wat hij zojuist had gezegd.

'Vertelt u eens, hebt u Elissa een aanzoek gedaan?'

'Ik geloof van wel. Ja, meneer.'

Ik begon steeds geagiteerder te raken. Tot op dit moment was Allens getuigenis een aaneenrijging van verkeerde voorstellingen en op zijn best halve waarheden. Met deze verklaring begon hij een verhaal af te steken ten gunste van Warren Jeffs. Er was nooit sprake geweest van iets wat ook maar op een aanzoek leek. In feite was het hele idee dat een man een vrouw ten huwelijk zou vragen in strijd met het principe van het gearrangeerde huwelijk. Dat gebeurde gewoon niet binnen de FLDS. Toch bazelde Allen maar door.

Toen onze huwelijksdag ter sprake kwam, werd Allen gevraagd om zijn gevoelens te beschrijven en de discrepantie tussen die van hem en die van mij was schrijnend.

'Ik kan me daar niet zo veel meer van herinneren; je zou kunnen zeggen dat ik in de wolken was.'

'Was u opgewonden?'

'Heel erg. Jawel, meneer.'

Zijn glimlach en de vreemde blik in zijn ogen deden me bijna kokhalzen.

'Wist u hoe mannen en vrouwen kinderen maken?'

'Niet echt,' antwoordde hij. Toen onze huwelijksreis ter sprake kwam, bleef Allen de details verkeerd voorstellen.

'Begon u zich inmiddels wat meer op uw gemak te voelen in elkaars gezelschap?' vroeg Bugden.

'Dat zou u kunnen zeggen.'

'Was er sprake van omhelzingen?'

'Ja.'

'Kuste u elkaar?'

'Ja.'

Doe me een lol, dacht ik woedend. Dat gelebber nadat ik was uitgedaagd om hem voor honderd dollar een kus te geven, kun je toch zeker geen echte kus noemen.

'In het openbaar of binnenskamers?'

'Meer binnenskamers.' Natuurlijk zei hij dat om de indruk te wekken dat ik in het openbaar koel tegen hem deed en me anders gedroeg als we samen waren. Als het erom ging wat er zich in de slaapkamer had afgespeeld, was het zijn woord tegen het mijne, en dat was de beste strategie die Allen kon kiezen. Wat er volgde was een volkomen onjuiste voorstelling van zaken over hoe Allen en ik samen seks hadden ontdekt, waarbij hij beweerde dat we de eerste drie maanden van het huwelijk helemaal geen intiem contact hadden gehad en dat hij me in het park alleen maar zijn geslachtsdeel had laten zien om te bewerkstelligen dat ik me wat meer op mijn gemak zou voelen bij hem.

Toen hem gevraagd werd om onze eerste geslachtsgemeenschap te beschrijven, sneed Allens reactie als een mes door me heen. 'Ze maakte me wakker en vroeg of ik van haar hield,' vertelde hij. 'Ze ging tegen me aan liggen, vroeg me om haar op de rug te krabben, en van het een kwam het ander. Ik had het gevoel dat ze eraan toe was om verder te gaan.'

Terwijl hij dat zei, begon ik de symptomen van een klassieke paniekaanval te voelen; de druk en het verdriet hadden zich in me opgehoopt en het aanhoren van deze verdraaide interpretatie van het seksuele contact met Allen was te veel voor me. De tranen rolden over mijn wangen, die gloeiden van frustratie. Ik raakte buiten adem en mijn schouders schokten door mijn pogingen om mijn snikken te onderdrukken. Plotseling voelde ik een hand op mijn schouder. Toen ik opkeek, zag ik het vriendelijke gezicht van de geüniformeerde vrouwelijke gerechtsbode.

'Wilt u misschien even naar buiten?' fluisterde ze. Ze vond het antwoord in mijn smekende blik. Ik wist niet zeker of ik de rechtszaal tijdens het getuigenverhoor wel mocht verlaten en ik was haar dankbaar omdat ze had opgemerkt hoe beroerd ik me voelde en me een uitweg bood. Ik kwam overeind van mijn stoel op de tweede rij van de publieke tribune en volgde haar naar een lege rechtszaal, waar Lamont en Roger zich even later bij me voegden.

De verdediging probeerde me het etiket van leugenachtige, overspelige vrouw op te plakken. Vóór het proces had ik echt iets van medeleven voor Allen gevoeld. Hij was zowel slachtoffer van Warrens macht als dader, maar na het aanhoren van Allens interpretatie van ons huwelijk was elk gevoel van wroeging verdwenen. Ik was woedend over zijn grove onbeschaamdheid en zijn onwil om de verantwoordelijkheid op zich te nemen voor wat hij had gedaan. Uit zijn houding en toon bleek duidelijk dat hij zich totaal niet schaamde voor de manier waarop hij me had behandeld en voor de misdrijven die hij had begaan tegenover een veertienjarig meisje.

Terwijl ik me buiten de rechtszaal bevond, getuigde Allen over de gesprekken die hij met Warren had gevoerd en waarin hij hem om advies had gevraagd, waarbij hij vertelde dat Warren hem had opgedragen ervoor te zorgen dat ik van hem zou gaan houden, zodat ik hem uit liefde zou gehoorzamen. Hij zei ook dat Warren hem had aangeraden om 'het rustig aan te doen'.

'Het was een moeizame weg, maar uiteindelijk leerden we van elkaar te houden,' vertelde hij het hof.

Allen gaf toe dat hoe graag hij ook wilde geloven dat hij de baas was in het huwelijk, dat beslist niet het geval was. 'Ik probeerde besluiten te nemen met wijsheid en liefde, maar dikwijls hield ik mijn besluit voor me omdat ik wist dat er verzet zou komen.

'Als ze besloot iets te doen en ik wilde dat niet, dan deed ze het toch,' mompelde Allen. Hij vertelde het hof zelfs dat ondanks het feit dat ik hem meed en hij geruchten had gehoord dat ik een relatie had met iemand anders, het nooit bij hem was opgekomen Warren om ontbinding van het huwelijk te vragen.

Toen ik me eindelijk weer kalm genoeg voelde om terug te gaan naar de rechtszaal, begon Craig Barlow net aan zijn kruisverhoor van Allen. Ik was blij dat ik was teruggekomen, want het was zeer bevredigend om er getuige van te zijn hoe de aanklager geen spaan van Allen heel liet. Al toen hij door de verdediging werd ondervraagd, had Allens getuigenis zwak en ongeloofwaardig geklonken. Nu hij onder druk werd gezet door de aanklager, begon hij steeds vaker te haperen. Hij zat klem door zijn valse getuigenis en het patroon van bedrog waarvoor hij had gekozen om zijn profeet te beschermen. Nog voordat Craig Barlow zijn eerste vraag had kunnen stellen, flapte Allen er uit: 'Oom Warren heeft niets verkeerds gedaan.'

Craig keek Allen met een geamuseerd glimlachje aan en deelde hem mee dat de getuige normaal gesproken wacht tot er een vraag wordt gesteld voordat hij antwoord geeft. Allens merkwaardig getimede loyaliteitsverklaring aan Warren Jeffs wekte meteen de indruk dat hij alles voor zijn profeet zou doen, zelfs liegen.

Craig begon met vast te stellen dat Allens bewering over zijn motief achter het ontbloten van zijn geslachtsdeel in het park belachelijk was. Vervolgens vroeg hij: 'Hoe praatte u over seks met haar? Welk woord gebruikte u ervoor?'

'We noemden het "in-en-uit".'

Mijn mond viel open en ik werd misselijk van woede. Hij leek dat gewoon ter plekke te verzinnen, en het begon hoe langer hoe gekker te worden. We hadden nooit iets 'in-en-uit' genoemd. Er viel een stilte in de rechtszaal terwijl de toehoorders kennelijk probeerden te bevatten wat hij zei. Zelfs Craig Barlow gaf blijk van zijn verbazing door het soort vraag dat hij stelde na Allens belachelijke bewering. 'Dus als u het wilde doen, zei u "Laten we in-en-uit doen"?'

'Ja, meneer,' antwoordde hij. Op dat moment was het enige wat bij me opkwam dat Allen de verpersoonlijking van een griezel was, en ik nam me heilig voor nooit meer bij een In-N-Out Burger te eten.

Allen struikelde over zijn woorden toen hij beweerde dat ik hem, in een poging om te voorkomen dat ik zwanger zou raken, dringend had verzocht 'niet bij me naar binnen te gaan'.

Het was Craig duidelijk dat ik indertijd geen toegang had tot dergelijke informatie met betrekking tot de conceptie, en dat ik ook dat soort uitdrukkingen niet zou gebruiken. En bovendien, als leden van de FLDS uitsluitend geacht werden geslachtsgemeenschap te hebben met de bedoeling zich voort te planten, was zijn getuigenis hypocriet.

Allen begon zich tijdens de rest van zijn kruisverhoor zo onbehaaglijk te voelen dat hij op een gegeven moment vroeg of hij mocht gaan staan, omdat hij zich dan meer op zijn gemak zou voelen. Het was een vreemd verzoek, en in de rechtszaal was sprake van enige geamuseerdheid en verwarring. Ik vond het pijnlijk en gênant om hem zo in de weer te zien. Ik schudde mijn hoofd, vol ongeloof dat ik ooit met deze merkwaardige man 'getrouwd' was geweest. Na zijn getuigenis werden mijn eigen overpeinzingen bevestigd door de commentaren van mensen die zich ophielden in de hal buiten de rechtszaal. Ik hoorde iemand Allen al Forrest Gump noemen.

Nadat hij uit de getuigenbank was gestapt, zakte zijn gekreukte broek een beetje af terwijl hij naar de uitgang van de zaal liep. Uit de manier waarop hij zijn schouders liet hangen, bleek dat hij wist dat hij gefaald had in zijn pogingen om de profeet te redden. Ik wist dat de verdediging Allen gebruikt had als toonbeeld van een vriendelijke, verwarde jongeman wiens hart gebroken was door een onbezonnen tienerbruidje. Uiteindelijk bleek Allens getuigenis meer kwaad dan goed te hebben gedaan. Zelfs als zijn woorden geloofwaardig waren geweest, had zijn gedrag – zijn gemompel, zijn verzoek om tijdens zijn getuigenis te mogen staan, zijn nervositeit – de juryleden bepaald niet voor hem ingenomen. Het was alsof hij het eerste zei wat er in hem opkwam, en hij was er nauwelijks in geslaagd ook maar iets te verduidelijken.

Ik vertrouwde erop dat de aanklager er uitstekend in was geslaagd de vele hiaten in zijn verklaring bloot te leggen, maar in mijn achterhoofd bleef ik toch een vage angst koesteren dat de jury op de een of andere manier zijn en Jennies versie van ons huwelijk zou geloven in plaats van de mijne. Ik wist dat ik de waarheid aan mijn kant had, maar voor het eerst vroeg ik me af of dat wel genoeg was.

31

Ik ben vrij

Ja, die diepe kuil die gegraven is voor de verdelging van de
mensheid, zal gevuld worden door hen die hem gegraven hebben.
– Het Boek van Mormon

Gedurende het hele proces bleef Warren Jeffs onbewogen zwijgen en
zag hij af van zijn recht om zichzelf te verdedigen. Soms staarde hij de
getuige strak aan, maar meestal zat hij koortsachtig aantekeningen te
maken op de blocnote die voor hem lag. Zijn zwijgen vormde zijn enige verklaring. Aan het begin van het proces was Warren opgestaan met
een blocnote in zijn hand en had hij geprobeerd het woord rechtstreeks
tot de rechter te richten. Maar indertijd bestond er twijfel aan zijn
competentie en er werd hem te verstaan gegeven dat alle communicatie via zijn advocaten diende te verlopen. Hij maakte nu deel uit van
een systeem waarin hij zich aan de wetten van het land diende te houden. Op dat moment werd hij onmiddellijk omringd door zijn advocaten en staakte hij zijn poging om datgene voor te lezen wat hij op
schrift had gesteld.

Later publiceerde een krant een foto van het vel papier waarvan hij
probeerde voor te lezen, en daarop waren enkele woorden te zien die
erop zouden kunnen wijzen dat Warren toegaf dat hij niet de profeet
was. Het deed me genoegen dat de man die zich ooit de absolute macht
over een gemeenschap, en over mij, had toegeëigend, vernederd werd
door dezelfde wetten die hij verkoos te negeren.

Vrijdagochtend werden dan eindelijk de slotpleidooien gehouden.
Het had meer dan een jaar geduurd om dit laatste stadium te bereiken,
en ik was klaar om er een punt achter te zetten. Het was nu aan de jury
om over Warrens lot te beslissen. Brock Belnap had zich tijdens de verhoren enigszins op de achtergrond gehouden, zich bewust van onze

sterke positie en bescheiden genoeg om dat gedeelte van het proces aan Ryan Shaum en Craig Barlow over te laten. Nu stond Brock op voor zijn slotpleidooi, waarbij hij zich tot de jury richtte met een krachtige, oprechte en gedetailleerde verklaring. Liever dan zijn aanvallen op Warren te richten, wat een koud kunstje zou zijn, zette hij nogmaals simpelweg de wet uiteen: 'Heeft deze man, Warren Steed Jeffs, iemand anders aangespoord, verzocht, opgedragen, aangemoedigd of geholpen om geslachtsgemeenschap te bedrijven met een andere persoon zonder toestemming van het slachtoffer, mevrouw Wall? Dat is het enige waarover u zich hoeft uit te spreken.' Hij liet een korte stilte vallen. 'Dit is geen religieus proces,' zei hij. 'U hoeft alleen maar te beslissen of wat in de wet wordt beschreven, hier ook werkelijk is gebeurd.

We hebben aangetoond dat Elissa Wall alleen maar die slaapkamer binnen ging en seksuele gemeenschap had met Allen Steed omdat de gedaagde haar voorhield dat dat was wat er van haar werd verwacht,' zei Brock tegen de juryleden, terwijl hij naar Warren Jeffs wees. 'Als Warren Jeffs die huwelijksplechtigheid niet had voltrokken, zou Allen Steed dan ooit seksuele gemeenschap met Elissa Wall hebben gehad? Als Warren Jeffs dat huwelijk niet had gearrangeerd of haar tot Allens vrouw had verklaard, zou zij dan seksuele gemeenschap met hem hebben gehad? Hij plaatste haar in een positie waarin ze geen keuze had.'

Hoewel Brocks pleidooi krachtig en overtuigend was, vroeg ik me af hoe de juryleden erover zouden denken. Het viel onmogelijk te zeggen wat er in hen omging en wat ze uiteindelijk zouden beslissen.

Als ik nog een greintje respect zou hebben gehad voor Wally Bugden, dan verdween dat binnen enkele minuten nadat hij aan zijn bijna twee uur durende slotpleidooi was begonnen. Hij deed het voorkomen alsof het Openbaar Ministerie aan godsdienstvervolging deed en schilderde Warren af als slachtoffer daarvan. Opnieuw probeerde hij mij te portretteren als de agressor. 'Ze is echt niet zo'n bedeesd typetje,' merkte hij op. Hij haalde het medisch dossier tevoorschijn dat Jane Blackmore over me had opgesteld en zei: 'Laat me u iets over Elissa Wall vertellen wat u nog niet wist.'

Er viel een stilte in de rechtszaal. Ik had geen idee wat hij naar voren zou gaan brengen en ik zette me schrap voor deze onverwachte presentatie. 'In haar medisch dossier zijn de volgende items aangekruist: voeding, alcohol, drugs, medicijnen en vitaminen, roken voorafgaand aan de zwangerschap en roken tijdens de zwangerschap.'

Verbijsterd keek ik Brock aan. Hoe kon de verdediging me afschilderen als een monster door met een lijst met leugens te komen? De rechter laste een pauze in, waarin ik me met tranen van woede in mijn ogen tot Brock wendde. Ik voelde me misbruikt. Ik had geen idee hoe ze die beweringen over mij verzameld hadden en ik zocht op Brocks gezicht naar een antwoord.

'Maak je geen zorgen, Elissa,' zei hij zachtjes tegen me. 'Alles is onder controle.' Ik knikte.

Brock stond op om een reactie te geven. 'Ik ga iets doen wat volkomen tegen mijn aard in gaat,' begon hij, en ik keek verbijsterd toe hoe Brock gepassioneerd en emotioneel een verklaring aflegde. Tegen de tijd dat hij was uitgesproken, waren mijn respect en genegenheid voor hem alleen nog maar toegenomen. Hij hield het medisch dossier omhoog dat Bugden had geprobeerd tegen me te gebruiken, zodat de jury het goed kon zien, en wees met zijn vinger op drie woordjes boven die lijst met aangekruiste vakjes: 'Niet van toepassing.' Onmiddellijk klonk er druk geroezemoes in de rechtszaal. Toen het weer stil werd, ging Brock verder.

'Ik zal u dit vertellen,' zei hij tot besluit. 'Wie het ook is – een predikant, een boeddhist, een vriend, een ouder – als hij dit met een jong meisje heeft gedaan, hoort hij hier ook zitten.' Het was een geweldig moment, omdat dit niet alleen om mij ging, en het was er ook niet alleen om begonnen Warren neer te halen. Het was niet slechts een met veel publiciteit omgeven proces met een pluim op de hoed van de aanklagers. Wat Brock deed, was gewoon pal staan voor de wet en voor datgene wat naar de overtuiging van de aanklagers juist was. Hij verdedigde niet alleen mijn eer, maar die van elk jong meisje in de staat Utah.

De jury had veel te beraadslagen, en hun taak was niet gemakkelijk. De vijf mannen en drie vrouwen verdwenen in de jurykamer om tot een beslissing te komen en bleven daar die vrijdag ongeveer twee uur voordat de zitting voor het weekend werd verdaagd.

Op maandag 24 september kwam de jury weer bijeen, maar tegen het einde van de dag deed zich een probleem voor. Een van de vrouwelijke juryleden was niet helemaal openhartig geweest op de vragenlijst die ieder jurylid had moeten invullen en had nagelaten te vermelden dat ze op haar dertiende was verkracht. Kennelijk had ze zich dat op een gegeven moment tijdens de verhitte discussies laten ontglippen.

Vlak voor het einde van de zitting ontving de rechter een briefje waarin hij op de hoogte werd gebracht van de situatie en van het feit dat de jury niet tot een eensluidend oordeel had kunnen komen. De volgende ochtend werd ik op de hoogte gesteld van het probleem. Ik ging ervan uit dat het verkrachtingsslachtoffer de enige voorstander was van een schuldigverklaring. De moed zonk me in de schoenen terwijl ik me trachtte te verzoenen met het idee dat zeven van de acht juryleden voor vrijspraak waren.

Die ochtend overlegde rechter Shumate met advocaten van beide partijen om te besluiten hoe het nu verder moest. Na enige discussie onthief hij het betreffende jurylid van haar taak, maar nu doemde er een nog groter probleem op. De rechter had de vier reservejuryleden nog niet van hun taak ontheven en had hun gelast geen televisie te kijken, kranten te lezen, on line te gaan of iets anders te doen wat hun oordeel kon beïnvloeden. Kon het hof, gezien de beschikbaarheid van deze vier mensen, verdergaan met een plaatsvervangend jurylid of zou de rechter het proces ongeldig moeten verklaren?

Het heenzenden van het jurylid zorgde voor de nodige verontrusting binnen ons team en ik vreesde dat de jury neigde naar de uitspraak 'niet schuldig'. Bovendien voelde ik heel erg mee met het jurylid dat naar huis was gestuurd, omdat ik besefte dat zonder mij haar privéverhaal nooit in het nieuws zou zijn terechtgekomen, als pikante aanvulling op de rechtszaak die Utah op zijn grondvesten deed schudden. Brock en ik spraken over mijn zorgen en hij stelde me enigszins gerust door te zeggen dat een nieuw proces wel het laatste was wat het Openbaar Ministerie wilde, maar als het nodig was zouden ze het allemaal nog eens overdoen. Dat is een van de redenen waarom ik zo veel respect heb voor Brock en de rest van zijn team: het maakte niet uit hoeveel tijd of geld het hun kostte. Ze waren bereid de hele zaak nog eens over te doen, gewoon omdat ze ervan overtuigd waren dat ze het juiste deden.

Achter gesloten deuren ging de rechter opnieuw met de advocaten van beide partijen in overleg. Het Openbaar Ministerie verzocht met de grootst mogelijke tegenzin om een nieuw proces, omdat het team zich realiseerde dat een eventuele schuldigverklaring door deze jury de verdediging een argument in handen zou geven om in hoger beroep te gaan. De verdediging zag de situatie anders. Ze leken ervan overtuigd dat deze jury het door hen zo gewenste oordeel 'niet schuldig' zou uitspreken en verzochten de rechter met klem het proces met deze jury voort te zetten.

Na beide partijen aangehoord te hebben, besloot rechter Shumate het verzoek van de verdediging te honoreren. Hij riep een van de plaatsvervangende juryleden bij zich en liet haar plaatsnemen in de jurykamer. Hij instrueerde haar en de andere juryleden om zo nodig helemaal opnieuw te beginnen.

Het was een ontzettend moeilijke situatie voor me. Ik wilde dit alles niet nog eens doormaken, maar het idee dat we het proces konden winnen en dat de uitspraak vervolgens nietig verklaard zou kunnen worden, was verontrustend. Het was één ding om met het proces te stoppen vóór de uitspraak; het zou een heel andere zaak zijn als we eerst mochten ruiken aan de overwinning, om die vervolgens weer kwijt te raken. Uiteindelijk kreeg de verdediging echter haar zin en gingen we met deze jury verder, en nu konden we alleen nog maar afwachten.

De beraadslagingen met het plaatsvervangende jurylid waren pas drie uur aan de gang, toen ons werd medegedeeld dat de jury tot een uitspraak was gekomen. Toen ik die dag de rechtszaal binnen ging, was ik misselijk van de spanning. Mijn blik ontmoette die van Brock, op zoek naar geruststelling. Het komt wel goed, zei hij geluidloos. Terwijl ik plaatsnam achter het team van het Openbaar Ministerie, probeerde ik moed te putten uit de wetenschap dat we al het mogelijke hadden gedaan om de waarheid aan het licht te brengen. We hadden het nu niet meer in eigen hand.

Mijn team had me het een en ander uitgelegd over de lichaamstaal van de jury nadat ze tot een besluit waren gekomen. Ze vertelden me dat als de jury ten gunste van het slachtoffer had beslist, sommigen van de leden nog wel eens instinctief oogcontact met hem of haar wilden zoeken. De moed zonk me in de schoenen toen de jury de rechtszaal binnen kwam en niet een van hen mijn kant op keek. Alstublieft, God, geef me kracht, smeekte ik. Toen dacht ik aan de mensen op de achterste rijen van de zaal en aan hen die geduldig afwachtten in de nog functionerende FLDS-gemeenschappen, in het besef dat zij allen baden voor de vrijlating van Warren Jeffs. Hoeveel ik ook om hen gaf, op deze dag hoopte ik dat hun gebeden niet verhoord zouden worden.

'Bent u tot een oordeel gekomen?' vroeg de rechter aan de jury.

De voorzitter van de jury stond op en antwoordde: 'Jawel, edelachtbare.'

De harten van alle aanwezigen in die zaal gingen tekeer terwijl ieder van ons zweefde tussen hoop en vrees. Als een kind kneep ik mijn ogen stijf dicht om mezelf te beschermen tegen wat er zou komen.

'Op de eerste aanklacht wegens medeplichtigheid aan verkrachting acht de jury de beklaagde, Warren Steed Jeffs... schuldig.'

Schuldig? Had ik dat goed gehoord? Ik keek naar Warrens advocaten om hun reactie te zien en kreeg de bevestiging dat ik het inderdaad goed had gehoord. Tranen welden op in mijn ogen.

'Op de tweede aanklacht wegens medeplichtigheid aan verkrachting acht de jury de beklaagde, Warren Steed Jeffs... schuldig.'

Ik zat als verlamd in mijn stoel, terwijl ik overweldigd werd door emoties. Het was niet alleen maar geluk of een gevoel van gerechtigheid. Het was een bitterzoete gewaarwording. Enerzijds voelde ik me dankbaar omdat de jury in staat was geweest door de verwarring heen te kijken die de verdediging had geprobeerd te scheppen en de waarheid te laten zegevieren. Toch voelde ik ook een diepe, scherpe pijn voor iedereen die nog steeds deel uitmaakte van de FLDS. Ik wist dat iedereen op de achterste rij diep gekwetst was. Moeder en de andere gelovigen in Short Creek zouden verpletterd zijn als ze het nieuws hoorden.

Op dat moment veranderde er iets in me. Hoewel ik lang over deze dag had gedroomd, had ik dit resultaat totaal niet verwacht. Op de een of andere manier had ik diep in mijn binnenste altijd gedacht dat hij er ongestraft mee zou wegkomen. Nu dat niet het geval was, wist ik niet goed hoe ik me moest voelen. Het enige wat ik kon bedenken, was dat dit alles niet gebeurd zou zijn zonder de aanmoediging van al mijn zussen, waaruit ik de kracht had geput om datgene te doen waarvan ik wist dat het juist was. Ook al had er in het begin niemand naar me willen luisteren, uiteindelijk was er een groep van acht juryleden die wél naar me luisterde toen het er echt op aankwam. Sinds de dag dat oom Fred me liet weten dat ik zou gaan trouwen, was ik door allerlei mensen – Warren, Fred, Allen, en nu Warrens advocaten – genegeerd en belasterd. Maar op deze dag deed dat er allemaal niet meer toe.

Ik keek naar de gezichten van de aanklagers en zag daarop geen spoor van arrogantie of triomf. Integendeel, ze bleven rustig zitten terwijl de zaal geleidelijk aan leegliep. In hun blik stond voldoening te lezen omdat er eindelijk gerechtigheid was geschied. Ik ervoer een geweldig gevoel van opluchting toen ik later naar een achterkamer werd geleid om met de jury te praten. Ik vroeg me af wat ik tegen hen moest zeggen. 'Dank u' zou niet genoeg zijn. Ik betuigde hun mijn dankbaarheid, maar tot op de dag van vandaag weet ik niet of ze zich ooit zullen realiseren hoe diep mijn bewondering voor hen was. Ik ben zo dankbaar voor hun bereidheid om te luisteren en hun aandacht, en omdat ze hun tijd beschikbaar hadden gesteld om het verhaal aan te horen van een jong meisje en de man die verantwoordelijk was voor haar verdriet.

Gedurende het hele afmattende proces had ik met opzet de pers niet te woord gestaan. Mijn foto was weliswaar vrijgegeven, maar ik schrok ervoor terug om iets te zeggen, omdat ik niet verkeerd begrepen wilde worden. Enkele mensen hadden me echter benaderd en me erop gewezen dat ik niet langer in de schaduw kon blijven. Ik had eerst moeite met dat idee, want ik voelde me veiliger en meer op mijn gemak op de achtergrond. Nu wist ik dat ze gelijk hadden: ik moest me tot het publiek richten.

Ik zou mijn verklaring kort houden, ondanks het verlangen om wel een uur lang uit te weiden over mijn liefde voor moeder, de meisjes, iedereen in Colorado City, en zelfs de mensen die tegen me hadden getuigd. Ik wilde dat ze wisten dat ik veel om hen allen gaf – zelfs als we tegenover elkaar stonden – en dat ik wist dat ze rouwden. Ik wilde er bij het publiek op aandringen vriendelijk voor deze mensen te zijn en ze in hun waarde te laten. Ik wilde tegen het publiek zeggen: 'Als u hen in de supermarkt tegenkomt, zeg dan iets aardigs tegen ze in plaats van iets vervelends, want je weet nooit of dat ene vriendelijke woord geen wereld van verschil voor hen zou kunnen maken.' Het enige wat ze weten over de mensen in de buitenwereld is wat ze geleerd hebben: dat ze verdorven zijn. Wat me nog het meest had verbaasd bij mijn overgang van de FLDS naar het leven dat ik nu leid, is dat er hier goede, oprechte mensen leven, die heel anders zijn dan ons altijd was voorgehouden.

Brock herinnerde me eraan dat er veiligheidsrisico's verbonden zouden zijn aan mijn optreden voor de media, maar ik zei hem dat dit iets was wat ik moest doen. We bevonden ons in de rustige, geruststellende omgeving van het gerechtsgebouw, toen ik me tot de gerechtsbode wendde en zei: 'Oké, ik zou graag een verklaring willen afleggen, maar ik wil geen vragen beantwoorden of onder de voet worden gelopen.' De bode was een pittige, roodharige vrouw die niet met zich liet sollen. Ze liep naar de voorkant van het gerechtsgebouw en ik kon haar door de glazen deuren heen horen toen ze zich tot de menigte richtte die zich daar had verzameld om Brocks verklaring aan te horen en zei: 'Mag ik even uw aandacht. Elissa Wall komt zo naar buiten en ze heeft u iets mede te delen. Ik wil graag dat u een afstand van drie meter in acht neemt. Ze zal geen vragen beantwoorden. Als u met deze regels kunt leven, kunt u blijven. Zo niet, wilt u dan vertrekken.'

Ik keek Brock aan en we knikten elkaar toe. Hij ging als eerste naar buiten en liep het bordes af, de pers tegemoet. Zodra ik buiten kwam, wilde ik me het liefst omdraaien en weghollen. Ik werd opgewacht door een halve cirkel van mensen, minstens vijftig verslaggevers, uitgerust met camera's en microfoons. Ik bleef stokstijf staan en concentreerde me op mijn ademhaling terwijl ik naar Brocks korte, bevlogen verklaring luisterde. Toen hij uitgesproken was, gebaarde hij dat het nu mijn beurt was. Ik voelde me vreselijk opgelaten en dacht: stel dat mijn hak nu afbreekt? Bedeesd liep ik in de richting van de mediazwerm.

Ik had die dag bijna geen stem meer over na al die weken vol stress. Ik was bang dat ik geen woord zou kunnen zeggen. Maar zodra ik bij de microfoon kwam, gebeurde er iets vreemds. Ik keek naar mijn vel papier en mijn blik viel direct op een regel over mijn moeder. Er daalde een warm gevoel over me neer dat me volkomen op mijn gemak stelde. Op dat moment wist ik dat de diepe liefde die mijn moeder en ik voor elkaar voelden, nooit zou verdwijnen, ook al stonden we aan verschillende kanten en ook al zouden we elkaar misschien nooit meer zien of spreken. In mijn hart stond ze daar naast me en hield ze mijn hand vast.

Mijn stem haperde even toen ik het woord tot de pers richtte.

'Toen ik jong was, leerde mijn moeder me dat "het kwaad welig tiert als goede mensen niets doen". Dit is niet gemakkelijk geweest. Het gemakkelijkst zou zijn geweest om niets te doen. Maar ik heb gedaan wat mijn hart me ingaf en de waarheid gesproken.

Lamont en ik willen onze liefde aan onze families overbrengen. Moeder, ik hou onvoorwaardelijk van u en van mijn zusjes, en ik zou voor jullie naar het einde van de wereld willen lopen. Ik begrijp en respecteer uw overtuigingen, maar ik zal nooit de hoop opgeven dat u tot andere gedachten komt. Als het zover is, sta ik voor u klaar.

Ik koester tedere gevoelens voor de mensen van de FLDS. Er is zo veel goeds in hen. Ik bid dat ze de kracht zullen vinden om datgene wat hun is geleerd te geloven aan een kritisch onderzoek te onderwerpen en de stem van hun hart te volgen.

In deze rechtszaak ging het niet over godsdienst of een vendetta. Het ging uitsluitend over kindermisbruik en het voorkómen van verder misbruik.

Ik hoop dat alle FLDS-meisjes en -vrouwen zullen begrijpen dat wat er ook gezegd wordt, iedereen gelijk is geschapen. Jullie hoeven je rechten of je geestelijke soevereiniteit niet op te geven. Ik weet hoe moeilijk het is, maar kom alsjeblieft op voor het recht om je stem te laten horen en voor het recht om te kiezen. Ik zal voor jullie blijven vechten.

Aan al diegenen die mij en Lamont gesteund en bemoedigd hebben: woorden zijn niet genoeg om onze dankbaarheid uit te drukken. Ik hoop dat de mensen van de FLDS dezelfde steun zullen ervaren als zij hun moeilijke overstap maken.

Ik zou graag Brock Belnap en het team van het Openbaar Ministerie willen bedanken voor al hun vriendelijkheid en harde werk.'

Ik haalde diep adem en sloot mijn verklaring af met het citaat: '"Een mening is een ding van het moment, de waarheid overleeft de zon." Emily Dickinson.' Ik keek naar de klikkende camera's en de microfoons die allemaal dichterbij probeerden te komen. Ik knikte eenmaal en draaide me om.

Lamont en ik verlieten die dag het gerechtsgebouw hand in hand, vervuld van een gevoel van hoop en hernieuwing. De late septemberzon scheen op ons neer terwijl we aan het begin stonden van een nieuw en prachtig hoofdstuk van ons leven. Die avond knuffelde ik de twee jaar oude Tyler en baby Emily en genoot van hun lachende gezichtjes en zachte geluidjes. Mijn eigen kindertijd was deels vergald door verdriet en verwarring, en was te snel ten einde gekomen door seksueel misbruik en een volledig verlies van mijn onschuld. Maar nu had ik de kans om opnieuw te beginnen.

Tyler en Emily zijn mijn kostbare schone leien. Zij zijn mijn genezing geweest, mijn redding, en een nieuwe gelegenheid om een gezin te hebben waarbinnen ik me veilig voel. Elke dag, wanneer ik naar ze kijk, zie ik een toekomst, een toekomst die ik tot voor kort niet voor mogelijk had gehouden. De gedachte dat die twee kleintjes zullen opgroeien zonder ooit de beperkingen van de FLDS te kennen, doet me nu, misschien meer dan ooit, de ware aanwezigheid van God beseffen. Tenslotte is hij de enige reden waarom het me gelukt is. Soms is dat het enige wat we hebben. Of je het nu God noemt, hoop of geloof... welk woord je ook gebruikt, ik had het niet kunnen overleven als ik niet ergens in had geloofd. Dat was het enige deel van me waar noch Warren noch Allen bij kon. En wat er ook gebeurt, zolang ik dat heb, heb ik gewonnen.

Nawoord

Op 20 november 2007, bijna twee maanden nadat de jury het schuldig over Warren had uitgesproken, liepen Lamont en ik naar het gerechtsgebouw om het vonnis tegen Warren Jeffs aan te horen, onzeker over wat ons te wachten stond. De zon scheen helder toen we voor de laatste keer het gerechtsgebouw via de achterdeur betraden. Vreemd genoeg was deze arena een deel van mijn werkelijkheid gaan uitmaken en ik was me redelijk op mijn gemak gaan voelen binnen de muren van het gebouw, omringd door de mensen die me gedurende dit slopende proces zo zorgzaam terzijde hadden gestaan.

Ik was bang dat Warren misschien een lichte straf van anderhalf jaar of zo zou krijgen en zou terugkeren naar de gemeenschap om weer helemaal opnieuw te beginnen met zijn 'werk'. Men had me de gelegenheid geboden het hof nog eenmaal toe te spreken voordat rechter Shumate de strafmaat zou bepalen. Ik worstelde met de vraag of ik de zaken voor de rechter niet nog ingewikkelder zou maken door een verklaring af te leggen. We hadden allemaal de getuigenissen en de slotpleidooien gehoord. Warren was al schuldig bevonden; nu ging het er alleen nog maar om de strafmaat te bepalen. Ik had mijn mening al verwoord in een schriftelijke slachtofferverklaring voor het hof. Toen ik die ochtend mijn plaats innam op de tweede rij van de publieke tribune, aarzelde ik nog steeds, maar terwijl ik naar Wally Bugden luisterde, die het over 'religieuze vervolging' had en een poging deed zijn cliënt vrij te pleiten, besloot ik dat ik mijn mond moest opendoen. Dit ging niet alleen over mij; ik was het verschuldigd aan alle jonge meisjes, vooral die binnen de FLDS die hun onschuld nog niet waren kwijtgeraakt.

Nadat beide partijen hun argumenten hadden aangevoerd met betrekking tot Warrens vonnis, wendde de rechter zich tot het Openbaar Ministerie om te informeren of ik gebruik zou maken van mijn recht

om een verklaring af te leggen. Ik liep langzaam naar voren, ietwat onvast op mijn benen. Ik voelde hoe de emoties me in hun greep kregen
terwijl ik op een verhoging vlak voor de rechter stond. Op dat moment
zag ik alle gebeurtenissen van de afgelopen jaren aan me voorbijflitsen.
Hier zat de man die zo veel mensen zo veel pijn en verdriet had gedaan.
Dit was het moment dat God gebeden zou verhoren. Hoewel ik uiteraard wilde dat er gerechtigheid zou geschieden, voelde ik ook het verdriet en de droefheid van de duizenden volgelingen van Warren, die
baden dat God zich zou manifesteren. Ik wist dat ze rouwden en dat ze
het niet begrepen. Maar ik had het gevoel dat God ons genadig was en
dat hij gebeden verhoorde. Ik dacht aan Lamont en aan onze kinderen
en al diegenen die zo hard hadden gewerkt om zo ver te komen, en ik
wist zonder enige twijfel dat het het allemaal waard was geweest. Toen
ik mijn keel schraapte voor ik het woord nam, wist ik nog steeds niet
precies wat ik zou gaan zeggen om de rechter mijn diepste gevoelens
kenbaar te maken.

'Ik heb heel lang nagedacht over deze dag en hoe die zou verlopen,'
begon ik, met trillende stem maar vastberaden. 'Warren Jeffs en zijn invloed op mij als veertienjarig meisje hebben mij en mijn familie zo veel
narigheid bezorgd. Ik ben heel erg dankbaar voor ons rechtssysteem en
voor het feit dat u de waarheid onderkende en in me geloofde.' Nu al
voelde ik dat het genezingsproces van binnenuit was begonnen. Het
was een indrukwekkend moment voor me, hoewel we nog niet aan het
eind waren.

'Ik ben me ervan bewust dat, wat ik vandaag ook doe, ik het u aange-
dane leed niet kan wegnemen,' zei rechter Shumate tegen me, zijn stem
meelevend en bezorgd. 'U bent veroordeeld tot levenslang. Uw moed
om door te gaan met uw leven is prijzenswaardig, maar u staat er niet
alleen voor.'

Ik knikte, getroost doordat hij met me meeleefde en scheen te begrijpen hoeveel ik had geleden. Ik had me de laatste tijd uitgebreid in
mijn verleden verdiept, maar ik had er nooit bij stilgestaan dat ik deze
littekens voor altijd bij me zou dragen. Het voelde goed dat dit als zodanig werd erkend; rechter Shumate fungeerde als een soort vaderfi-
guur voor me. Door dit nieuwe perspectief had ik het gevoel dat er een
gewicht van mijn schouders was gevallen en daarvoor zal ik hem altijd
dankbaar zijn.

Ik probeerde mijn emoties in bedwang te houden terwijl rechter

Shumate me uitlegde dat ik recht had op financiële compensatie van Warren voor therapie en andere diensten. Ik dacht even na, schudde toen mijn hoofd en zei: 'Het is me niet om schadeloosstelling te doen en die zou ik van hem ook niet aannemen. Niets van wat hij me kan geven, kan het verleden veranderen. Mijn genoegdoening is de wetenschap dat ik de waarheid heb gesproken en dat gerechtigheid is geschied.'

Na een korte onderbreking keerde de rechter terug in de rechtszaal om het vonnis uit te spreken. Het werd doodstil in de zaal. Achter me, op de laatste rij van de publieke tribune, zaten een paar van Warrens meest toegewijde aanhangers. We waren nu volkomen verschillende mensen, ook al was ik als een van hen opgegroeid. Ik gaf om hen allemaal en ik hoopte dat ze na het meemaken van het hele proces, misschien bij zichzelf te rade zouden gaan en zich zouden afvragen waar hun hele leven nu eigenlijk op was gebaseerd.

Ten slotte velde rechter Shumate het vonnis dat hij noodzakelijk en passend achtte: twee opeenvolgende gevangenisstraffen van vijf jaar tot levenslang. Krachtens de wet van de staat Utah hield dat in dat Warren minimaal tien jaar van zijn straf zou moeten uitzitten en dat hem door het hof een boete zou worden opgelegd. Terwijl de rechter het woord tot Warren richtte, voelde ik me dankbaar dat hij voor zijn daden ter verantwoording was geroepen. Rechter Shumate noemde het 'niet meer dan rechtvaardig' dat Warren door de autoriteiten was opgepakt in dezelfde staat waarin hij mijn huwelijksplechtigheid met Allen had voltrokken.

'Volle neven en nichten van welke leeftijd dan ook kunnen in de staat Utah volgens de wet niet met elkaar trouwen,' zei de rechter, die vervolgens vaststelde dat Warren daarvan uiteraard op de hoogte was en willens en wetens de wet had overtreden.

Maar zoals van hem te verwachten viel, stond Warren die dag schijnbaar onbewogen voor de rechtbank. Ik weet niet wat ik had verwacht, maar het verbaasde me dat zo'n beladen moment bij hem nauwelijks een reactie teweegbracht. Het was griezelig stil in de rechtszaal toen Wally Bugden opstond en verzocht of zijn cliënt een week in het huis van bewaring van Hurricane mocht blijven terwijl hij beroep aantekende. Ik was stiekem blij toen de rechter niet op dat verzoek inging en gelastte dat Warren onmiddellijk moest worden overgebracht naar de staatsgevangenis van Utah in Draper, waar hij vijf weken lang geobserveerd zou worden om te besluiten waar hij uiteindelijk zou worden geplaatst.

Het leek erop dat hiermee een eind was gekomen aan de strijd die twee jaar eerder was begonnen, maar toch zou dit noch voor Warren Jeffs, noch voor mij het einde van de weg betekenen. De profeet is inmiddels voor soortgelijke zaken aangeklaagd in Arizona. Jeffs is ook in staat van beschuldiging gesteld door een federale grand jury in Salt Lake City voor het zich onttrekken aan rechtsvervolging, in de tijd dat hij voorkwam op de lijst van tien meest gezochte voortvluchtigen van de FBI. Wat Allen betreft, aanklagers in Washington County hebben aanklachten wegens verkrachting tegen hem ingediend en zijn zaak staat op de rol.

Het leven na de rechtszaak is voor niemand van ons volmaakt geweest, vooral niet voor mijn zus Teressa, die momenteel geconfronteerd wordt met een afschuwelijke beproeving. In reactie op Teressa's getuigenis tegen Warren heeft haar ex-echtgenoot, die nog steeds lid is van de FLDS en in Bountiful woont, het eenzijdig ouderlijk gezag over hun drie kinderen aangevraagd. Het pijnlijkste moment in die strijd om het ouderlijk gezag deed zich voor in januari 2008, toen we hoorden dat mijn moeder, mijn zus Sabrina en anderen die nog tot de kerkgemeenschap behoorden, beëdigde verklaringen ten gunste van Teressa's ex-echtgenoot hadden ondertekend. In hun krenkende verklaringen werd gesteld dat Teressa een nalatige moeder was die regelmatig naar de kroeg ging en haar kinderen aan de zorg van anderen overliet. Hoewel de beëdigde verklaring van onze moeder onverwacht kwam en we nog steeds onze twijfels hebben of ze die wel zelf heeft opgesteld, deed die van Sabrina het meeste pijn. Omdat ze allebei jarenlang naar Canada verbannen zijn geweest, hadden Teressa en Sabrina een hechte band met elkaar, en Teressa voelde zich begrijpelijkerwijs verraden.

De FLDS zet al lange tijd familie- en gezinsleden tegen elkaar op, maar de laatste jaren is het steeds erger geworden. Teressa is een goed voorbeeld, en dat geldt ook voor Lamont en mezelf. In december 2007 overleed Lamonts tante. Sinds hij zijn moeder had verloren, had Lamont een sterke band opgebouwd met haar zus en zij was als een moeder voor hem geworden. Haar overlijden was een zware slag voor hem en we wilden haar begrafenis in Short Creek bijwonen. Tot onze ontsteltenis kregen Lamont en ik te horen dat als wij aanwezig zouden zijn, de dienst geen doorgang zou vinden en dat ze dan zonder uitvaartdienst begraven zou worden. Men probeerde zelfs twee van haar kinderen die de FLDS hadden verlaten, te verhinderen om de begrafenis van hun eigen moeder bij te wonen. Het is droevig om te ervaren hoe kerkleiders het niet schuwen de emoties en oprechte liefde van mensen tegen hen te gebruiken als manier om hen te straffen omdat ze er een ander standpunt op na houden.

Ik had stiekem gehoopt dat Warrens straf enkele toegewijde leden van de FLDS de ogen zou openen. Misschien zouden zonder Warrens aanwezigheid en invloed sommige deuren opengaan en zou het mogelijk worden verbroken banden met geliefden weer te herstellen. Ik droomde zelfs voorzichtig van de dag dat mijn moeder en ik herenigd zouden worden en weer een relatie zouden kunnen opbouwen, ondanks onze verschillende standpunten.

Tot mijn teleurstelling is er nog maar weinig veranderd in de gemeenschap, en gaat het leven gewoon door zoals het ging onder leiding van Warren. Uiteindelijk zijn dit soort systemen veel groter dan slechts één man. Ze bestonden al lang voordat hij aan de macht kwam en ze zullen blijven bestaan totdat méér mensen tegen dit onrecht in verzet komen. Ik heb al jarenlang niets meer van Sherrie of Ally gehoord, en ik heb mijn moeder niet meer gezien sinds we na de begrafenis van Oom Fred afscheid van elkaar namen. Eind maart 2008 bereikte ons het bericht dat ze mogelijk lang genoeg zouden opduiken om de aangifte van vermissing die Kassandra na hun eerste verdwijning had gedaan, te laten intrekken. Het nieuws kwam na langdurige contacten tussen David Doran, de sheriff van Schleicher County, Texas, en de leiders van de Yearning for Zion Ranch die Warren Jeffs en anderen hadden opgericht binnen de jurisdictie van sheriff Doran buiten Eldorado.

Opmerkelijk genoeg is sheriff Doran de enige vertegenwoordiger van de politie wie het ooit gelukt is vriendschappelijke contacten te onderhouden met de mensen van de FLDS, en vanwege die relatie gingen ouderlingen van de kerk ermee akkoord een ontmoeting met mijn moeder in overweging te nemen. Helaas hoorden we dat de mannen die moeder, Sherrie en Ally onder hun hoede hadden, geen ontmoeting toestonden als daarbij afvallige kinderen van mijn moeder aanwezig zouden zijn. Uiteindelijk vond er een ontmoeting plaats tussen mijn vader, mijn moeder, Sherrie en Ally en vertegenwoordigers van de wet in Washington County, Utah, maar de bijeenkomst leverde geen nieuwe informatie over hun verblijfplaats op.

Hoewel mijn moeder zich ongetwijfeld beledigd en gekwetst voelt door mijn optreden, hoop ik dat ze begrijpt dat naar buiten treden iets was wat ik móést doen. Haar onwrikbare geloof in de FLDS en haar onvermogen zich daaruit los te maken brachten mij in een positie waarin zij me niet kon beschermen. Om die reden heb ik besloten mijn zusjes en andere jonge mensen zoals zij op alle mogelijke manieren te helpen.

Begin april 2008 werd me die mogelijkheid geboden toen een jong meisje uit de FLDS-gemeenschap een hulplijn in Texas belde. De belster beweerde dat ze zestien jaar was, acht maanden zwanger, en zodat ze hulp nodig had om aan de FLDS-gemeenschap te ontsnappen. Naar aanleiding daarvan viel de politie van Texas op donderdag 3 april de compound binnen, in de hoop haar te vinden. Tijdens hun eerste zoektocht, die enkele dagen in beslag nam, konden ze geen meisje vinden dat aan die omschrijving voldeed, maar zagen ze wel veel andere minderjarige meisjes die zichtbaar zwanger waren. Dit was voor de autoriteiten aanleiding om een grondiger onderzoek in te stellen, dat leidde tot het weghalen van honderden vrouwen en kinderen van de Yearning for Zion Ranch.

Geconfronteerd met deze onverwachte uitdaging, ontstond er bij de autoriteiten in Texas grote behoefte aan informatie over deze mensen en hun cultuur, en zodoende deden ze een beroep op mijn zus Kassandra en mij om hen bij te staan in hun contacten met FLDS-leden. Het was mijn wens dat iedereen vriendelijk, en met begrip en respect behandeld zou worden. Ik was me maar al te zeer bewust van de angst en onrust waaraan ze ten prooi waren. Ik hoopte ook dat ik Sherrie en Ally daar zou zien, maar zij bevonden zich niet onder de vrouwen en kinderen die in bussen werden afgevoerd.

Het ter plaatse aanwezig zijn bleek een buitengewoon emotionele ervaring. Op bepaalde momenten vond ik het ongelooflijk moeilijk om eraan herinnerd te worden hoe geconditioneerd de mensen – vooral de vrouwen – waren. Zelfs met onze hulp bleken de ondervragingen buitengewoon moeilijk voor de rechercheurs. Sommige vrouwen weigerden ook maar iets te zeggen, en degenen die wel hun mond opendeden, gaven valse namen op en weigerden concrete antwoorden te geven op de vragen die hun werden gesteld. Ik snapte wel dat de autoriteiten er waren om assistentie te verlenen en onderzoek te doen en de onschuld van jonge vrouwen en kinderen te beschermen, maar de FLDS-mensen, in de greep van de leer van de Kerk, waren verbijsterd en geschokt door wat hun overkwam. Ooit, lang geleden, zou ik me precies hetzelfde hebben gevoeld. Ik zag met name één jonge moeder met een baby in haar armen en een klein jongetje dat haar vinger vasthield terwijl ze langs de rij geüniformeerde rangers naar de wachtende bussen liep. Ze liep met opgegeven hoofd terwijl de tranen over haar wangen liepen. Toen ze bij de bus kwam, draaide ze zich om, keek een van de agenten recht in de ogen en zei: 'Ik wil dat u weet dat ik u dit vergeef.' In die simpele mededeling lag de moeizame weg besloten die nog in het verschiet lag. Deze schrijnende woorden maakten duidelijk dat zij, net als veel van de vrouwen, zich door de politie en de Texaanse overheid geslachtofferd voelde. Ze kon niet inzien dat de paar mannen die de leiding over de FLDS hadden, deze meisjes aan een uiterst schadelijke situatie hadden blootgesteld en de zaken er alleen maar erger op maakten door te weigeren met de autoriteiten samen te werken.

Maar ik was er ook getuige van met hoeveel vriendelijkheid, respect en waardigheid de FLDS-mensen werden behandeld die betrokken waren bij het onderzoek door de staat Texas. De politie, de kinderbescherming en elke andere instantie die erbij betrokken was, allemaal deden ze hun uiterste best om begrip op te brengen voor de FLDS-mensen en hun cultuur en te bedenken hoe ze hen het beste konden benaderen en met hen konden communiceren. Het was duidelijk dat dit onderzoek niets met godsdienst te maken had. Het ging over kindermisbruik, in gang gezet en geregisseerd door de FLDS-top.

Hoe moeilijk ik het ook vond om van de gebeurtenissen in Eldorado getuige te zijn, ze bewijzen dat er nog steeds veel jonge vrouwen en meisjes zijn die nog niet beseffen dat ook zij het recht hebben om hun stem te verheffen tegen onrecht. Ik hoop dat dit boek die vele jonge vrouwen en meisjes overal ter wereld bereikt wier gezichten ik nooit zal zien en wier namen ik nooit zal kennen, en dat mijn woorden hen misschien op de een of andere manier zullen helpen hun kracht te gebruiken om datgene op te eisen wat hun rechtens toekomt: de vrijheid om zelf te kiezen.

Bericht van de auteur

Dit is mijn verhaal. De beschreven gebeurtenissen zijn gebaseerd op mijn herinneringen en zijn waar. Ik heb de namen van sommige personen veranderd om hun privacy te beschermen.

In dit boek heb ik de termen 'FLDS' en 'priesterschap' gebruikt om het religieuze systeem te beschrijven waarin ik ben opgegroeid. Ik heb ook kort melding gemaakt van Het Werk, later beter bekend als de FLDS, en ook van de UEP, de beheersmaatschappij die voor de priesterschap alle onroerend goed en alle huizen van de FLDS-mensen bezit en beheert. Meestal heb ik Het Werk, de FLDS en de UEP gecombineerd tot de termen 'FLDS' of 'priesterschap' om het eenvoudig te houden, maar ook omdat ze een en hetzelfde zijn – je kunt ze niet scheiden.

Nadat ik met de autoriteiten begon samen te werken, heb ik een rechtszaak aangespannen tegen het instituut FLDS, met als aangeklaagden Warren Jeffs, de FLDS en de UEP-Trust. Daarnaast heb ik een fonds in het leven geroepen, het MJ Fonds, om voor meisjes en vrouwen mogelijkheden te scheppen die ikzelf niet heb gehad en hen te helpen een leven voor zichzelf te beginnen. Het is mijn bedoeling om het MJ Fonds op te starten en draaiende te houden met behulp van het eventuele smartengeld dat me bij die rechtszaak wordt toegekend, een gedeelte van het geld dat ik met dit boek verdien, en donaties. Er zijn zo veel mensen die hulp nodig hebben, en ik hoop dat het me zal lukken de diensten aan te bieden die deze mensen hard nodig zullen hebben om hun leven weer op de rails te krijgen.

Dankwoord

Dit is een lange en moeilijke reis voor me geweest en ik ben gezegend geweest met de steun, vriendschap en liefde van heel veel geweldige mensen.

Ik noem Lisa Pulitzer, wier toewijding om zich in mijn verleden te verdiepen en wier hulp om dat op papier te zetten, nooit zal worden vergeten. Jouw bezoeken aan Utah en onze lange telefoongesprekken waren altijd een vleug frisse lucht en een bron van troost terwijl ik vele pijnlijke herinneringen ophaalde. Onze vriendschap heeft een grote invloed op me gehad en ik zal altijd bewondering blijven koesteren voor je talent, je energie en je zorgzaamheid. En ook wil ik Lisa's echtgenoot Douglas Love bedanken, die ons gesteund heeft en hun dochters Francesca en Juliet bezighield zodat Lisa en ik aan het werk konden. En Jenny Studenroth, wier rol als redactieassistente ons hielp op koers te blijven en wier opgewekte stem me altijd opvrolijkte.

Matt Harper, mijn redacteur bij HarperCollins, dank je voor je onvermoeibare inspanningen en voor je gevoel voor humor, dat je niet in de steek liet als de zaken niet naar wens gingen. Ik durf er nauwelijks aan te denken hoe vaak het 's avonds heel laat voor je moet zijn geworden, maar jouw vakkundigheid heeft dit boek verrijkt en gevormd op een manier die ik nooit had kunnen voorzien. En Lisa Sharkey van HarperCollins, die besefte dat ik een verhaal te vertellen had en geholpen heeft dat te realiseren. Veel waardering en dank gaat uit naar onze nauwgezette redactrice, Margaret Wimberger, en de vele anderen bij HarperCollins die zo hard en toegewijd gewerkt hebben onder deze ongelooflijke tijdsdruk.

Mijn vader en drie moeders, vooral mijn biologische moeder, ik ben jullie elke dag dankbaar voor jullie liefde. Vader en moeder, wat er in het verleden ook is gebeurd en wat er in de toekomst ook nog mag gebeuren, jullie zullen me altijd dierbaar blijven. Mijn liefde voor jullie overstijgt al het andere tussen ons. Bedankt dat jullie me de kracht hebben bijgebracht om te weten wat juist is. Mijn zusjes Sherrie en Ally, bedankt dat jullie er voor me waren gedurende de moeilijkste periode van mijn leven; weet alsjeblieft dat ik er altijd voor jullie zal zijn, en dat mijn liefde en aanhankelijkheid nooit zullen verdwijnen.

Dank aan mijn elf broers en twaalf zussen, van wie ik heel veel hou. Ik bid voor jullie allemaal en zal jullie nooit in de steek laten, vooral niet diegenen van jullie die me hebben gesteund in deze bijzonder moeilijke periode. Hoewel het ons niet altijd meezat, put ik veel troost uit de wetenschap dat we ondanks de soms grote afstand tussen ons zo veel samen hebben gedaan. Moeder Audrey, u weet wel wie u bent, bedankt dat u me niet hebt laten vallen en van me bent blijven houden als een van uw eigen kinderen.

Lamont, jij bent waarlijk mijn beschermengel. Zonder jou aan mijn zijde zou ik niet zijn wie ik vandaag de dag ben. Jouw liefde, begrip, geduld en bereidheid om te luisteren en in mijn verdriet te delen zijn slechts een paar redenen waarom ik zo veel van je hou. Ik ben ervan overtuigd dat God jou gezonden heeft om me te redden en me de kracht te geven dit belangrijke werk te verrichten. Het is een weg vol hindernissen en dat zal wel altijd zo blijven, maar zelfs als het er aan de horizon somber uitziet, hebben wij altijd nog het grootste geschenk van allemaal, namelijk elkaar en ons prachtige gezin.

Lamont en ik hadden het niet kunnen redden zonder de steun van onze vele geweldige vrienden. Merintha en Melvin, jullie zijn zulke dierbare vrienden en jullie zijn zo behulpzaam en zorgzaam geweest. Merintha, jij was mijn eerste vriendin buiten de FLDS, en je hebt me al die tijd terzijde gestaan zonder te oordelen. Bedankt dat je van mijn kinderen houdt alsof het je eigen kinderen zijn. Dat Lamont en ik erop konden rekenen dat jij je over onze kinderen zou ontfermen gedurende deze zware reis, heeft dat wat gedaan moest worden, een stuk gemakkelijker gemaakt.

Onze grote dankbaarheid gaat ook uit naar Dan en Lennie Fischer; bedankt voor al jullie hulp. Zonder jullie hadden we het nooit gekund. Jullie hebben honderden mensen geholpen en wij allen zijn jullie heel veel dank verschuldigd. Shem en Lisa Fischer en familie, we waarderen wat jullie voor ons gedaan hebben en we houden heel veel van jullie.

Dank ook aan onze andere vrienden: Diane en Jack McSandle, auteur Jon Krakauer, Kirby Bistline, David en Cammy Southam, Jethro

Barlow, Jerry en Leanne Denman, Roseanne en Les Young, Jane Blackmore, Steven en Dorothy Sheffield, John Morley Black, T.R. en Lacey Dockstader, Hyram en Melinda Dockstader en zo veel anderen.

Alle vrouwen met wie ik op zo veel manieren in aanraking ben gekomen: Natalee Dutson, Joanna Dutson, Sarah Dutson Musser, Lori Barlow, Ashlee Bistline, Shirley Draper, Becka Jessop, Lorraine Fischer, Margaret Fischer, Adrianne Quinton, Meg Wight, Kathy Jessop, Martha Barlow, Jenny Steed, Leah Dockstader en die stiefzussen van me die vriendelijk en zorgzaam voor me waren, ik hou heel veel van jullie allemaal.

Een speciaal woord van dank aan Buzz en Anne Woods, omdat ze ons in staat hebben gesteld te worden wat we nu zijn en ons geholpen hebben op eigen benen te staan. Onze dankbaarheid gaat eveneens uit naar dr. Steven en Yasmin Miller, Robert en Alex Campbell, Kent Nelson, Doug en Linda Moore, Lester en Janet Perry, Troy Evans, Doug Hunt, Maureen Crump van Utah Safe Passages, Peggy Powell, dr. Ralph Bradley, dr. Derek Muse, de Diversity Foundation en het bureau van de procureur-generaal van de staat Utah voor hun toewijding aan deze zaak.

Roger Hoole, ik kom woorden tekort om uit te drukken hoe dankbaar ik je ben. Je bent meer dan een advocaat voor me geweest; je bent een dierbare vriend geworden. Jij en Sharon hebben me zo geweldig geholpen, en daar zal ik jullie eeuwig dankbaar voor zijn. Rogers compagnon en broer Greg en zijn vrouw, Kelly Hoole, bedankt voor jullie vriendschap, jullie harde werk en jullie steun. Roger en Greg en jullie gezinnen, bedankt dat jullie in ons hebben geloofd, en dat jullie zo veel tijd aan deze zaak hebben opgeofferd. Juridisch assistente Shellie Manzanares, je bent een harde werker achter de schermen geweest, en privédetective Sam Brower, bedankt voor je vele inspanningen en je bemoediging.

Mijn oprechte dankbaarheid gaat eveneens uit naar de toegewijde medewerkers van het bureau van de officier van Justitie van Washington County, Ryan Shaum, Bryan Felter, Roger en al die vele anderen die hun tijd en energie in deze zaak hebben gestoken. Jullie hebben allemaal fantastisch werk verricht en grote indruk op me gemaakt. Een speciaal woord van dank aan Brock en Shaunty Belnap, jullie hebben me aangemoedigd om opening van zaken te geven en jullie hebben altijd in me geloofd. Jerry Jaeger, dank voor je veelomvattende onderzoek en omdat je ons geholpen hebt de vele beproevingen van het getuigenbeschermingsprogramma te overleven. Jij en zo veel anderen waren er om ons te begeleiden en te beschermen, en daar zijn we je eeuwig dankbaar voor. Dank aan het bureau van de sheriff van Washington County: Kirk Smith, Jake Schultz en alle agenten die hebben meegeholpen bij het onderzoek en onze veiligheid hebben gewaarborgd.

Dank aan sheriff David Doran van Schleicher County voor zijn onvermoeibare inspanningen om de FLDS-mensen te begrijpen. Dank aan hoofdinspecteur Barry Caver, adjudant L. Brooks Long en alle Texas Rangers, omdat ze de tijd hebben genomen om te luisteren en zich te verdiepen in de FLDS.

Dank aan het bureau van de officier van Justitie van Mojave County en Gary Engels, jullie hebben het pad voor deze rechtszaken geëffend, en veel mensen zijn jullie dankbaarheid verschuldigd. Matt Smith, je inspanningen zijn niet onopgemerkt gebleven. Aan ieder ander die hard heeft gewerkt om me te helpen, mijn oprechte dank.

Allen met wie we tijdens deze zaak op welke manier dan ook in aanraking zijn gekomen, uw vriendelijkheid en inspanningen zijn niet onopgemerkt gebleven. Uw harde werk en toewijding aan deze zaak zullen ongetwijfeld het lot veranderen van heel veel meisjes en jonge vrouwen die u misschien nooit zult kennen.

En het allerbelangrijkst, ik bedank mijn lieve kinderen, die me een reden geven om met een gevoel van geluk en verwachting uit te kijken naar elke nieuwe dag. Het is mijn vurige hoop dat jullie ooit zullen begrijpen waarom ik dit boek moest schrijven. Als jullie moeder zal ik ernaar streven een voorbeeld in jullie leven te zijn en jullie het verschil te laten zien tussen goed en kwaad. Ik hoop dat ik jullie heb getoond dat je op moet komen voor je overtuiging en je rechten.